CHARLOTTE DELBO

La vie retrouvée

Collection littéraire dirigée par
MARTINE SAADA

Anne Berest, *Les Patriarches*
Anne Berest, *Recherche femme parfaite*
Pascal Convert, *La Constellation du Lion*
Delphine Coulin, *Les Traces*
Delphine Coulin, *Une seconde de plus*
Delphine Coulin, *Voir du pays*
Ghislaine Dunant, *Un effondrement*
Jean-Yves Jouannais, *Les Barrages de sable*
Jean-Yves Jouannais, *La Bibliothèque de Hans Reiter*
Hélène Lenoir, *Tilleul*
Pierre Lepape, *La Disparition de Sorel*
Michel Manière, *Une femme distraite*
Michel Manière, *Une maison dans la nuit*
Pascal Quignard, *Les Ombres errantes*
Pascal Quignard, *Sur le jadis*
Pascal Quignard, *Abîmes*
Pascal Quignard, *Les Paradisiaques*
Pascal Quignard, *Sordidissimes*
Pascal Quignard, *Les Désarçonnés*
Pascal Quignard, *Mourir de penser*
Michel Schneider, *Marilyn dernières séances*
Michel Schneider, *Morts imaginaires*
Jacques Tournier, *À l'intérieur du chien*
Jacques Tournier, *Le marché d'Aligre*
Jacques Tournier, *Zelda*
Alain Veinstein, *La Partition*
Alain Veinstein, *Cent quarante signes*

GHISLAINE DUNANT

CHARLOTTE DELBO

La vie retrouvée

BERNARD GRASSET
PARIS

L'auteur a bénéficié pour cet ouvrage d'une bourse du CNL

Photo de la bande : © Éric Schwab.
Avec l'aimable autorisation de Corinne Schwab.

ISBN : 978-2-246-85995-6

Le vent est léger, il glisse sur les feuilles, entre les branches. La pluie est tombée toute la nuit, elle imprègne l'herbe, les arbres, de temps en temps une goutte tombe. Rien d'autre ne se passe, et tout est silence. Je suis arrêtée par le grillage qui entoure le jardin, une boîte aux lettres métallique est suspendue de guingois, l'emplacement du nom est vide.

J'ai aperçu la maison à travers un rideau d'arbres. C'est à ses angles en brique que je l'ai reconnue. Depuis le temps que je la cherchais. J'avais parcouru toutes les routes qui partaient du centre du village dans un rayon d'un ou deux kilomètres, je roulais sur la dernière. Mon cœur battait quand j'ai arrêté la voiture.

Personne n'est venu là depuis longtemps. L'herbe est haute, la végétation a poussé, des plantes grimpent sur la façade, des volets métalliques ferment toutes les ouvertures, y compris les portes-fenêtres du rez-de-chaussée, qui n'en avaient pas sur les photos. Le propriétaire actuel ne vient manifestement plus.

Charlotte Delbo avait acheté l'ancienne gare de Breteau comme maison de campagne. Presque par hasard. Ces hasards qui sont des rendez-vous. Elle accompagnait des amis qui voulaient en acquérir une dans cette région entre Gien et Montargis, ils trouvèrent la maison trop isolée.

Une gare loin du centre, c'est déjà étonnant. Qu'est-ce que cette gare a réveillé chez elle ? Des fils épars se renouaient. Des lambeaux. Dans le brouillard des choses enfouies.

Le soir même, elle téléphonait à ses meilleurs amis pour raconter sa journée et la visite. Une heure plus tard elle les a rappelés. Si elle achetait la maison, l'accompagneraient-ils pour y séjourner ? Charlotte Delbo n'imaginait pas habiter seule la gare.

Elle était de retour ce printemps 1961 après des années à l'étranger. Elle était revenue une première fois en juin 1945 après avoir fait « un long et terrible voyage ». Elle rentrait de déportation.

C'est sur un coup de foudre, un coup de charme plutôt, qu'elle décide d'acquérir Breteau. L'ancienne gare était devenue un pavillon de chasse. Elle a retrouvé dans un appentis les panneaux qui disaient le nom du lieu et les a fait poser sur les façades. C'est une gare qu'elle veut.

Elle revenait d'un long voyage, il avait commencé dix-neuf ans plus tôt. Charlotte Delbo a été arrêtée par la police française le 2 mars 1942 avec son mari, militant communiste, à leur domicile où elle tapait des textes pour la presse clandestine. Ils ont été remis aux Allemands, elle est emprisonnée à la Santé, lui à la prison du Cherche-Midi, interrogé, torturé, fusillé au Mont-Valérien. Elle est transférée au fort de Romainville et, avec 229 femmes en majorité résistantes et communistes, déportée en janvier 1943 à Auschwitz en représailles des attentats contre l'occupant.

Charlotte Delbo survivra avec quelques-unes des compagnes de son convoi. Elle s'était promis au camp d'écrire un livre. Elle avait décidé de l'appeler « Aucun de nous ne reviendra » d'un vers d'Apollinaire, sans savoir encore ce qu'elle y écrirait, comme elle le dira plus tard. Elle savait aussi qu'elle le garderait au secret, vingt ans s'il le fallait, avant de le relire, de juger si c'était une œuvre littéraire et de vouloir le publier.

Dès qu'elle s'est sentie assez forte au retour, en quelques semaines de janvier 46, elle a rendu compte d'Auschwitz, sans faire le récit linéaire de ce qu'elle a traversé mais en donnant à voir l'horreur du camp, la présence de la mort, sa menace perpétuelle, la tragédie des convois qui arrivaient de toute l'Europe pour être exterminés, la douleur et la folie des agonisantes, donnant à sentir ses émotions et ses sensations depuis son corps et son cœur, elle, jetée avec ses compagnes et des dizaines de milliers de femmes de l'autre côté du monde.

Elle a fracassé la forme du récit, brisé le continu de l'expérience, utilisé des formes littéraires différentes, un tableau, une scène, un dialogue, un poème, ou quelques lignes isolées sur une page. Pour écrire ce qui n'était pas imaginable, il lui fallait recommencer chaque fois avec un autre souffle, trouver une nouvelle densité au récit.

Elle n'a pas cherché à nous convaincre de ce qu'*elle* avait vécu mais a voulu rendre à notre conscience ce qui avait eu lieu. Nous donner à entendre, par la force de ses mots et de son style, la catastrophe qui a fait une fracture dans notre humanité, et nous donner la possibilité de nous y raccorder par l'émotion, la sensation.

Elle avait écrit la violence inouïe qui coupe et sépare de soi, et des autres. Elle gardait aussi ce qui avait permis la non-séparation, c'est-à-dire l'amour pour ce qu'il pouvait rester d'humain, l'amitié, la solidarité pour tenir, la tendresse, la douceur d'un geste qui sauve. Voilà ce que j'avais lu et son écriture m'avait soufflée. Par sa force, par sa beauté.

Mais qui était cette femme ?

Je marche dans le jardin, j'ai contourné le grillage sur un talus qui longe l'ancienne voie de chemin de fer, là plus de barrière. Dans ce jardin à l'abandon, il est difficile de sentir sa présence. J'ai fait tout ce trajet pour venir jusqu'ici comme si le lieu allait me donner quelque chose d'elle que je ne trouvais pas ailleurs.

L'herbe est si haute, le feuillage des arbres se presse contre la maison, les mauvaises herbes recouvrent l'ancien quai, il n'y a plus âme qui vive qui fasse sentir une présence, je n'y sens rien de Charlotte Delbo et je scrute cette petite gare à l'abandon dont on a clos les ouvertures. Comme si j'étais en face d'une énigme.

Elle ne donne pas dans son livre le nom du camp, Auschwitz. À la première page qui évoque l'arrivée des convois, elle l'appelle « la plus grande gare du monde ». Ceux qui arrivent cherchent le nom du lieu. « C'est une gare qui n'a pas de nom. Une gare qui pour eux n'aura jamais de nom ». Dans le livre qu'elle consacrera à l'histoire de chacune des femmes de son convoi, elle écrira : les deux premiers mois au camp, « cent cinquante sont mortes sans savoir qu'elles étaient à Auschwitz. » Quand elle rentre en France définitivement, elle achète la plus petite gare du monde et fait poser le nom du lieu sur les murs.

Elle ne vendra jamais cette maison, elle ne s'en séparera pas. Elle y vient pour y vivre avec la chaleur de ses amis, il y a trois chambres à l'étage pour les loger. Elle fait venir des camions de terre pour remblayer le tracé de la voie, là où passaient les rails et le train. Elle eut toutes les peines à y faire pousser des fleurs, les mauvaises herbes abondaient, elle passait des après-midi entières à désherber cette longue plate-bande, seules les saxifrages poussèrent, elle s'amusait de leur surnom, « le désespoir du peintre ».

Elle laissait les amis faire les courses au bourg voisin, renonçait aux balades jusqu'aux étangs, pour rester seule. C'est dans cette activité solitaire qui ne l'accaparait pas entière, la tête penchée au-dessus de ce qui avait été les rails du train, qu'elle laissait monter ses phrases et les images qui le soir venu la faisaient écrire à sa table.

En vivant dans cette maison, ce n'était pas la mémoire de la plus grande gare qu'elle cherchait, celle-là, elle l'avait enfouie au fond d'elle-même. C'est l'identité de la petite gare qu'elle voulait retrouver et faire vivre. Elle avait conservé les bancs dans la salle d'attente, devenue la pièce à vivre, Charlotte disait « la salle d'attente ». Il arrivait que des anciens du village viennent, entrent et lui demandent de pouvoir s'asseoir. Ils retrouvaient leur gare. Elle aimait que sa maison soit inscrite dans une histoire collective, que cette histoire appartienne à tous ceux qui y avaient été mêlés.

Son « long et terrible voyage » avait commencé avec la guerre. Pas la drôle de guerre. Avec la vraie, quand les Allemands sont aux portes de Paris.

Le 10 juin 1940, Charlotte Delbo effectue son dernier jour de travail au Théâtre de l'Athénée. Le « Patron » quitte ce soir-là Paris pour les environs de Bordeaux où il va rejoindre Madeleine Ozeray. Charlotte viendra le lendemain chercher son certificat de travail qui atteste « une précieuse collaboration » auprès de Louis Jouvet du 10 novembre 1937 au 10 juin 1940. « Seul le cours des événements a obligé M. Jouvet à se séparer de sa secrétaire. »

Charlotte n'a plus de travail. Elle a vingt-six ans et travaillait depuis ses dix-sept ans. Son mari a été mobilisé en septembre 39. Le soir du 11 juin, elle ne retourne pas dans leur petit appartement, elle part pour Vigneux-sur-Seine dans l'Essonne rejoindre la maison familiale. Sa mère y attend son mari et l'aîné de ses fils de retour d'un chantier à Saint-Valéry pour partir à Châteaurenard, elle a décidé qu'ils s'y replieraient avant l'arrivée de l'armée allemande. Charlotte, qui pensait rester à Paris, part avec eux.

Ils sont à peine installés dans une petite maison de Châteaurenard qu'ils entendent l'ordre d'évacuation de la ville, il faut recharger la voiture et descendre plus au sud. Le flot des gens sur la route a grossi, les voitures roulent au pas. Ce qu'elle avait relativement bien vécu jusqu'ici, devient dur. Charlotte s'est mise à marcher à côté de la voiture. La voici au milieu de tous ceux qui se sont jetés sur les routes, ils ont perdu tout repère, tirent des chargements invraisemblables, avec la seule idée de fuir, fuir les Allemands et ce qu'ils ont entendu des atrocités commises pendant la guerre précédente. Charlotte écrira à Jouvet combien ce qu'elle voyait était « si désolé, si pitoyable, si dur ».

Les soldats français en déroute marchent au milieu d'eux, elle cherche leur regard – ils avaient tous de beaux yeux, remarque-t-elle –, elle est sûre qu'elle va reconnaître parmi eux, Camille, Léon, le gros Margerie, un des techniciens de l'Athénée, devenus soldats depuis septembre dernier. Au milieu de la débâcle, c'est eux qu'elle voudrait voir et ne pas croiser les soldats, retrouver le visage de ceux qui faisaient marcher le théâtre et ne pas se sentir perdue dans une foule en déroute.

La famille finit par atteindre Gien mais ne réussit pas à traverser la Loire, les ponts sautent sous les bombes. À chaque bombardement, elle ressent une peur épouvantable. Tous subissent l'ébranlement physique et moral provoqué par les piqués des avions ennemis, leur sifflement, l'association avec des images de mort et de ruines. « Ce cri strident crispait l'être tout entier et le préparait à la panique », écrivait Marc Bloch dans *L'Étrange Défaite*. Charlotte se jetait dans le fossé mais relevait tout de suite la tête. Pour regarder. « Avec une curiosité plus forte que la peur[1]. » C'est tout Charlotte, la curiosité chevillée au corps, vouloir regarder la réalité. Même au pire de la peur. Et dans ces conditions, elle se demandait si Jouvet avait pu arriver sans encombre à Bordeaux ! Elle ne cesse de penser à lui. Au moins savoir qu'il est à l'abri. C'est une part d'elle qui serait épargnée.

Elle a commencé à lui écrire dès le premier soir à Châteaurenard, et s'était installée dans un café parce que la « cahute » qu'ils avaient trouvée n'avait pas encore de table. Elle voulait lui raconter son exode, pensant qu'il s'arrêterait

1. Lettre à Louis Jouvet, BNF, Fonds Jouvet, LJ-Mn-88.

là. Dans ce café « bruyant de soldats », elle n'ira pas plus loin que d'écrire la date, « vendredi 14 juin, Cher Monsieur Jouvet... » et c'est l'ordre d'évacuer. Mais elle emporte la lettre, la garde avec elle, c'est le fil qui la tient.

Et lorsqu'ils décident de revenir à Vigneux parce que la Loire ne se traverse plus, que dans la Nièvre où ils essaient de passer, les soldats allemands avancent, c'est la même lettre qu'elle reprend, après avoir tiré un trait sous ce vendredi 14 juin. « Vigneux – le 2 juillet. Cher Monsieur Jouvet... » Elle tient le fil, ne lâche pas.

Les trains ne circulent plus, elle ne peut aller à Paris et ronge son frein de devoir rester à Vigneux. « Si j'allais à l'Athénée, j'irais à 2 h et un moment après je vous entendrais monter et fermer la porte au fond de votre bureau, je ferais claquer le commutateur et vous entreriez comme d'habitude, comme hier, comme tous les jours, en jetant votre chapeau sur le fauteuil[1]. »

Son imagination lui crée une vie rêvée, elle s'y accroche.

La réalité, ce sont les Allemands entrés dans Paris, l'administration et les chefs militaires qui ont pris leurs quartiers à l'hôtel Majestic, au Crillon et au Meurice, les horloges des rues avancées d'une heure pour être à l'heure allemande, le drapeau français interdit, et la croix gammée sur la Chambre des députés et la tour Eiffel. Le gouvernement français était descendu à Bordeaux et Pétain avait signé l'armistice à Rethondes, le 22 juin. Les soldats prisonniers, un million huit cent mille hommes qui avaient imaginé retrouver leur liberté avec l'armistice, resteront en captivité pour beaucoup jusqu'à la fin de la guerre. Une ligne de démarcation sépare la France en deux. La zone nord est sous réglementation allemande, de Saint-Jean-de-Luz à Genève, incluant Tours, Bourges, Chalon-sur-Saône, Nantua, c'est-à-dire les trois cinquièmes de la France et toute la façade maritime à l'ouest et au nord.

Elle ne peut retourner pour le moment à Paris mais elle a une certitude, « quel que soit Paris vous y seriez Hans et

1. BNF, Fonds Jouvet, même cote.

Madeleine Ondine[1] ». L'armée allemande occupe Paris mais Delbo ne veut penser qu'aux personnages de Giraudoux, plus vrais que la réalité, incarnés par Louis Jouvet et Madeleine Ozeray. *Ondine* est la dernière pièce jouée à l'Athénée. Le 15 mai 1940, les représentations, faute de spectateurs, s'étaient arrêtées. Mais les personnages sont là encore, de toute leur vérité d'être.

Charlotte se construit pour revenir dans Paris occupé, elle sait d'avance qui elle va retrouver.

Le 12 juillet, elle peut se rendre à Paris. Charlotte Delbo sort de la gare et va à l'Athénée. Dans les rues, elle ne voit que des soldats allemands, les Parisiens ont disparu. Les trois quarts ont fui. Ceux qui restent se terrent. Elle avait téléphoné la veille à celui qui pouvait lui ouvrir le théâtre. Elle a pris ses précautions, les concierges ne répondaient pas. En passant devant la loge, elle voit la porte fermée, et à travers la vitre, le canari mort dans sa cage. Jeanne Mathieu, qui partageait avec elle le secrétariat personnel de Jouvet et qui lui avait dit qu'elle ne bougerait pas, n'est plus à Paris non plus.

Elle ne retrouve que la costumière, Germaine Perrier, elle est là, désœuvrée, ne voulant pas rester chez elle. Charlotte monte à son bureau, entre dans celui du Patron, redescend, pousse la porte de la salle de spectacle. Le rideau métallique est tombé devant la scène, les rangées de sièges vides ressemblent à une armée en marche. Elle ne veut pas de cette image, non, les fauteuils vides attendent du rêve. Que la force du théâtre revienne.

Elle ne reste pas. Le temps d'échanger quelques mots avec celui qui lui a donné les clés et qui a eu Jouvet au téléphone, le Patron va bien, Madeleine aussi. Charlotte tient une bonne nouvelle. De tous les autres, de tous ceux qui travaillaient au théâtre, elle ne sait rien. Où sont-ils ? Elle rentre à Vigneux et écrit à Jouvet.

Pas question de lui dire qu'elle n'avait rien à faire dans ce Théâtre vide. Elle a vu les gens hagards sur les routes,

---

1. BNF, Fonds Jouvet, même cote.

qui fuyaient sans fin, mais le Théâtre est là, il existe, elle donne de ses nouvelles. Et la plus extraordinaire qu'elle ait apprise : le Conservatoire a rouvert, deux des professeurs y font classe. Elle retourne dès demain à Paris, elle s'y rendra pour en savoir plus. Trois professeurs y enseignent en fait, pourra-t-elle lui annoncer. Deux de ses élèves sont là, pour le moment aucune fermeture annuelle n'est prévue. Elle veut le convaincre, le Conservatoire « tient ».

C'est à ses cours au Conservatoire que Jouvet depuis un an, depuis septembre 1939, accorde le plus de soins. Il n'a créé aucune nouvelle mise en scène, n'a donné que la reprise d'*Ondine* au printemps. Ses cours, eux, se sont étoffés. Et Charlotte y assiste. Trois fois par semaine elle est à côté de lui pour noter tout ce qu'il dit à ses élèves de l'interprétation.

Jouvet a engagé Charlotte Delbo pour cette fonction, et sur une intuition immédiate. La jeune femme, qui lui avait demandé un entretien pour un mensuel, venait lui soumettre le texte avant parution : Jouvet lit pour la première fois l'esprit et la lettre de ses propos respectés, cette jeune femme lui est nécessaire !

Quand Charlotte entend que le Conservatoire rouvre, elle a la certitude que la voix de Jouvet peut résonner à nouveau. Alors elle retourne au Théâtre et lui écrit depuis l'Athénée et sur papier à en-tête. Reprendre le courrier, au moins. Partout on entend parler l'allemand, ici au moins, depuis l'Athénée, écrire en français à Jouvet. Et le persuader que le théâtre résiste.

Ce n'est pas drôle dans les rues. Paris lui semble de moins en moins respirable. « Que serait-ce si je ne parlais pas allemand ! », lui confie-t-elle. Seul endroit où l'on apprend que Charlotte Delbo comprenait l'allemand. Le ravitaillement est la principale occupation de tous, d'elle aussi. Et si elle cherche une source provisoire de revenus, même en espérant que bientôt elle reprendra son activité auprès de lui, elle ne trouve rien.

Ses venues à Paris ont rallumé son feu intérieur, mais les jours passent sans qu'elle puisse faire grand-chose. Au

Théâtre, elle ne trouve pas de lettres de tous ceux qui ont été mobilisés et qui n'animent plus les lieux, elle ne sait pas où ils sont, ni comment ils vont, ils sont quelque part en France, elle qui a croisé tous ces soldats en déroute... Du côté des femmes, pas de lettre non plus. Charlotte apprend que Jeanne Mathieu est arrivée en Haute-Vienne. Comment a-t-elle réussi à passer alors que tant sont restés « coincés » ? Et de Marthe Herlin, la régisseuse du Théâtre, pas de nouvelles.

Elle aimerait que l'Athénée se remette à vibrer, là maintenant, justement contre la déroute. Comme elle ne peut rien faire de plus, elle s'enquiert de l'état de l'appartement de Jouvet, de ses deux appartements, le grand du quai Louis-Blériot qu'il partage avec Madeleine, et le petit de l'avenue de Lamballe. Elle s'y rend, fait la visite avec le chauffeur de Jouvet. Tout est en bon état, peut-elle écrire au Patron, sinon les plantes de Madeleine, qui ont péri. Elle ajoute qu'il n'y a plus un seul locataire dans l'immeuble, mais le concierge, lui, est resté.

Piètres occupations, mais elle ne néglige pas les choses pratiques, qui lui ont toujours paru nécessaires à la bonne marche de l'essentiel. Une autre bonne nouvelle qu'elle sait pouvoir partager avec lui, son père a du travail.

« Avec tous les ponts, c'est vraiment le métier de l'heure ! » Son père est monteur-riveteur, ouvrier spécialisé qui fixe les armatures métalliques des constructions. En fait, il est chef d'équipe, s'installe au gré des chantiers et sa famille le suit. C'est ce qui a permis à Charlotte de raconter à Jouvet avec humour leur exode jusqu'à Châteaurenard. Il s'était déroulé « de façon parfaite, comme si nous allions monter un barrage quelque part – nous avions fait cela avec l'habitude du trimard et des déambulations encore contemporaines ».

Elle peut en parler au Patron, il a connu la même chose. Le père de Jouvet travaillait sur des chantiers pour construire routes et tunnels et la famille se déplaçait pour le suivre. Le petit Louis Jouvet jusqu'à l'entrée au collège suivait avec sa mère les chantiers du père. Jouvet et Delbo avaient en commun des pères constructeurs, travaillant sur des chantiers, qu'ils ont suivis dans leur enfance.

Mais la famille de Charlotte est une famille d'immigrés. Des deux côtés, l'origine est italienne. C'est le grand-père de Charlotte, Carlo Delbo, qui fuit la misère économique et vient travailler en France, dans le même métier de riveteur que prendra son fils, prénommé aussi Charles. Charlotte est l'aînée de la fratrie, son prénom souligne la lignée. Elle, elle choisira de riveter les phrases.

Sa mère, Erminie Morera, est née dans le Piémont, elle n'est venue en France qu'à l'âge de dix-huit ans. Charlotte Delbo en était fière, on ne parlait que le français à la maison. Sa mère l'écrivait difficilement, mais c'est la langue qu'elle a voulu parler à ses enfants.

Charlotte avait un attachement, un amour pour la langue classique du XVIIe qui traduisait son sentiment d'existence à travers la langue française. Le choix de sa mère, c'était un ancrage fondamental pour Charlotte Delbo. Et quand elle entendait Jouvet scander les mots, reprendre ses élèves, faire répéter des dizaines de fois les phrases, les vers, pour qu'ils entendent ce qu'ils prononçaient, elle écoutait une source qui l'irriguait.

Charlotte, qui vient plusieurs fois dans la semaine à Paris pour passer à l'Athénée, tout à coup prend une décision. Ce n'est plus possible d'attendre, ne rien faire. « À partir de ce matin j'y serai tous les jours ouvrables ». « J'ai "rouvert", et repris mon poste ». Voilà ce qu'elle écrit à Jouvet le 27 juillet 1940. Sa fierté se sent. Ce n'est pas rien. Elle rouvre le Théâtre. « J'en ai pris la responsabilité… vous m'engueulerez à votre retour si vous voulez. »

Si la salle est sans emploi, l'Athénée est ouvert, même s'il ne s'agit que du secrétariat. Elle lui écrit qu'elle va faire rétablir le téléphone, « cela me permettra de recevoir des communications de tous les gens qui s'inquiètent de vous ». Elle donnera de ses nouvelles. L'Athénée ne sera plus silencieux. Elle lui donne une voix.

Les concierges sont rentrés et font le ménage en grand, Germaine s'active dans ses costumes et chasse les mites, l'homme de main est là tous les jours à 14 heures. Et surtout elle s'est donné du travail : elle fera des résumés des cours au Conservatoire par thèmes, cela permettra à Jouvet de préparer plus aisément ses conférences, elle mettra ainsi « l'année passée à jour ».

Trois jours plus tard, elle lui annonce un autre travail en cours : elle a repris la traduction du Creizenach. Il s'agit d'un livre sur le théâtre élisabéthain, écrit par un auteur allemand. Jouvet en avait donné à Charlotte la version anglaise pour qu'elle la traduise, il a besoin de la lire. Son travail pour connaître l'histoire du théâtre n'a jamais cessé. Depuis ses dix-huit ans, il a lu tout ce qu'on a pu lui conseiller, mais rares sont les ouvrages qu'il a trouvés réellement instructifs. On lui a parlé de celui-là, il veut le lire. Il a l'habitude de demander à Charlotte un résumé des livres qui l'intéressent, dont il n'a pas le temps de faire la lecture intégrale, comme il l'a fait par exemple pour *L'âme romantique et le rêve* d'Albert Béguin. Charlotte garde précieusement les doubles de ses résumés, ces lectures sont aussi pour elle. Elle avait commencé au printemps la traduction du Creizenach, elle poursuit, écrit plus de trois cents feuillets d'une écriture qui court sur les pages, les tape à la machine, mais la traduction restera inachevée.

Dans chacune des lettres au Patron elle lui parle de son fils, Jean-Paul, qui a été fait prisonnier. Une carte est arrivée au Théâtre ce 27 juillet, Charlotte l'a fait suivre, il demandait à son père chocolat et cigarettes. Pour qu'il n'ait pas à attendre, elle lui a envoyé un paquet le jour même. Qu'il puisse souffrir du manque de tabac – elle sait ce que c'est –, elle ne le supporte pas, elle a pris les devants. Il arrive qu'un père obtienne de la direction du camp la libération de son fils, elle voudrait qu'il essaie de le faire sortir, « vous avez plus de chance qu'un autre ». Delbo a toujours pris grand soin des enfants de ses amis.

Fin juillet, de nombreux théâtres annoncent la reprise de leur activité. Charlotte s'en fait le porte-parole, annonce à

Jouvet que Sacha Guitry a rouvert le Théâtre de la Madeleine, la Comédie-Française a affiché sa réouverture en septembre, comme l'Odéon où Copeau va assurer la programmation, et Capgras a rouvert les Ambassadeurs. Dullin est « bouillonnant de projets ». « Tous les gens que je vois sont persuadés que l'Athénée marcherait très bien, avec *l'École* ou *Knock*. »

Charlotte Delbo ne voit pas la main de la Propaganda Staffel qui a décidé qu'au plus vite Paris devait redevenir Paris. Que Paris devienne une vitrine de l'occupation allemande. Hitler veut pacifier une étape, en préparation des fronts à venir, montrer en exemple cette occupation *korrekt*, stricte sur le plan policier et militaire mais qui relance l'activité culturelle pour gagner à sa cause des élites et la plus grande partie de la population. « Rendre à Paris animation et gaîté », comme le préconise la propagande.

Pour elle, rouvrir, c'est résister. Résister à la fuite, et résister à l'occupation allemande. Elle a vu l'exode, ceux qui s'étaient jetés dans les fossés comme elle, à l'attaque des stukas assourdissants, elle a vu un Paris vide, occupé par les Allemands. Et elle veut défendre ce qui était son travail depuis trois ans, son salaire et ses repères. Son choix de vie depuis août 39.

Et la vie de Charlotte Delbo a totalement changé depuis qu'elle a rencontré Jouvet. Si elle était passionnée de littérature depuis l'adolescence, passionnée par le savoir – elle s'ennuyait tellement au lycée de la lenteur des programmes qu'elle s'était mise à apprendre l'encyclopédie par cœur –, elle n'est pas d'un milieu où on fait des études, elle n'a pas passé son bac, elle a appris le secrétariat pour acquérir au plus vite une indépendance. Ce qui ne l'a pas empêchée de poursuivre sa voie d'autodidacte et de lire, lire tout ce qu'elle pouvait, des romans, de la poésie, des anthologies, lire des philosophes et s'intéresser à la politique. Elle s'est rapprochée du mouvement communiste au moment où il développait son activité auprès de la jeunesse et favorisait l'accès à la culture.

Changer la société, avoir accès à la connaissance l'enthousiasme, elle s'inscrit au mouvement des jeunesses communistes en 1932, elle a dix-neuf ans. Son énergie est galvanisée par le dynamisme qu'elle y trouve. Celui qui retient son attention, c'est le philosophe Henri Lefebvre. Il n'est pas encore le sociologue qu'il deviendra, la sociologie elle-même n'est pas une discipline à part entière dans l'Université française. Lefebvre s'intéresse à la pensée du jeune Marx, celui qui prône un socialisme sans État, sans l'autorité de l'État. Il a tout pour séduire la libertaire qu'est déjà Charlotte.

Surtout c'est un philosophe qui se nourrit de littérature. Lefebvre a été proche des surréalistes, c'est André Breton qui lui a fait lire Hegel, il fréquentait Tristan Tzara, était ami de Max Jacob. Il est sensible au pouvoir que les surréalistes attribuent à la parole, à cette idée que la parole métamorphose les choses, peut les transformer. Il partage leur volonté de réhabiliter le quotidien, parce que la vision surréaliste transforme ce quotidien. Au sortir de la Première Guerre mondiale, tout a été désorganisé, quand la vie se rétablit elle se fait sur un mode plus monotone qu'auparavant. Le capitalisme s'étend, la production à la Taylor domine, organise le quotidien. Une vie de bureau s'installe, le secrétariat devient un métier – et c'est le premier métier de Charlotte Delbo – un quotidien bureaucratique prend place. Dans ce contexte, le surréalisme n'est pas un événement culturel comme un autre. Lefebvre ne le cantonne pas à une école littéraire. Il y voit une façon révolutionnaire de vivre, de transformer le quotidien par l'action poétique. Changer les choses, ce n'était pas les décrire mais les dire. Lefebvre gardera toujours une place privilégiée à la parole. Pour lui, l'esprit est du côté de la parole plus que de l'écrit, de la poésie plus que du savoir, du corps plus que de la spiritualité classique.

Sa façon de chercher à déplacer son regard pour voir autrement, d'avoir une pratique à soi du réel, qui se modifie au gré des connaissances a imprégné Charlotte. Quand elle l'a rencontré et a assisté à ses cours du soir, elle a entendu ce qu'elle attendait, mais cette fois, conceptualisé. Il donnait une forme à son désir de connaissance, à la possibilité d'entrevoir une transformation du monde.

Henri Lefebvre deviendra un ami et le restera presque toute sa vie. Elle sera son assistante bien plus tard, mais à dix-neuf ans, quand elle le rencontre, sa pensée, le contenu et la forme de sa pensée provoquent chez elle une dynamique dans sa compréhension du monde qui lui fait penser qu'elle va s'attacher à la philosophie. Quand à vingt-quatre ans elle a rencontré Jouvet, et qu'il lui demande ce qu'elle veut faire dans la vie, elle n'hésite pas : professeur de philosophie !
— Quelle drôle d'idée ! lui dit-il.

La philosophie qu'enseigne Lefebvre est mêlée d'histoire, de sociologie, et surtout d'une pratique concrète de la vie. Il n'a à cette époque qu'un diplôme d'études supérieures en philosophie, et imprègne ses cours de l'expérience de quelqu'un qui n'a pas connu que les bancs de l'université. Et Charlotte le sentira. Pour gagner sa vie, il a été chauffeur de taxi, balayeur des usines Renault avant d'enseigner dans le secondaire. Un de ses premiers postes fut au lycée de Montargis, et il aurait été possible que Charlotte l'ait eu comme professeur à Montargis, où son père s'était installé pour un chantier. Delbo s'est longtemps ingéniée à brouiller les pistes sur sa propre formation. Elle va alléguer des cursus bien divers, jusqu'au moment où elle affirmera qu'elle n'a aucun diplôme, mais qu'elle a étudié la philosophie avec Lefebvre. Effectivement, il donne des cours du soir dans un local qui dépend de la Sorbonne, entre 1930 et 34, à la demande d'une association d'étudiants de gauche, comme l'écrit son biographe, Rémy Hess.

C'est en sortant d'un de ses cours qu'elle fait la connaissance le 23 avril 1934 – elle gardera la date – d'un beau jeune homme. Elle a vingt et un ans, lui, vingt ans. Elle l'avait remarqué, il s'asseyait depuis plusieurs jours près d'elle, un soir il s'enhardit à lui proposer de descendre ensemble le boulevard Saint-Michel. Elle s'amuse intérieurement de sa timidité, mais elle est séduite, il est beau, elle le trouve même

« très beau ». Elle est sensible à la beauté des hommes, Charlotte Delbo, elle le sera toute sa vie. Georges Dudach est animé d'une foi pour la mission du Parti, auquel il a adhéré très jeune. Il sera un des responsables de la jeunesse communiste en charge de la presse.

Charlotte l'épouse le 17 mars 1936, partage son logement dans le IIIe arrondissement, mais sa vie manifeste son indépendance. Elle garde son nom, ce qui est peu banal à cette époque, et du fait des obligations de militant de son mari, elle vit beaucoup seule. Georges passe plusieurs mois à Moscou comme correspondant de *L'Avant-Garde*, puis à Bruxelles pour y refondre la presse destinée aux jeunes. Quand le Parti décide à l'automne 36 de créer en France un mensuel pour la jeunesse, c'est Dudach qui est nommé rédacteur en chef, et c'est avec Charlotte qu'il y travaille fin 36, début 37. Jusque-là, elle avait été employée un an dans une petite société, Duco, puis de dix-huit à vingt-trois ans, comme secrétaire dans une société coloniale française, ce qui n'est pas un moindre paradoxe. C'est l'époque où le parti communiste s'oppose, et il est le seul, au colonialisme. L'Africaine Occidentale importe des bois africains et exploite des forêts surtout en Côte d'Ivoire, mais aussi au Sénégal, en Mauritanie, au Soudan, en Guinée, au Dahomey, en Haute-Volta, au Togo. En octobre 1936, quand le Front populaire gouverne depuis mai, et que se préparent *Les Cahiers de la Jeunesse*, elle quitte L'Africaine Occidentale.

Le premier numéro paraît le 15 juillet 1937. Paul Nizan et Luc Durtain en sont les directeurs, des peintres l'illustrent comme Frans Masereel, Francis Grüber, et Jean Picart Le Doux signe la mise en page. La littérature, l'histoire des idées, les beaux-arts, le cinéma et le théâtre y tiennent une place importante, à côté des analyses sur la montée du fascisme en Allemagne et sa menace sur l'Europe.

Charlotte Delbo y rédige régulièrement des critiques littéraires. Elle choisit d'écrire sur les romans de Malraux, Giono, Moravia, Hemingway, Faulkner, Montherlant, Brontë, Pearl Buck, écrit un grand article sur plusieurs pages, « Mission de la pensée française », qui est un panorama et un panégyrique de la culture française du Moyen Âge au XXe siècle à travers ses philosophes, écrivains et artistes. Son esprit encyclopédique est là autant dans la forme que dans le fond. L'article est illustré d'un tableau de Corot, un des peintres préférés de Delbo, et d'une gravure représentant *Le Malade imaginaire* donné à Versailles. Elle retrouvera cette pièce dans bien d'autres circonstances.

Ses choix montrent dès les premiers numéros ses goûts. Elle affiche sa singularité et ne craint pas le paradoxe. Elle encense la liberté de la littérature, la force des écrivains, et d'autre part soutient l'orthodoxie du Parti. Elle aime Faulkner, Hemingway, Malraux, et célèbre Moravia. « L'Italie avec Moravia possède son premier véritable romancier », elle fait la critique de deux de ses romans, *Les Indifférents* et *Les Ambitions déçues*, et rédige en même temps un éloge dithyrambique digne d'une vraie militante de l'autobiographie de Maurice Thorez. Il est frappant d'ailleurs de voir l'évolution de ses articles entre ceux de 1937 et les derniers de 1939 qui vibrent des phrases de Jouvet sur l'importance du spirituel.

Elle cite, dans une rubrique, Aragon qui défend la littérature socialiste au IIe Congrès mondial des Écrivains, « Vous deviendrez d'excellents ingénieurs des âmes en collaborant à la création d'une culture vraiment humaine parce qu'elle sera nationale par la forme et socialiste par le contenu. » Delbo a-t-elle remarqué qu'elle allait déjà à contre-courant en chroniquant autant de romanciers étrangers ? En mai 39, paraît dans la revue un long article de Jouvet sur *La Convention dramatique*, « qui est toujours soucieuse d'introduire le spectateur dans un mode dont la vérité ne soit pas "réelle" et matérielle, mais spirituelle ». On est loin du réalisme socialiste. Charlotte avait fait un long compte rendu en janvier 39 des *Réflexions du comédien*, le premier livre de Louis Jouvet, citant des phrases dont elle dit qu'elles « définiront pour l'avenir le théâtre de nos jours : "Si le théâtre d'aujourd'hui tend vers quelque chose, c'est vers une vie où le spirituel paraît avoir reconquis ses droits sur le matériel." »

En février 39, *Les Cahiers de la Jeunesse* décident d'avoir un lieu d'exposition et une bibliothèque au siège de la rédaction, 86, rue Claude-Bernard, « Le Club des Cahiers », ouvert le soir. La première exposition est consacrée aux compagnies théâtrales créées par les jeunes, Charlotte écrit un long article fouillé sur l'histoire depuis la fin des années 20 de ces jeunes troupes. Elle est sans doute à l'origine de l'exposition.

Elle fait écrire Jeanne Mathieu, l'autre secrétaire de Jouvet avec qui elle travaille, pour des critiques de théâtre. Et Henri Lefebvre y rédige des articles. *Les Cahiers de la Jeunesse* permettent de se faire une idée de Charlotte pendant ces années. Ils montrent la place qu'elle attribue à la littérature pour apprendre la vie, le monde, et développer une conscience de soi. Ses articles sur la culture française prouvent sa capacité à écrire de larges tableaux, à emmagasiner une somme considérable de connaissances, à en tirer des analyses. Ses articles disent son engagement entre vingt-trois et vingt-six ans aux côtés des communistes, même si elle n'adhère pas au parti communiste – ce qu'elle ne fera jamais.

Elle partage ses choix intellectuels et politiques avec son conjoint, c'est aussi le reflet de leur histoire d'amour, dont elle restituera plus tard le mode si tendrement amoureux. « Je l'appelais / mon amoureux du mois de mai / … / enfant et tendre / quand nous marchions enlacés / la forêt était toujours / la forêt de notre enfance / nous n'avions plus de souvenirs séparés / il embrassait mes doigts / ils avaient froid / il disait les mots que disent les amoureux du mois de mai[1] ».

Des photos de cette époque montrent le visage anguleux de la jeune femme, le menton volontaire, un grand front dégagé, une raie au milieu qui sépare ses cheveux noirs coupés au-dessus de la nuque, des sourcils très fournis et dégagés en haut du nez, qui rehaussent la clarté de ses yeux. Ceux

1. *Une connaissance inutile*, Les Éditions de Minuit, 1970, p. 20-21.

qui l'ont connue parlent tous de son regard lumineux, ses beaux yeux, bleu-vert, « pers » comme elle s'amusait à dire, heureuse d'employer un mot tombé en désuétude, Charlotte aimait le vocabulaire précis, repousser les usages courants.

Son amoureux du mois de mai est très présent dans la revue, il y écrit de larges comptes rendus de ses voyages dans les pays de l'Est pour participer aux Congrès de la jeunesse communiste, fait une place importante dans chaque numéro à la lutte contre le fascisme, avec des tableaux détaillés sur plusieurs pages pour montrer comment l'Allemagne viole le droit, les pactes, les traités et les alliances depuis 1916. Et comment le fascisme allemand exile les savants, artistes et écrivains qui ne partagent pas sa ligne politique. La liste est longue, Georges Dudach la place à côté d'extraits de Goethe parlant de son amour pour la France, c'est là un reflet des positions de Jacques Decour qui est à la tête de *Commune*, autre revue du Parti, dont on sent *Les Cahiers de la Jeunesse* proches.

Au fur et à mesure des numéros, *Les Cahiers* s'ouvrent à des auteurs qui ne sont pas des compagnons de route du Parti, comme Pierre Jean Jouve avec un long poème ou Luc Dietrich avec des bonnes feuilles de *L'Apprentissage des Villes*, présenté comme un des jeunes auteurs les plus intéressants, ou Jules Supervielle avec un conte inédit.

Les Cahiers de la Jeunesse ont joué un rôle essentiel dans la vie de Charlotte, puisque c'est pour le mensuel qu'elle demande à Louis Jouvet un entretien. Elle ne vient pas l'interroger sur le théâtre, c'est l'acteur de cinéma le plus célèbre de son époque que Charlotte Delbo vient rencontrer, pour une enquête commencée au numéro précédent. Jouvet s'arrangera pour parler essentiellement du théâtre, qu'il trouve plus riche et apte à développer l'imagination du spectateur, une représentation instaure une conversation, un film, un monologue. Sa pensée frappe Charlotte. Les propos de Jouvet paraîtront dans le numéro 3 des *Cahiers*, le 15 octobre 37, sans les questions de Charlotte, et sans signature.

Quand elle a fait parvenir au théâtre son texte avant de le publier pour avoir son accord, Jouvet lui demande de passer le soir même, avant le spectacle. Elle est sûre qu'il est furieux, l'angoisse l'étreint.

Elle entre dans sa loge, il porte le costume du Mendiant d'*Électre* de Giraudoux. « Il se maquillait ». Et Jouvet de lui dire ce dont elle se souviendra toute sa vie : « Avec vous, je retrouve mes phrases, mon mouvement de parole, ma respiration. C'est étonnant. Comment avez-vous fait cela ?[1] »

Elle lui parle de sa pratique de la sténo, qui lui permet de tout enregistrer sur le papier, mais ce qui a frappé Jouvet, c'est la transcription qu'elle est capable de faire de sa langue parlée en langue écrite. Lui est un comédien, qui dans ses cours au Conservatoire parle à ses élèves. Il dit, il n'explique pas, il trouve par une suite d'approximations ce qu'il veut faire sentir d'un personnage, et voudrait garder le tâtonnement de ses intuitions. Qu'on les lui restitue par écrit, en restant fidèle aux mouvements de sa pensée, voilà ce qu'il veut. Jouvet, qui a la force de son expérience, n'hésite pas à lui demander immédiatement si elle veut travailler pour lui. Inutile de préciser que la proposition de l'homme de théâtre le plus estimé de l'époque, appuyée de ses arguments précis et perspicaces, emporte la décision de Charlotte. Un moment fatidique, un tournant dans son destin.

La scène reviendra souvent la visiter.

À partir du 16 novembre 1937, Charlotte Delbo a vingt-quatre ans, elle travaille au Théâtre de l'Athénée six jours sur sept, de 10 heures à 17 h 30, comme secrétaire personnelle de Jouvet.

L'autre secrétaire arrive à 17 heures, le temps de se transmettre les informations et Jeanne Mathieu travaille jusqu'à minuit. Elles se sont réparti l'emploi du temps, Charlotte préférant la journée. Le soir, c'est sa vie à elle, Georges, les amis, les sorties, ses lectures, *Les Cahiers de la Jeunesse*.

---

1. « Les Leçons de Jouvet » de Charlotte Delbo, in *La Nouvelle Revue Française*, mars 1966.

Auprès de Jouvet, à côté du secrétariat qui convient à sa précision et sa rapidité de travail, à son à-propos pour comprendre les questions à régler, Charlotte découvre comment travaille un grand artiste dont elle ne cessera d'aimer et d'estimer la rigueur, l'exigence, la générosité, le caractère implacable pour faire aboutir ses projets, la conception poétique du théâtre, la foi dans les poètes dramaturges comme auteurs. Surtout elle assiste à son travail sur la langue, au cœur du rythme de la phrase ou du vers, pour faire entendre la force des mots.

Charlotte entre dans un autre monde que celui qui a été le sien jusqu'ici. Elle a été élevée au sein d'une famille modeste, comme son conjoint. Georges Dudach venait d'une famille de sept enfants, son père était artisan, c'est dans son atelier de bronzes d'éclairage que Georges a fait son apprentissage à quatorze ans. Son père, quand il n'aura plus de commandes, deviendra ouvrier ajusteur, sa mère élève ses enfants et fait des ménages.

C'est aussi un univers bien différent de celui du mouvement de la jeunesse communiste que découvre Charlotte, le monde du théâtre et des artistes. Et ce n'est pas l'univers des saltimbanques, c'est celui de la création théâtrale avec des moyens considérables et une exigence sans faille. Ses cachets au cinéma permettaient à Jouvet de ne pas se restreindre pour aboutir à l'illusion poétique qu'il voulait. Aux décorateurs, Christian Bérard et Paul Tchelitchev, il fait revoir leurs propositions jusqu'à l'accord parfait. Avec le compositeur Henri Sauguet, il a de longues conversations préliminaires sur le sens de chaque scène, entretiens dont Charlotte Delbo prend note. Jouvet sollicite pour ses costumes des maisons de couture et des bijoutiers en vogue. Jeanne Lanvin créera les costumes de plusieurs de ses pièces, ils arrivent au théâtre accompagnés de cadeaux. Jouvet reçoit des chemises avec ses initiales, Charlotte recevra aussi des cadeaux et elle y est sensible. Elle affine son goût des belles choses, qu'elle gardera toute sa vie, comme le plaisir de s'aménager un bel intérieur, préparer une jolie table pour recevoir ses amis, leur choisir des cadeaux raffinés.

Elle voit de près l'homme de théâtre qui fait sentir le mystère d'une scène, d'un état, d'une attitude, le secret à l'intérieur de l'homme, comment toucher le spectateur, le placer dans un état de conscience pour saisir un autre monde, celui de la scène. Ce merveilleux poétique qui permet la conscience des émotions et une prise de distance. Elle n'en a pas fini de comprendre cette double leçon, sur le mystère mis au jour et l'accomplissement de la lucidité.

Un événement a lieu en 1939. Il va modifier la position de Charlotte Delbo qui jusque-là s'associait en politique à un grand courant collectif. Ce n'est pas la déclaration de la guerre, le 3 septembre 39, tout le monde ou presque s'y attendait, elle était devenue inéluctable à cause des alliances de la France. Non, c'est le 24 août, l'annonce du pacte germano-soviétique, conclu la veille entre Hitler et Staline. Charlotte l'apprend quand elle est dans le Midi.

Jouvet lui a demandé de venir à Golfe-Juan une semaine pour travailler. Il y est depuis le début du mois avec Madeleine Ozeray pour participer au premier festival du cinéma à Cannes que Philippe Erlanger a décidé de créer, avec l'aval du ministre Jean Zay pour répondre à celui de Venise de l'Italie mussolinienne. Mais les stars américaines renoncent à faire le déplacement, elles redoutent la guerre imminente en Europe, le festival est annulé. Jouvet ne peut pas rester inactif. Il cherche depuis quelque temps à ouvrir son répertoire du côté de la littérature. Il a proposé à André Malraux d'écrire une pièce de théâtre, mais ne voit rien venir et Jouvet pense adapter un roman. Il avait assisté, du temps de son travail avec Copeau, à l'adaptation des *Frères Karamazov* de Dostoïevski, dont il avait interprété un personnage. Il veut la présence de Charlotte pour transcrire les idées qui lui viennent. Il lui a demandé d'arriver le 20, c'est un dimanche, pour Jouvet le dimanche n'est, pour le travail, pas différent d'un autre jour. Charlotte ne réussit pas à trouver de place dans le train au départ de Paris le samedi soir, elle lui télégraphie qu'elle arrivera en gare de Cannes lundi matin, à 10 h 45. Ce lundi est le 21 août 39.

Ils travaillent dès ce jour, comme l'atteste un de ces petits carnets de poche où Jouvet prend soin d'écrire son emploi du temps. Il a choisi *Le Rouge et le Noir* de Stendhal et *Barnaby Rudge* de Dickens et veut voir si de Julien Sorel ou de Sim Tappertit il peut faire le personnage d'une pièce. Ils relèvent gestes, pensées, paroles qui feraient l'action sur le plateau, Charlotte note, ils discutent du caractère du personnage pour trouver ses motivations, sa part secrète, sa dimension dramatique. En fin de journée, Charlotte rejoint son hôtel à Vallauris, Jouvet fait le chemin avec elle, ils parlent encore de Julien Sorel, de Tim Tappertit qui semblent être à côté d'eux, les accompagner comme des « interlocuteurs invisibles ». Jouvet et elle marchent, la nuit est chaude, habitée, mystérieuse. Les troncs craquent dans la chaleur d'août, les arbres leur font croire qu'ils murmurent. Ils coupent à travers des champs de jasmin qui embaument avec le soir et font à leurs pieds une « jonchée d'étoiles blanches ». Passant près des eucalyptus, ils se baissent, Jouvet surtout, il demande à Charlotte s'il lui arrive d'avoir peur la nuit, il voudrait savoir, la peur, la nuit, pas le manque de courage, non, la peur, la peur face au mystère. À bâtons rompus ils parlent ou s'arrêtent, ils ont entendu un oiseau entre « des nappes de silence ». Jouvet reprend, les mots s'imprègnent dans la mémoire de Charlotte. Sitôt rentrée dans sa chambre, elle écrit, elle note tout dans son cahier, la nuit, la conversation.

Le cahier se perdra avec tant d'affaires personnelles emmenées à la Préfecture au moment de son arrestation, mais Charlotte Delbo écrira plus tard que Vallauris, ces promenades, leurs conversations dans la vie magique de la nuit, pour elle, « c'est le début d'un destin[1] ».

C'est cette semaine où elle travaille à Golfe-Juan avec Jouvet et le soir rentre à son hôtel qu'elle apprend, que le

1. *Spectres, mes compagnons*, de Charlotte Delbo, Berg international, 1995, p. 7.

monde apprend, le pacte conclu entre Staline et Hitler le 23 août 1939.

L'Histoire brusquement s'emmêle au mystère de personnages sortis de romans, mais l'Histoire, elle, va embraser le monde.

Charlotte Delbo est choquée, Staline a trahi. Il a trahi les militants, alors qu'ils étaient certains que le socialisme serait une barrière face au nazisme, son adversaire, le seul rempart. Elle ne démordra pas de ce sentiment de trahison. Quand elle rentrera à Paris une semaine plus tard, les discussions avec son mari seront fermes. Georges se plie à l'accommodement du parti communiste français qui explique la nécessité de laisser cette guerre se faire entre nations impérialistes. Et personne ne sait encore le dépeçage, prévu dans le pacte et gardé secret, de la Pologne, entre Hitler et Staline, et des pays baltes. Charlotte, elle, a choisi. Elle travaille aux côtés de Jouvet, elle reste du côté du travail de l'illusion poétique pour faire prendre conscience de soi, du monde.

Elle vient de passer une semaine décisive qui infléchit sa vie en août 1939, veille de la guerre. Elle s'est ouverte à quelque chose resté enfoui jusque-là, que ces conversations ont réveillé, son aspiration à faire parler son propre monde invisible. Des émotions qui la tiennent depuis l'enfance quand elle interrogeait son miroir pour savoir qui était celle qu'elle voyait, jusqu'à en éprouver « un vertige ». Vertige sur l'identité, les frontières de soi, comme la hantent des images du film qu'elle a vu de Jean Cocteau, lorsque le poète plonge sa main en sang « dans le miroir où son image l'engloutit[1] ». Elle se souvenait de son trouble à l'instant fragile où se tient en suspens la possibilité de traverser le miroir.

La jeune femme qui revient est loin de pouvoir se plier au diktat d'un parti. Elle est rentrée dimanche 27 ou lundi

---

1. Cahier manuscrit de *Spectres, mes compagnons*, BNF, Fonds Delbo, 4-Col-208-117, Succession Delbo.

28 août à Paris, le carnet de Jouvet évoque encore à la date du samedi son travail avec Charlotte. Cinq jours plus tard, c'est l'entrée de la France dans la guerre. Georges Dudach est mobilisé. Il avait pu éviter jusque-là de faire son service militaire, il avait reçu l'accord du Parti pour demander un sursis d'étudiant grâce à une année de droit à la faculté. Il choisit d'être aspirant à l'École de l'Air de Versailles, mais en sera chassé en raison de ses opinions communistes et envoyé dans un bataillon disciplinaire en Algérie. Il sera démobilisé à l'automne 40.

Charlotte Delbo a passé la drôle de guerre seule à Paris. De septembre 1939 au 11 juin 40 elle a travaillé tous les jours ou presque auprès de Jouvet. À l'Athénée ou au Conservatoire. Il ne prépare pas de nouvelle mise en scène mais étoffe ses cours, Charlotte transcrit cette langue française qui résistera à la déclaration de la guerre. Si l'expérience de l'exode l'a marquée, à son retour, alors qu'elle a perdu son emploi, elle se rend à l'Athénée, décide seule de « rouvrir », d'écrire à Jouvet que sa place est là, au Conservatoire des élèves attendent son retour.

Jouvet reviendra à Paris en août 40, et donnera des cours les 14 et 17 août, des vacances seront accordées, ils reprendront le 7 septembre. Et jusqu'au 14 décembre 1940, Charlotte Delbo écoutera ses commentaires et ses reprises infinies des répliques d'Alceste, Don Juan, Elvire, Arnolphe, Alceste, Célimène, Tartuffe, Oreste, Andromaque. Elle note sans relâche, jusqu'à quarante pages parfois pour un cours. Elle traverse Paris occupé par les Allemands, de retour au Théâtre elle transcrit ses notes et assure le secrétariat avec Jeanne Mathieu.

Quand Georges sera démobilisé à l'automne 40, la chasse aux communistes bat son plein. Elle avait déjà commencé avant la guerre. Évidemment à partir du 24 août avec l'annonce du pacte germano-soviétique, les communistes sont déclarés les ennemis de la France. Et en avril 40, un décret-loi punit de la peine de mort les individus qui auront participé à la propagande de la IIIe Internationale communiste. En octobre 40, trois cents militants sont arrêtés. Les Brigades spéciales, des policiers volontaires recrutés parmi les gardiens de la Paix, sont créées par la police de Vichy et formées à la filature efficace et sans relâche des communistes.

En même temps, le régime de Vichy édicte des lois sur le statut des juifs, les exclut de tout poste de la fonction publique et une ordonnance allemande impose leur recensement.

Un très lourd tribut en argent est exigé de la France pour faire vivre l'armée d'occupation. Des matières premières et des objets manufacturés sont réquisitionnés pour être envoyés en Allemagne. Des œuvres d'art appartenant aux musées et aux particuliers, notamment aux juifs, sont volées par les nazis, Hitler en a donné l'ordre dès le 30 juin 1940. Ce que l'on sait moins, c'est que cet ordre concernait aussi les bibliothèques publiques, de très nombreuses bibliothèques privées et d'institutions créées par les exilés de l'est de l'Europe. Des centaines de milliers de livres sont pillés, triés pour l'Allemagne. Communistes, juifs, Allemands antinazis sont traqués et enfermés. Le filet de l'occupation allemande malgré les premières apparences s'est abattu lourdement et en maille serrée sur Paris et plus de la moitié de la France.

On peut imaginer ce que l'Athénée représentait pour Charlotte en 39 et en 40. Le théâtre d'un homme qui faisait entendre le souffle et la force de la langue française. Un lieu d'ancrage pour elle, aussi paradoxal que cela puisse sembler pour cet immatériel qu'est la langue prononcée. Sa place est là, quand Georges, lui, doit trouver une voie pour respecter la nouvelle orientation du Parti, ce qui ne devait pas aller sans conflit intérieur pour l'antifasciste convaincu qu'il avait été depuis des années et qui avait façonné l'orientation et la teneur des *Cahiers de la Jeunesse*. Et Charlotte qui l'aime aura vécu certainement à l'intérieur d'elle-même de déchirantes oppositions entre son amour pour Georges et sa façon de servir son idéal, qui l'avait transportée de 36 à 39, et le sentiment de la trahison du Parti qui s'est insinué en elle.

Il n'a pu que réveiller la défiance des mots d'ordre et des dogmes de celle qui aime réfléchir par elle-même.

Elle avait ce caractère depuis l'enfance, ce caractère déterminé et de libre examen. Quand, à l'école, elle a vu ses amies se préparer à leur communion solennelle, parler de robe blanche, de cadeaux, Charlotte, déjà attirée par tout ce qui ressort de la cérémonie, a annoncé à sa mère qu'elle voulait aussi faire sa communion solennelle. Sa mère ne lui explique pas pourquoi elle n'est pas baptisée, sans doute en raison des convictions laïques, socialistes et républicaines de son père. « C'est le curé que tu dois aller voir, pas moi ! » C'est le libre arbitre que prône Mme Delbo mère. Un trait de caractère qui imprégnera sa fille. Et Charlotte d'aller voir un prêtre, de suivre une instruction religieuse et de se faire baptiser. Il y aura un parrain, et Charlotte l'évoquera dans ses lettres à sa sœur depuis la prison de la Santé. Elle fait sa communion solennelle, puis un jour, sa mère l'entendra affirmer, « C'est trop bête ! ». Et avec cette appréciation d'enfant qui dit l'insatisfaction de la jeune rationaliste, elle quitte la religion catholique.

Au moment de la victoire du Front populaire, elle croit en la révolution pour obtenir plus de justice sociale, en l'inébranlable raison de Maurice Thorez, aux idées défendues à Moscou. Quand Jouvet, en juillet 1939, veut signer la pétition pour demander la libération de Meyerhold, l'homme de théâtre enfermé par Staline, Charlotte discute ferme avec le Patron pour expliquer les raisons de Staline. Et Jouvet de l'appeler « Sainte Staline ! » pour se moquer d'elle. Cela en dit long sur sa capacité à évoluer en l'espace de deux mois, et permet d'imaginer comme elle se sentira mortifiée fin août d'avoir été trahie par la signature du pacte. Mais ce n'est la fin ni de son opposition au Parti ni de sa douleur à voir son amour de la révolution trahi.

En attendant, c'est aux passions développées par Molière et Racine qu'elle s'attache. Elle suit au Conservatoire le travail des apprentis comédiens pour chercher les sensations physiques qui donneront leur rythme aux phrases, aux vers.

Jouvet peut passer un cours entier sur deux vers, pour que l'élève entende ce qui résonne là, lui donner des images pour qu'il trouve le *sentiment* de la phrase, ce mot de sentiment que Jouvet emploie si souvent pour signifier autant la force et la vibration d'une phrase que son sens. Quand Elvire vient rencontrer Don Juan à l'acte IV et lui parle de son amour pour l'homme damné, qui a pris le dessus sur son ressentiment, l'élève doit trouver cet état de ravissement atteint jusqu'à « la suavité », jusqu'à en faire sentir « l'encens », et dans la respiration ininterrompue du texte rendre « le rythme du cheval qui galope et qui allonge le galop sans changer de rythme ». Ou sentir cet élargissement du rythme qu'adoptent les hommes à la campagne quand ils battent au fléau les blés et qu'un troisième vient s'insérer dans le rythme, puis vient un quatrième. « Jamais le battement n'est le même mais le rythme n'est pas brisé, il y a un élargissement du mouvement, avant qu'ils aient trouvé la cadence juste[1] », et c'est avec cela que le sentiment de la phrase d'Elvire peut se donner !

Voilà ce que Charlotte Delbo entend, note en septembre 1940, comme plusieurs fois depuis le début de l'année, sur ce personnage d'Elvire de *Dom Juan*, et qui est encore l'objet des derniers cours en décembre 1940 juste avant leur départ.

Charlotte a transcrit des pages et des pages de ce que Jouvet disait d'Elvire au point qu'une pièce de théâtre pourra être créée à partir de ses transcriptions. Brigitte Jaques-Wajeman monte *Elvire Jouvet 40* avec Maria de Medeiros et Philippe Clévenot en 1986. Benoît Jacquot réalisera une captation de la pièce, un film en noir et blanc, qui fait sentir la vibration qui devait habiter la salle du Conservatoire mal chauffée et mal éclairée ce mois de décembre 40, où se dit ce que Charlotte a entendu, la puissance de la langue, l'incarnation presque religieuse d'un verbe poétique dans la noirceur de l'Occupation. Résonne une langue française

1. Classes des 10 et 21 septembre 1940, *Molière et la comédie classique*, Louis Jouvet, éditions Gallimard, 1965, p. 131 et p. 133.

classique et sur la nudité d'un plateau, deux personnages créent une situation en quelques phrases, comme Jouvet les faisait travailler. Ils donnent à voir. Ils donnent à ressentir. Le film montre l'émotion occuper tout le plateau, les planches nues d'une scène sans décor.

Ses cours sont un lieu de liberté. Jouvet s'y sent libre d'enseigner comme il l'entend. Et c'est bien le seul lieu qu'il lui reste. Début septembre 40, il a appris les nouvelles règles de contrôle et de censure des théâtres, il a reçu une lettre du président du syndicat des directeurs de théâtre de Paris lui demandant, « en accord avec l'envoyé spécial du Führer à Paris », de lui faire parvenir le texte de la pièce qu'il compte représenter, de lui communiquer « aussitôt que possible » ses projets pour la saison 40-41, et « quatre jours avant la Première » trois exemplaires de l'affiche et trois exemplaires du programme. Ça, c'est la méthode du contrôle administratif, et quant au contenu visé par la censure, il apprendra vite qu'on ne l'autorise pas à monter une pièce de Jules Romains, antifasciste manifeste. Adieu *Knock* ! Ni une pièce de Giraudoux qui a démissionné en juin 40 du Conseil supérieur de l'Information. Ses deux auteurs contemporains de prédilection. Jouvet ne peut accepter que le pouvoir en place s'immisce dans ce qui anime son rapport même au théâtre, et si on lui suggère Kleist, un auteur qu'il aime, il n'est pas question que le choix vienne de l'extérieur, encore moins d'un diktat.

Le contrôle administratif ne s'arrête pas au programme. Le directeur du syndicat des théâtres insiste tout spécialement « sur l'importance de la question raciale » (qu'il souligne) et lui enjoint de lui signaler « tout cas qui pourrait lui paraître douteux ». Y a-t-il des juifs parmi ses artistes et le personnel du théâtre ? Il exige de le savoir. C'en est trop. Il ne reste qu'à partir. C'est-à-dire emmener la troupe ailleurs. Que le Théâtre Louis Jouvet sorte de France.

Il va falloir être habile pour faire sortir de Paris, puis de France, cette « vitrine » que les Allemands auraient voulu voir s'illuminer à Paris même.

Le cinéaste Max Ophüls rencontré à Marseille à la fin de l'été 39 lui a proposé de tourner un film à partir de *L'École des femmes*. Ils travailleraient ensemble à la mise en scène, le tournage se ferait à Genève. Jouvet attend depuis longtemps que soit développée la fonction pédagogique qu'il attribue au cinéma. Créer un film à partir d'une pièce de Molière l'intéresse et Ophüls cherche à quitter la France qui ne peut que l'inquiéter en tant que juif. Madeleine Ozeray, tombée amoureuse d'Ophüls, y trouve un prétexte pour rester près de lui.

Jouvet projette alors de reprendre *L'École des femmes* à l'Athénée, il peut alléguer les répétitions nécessaires pour faire revenir en zone occupée ses comédiens et techniciens éparpillés depuis la débâcle, puis il demandera les permis officiels pour se rendre en Suisse. C'est Charlotte Delbo qui est chargée par Jouvet d'aller au commandement militaire allemand à l'hôtel Majestic et d'obtenir les ausweiss (laissez-passer) pour chacun des membres de la troupe. Elle est accompagnée d'un interprète, même si elle peut saisir des bribes de ce qu'elle entend.

On peut imaginer son émotion dans l'antre de l'ennemi, elle est chez ceux qui veulent mettre à mort les opposants après les avoir traqués et arrêtés. Et le soir elle rentre retrouver son mari communiste, militant clandestin. Elle est là à demander et attendre des autorisations, doit maîtriser ses pensées, dominer son émotion. Le défi n'est pas pour lui déplaire. L'exercice de sa volonté, elle sait qu'elle peut compter dessus. Surtout elle peut satisfaire sa curiosité, elle est au cœur du pouvoir honni et combattu depuis si longtemps et encore jamais vu de près. Ce qu'elle a sous les yeux, ce n'est pas la violence de leurs actes, c'est la théâtralisation de ces représentants nazis qui comptent sur l'effet de leur apparence, les costumes impeccables, les saluts, les claquements de bottes, les intonations de voix. Rien ne lui aura échappé.

Et elle est obligée d'y retourner plusieurs fois, à l'hôtel Majestic. Écouter, regarder, attendre, et revenir au Théâtre, rentrer chez elle, voir Georges le soir. Jouvet savait très bien ce qu'elle pouvait ressentir. Il a toujours demandé beaucoup à ceux qui travaillaient pour lui. La comédienne Wanda Kérien raconte que Charlotte Delbo ne touchait pas terre en sortant de l'hôtel Majestic avec enfin dans son sac l'ausweiss collectif qui portait le nom de chaque membre de la troupe.

Il restait à obtenir des passeports, l'autorisation d'exporter du matériel, l'approbation du répertoire... La totalité des papiers nécessaires ne seront réunis que fin décembre, peu de temps avant le départ. *L'École des femmes* se donne plusieurs fois à l'Athénée depuis le 6 décembre, Jouvet joue Arnolphe. Le dernier personnage que Charlotte le verra interpréter, pour longtemps.

Dès le début de l'occupation allemande, des mouvements d'opposition ont tenté de s'organiser, mais ils sont sporadiques et très minoritaires. La manifestation la plus notoire contre l'occupant est celle, presque spontanée, à l'occasion du 11 novembre 1940, des étudiants et des lycéens s'y joignent pour protester contre l'arrestation du physicien Paul Langevin qui faisait partie du Comité des intellectuels antifascistes.

Il y a quelques étudiants communistes mais ils ne sont pas les seuls à l'origine de cette première manifestation. Charlotte Delbo précisera dans un échange de lettres avec Marie-Élisa Nordmann quand elle travaillera au *Convoi du 24 janvier*, que Danielle Casanova n'y était pas, qu'elle n'était pas encore rentrée de Corse à cette date, ce que le Parti ne voudra jamais dire de son icône. Maurice Thorez, lui, était à Moscou depuis l'automne 39.

Les feuilles clandestines d'opposition à l'occupant sont rares à cette époque. La première notoire, *Résistance*, émane d'un groupe, un des tout premiers réseaux, qui réunit de jeunes ethnologues du musée de l'Homme autour de Boris Vildé et Anatole Lewitzki. S'y joignent l'avocat Léon-Maurice Nordmann, Jean Cassou, écrivain et poète, Claude Aveline, romancier, Marcel Abraham, Paul Rivet, directeur du musée de l'Homme, Jean Blanzat et Jean Paulhan, Simone et Louis

Martin-Chauffier, Agnès Humbert du musée des Arts et Traditions populaires.

Certains responsables communistes ont essayé de prendre contact avec les autorités d'occupation pour autoriser à nouveau *L'Humanité*, c'est dire l'ambiguïté qui a saisi le Parti au tout début de l'Occupation. En juillet, *L'Humanité* sera éditée de façon clandestine, le Parti faisant machine arrière vis-à-vis de ces conciliations avec les nazis, se rendant aussi compte d'une probable manipulation d'Otto Abetz pour infiltrer le Parti et arrêter ses membres plus facilement.

Parmi les intellectuels communistes, comme Paul Nizan, l'ancien directeur des *Cahiers de la Jeunesse*, Jacques Decour, Jacques Solomon, Georges Politzer, seul Paul Nizan a démissionné du Parti en septembre 1939 à la suite du pacte germano-soviétique. Le mari de Charlotte est proche de Politzer dont il avait suivi les cours à l'Université ouvrière en philosophie marxiste, comme de Jacques Solomon dont il suivait les cours d'économie politique. À l'automne 40, au moment de la création de *L'Université Libre*, le premier périodique clandestin à parution régulière, même si ce ne sont que quelques feuilles ronéotypées, les trois amis, Politzer, Solomon et Decour restent fidèles au Parti, mais manifestent fermement leur antifascisme, rappelant l'importance de la philosophie des Lumières pour s'opposer aux thèses fascistes. C'est certainement la position de Georges Dudach, fidélité au Parti qui soutient le pacte, mais dénonciation de l'idéologie fasciste. Ce qu'il a fait dans chaque numéro des *Cahiers de la Jeunesse.*

Charlotte Delbo, elle, travaille auprès de Jouvet, prépare la tournée en Suisse et va quitter la France avec la troupe le 2 janvier 41. À Chalon-sur-Saône, quand le train doit passer la ligne de démarcation, ce n'est pas Jouvet qui remet passeports et autorisations de sortie, c'est Charlotte qui doit les présenter à l'officier allemand. Selon le récit de Wanda Kérien, il y a parmi eux un juif. Ils retiennent leur respiration.

Tous les membres du Théâtre de l'Athénée, comédiens, régisseurs, techniciens, ont dû signer et remettre en octobre l'attestation que le directeur du syndicat des théâtres parisiens leur a demandée, déclarant qu'ils n'étaient pas juifs, qu'aucun des parents et grands-parents, à leur connaissance, ne l'étaient. L'attestation de Charlotte Delbo, sa copie, se trouve dans les Archives Jouvet de la BNF[1], comme celle des autres membres de la troupe. Delbo a déclaré sur cette attestation qu'elle habitait 14, rue Molière. La rue Molière, c'est l'adresse du petit local qu'elle a loué à son nom, qui n'est pas le domicile des Dudach. C'est dans ce local que seront entreposés plus tard des tracts au sujet desquels la police la questionnera en janvier 42, quand elle sera arrêtée sur dénonciation, avant de la relâcher. Servait-il déjà de couverture en octobre 40, sous son nom, pour entreposer des papiers clandestins ? Elle n'aurait pas inscrit cette adresse sur un papier officiel. Sur les demandes d'autorisation de sortie du territoire elle donnera comme domicile, 24, rue Caumartin, l'adresse de l'Athénée, comme le mentionne Louis Jouvet. Ils sont les seuls de la troupe à se domicilier au Théâtre.

Il y a des obscurités dans la vie de Charlotte. Et pas seulement par manque d'informations. Elle aimait cette part de secret, le jeu du double, jusqu'à être fascinée par la figure de l'agent secret.

Porte de sortie, retrait dans le secret, reconnaissance d'une part insondable en soi, volonté farouche de n'être captive de personne, il y a de tout cela chez Charlotte Delbo.

Les démarches auprès de la Kommandantur allemande pour obtenir les papiers nécessaires n'ont pas été faciles à affronter. Quelques lignes d'une lettre du 13 décembre 1940 de Jouvet à son décorateur, Christian Bérard, dressent la scène. « Charlotte est revenue très démoralisée : impossible d'avoir ton papier aujourd'hui. Il semble qu'on ait serré la vis partout. Charlotte s'est heurtée à une consigne très ferme, d'autant qu'un uniforme n'était pas loin. »

---

1. BNF, Fonds Jouvet, cote LJ-Ms-151.

Les Allemands ont raidi les règles de l'Occupation. Les premiers sabotages des lignes de chemin de fer et des trains ont commencé. Les autorisations sont en conséquence plus difficiles à obtenir, les mesures de représailles se mettent en place. Or la tournée de *L'École des femmes* en Suisse et le projet du film ne constituent que la première étape de ce qu'envisage en fait Jouvet, une tournée en Amérique du Sud. Il veut entreprendre ce que la Comédie-Française a réalisé l'an dernier, en a parlé dès septembre à celui qui l'avait organisé, Marcel Karsenty. Karsenty lui a assuré qu'il était son homme, mais il faudra beaucoup d'habileté pour faire aboutir ce gros projet qui doit être financé par Vichy et pour lequel ils doivent quitter la France à la barbe des Allemands.

L'arrivée en Suisse se fait à la gare de Genève où la troupe est attendue avec un déjeuner « historique, quantité de hors-d'œuvre dont plusieurs avec mayonnaise, charcuteries diverses, côtes de mouton grillées, glaces, et un café *extraordinaire* », ce dernier adjectif porte bien la marque de Charlotte, qui rédige le Journal de tournée et n'aimait rien tant que le café (si, le whisky peut-être, et les cigarettes bien sûr). Départ après le déjeuner pour Bâle. « Surprise de trouver une ville éclairée, des réclames lumineuses, des cigarettes Turmac, dentifrice Bioxyme. On avait oublié[1]. »

Le tournage devait débuter le 6 janvier, en fait Jouvet voit Ophüls commencer d'écrire le scénario. Il s'énerve de tant d'impréparation et demande à Karsenty de venir le rejoindre. Un essai de tournage du prologue a lieu au Théâtre de Schaffhouse, mais c'est le Grand Théâtre de Genève qui paraît offrir un décor plus adapté, et la troupe et l'équipe du film de repartir pour Genève.

Les producteurs s'inquiètent du dépassement de budget, le prologue à lui seul a demandé un décor très coûteux et les jours passent avant que la première scène puisse être tournée. Jouvet s'énerve, la relation de Madeleine et Ophüls

1. Journal de tournée, BNF, Fonds Jouvet, LJ-D-79-3.

l'exaspère, le tournage est arrêté. Pour dédommager les producteurs une partie des bénéfices de la tournée leur sera remise.

Le 16 janvier, au Grand Théâtre de Genève, c'est la première des représentations de *L'École des femmes*, bravos sans fin. Le 19 janvier, c'est la 300e représentation de la pièce par la Compagnie Louis Jouvet. La tournée se poursuivra jusqu'au 19 février à travers la Suisse. Genève, Lausanne, Martigny, Neuchâtel, La Chaux-de-Fonds, Zurich, Fribourg, Vevey, Bienne, Yverdon, Lausanne, Montreux. Dans plusieurs des villes, Jouvet donne aussi une conférence. À Martigny, l'accueil est triomphal. Le lendemain de la représentation, deux traîneaux viennent chercher la troupe à l'hôtel pour l'emmener à la gare. Charlotte Delbo se souviendra longtemps de cette traversée de paysages enneigés sous un ciel bleu, elle arborait sa première toque en fourrure, reçue en cadeau, elle qui jusque la dernière année de sa vie s'achètera toques et manteaux de fourrure qu'elle adorait porter.

À Lyon, fin février, Jouvet comprend qu'il doit rester en zone sud s'il veut pouvoir partir en Amérique plus tard. S'il remontait à Paris avec la troupe, il n'obtiendrait plus l'autorisation de ressortir. Il envisage donc de jouer son répertoire dans la zone libre, et la tournée en Suisse a été un tel succès qu'il prévoit d'y faire une deuxième tournée : dans certaines villes 300 à 400 personnes sont restées à l'extérieur, certaines faisaient plus de deux heures de train pour voir Jouvet dans *L'École des femmes*. Il faut donc obtenir une prolongation des laissez-passer. Il envoie Charlotte Delbo à Paris le 1er mars, avec une lettre de recommandation de la Commission de contrôle de Lyon pour se rendre à l'ambassade d'Allemagne.

Charlotte va passer trois semaines à Paris. On peut imaginer comme elle est heureuse de revoir sa mère qui entretemps était devenue veuve. Le père de Charlotte est mort le 21 janvier, il avait cinquante-cinq ans. Ce jour-là, elle était à Genève, travaillait comme scripte à une réunion au Grand Théâtre. Je n'ai retrouvé aucun commentaire direct ou indirect de sa part sur ce décès. Pudeur de Charlotte, certainement.

Et Charlotte retrouve Georges à Paris, ce mois de mars 41.

Les démarches qu'elle fait auprès de l'ambassade d'Allemagne ne donnent rien, on l'envoie finalement à l'hôtel Majestic où elle va de bureau en bureau, sans rien obtenir non plus. Jouvet l'avait aussi chargée de rencontrer les comédiens qui avaient interprété *Électre* de Giraudoux, il veut mettre la pièce au programme de la nouvelle tournée en Suisse. Renée Devillers qui jouait Électre est d'accord de rejoindre la troupe début avril à Lyon mais Gabrielle Dorziat qui interprétait Clytemnestre, non. Pierre Renoir veut bien reprendre Égisthe, mais il ne pense pas pouvoir obtenir de laissez-passer.

Charlotte estime avoir frappé à toutes les portes pour tenter d'obtenir ces autorisations, mais sans résultat. « Je me décidai à faire une démarche auprès de Monsieur Brinon (ambassadeur de France auprès de l'Allemagne à Paris) », il est en voyage d'inspection dans le Sud. Le 15 mars, « ayant épuisé toutes les filières », elle va voir une amie de Fernand de Brinon et d'Otto Abetz, qui connaissait bien le chef de la Propaganda Staffel. Charlotte ne recule devant rien. Elle retourne à l'ambassade rue de Varenne le 17 mars, espère rencontrer cette fois Brinon, n'y réussit pas. Pendant trois jours, elle tentera de lui parler au téléphone, pour finalement entendre de la part de son secrétariat qu'il ne s'occupe pas des laissez-passer. En fait, les autorités allemandes ont appris les propos anti-allemands que Jouvet avait tenus en Suisse. Les Allemands considèrent que Jouvet a obtenu ses autorisations de sortie de façon illégale, il ne peut plus rien attendre des autorités allemandes en France.

Aucune démarche n'a abouti, Charlotte Delbo quitte Paris le 20 mars. Elle retourne à Lyon exposer la situation à Jouvet. Soit il rentre avec la troupe avant le 31 mars, date limite des laissez-passer, soit il ne rentre pas en zone occupée. Elle-même n'a pu obtenir de laissez-passer pour rejoindre son patron, elle a traversé clandestinement la ligne de démarcation, « comme beaucoup de gens le font d'ailleurs », a-t-elle ajouté dans le Journal de tournée.

Ce qu'elle n'a pas écrit dans ce rapport bien sûr, c'est sa vie avec Georges et tout ce dont il l'a informée. Notamment les arrestations importantes de Résistants depuis que Charlotte avait quitté la France, le 2 janvier. Celle du commandant d'Estienne d'Orves, arrivé de Londres, et d'un membre du réseau du Musée de l'Homme, l'avocat Nordmann, fin janvier. En février, c'était le tour de Lewitzki et d'Yvonne Oddon, en mars d'Ithier et Vildé. Le réseau du Musée de L'Homme est presque décapité. Et vingt-deux jeunes communistes ont été arrêtés dans la région de Saint-Dié, soixante à Lyon. Les coups de filet contre les communistes se sont multipliés, et dans toute la France.

Georges lui a montré le premier numéro sorti en février de *La Pensée libre*, la première revue conséquente de la Résistance, quatre-vingt-seize pages préparées par Georges Politzer, Jacques Salomon et Jacques Decour, tous trois communistes, auquel Dudach a apporté son aide.

Elle a lu l'éditorial, franc d'attaque. « La pensée française continue. Elle doit continuer de s'exprimer. C'est pourquoi nous avons entrepris et assuré la parution, grâce à des dévouements innombrables, de cette revue *illégale.* (...) *La pensée française est interdite en France.* Ce qui est interdit en France, ce sont la littérature, la science, la philosophie et l'art dans toute la mesure où ils relèvent, dans le passé ou le présent, d'une vie intellectuelle française indépendante. (...) *Le gouvernement de Vichy n'a jamais été qu'un gouvernement fantoche.* (...) *La littérature antifrançaise seule est autorisée à paraître. Aujourd'hui, en France, littérature légale veut dire : littérature de trahison*[1]. »

L'éditorial ne sera pas du goût du Parti. Le recueil de poèmes d'Aragon, *Le Crève-Cœur*, qui paraîtra le 25 avril 1941 chez Gallimard dans la collection « Métamorphoses » de Jean Paulhan, une publication autorisée, tombe donc sous

1. Sont en italique, les phrases qui étaient soulignées dans l'original.

l'accusation de trahison prononcée par l'éditorial de *La Pensée libre.* Le Parti enverra Georges Dudach chercher Aragon en zone libre, à Nice, pour qu'il rencontre à Paris les trois jeunes gens et infléchisse leur position. Dudach assistera à la discussion. Il semble qu'il ait défendu le point de vue de ses trois amis, puisqu'une phrase d'Aragon dira plus tard qu'il n'en a pas voulu à Dudach de sa position ce jour-là. Georges Dudach est resté l'antifasciste convaincu, qui ne transigeait pas avec l'occupation allemande, il ne pouvait y avoir pour lui de publication de résistance à l'occupant qui ne soit pas clandestine.

La discussion se poursuit sur un plus vaste projet, le Parti voudrait créer un mouvement populaire d'opposition à l'occupant. Il veut élargir sa base, s'adresser à toutes les professions, créer un « Front national » uni dans l'opposition à l'occupant. Et dans le même esprit, avoir un nouvel organe de presse, ouvert aux non-communistes. Ce seront *Les Lettres françaises* que créeront l'hiver suivant les trois amis avec Aragon et Jean Paulhan. Jean Paulhan, en même temps qu'il était éditeur chez Gallimard, s'était lié au groupe du Musée de l'Homme pour faire paraître leur publication *Résistance.* Il sera inquiété, arrêté, interrogé, lorsque le réseau sera lui-même démantelé. Libéré grâce à l'intervention de Drieu la Rochelle, Paulhan s'associera à la création des *Lettres françaises.* Georges Dudach et Charlotte Delbo préparaient la copie du premier numéro en février 42 lorsqu'ils furent arrêtés.

Fin mars, après le retour de Charlotte à Lyon, Jouvet prend la ferme décision de réaliser la tournée en Amérique du Sud. Karsenty obtiendra de l'Action Artistique un crédit de 750000 francs. La somme est considérable, plus importante que celle obtenue l'année précédente par la Comédie-Française, c'est la totalité du budget de l'Action Artistique pour l'année. C'est dire quel rôle de propagande culturelle Vichy accorde à la tournée. Jouvet en est pleinement conscient. Il écrit à l'écrivain suisse et français Guy de Pourtalès pour lui demander un texte qui présente sa Compagnie et son répertoire « pour préparer nos débuts à Rio de Janeiro et à Buenos Aires ». La première phrase de sa lettre est sans équivoque. « À la demande du Gouvernement français, je dois cette saison, avec ma Compagnie du Théâtre de l'Athénée, assumer la responsabilité de la tournée de propagande qui, chaque année, va représenter en Amérique latine le Théâtre français[1]. » Pourtalès y répond depuis Lausanne. Malade, il meurt un mois plus tard, mais il dicte à sa femme un portrait vivant et éloquent de Jouvet depuis son rôle dans *La Nuit des rois* de Shakespeare au Théâtre du Vieux-Colombier, « il y a vingt ou vingt-cinq ans », qu'il n'a pu oublier, jusqu'à sa place éminente dans le théâtre français contemporain, et l'adresse rapidement, comme Jouvet lui en a fait la requête, au Théâtre des Célestins à Lyon.

Le départ de la Compagnie est fixé au 27 juin depuis Lisbonne. D'ici là, pour subsister, la troupe doit faire tourner *L'École des femmes*. Douze villes de la zone sud reçoivent le spectacle, le théâtre est plein chaque soir. Le 26 mars à Toulouse, Jouvet après la représentation expose à sa troupe le projet de la nouvelle tournée en Suisse avec *Knock*, puisque Charlotte n'a pu obtenir l'accord de tous les acteurs pour la reprise d'*Électre*, et présente la tournée en Amérique latine : quarante-huit représentations sont prévues, dix spectacles différents jusqu'à la fin septembre et un retour à Lisbonne le 15 octobre.

Le décor de *Knock* est construit à Lyon du 1er au 14 avril, le départ pour la Suisse doit avoir lieu le 16 avril, avec un retour le 19 mai, et Charlotte accompagnera la tournée en Suisse. Le 3 mai à La Chaux-de-Fonds, Jouvet réunit tout le monde dans sa loge après le spectacle pour une discussion sur la tournée sud-américaine. Charlotte Delbo note que tous font part à Jouvet de leur inquiétude à propos du défraiement sur le bateau, de la classe des cabines, des appointements, de la date du retour. Seul le comédien Romain Bouquet avance

1. La lettre de Jouvet figure dans Guy de Pourtalès, *Correspondances III, 1930-1941*, Slatkine, 2014, p. 696-698.

cet argument qui le retient : « Ça m'embête de m'en aller. Justement parce qu'il y a du danger ici. Ce qui m'embête, c'est d'avoir l'air de ficher le camp, de quitter les gens qui me sont chers. »

Les représentations de *Knock* n'enthousiasment pas autant le public suisse que *L'École des femmes*. La tournée est abrégée, la troupe rentre quatre jours plus tôt à Lyon, le départ pourrait être avancé pour l'Amérique latine.

Charlotte est revenue à Lyon fin mars en connaissant les dangers croissants qui menacent Georges et ses amis. « Charlotte Delbo avoue à M. Jouvet que le voyage d'Amérique du Sud ne l'enthousiasme pas du tout », écrit-elle le 15 mai dans le Journal de tournée. Ce même 15 mai, est fondé le « Front national » à l'initiative des communistes pour créer un large mouvement de résistance. Ses réticences à partir ne datent pas de mai. Au début du printemps, après ses trois semaines à Paris, elle a rejoint la tournée de *L'École des femmes* en zone libre. Louis Parrot, comme il l'écrit dans son livre de souvenirs, rencontre Jouvet et la Compagnie à Clermont-Ferrand, il parle avec « Charlotte, femme de Georges Dudach. Elle préférait demeurer à Paris que d'accompagner la troupe en Argentine[1] ».

Le ministre des Affaires étrangères de Vichy accorde enfin le 21 mai toutes les autorisations nécessaires au départ de la troupe en accord avec les autorités allemandes, ces laissez-passer pour des pays qui ne sont pas les alliés de l'Allemagne seront une exception. Notamment, il fallait exempter les hommes de la Compagnie de l'interdiction de sortie du territoire, qui frappait tous les Français âgés de 17 à 40 ans. Neuf hommes de la troupe avaient moins de quarante ans. Pour le gouvernement de Vichy, rien ne doit empêcher cette manifestation de propagande française.

Le 19 mai, une comédienne de la troupe, Jeanne Hardeyn, ne veut plus partir, « Jouvet lui rend sa liberté », comme l'écrit Delbo dans le Journal de tournée. Le 24 mai, « Charlotte

1. *L'Intelligence en guerre*, réédition en 1990, Le Castor Astral, p. 275.

Delbo déclare à M. Jouvet qu'elle ne veut pas accompagner la tournée "parce qu'elle ne se sentait pas le cœur de partir" ». Et toute la journée du dimanche 25 mai, Charlotte tape les inventaires des décors et des costumes pour les agents de douane. « Les papiers s'alignent et s'entassent. Enfin, le soir, tout est fini. »

Lundi 26 mai, d'Estienne d'Orves et nombre des Résistants arrêtés sont condamnés à mort par la Cour martiale allemande de Paris. Leur procès avait commencé deux semaines plus tôt. Delbo a-t-elle eu connaissance de leur condamnation à mort par le journal le lendemain ? Ce mardi 27 mai, au matin, jour du départ, Marcel Karsenty, l'administrateur de la tournée, et le comptable de la troupe, M. Boussat, viennent parler à Charlotte Delbo. Sur leurs « instances », elle se « décide à la dernière minute à suivre la tournée, et dit à M. Jouvet qu'elle part quand même[1] ». Ce sont ses mots. Quels furent exactement les arguments qui l'ont décidée, nous ne les connaissons pas, mais ce que l'on sait c'est que la moitié du salaire serait versé en France pendant la tournée, et au grand dam de l'administrateur, Jouvet avait promis cinq mois de salaire alors que la tournée ne devait durer que quatre mois. Charlotte aura sans doute pensé à sa mère, ses frères et sœur qui pourraient en bénéficier, comme Georges. Le Parti a bien peu de moyens, surtout depuis la signature du pacte. Et quel autre travail rémunéré trouverait-elle, si elle quittait le Théâtre Louis Jouvet ?

Charlotte Delbo monte dans le train.

Il faudra trois jours pour atteindre la frontière portugaise, les wagons espagnols sont très sales, inconfortables et pleins, précise le Journal de tournée, des voyageurs sont debout dans les couloirs, et derrière la vitre les paysages désolés sont « d'une pauvreté à serrer le cœur », note Charlotte.

---

1. Journal de la tournée en Amérique latine, BNF, Fonds Jouvet, LJ-D-79-3 et 4, qui contient les tournées de la troupe du 2 janvier 41 au 29 octobre 41.

À Lisbonne, c'est un pays hors de la guerre qu'ils découvrent. Une nourriture abondante, une circulation intense dans les rues de la capitale. Ils attendent le départ du bateau, encore cinq jours avant l'embarquement, Jouvet prononce deux conférences. Charlotte s'échappe quand elle le peut pour prendre un café, il y en a ici ! Le bonheur d'une tasse avec une cigarette sur une terrasse. Elle regarde, elle observe. Elle découvre le manège des petits mendiants de cigarettes, ils repèrent les journaux abandonnés par les clients sur les tables, les ramassent et un peu plus tard les proposent à la vente. Leur rapidité, leur assurance, leur jeu, sa mémoire les garde, comme la beauté qu'elle voit dans leur visage, la malice, le rire. Elle l'écrira dans une nouvelle, *Les Enfants des trottoirs du monde*. Plus tard, quand elle reviendra. « Les petits mendiants sont toujours aussi beaux depuis Ribera[1] », c'est aussi à travers la peinture que Delbo regarde le monde.

Les vingt-cinq membres de la troupe embarquent le 6 juin. Le bateau de la compagnie brésilienne en partance pour Rio est surchargé d'émigrants qui fuient l'Europe en guerre. Karsenty n'a pu obtenir des cabines de première classe pour tout le monde. Quatre femmes doivent passer en troisième classe, et dans la même cabine. Parmi les fidèles de Jouvet, c'est Charlotte Delbo et l'habilleuse, Germaine Perrier. Et deux comédiennes recrutées pour la tournée, Micheline Buire et Jacqueline Chesaux, étudiante de théâtre engagée en Suisse, qui a adopté le nom de théâtre de Jacqueline Chantal.

« La secrétaire *personnelle* de Louis Jouvet », comme Charlotte le précise partout, quand il faut établir la liste avec fonction des membres de la troupe, a dû être blessée de se trouver dans le petit nombre des « déclassées ». Les trois premiers jours de la traversée elle est « malade », sans autre précision. Elle reste couchée dans la cabine, alors que la mer est calme, le temps est beau. Indisposée pour n'importe quelle cause, Charlotte Delbo aurait fait front dans la mesure

---

1. *Les Enfants des trottoirs du monde*, nouvelle inédite, BNF, Fonds Delbo, 4-COL-208-252, Succession Delbo.

du possible, par tempérament. Là, il y a quelque chose en plus. Non seulement elle est partie à contrecœur, en plus sa fierté est mise à mal.

Mais ce n'est pas uniquement durant la traversée que Charlotte se sent contrariée, comme on l'apprend d'une remarque de sa sœur Odette, quelques années plus tard. « Surtout que ton séjour en Suède ne soit pas gâché (comme tu l'as fait pour l'Amérique) par une idée fixe : celle du retour[1]. » Charlotte vit mal sa présence dans cette tournée officielle financée par le gouvernement de Vichy, qui l'emmène loin de sa famille alors que le pays est en guerre, loin de son mari très exposé. Elle s'est laissé convaincre, son corps est monté dans le train et sur le bateau, mais l'esprit est resté là-bas, elle ne digère pas les tourments avalés.

Jouvet fait répéter ses comédiens matin, après-midi et soir, et toute la Compagnie travaille. Charlotte se lève au bout de trois jours et reprend son poste dans la bibliothèque aux côtés de René Dalton, René Besson et Marthe Herlin, les régisseurs qui établissent les brochures d'annonce des spectacles, les inventaires du matériel, les directives d'éclairage des pièces, les listes d'accessoires. « Charlotte Delbo tape tout ce qu'on lui donne à taper », écrit-elle dans le Journal de tournée, une façon de dire combien son travail est peu exaltant.

Dimanche 22 juin, tous apprennent l'événement par la radio du bord, « l'Allemagne déclare la guerre à l'URSS ». La veille, l'armée allemande est entrée sur le territoire soviétique. La guerre change de visage. Les communistes peuvent enfin revendiquer leur lutte contre le nazisme, Charlotte n'a plus à vivre douloureusement sa position critique vis-à-vis du Parti, de son mari. Mais elle est loin d'eux. Sans pouvoir partager ce changement radical de la guerre, des engagements. Et elle tape des listes !

Enfin, le lendemain, arrivés en face de Bahia, ils peuvent descendre à terre. Alors Charlotte est éblouie par la visite

1. Lettre d'Odette à Charlotte du 21 mai 1945, BNF, Fonds Delbo, 4-COL-208-3, Succession Delbo.

« des extraordinaires églises du pays », « les figures peintes de couleurs vives », « les statues aux visages peints ». Quand la magie du voyage fait irruption, qu'elle peut découvrir, observer, recevoir, Charlotte a un moment de bonheur. Elle en aura d'autres à Rio, lors des représentations, lorsqu'elle voit l'accueil fervent du public, l'attention religieuse, les tenues de gala, les femmes en robe du soir et les hommes en habit. L'élégance de la salle, l'élégance de la « tenue », c'est elle qui souligne, la subjuguent. Elle a vu certains soirs la scène couverte de fleurs apportées par les valets en habit bleu clair. Féerie et Grand Siècle, Delbo est dans son rêve. La cérémonie, l'élégance, la dignité reconnue du théâtre, elle voit ce qui lui importe. Quelques heures, elle peut oublier, laisser de côté ce qui la cisaille depuis le départ. Elle est à 9000 kilomètres de la France, la guerre est là-bas, ici pendant quelques heures tous croient à la féerie du théâtre.

Mais la signification politique de cette tournée est souvent évoquée par les journaux, dans les couloirs des ambassades, dans les réceptions organisées autour de Jouvet. Il avait pris les devants vis-à-vis de sa troupe avant le départ de Lisbonne et encore avant de débarquer à Rio, en précisant que le but de la tournée était exclusivement artistique. Il a demandé à la troupe de ne faire aucune déclaration politique durant le voyage. Lui-même s'efforce de déjouer les intentions des journalistes qui lui posent des questions sur la situation en France. Mais son goût des réponses provocatrices, pour prendre le contre-pied de ce qu'ils voudraient lui faire dire, l'amène un jour à paraître soutenir le gouvernement de Vichy, un jour la France libre. Un représentant de la France libre à Montevideo comprendra que si Jouvet avait refusé de jouer devant les Allemands et le répertoire qu'ils lui demandaient, c'était « par amour-propre d'artiste » parce qu'il n'acceptait aucune ingérence étrangère dans son domaine artistique, ce n'était pas une prise de position politique. Si le représentant de la France libre pense qu'il ne faut pas boycotter une tournée artistique qui ne porte pas d'étiquette politique comme celle-ci, il lui paraît évident que le succès d'une tournée « autorisée » est un profit pour Hitler, qui lui permet à lui et ses « collaborateurs » de prouver que « tout est pour le mieux dans son Ordre Nouveau, il respecte la culture des pays envahis ou soumis[1] ». Delbo sait bien, elle, que si Jouvet sert son art, elle, elle sert aussi une tournée officielle du gouvernement de Vichy. Le malaise, son malaise personnel la prend, régulièrement.

Le travail des techniciens, des régisseurs, est harassant. La plupart des décors ont dû être entièrement construits sur place en respectant le plus fidèlement possible les maquettes de Christian Bérard. Les heures de travail s'allongent. Du côté des comédiens, les tensions et chamailleries qui ont commencé sur le bateau se poursuivent, pour des questions de loges attribuées, d'hôtels, les prétextes abondent. Fin juillet, la troupe quitte Rio pour São Paulo où ils jouent trois soirs. Le 1er août, c'est le départ pour Buenos Aires, en autocar, « le voyage à travers les montagnes est magnifique », écrit Delbo.

Le 8 septembre, la troupe apprend sur le tableau de service que la date du retour est fixée au 15 octobre. Le soir, Jouvet réunit tout le monde dans sa loge après le spectacle, il est 4 h 30 du matin, pour parler du départ. Certains sont désireux de rester en Amérique, Charlotte fait partie des trois qui veulent absolument rentrer. Trois jours plus tard, elle déclare qu'elle ne veut pas attendre le 15 octobre, ni rester plus longtemps à Buenos Aires, elle veut rentrer en France ainsi qu'on le lui a promis au départ. À Lyon, le retour avait été annoncé pour le 1er octobre à Lisbonne.

« Mais M. Jouvet s'est refusé à lui laisser quitter la troupe maintenant et à autoriser son retour en France sans la Compagnie ».

1. Compte rendu fait par M. Ledoux à Montevideo, retrouvé dans les Archives du ministère des Affaires étrangères et cité par Denis Rolland, *Louis Jouvet et le théâtre de l'Athénée, « Promeneurs de rêves » en guerre, de la France au Brésil*, Paris, L'Harmattan-Institut universitaire de France, 2000.

« Charlotte Delbo est dans un grand état de nervosité, de fatigue et d'inquiétude. M. Jouvet lui conseille de se reposer et de quitter momentanément son service. Ce qu'elle fait ».

Et elle ne le reprendra plus.

C'est ce qu'on apprend à lire la suite du Journal de tournée, elle ne reprend plus son poste. Et c'est ce que confirme son dossier de carrière, établi au moment de prendre sa retraite. Pour la période qui va jusqu'à la fin de la guerre, son emploi à l'Athénée a débuté le 16 novembre 37 et s'est terminé le 11 septembre 1941[1].

Quand la troupe part jouer trois jours à Rosario, Charlotte reste à Buenos Aires. De même, lorsque la Compagnie part le 24 septembre pour Montevideo une semaine, Charlotte est dispensée de les accompagner. C'est à Montevideo que l'accueil a été le plus triomphal, le président de la République est venu applaudir une représentation, elle l'apprend quand ils reviennent le 1er octobre. Deux jours plus tard, ils embarquent pour Rio, Charlotte les accompagne, « mais ne reprend pas son service ». Son état de tension ne s'arrange pas, elle vit des jours difficiles. À Buenos Aires où elle a passé trois semaines sans travailler, elle a lu la presse, son rudiment d'espagnol lui a permis d'éplucher les grands journaux et d'apprendre ce qu'il se passe en France.

Les sabotages, les attentats se sont multipliés. Une manifestation importante organisée à Paris par le parti communiste le 13 août a été réprimée, deux manifestants ont été condamnés à mort et exécutés les jours suivants. En zone sud, les réseaux de renseignement sont décimés par la Gestapo devenue de plus en plus efficace. Le 21 août à Paris, Pierre Georges, le futur « colonel Fabien », à la suite de l'exécution des deux manifestants du 13 août, abat un officier allemand au métro Barbès. Les Allemands veulent frapper fort, leur réaction ne se fait pas attendre. Le 25 août, la Cour spéciale de Vichy en violation

---

1. Dossier de retraite, BNF, Fonds Delbo, 4-COL-208-57, Succession Delbo.

des règles absolues du droit condamne *rétroactivement* trois militants à mort. Et ils seront guillotinés, c'est encore plus infamant. À partir du 30 août apparaissent sur les murs de la capitale les sinistres affiches avec les noms des otages exécutés, triés par la police de Vichy essentiellement parmi les militants communistes et syndicalistes, et remis aux autorités allemandes. Ces affiches, ces condamnations à mort et exécutions frappent, la propagande nazie le veut, les nouvelles sont sues jusqu'en Argentine où se trouvent de nombreux émigrants.

La répression ne diminue pas les actions isolées, en septembre les attentats se poursuivent, plusieurs militaires allemands sont abattus. En mesure de rétorsion, le 26 septembre, ce sont trois autres communistes arrêtés depuis plusieurs mois qui serviront d'otages et seront guillotinés. Parmi eux, Jean Catelas, le député communiste d'Amiens et l'architecte Jacques Woog. C'est un ami de Georges et de Charlotte.

Elle évoquera la nouvelle de cet assassinat comme élément déterminant pour réclamer auprès de Jouvet son retour immédiat en Europe, dans *Le Convoi du 24 janvier*. Elle y précise que Woog a été arrêté avant son départ, « Je ne savais pas qu'il risquait la guillotine, parce qu'en droit il ne la risquait pas ». « Il avait été arrêté en avril 41 par des policiers français dans une chambre où il logeait sous un faux nom, où étaient entreposés des tracts contre les nazis ». La même raison entraînerait donc la mort de Georges s'il était arrêté. Elle ne l'écrira pas, mais il était facile de savoir ce qui l'obsédait. Jouvet lui-même, quand elle lui demande de rentrer, lui répond que son mari est bien plus tranquille dans son combat sans sa femme près de lui. Il ne parle pas d'une Charlotte qui partirait pour combattre. Il parle de celle qu'il connaît, et de son souci pour son mari, de son amour pour Georges.

Elle écrira : « Il faut que je rentre. Je ne peux pas supporter d'être à l'abri pendant qu'on guillotine les camarades. Je n'oserais plus regarder personne, après[1]. » Ce qui est vrai.

1. *Le Convoi du 24 janvier*, Les Éditions de Minuit, 1965, p. 101. Et p. 100 pour les précédentes citations.

Son mari a la force de ses engagements, elle l'aime pour ça aussi, et Charlotte veut être près de celui qui risque sa vie comme le font tant de ses amis, de leurs amis. Elle est fière de lui, fière d'eux, son absence à leurs côtés est devenue impossible à vivre, pour son cœur, pour son orgueil.

Les discussions ou « chamailleries » évoquées dans le Journal de la tournée ont dû être parfois vives, violentes. Et eurent des résultats bien sournois. Puisqu'on lit dans les Archives de la Préfecture de Police qu'une lettre de dénonciation pour mettre en danger Charlotte a été envoyée par un membre de la tournée aux Renseignements généraux. Une note de Vichy, le 8 décembre 1941, en informe les services. « Une lettre de Rio de Janeiro, émanant d'un membre de la tournée Louis Jouvet, signale comme militante communiste Melle Charlotte Delbo-Dudach, née le 10 août 1913 (Seine-et-Oise) passeport n° 06334 délivré le 27 décembre 1940 par la Préfecture de la Seine. Cette personne a quitté la tournée Jouvet pour rentrer en France et doit se présenter pour régler des affaires au Théâtre de l'Athénée à Paris[1]. »

À la suite de cette lettre, elle sera arrêtée et interrogée le 5 janvier 42, « pour propagande communiste clandestine et mise à la disposition des autorités allemandes[2] ». Pour déjouer les soupçons de la police, elle dira qu'elle est sur le point de divorcer, justement parce qu'elle ne partage pas ses opinions politiques, que son mari veut l'endoctriner comme le faisait déjà sa belle-mère. La mère de Dudach a été arrêtée pour ses opinions communistes et transférée dans plusieurs lieux de détention, refusant fermement de renoncer à ses idées politiques. À la Préfecture d'ailleurs, des confusions seront faites dans les dossiers par la police entre Emma Dudach et Charlotte Dudach... Charlotte réussira à bien jouer sa comédie, ils la relâcheront.

C'est donc bien avant d'apprendre fin septembre l'assassinat de Woog, qu'elle a demandé à Jouvet de rentrer. C'est

1. Archives de la Préfecture de Police, Note 39.633, dossier GB 98.
2. Archives de la Préfecture de Police, dossier GB 98.

dès le 8 septembre, et avec insistance. Enfin, le 11 septembre, elle veut rentrer immédiatement, sans attendre octobre.

Le temps lui aura paru long à Charlotte. Car ce n'est que le 29 octobre qu'elle pourra embarquer ! Après avoir bataillé auprès de Jouvet pour qu'il lui rende son passeport, « usé de tous les moyens de persuasion possibles », écrira-t-elle. Le *Bagé*, le même paquebot qui l'avait amenée, repart presque vide en Europe. Ils sont trois passagers sur le bateau, Charlotte Delbo, la secrétaire personnelle de Jouvet, René Dalton, le régisseur, et Jacqueline Chantal, la jeune comédienne engagée pendant la tournée en Suisse.

Le *Bagé* retourne à Lisbonne chercher ceux qui attendent de pouvoir fuir la guerre et la politique raciale des nazis. Ils sont bien les seuls trois à vouloir aborder les rives de l'Europe en novembre 41. Charlotte apprendra par une lettre de sa sœur en 45 que le *Bagé* a coulé en ramenant les émigrants à Rio après l'avoir déposée à Lisbonne. Le destin l'a épargnée dans le voyage vers l'Europe, et ramène Charlotte. « Dans la gueule du loup », comme le lui avait dit Jouvet. Mais il y avait bien une étoile qui brillait pour elle au-dessus de l'Atlantique.

Elle est montée à bord avec une lettre attestant que Jouvet est dégagé de toute responsabilité morale et matérielle à son égard, qu'elle le quitte libre de tout engagement et sans aucune mission.

Georges vient à sa rencontre, il est descendu jusqu'à Pau pour retrouver sa femme. Est-ce là qu'il lui raconte que le 22 juin il a été arrêté en compagnie d'Aragon et d'Elsa Triolet à qui il faisait passer la ligne de démarcation, et que les soldats allemands redoublaient de vigilance, le lendemain du jour où leur armée entrait en guerre contre le front russe ? C'est probable, ce qui est sûr c'est qu'il ne l'en aura certainement pas informée quand elle était en Argentine.

Par chance, les Allemands n'ont pas réalisé qui ils ont arrêté ! Ils ne reconnaissent pas Aragon. Les trois passent dix jours emprisonnés à Tours et sont relâchés. Dudach ramenait

Aragon à Paris pour qu'il y rencontre Politzer, Decour et Solomon.

Charlotte et Georges doivent se quitter avant de traverser la ligne de démarcation. Elle a une autorisation officielle de retour, lui, passe encore une fois la ligne clandestinement. À Paris, ils occupent un petit appartement sous un faux nom, celui de Delépine, au 93 rue de la Faisanderie, dans le 16e arrondissement. Décembre 41, janvier et février 42. Trois mois, trois mois d'un hiver particulièrement froid, où Charlotte attend le cœur battant le retour de son mari qui sort plusieurs fois par jour pour ses contacts, sans confier à sa femme où il se rend, ni qui il voit. Elle ne pourrait rien dire en cas d'arrestation, ce sont les consignes, Georges Dudach les suit. Et à la lettre.

Ils ne quittent jamais l'immeuble ensemble. Elle ne sort que pour le ravitaillement. Elle fait la cuisine et tape à la machine, une couverture sur les genoux. Elle met au net ce qu'il lui apporte comme textes, articles qui servent ce « Front national de lutte pour l'indépendance de la France » créé le 15 mai 41, juste avant qu'elle ne parte pour l'Amérique du Sud. Georges Politzer le dirige pour les intellectuels de la zone nord et Dudach l'assiste pour les contacts avec les étudiants, les *Lettres françaises* se préparent. Elle écoute Radio-Londres, et Radio-Moscou où l'écrivain Jean-Richard Bloch tient les émissions en français, et transcrit les nouvelles.

D'après ce qu'on peut reconstituer, et selon les entretiens publiés de Pierre Villon, Dudach a reçu, après l'arrestation de Politzer, des mains de Jacques Decour les textes qui doivent composer le premier numéro des *Lettres françaises*, et cela juste avant l'arrestation de Decour. Dudach remettra le numéro composé à Pierre Villon qui prenait la relève de Politzer, au matin du 2 mars.

Les attentats contre l'occupant n'ont pas cessé. La répression allemande est immédiate, arrestation de communistes, exécution d'otages. La traque par les Brigades spéciales créées dans la police et aux Renseignements généraux a reçu des moyens considérables. L'une des plus sauvages est dirigée par un ami de Pierre Laval, secondé par Fernand David qui dirige la BS1, brigade spécialisée contre les politiques, c'est-à-dire les communistes. Les contacts sont étroits entre le commissaire David et les officiers de la Gestapo. Les effectifs sont nombreux, les policiers bien rémunérés. Ils travaillent avec les méthodes les plus modernes de l'époque pour apprendre à reconnaître les visages de face et de profil, la silhouette, la démarche, déjouer les ruses, les filatures peuvent durer des semaines, des mois. C'est dans l'affaire Pican, Cadras et Dallidet qu'ils vont repérer et filer Dudach.

Depuis l'automne 41, André Pican, secrétaire régional clandestin de la Seine-Inférieure est recherché par la police française et la Gestapo. Il est autant responsable de la lutte armée, des sabotages que de la propagande du Parti. Sa tête a été mise à prix. Il quitte la région de Rouen et monte à Paris fin janvier, mais il est filé depuis le 5 janvier et tous ses contacts repérés. Comme à Paris, sont filés Félix Cadras et Arthur Dallidet, principaux responsables du Parti, juste en dessous de Jacques Duclos et Benoît Frachon. Tous leurs déplacements sont suivis, les échanges furtifs ou supposés avec des intermédiaires font naître d'autres filatures, les immeubles où ils pénètrent sont repérés et surveillés. La somme des suspicions fait déclencher un coup de filet le 15 février. C'est l'arrestation d'André Pican, et le même jour, ailleurs, de sa femme Germaine Pican, très active dans la Résistance, de Danielle Casanova, de Georges Politzer et de sa femme Maï.

Une fois les arrestations commencées, un policier attend dans chaque logement des jours, voire des semaines, toute personne qui s'y présente pour l'arrêter.

Jacques Decour est pris le 19 février, Cadras, le 21, Dallidet le 27. Le 1er mars c'est au tour de Jacques et Hélène Solomon. Le lendemain, les policiers frapperont au domicile de Georges Dudach qu'ils filaient et qui portait dans leurs carnets de filature le surnom de « L'Étudiant », rappelant la figure juvénile que tout le monde reconnaissait à

Georges. C'est lorsqu'ils ont arrêté Claude Gaulue dans son « officine de faussaire » fin février à la suite de l'arrestation d'Arthur Dallidet, que la police française découvre l'identité de « L'Étudiant » parmi tous les documents, fausses pièces d'identité et cachets divers que Gaulue confectionnait. Le 2 mars, les policiers font irruption dans l'appartement des Delépine, 93 rue de la Faisanderie, et se jettent sur Georges, lui passent les menottes.

Ils « ont été surpris de me voir[1] », racontera Charlotte.

Charlotte Delbo n'avait pas été repérée dans l'affaire Cadras, Pican, Dallidet.

La perquisition fera saisir la machine à écrire, et un rapport de police précisera que sur la machine à écrire « était montée une feuille commençant un début de compte rendu. Sa femme le secondait[2] ».

Charlotte et Georges avaient rapidement appris les premières arrestations du réseau, celle de Politzer a eu lieu le 15 février, Dudach était en contact avec lui. Pour Charlotte, il faut immédiatement quitter ce domicile et trouver une autre planque. Georges veut attendre une consigne du Parti. Il ajoute, si nous partons sans consigne, on pensera que j'ai pu participer à une dénonciation. Charlotte, stupéfaite, lui répond, « Si c'est ça, les communistes ! » Ils ne bougeront pas.

Un nœud se noue, fait de deux fils différents. Charlotte, lucide sur le danger de leur situation, pragmatique, immédiatement réactive. Georges, habité par sa foi de militant, tenu par son idéal.

Lui, qui sera torturé rue des Saussaies, refusera la veille de son exécution de signer le reniement de ses convictions, comme le lui enjoint la Gestapo pour avoir la vie sauve. En plus ils amèneront sa femme dans sa cellule pour le faire changer d'avis.

1. *Le Convoi du 24 janvier*, *op. cit.*, p. 101.
2. Archives de la Préfecture de Police, dossier GB 98.

Elle le verra beau, beau « de sa mort choisie », « du sacrifice consenti ». « Moi / je me suis révoltée / à peine si j'ai réussi / à ne pas hurler devant lui[1] ». La cruauté infinie de la scène où ils doivent se dire adieu, lui s'en aller d'un geste héroïque, et elle rester à survivre à la douleur, s'imprimera à jamais dans sa mémoire, dans sa chair et son cœur.

« Moi, je pensais que j'aurais préféré le garder, lui, l'homme que j'aimais, aux bras si doux, aux lèvres douces, à la poitrine chaude, j'aurais préféré le garder à n'importe quel prix. (...) J'ai pensé que le savoir sauvé, sortir, sortir avec lui, même pour un seul jour, même pour une seule nuit et m'endormir une seule fois encore près de lui, le sentir chaud et vivant contre moi, j'ai pensé que cela valait n'importe quel prix, et j'ai eu honte[2]. »

Les pensées qui l'assaillent pendant cet adieu, elles mettront vingt-cinq ans pour remonter du plus profond et réveiller la force de les écrire. Tant la nécessité, l'obligation de lui survivre, et de survivre aux épreuves qui l'attendaient, avaient enfoui la douleur de son amour assassiné et la cruauté de la scène qu'elle avait vécue.

Ce qu'elle a pu dire à Georges, puisqu'elle ne veut pas se laisser à dire sa douleur, c'est lui raconter son absence de peur quand la Gestapo l'a interrogée, un jour où on l'avait sortie de prison. Et lui dire que d'avoir réussi à s'endormir sur le sol de la cave infâme de la rue des Saussaies, entre le matin et l'après-midi où ils l'ont interrogée, a été une victoire face à ses geôliers. Ce qu'elle donne à Georges, en cet instant ultime, c'est qu'il puisse avoir confiance en elle, même si elle est au bord de défaillir.

Le dépouillement de tout, que Charlotte a vécu dans cette scène, quand Georges lui dit adieu, part pour être fusillé, empli de son courage, de sa fraternité avec ses compagnons, de son espoir pour l'avenir dont il est sûr qu'il sera fait de son idéal – ce dépouillement de tout, l'abandon de tout ce

1. *Une connaissance inutile*, *op. cit.*, p. 22.
2. *Une scène jouée dans la mémoire*, HB éditions, 2001, p. 35 et 40.

qui lui était cher, elle le vit pour la première fois. Dans son être, dans son cœur de femme.

Elle en vivra de terribles, des dépouillements de tout, ceux de la plus grande tragédie de l'Histoire. Elle était inconcevable.

Charlotte Delbo passera sa vie à écrire ce qui n'était pas concevable et qui fut.

Georges est conduit au Mont-Valérien ce 23 mai, les soldats allemands ramènent Charlotte dans sa cellule. Elle s'efforce de se tenir droite, résolue, dans les couloirs de la Santé. Puis tout à coup elle tente de s'élancer pour retourner vers Georges, mais retenue violemment aux épaules par un soldat, elle tombe et s'évanouit.

Elle reprend connaissance pour une autre vie qui commence, sans Georges. Trois mois encore dans sa cellule, gardée dans cette aile de la Santé en tant que « Nuit et Brouillard », c'est-à-dire sans communication avec l'extérieur, avec sa famille, par des soldats allemands. Le 24 août, comme de nombreuses femmes arrêtées dans le même réseau, Charlotte Delbo est transférée dans une autre prison, au fort de Romainville, à la marge de Paris, sur la commune des Lilas. Là ce sont des dortoirs, une cour où elles peuvent se rendre deux fois par jour, une vie en commun qui, après la Santé et l'isolement en cellule pour certaines, redonne du courage à ces femmes prisonnières, qui ont vu maris et compagnons, exécutés et qui pensent que leur sort sera de rester emprisonnées en France tant que durera la guerre.

Mais le 22 janvier, on leur annonce un départ.

Elles sont menées en deux groupes au camp de Compiègne les 22 et 23 janvier, y passent la nuit et sont convoyées vers la gare debout sur des camions débâchés le matin du 24 janvier. Deux cent trente femmes à monter dans quatre wagons à la queue d'un train qui attendait sur une voie de garage. Destination inconnue. Mais ce n'est pas le courage qui leur manque, dans le froid glacial, assises sur le sol, trois jours et trois nuits.

La troisième nuit, le wagon est resté immobile.

Quand le jour est là, la porte de chaque wagon est tirée sur une plaine glacée, des SS hurlent des ordres, pointent des mitraillettes qu'ils arment. Un déchaînement de violence. Elles sortent, sautent, tombent des wagons arrêtés depuis la veille au soir, le corps engourdi de froid et de fatigue après les jours et les nuits où le train a roulé, elles tombent dans la neige à côté de la voie, tirant des valises, regardant autour d'elles et fuyant des yeux la plaine glacée pour s'accrocher aux visages et aux corps des compagnes, ce qui reste de connu et de forces encourageantes au milieu des ordres hurlés par les SS, du cliquetis des mitraillettes, des chiens qui aboient, qu'ils retiennent à peine, menacent de bondir sur elles. Le froid prend à la gorge, griffe le corps à travers les vêtements.

Ça ne ressemble pas à une gare, il n'y a pas de panneau, pas de nom, juste les voies au milieu du paysage glacé de la plaine et les quatre wagons ouverts. La vingtaine de wagons en tête du train où étaient montés à Compiègne les 1200 hommes prisonniers ne sont plus là. Elles sont seules, femmes, et luttent pour ne pas se sentir si vulnérables.

La plupart ont été arrêtées pour leur activité dans la Résistance, seules trente-cinq n'avaient pas participé à des actes de résistance. Cent dix-neuf sont communistes ou sympathisantes sur les 230, soixante-trois sont sans appartenance politique et douze appartiennent à des réseaux gaullistes.

Elles ne pensaient pas risquer pour leurs actes autant que les hommes. Les femmes n'ont pas le droit de vote en France à cette époque. Les femmes ne sont pas des soldats. Elles ne sont protégées par aucun statut spécifique de la convention de Genève, elles sont en marge. Soudain elles se découvrent au centre d'un dispositif redoutable de répression. Sans aucune protection.

Certaines ont regretté de ne pas accéder à des postes de commandement dans la Résistance intérieure, et beaucoup pourront se plaindre après guerre que leur résistance, effective et courageuse, n'a de loin pas eu la même reconnaissance que celle des hommes. Par exemple, seules six d'entre elles recevront le titre de Compagnon de la Libération sur les 1 038 nommés. Mais beaucoup ont pu imaginer que leur statut de femme les protégerait après l'arrestation. Elles savaient bien sûr qu'elles risquaient la prison. Comme dira Delbo elle-même, elles pensaient à la Roquette, ou à la prison de Rennes.

Quand elles apprirent qu'elles partaient en Allemagne en camp de travail, ce ne fut pas l'effroi. Elles s'étaient efforcées d'entretenir leur courage pendant les mois au fort où elles n'étaient plus isolées et partageaient leurs colis, autorisés à Romainville.

Cent cinquante-quatre des leurs ont moins de quarante ans, elles pensaient que le travail serait dur et qu'elles le surmonteraient. Mais le camp de concentration nazi, au moment de l'arrestation de la plupart d'entre elles, l'hiver 41-42, qui savait ce que c'était ? Et Auschwitz, où elles venaient d'arriver ?

Les premiers camps de concentration en Allemagne avaient été construits pour les opposants politiques dès l'accession des nazis au pouvoir en 1933, le plus connu était Dachau. Ces camps, leur existence, leur réputation devaient répandre la terreur et servir l'oppression du régime politique. Marie-Claude Vaillant-Couturier, jeune photographe à l'époque, avait effectué un reportage photographique sur Dachau pour le Magazine *Vu*, en 1937. Mais les reporters n'avaient pu pénétrer très avant dans le camp, et Dachau n'avait rien à voir avec ce que sera Auschwitz.

En 1940 après l'annexion d'une partie de la Pologne, les autorités militaires décident de transformer en camp de concentration pour prisonniers polonais les casernes en bordure de la ville d'Oswiecim, qui reprenait son nom d'origine d'Auschwitz, puisqu'elle avait été construite par les Allemands à la fin du XVe siècle. Seuls des prisonniers polonais y sont enfermés. En 1941 Himmler décide l'agrandissement du camp pour recevoir les prisonniers de guerre soviétiques que les nazis s'attendent à faire puisqu'ils préparent l'opération Barbarossa. Il veut un camp pour 200000 prisonniers, des chiffres, des proportions jamais vus encore. Mais l'hiver 41-42, quand l'armée allemande est arrêtée sur le front russe, fait que l'agrandissement d'Auschwitz à Birkenau prévu pour les Soviétiques servira un autre dessein, celui de la solution finale, l'extermination des juifs d'Europe, organisée à la conférence de Wannsee, le 20 janvier 1942.

Le camp d'Auschwitz se trouve sur le territoire de l'ancienne Pologne, comme tous les centres de mise à mort. Aucun ne se trouve dans le vieux Reich, comme s'il ne fallait pas souiller le sol... La situation du camp est propice aux déportations parce que la ville est au centre d'un important réseau ferroviaire. Des juifs polonais, qui avaient au début du siècle fui les pogroms pour s'exiler, se souviendraient d'avoir fait le trajet de Pologne vers la France en passant par Auschwitz ! Ces voies ferrées vont permettre aux SS, dans la grande zone de 40 kilomètres carrés qui leur est dévolue autour du camp central, de proposer à l'industrie allemande l'implantation d'usines, l'acheminement des marchandises et l'exploitation d'une main-d'œuvre extrêmement bon marché. Enfin, l'éloignement d'Auschwitz en Haute-Silésie, ces confins à l'est, dans cette plaine inhospitalière bordée de deux rivières qui la couvrent aussi de marécages, en assure le secret, loin du monde.

Les prisonniers de guerre soviétiques seront effectivement très nombreux pendant l'été et l'automne 41, jusqu'à trois millions dans les différents camps. Aucune convention internationale ne les protégeait puisque l'URSS n'en avait pas signé. Ils furent traités effroyablement. 15000 furent envoyés à Auschwitz pour construire l'extension de Birkenau qu'avait décidée Himmler. Ils arrivent au camp dans un tel état d'épuisement et de famine qu'ils meurent très vite.

La violence inouïe qui a existé à Birkenau, pire que celle du camp principal d'Auschwitz, avait donc commencé dès sa construction. « Le camp des femmes avait été ouvert sur un charnier de prisonniers russes[1] », écrira Delbo elle-même. Et Birkenau est encore plus près de la rivière que le camp principal, donc des marais, d'un sol détrempé. Aucune rue, aucune allée ne fut jamais construite en dur dans ce camp, il n'y avait que la terre, une boue épaisse au moment du dégel. Et c'est à Birkenau que furent construits en 1942 les grands complexes des chambres à gaz et des crématoires d'Auschwitz, après que deux maisons abandonnées de paysans servirent aux premières exterminations par le gaz.

Birkenau a été agrandi et administré à coups d'improvisations constantes, dans une sorte d'anarchie violente. Si au camp central d'Auschwitz régnait « un ordre relatif », à Birkenau c'était « la jungle[2] ».

Et c'est là que fut créé le camp des femmes.

Le commandant du camp, Hoess, l'écrivit dans ses Mémoires rédigés en prison, les conditions faites aux femmes furent toujours pires que celles faites aux hommes, particulièrement « en ce qui concerne l'entassement et les installations sanitaires », et ce fut déjà le cas pour elles au camp d'Auschwitz, quand les premières prisonnières y sont arrivées en mars 42. Lors du transfert des femmes à Birkenau en août 42, des milliers sont exterminées parce que malades.

Leurs kapos furent plus sauvages que ceux qui gardaient les détenus hommes d'Auschwitz. Hoess écrivait d'elles : « On nous avait envoyé de Ravensbrück, à ce qu'il me semble, le rebut de l'humanité. Ces femmes surpassaient leurs homologues masculins en vulgarité, en bassesse et en avilissement. C'étaient pour la plupart des filles qui avaient déjà purgé de longues peines de prison. Ces bêtes féroces devaient inévitablement assouvir leurs mauvais penchants sur les détenues qu'elles devaient surveiller[3]. »

---

1. « Le Départ et le retour », introduction au *Convoi du 24 janvier*, *op. cit.*, p. 12.
2. Hermann Langbein, *Hommes et femmes à Auschwitz*, éditions 10/18, 1994, p. 21.
3. Rudolf Hoess, *Le commandant d'Auschwitz parle*, Petite Collection Maspero, 1979, p. 178 et 179 pour les deux citations.

Même si j'écarte la part de misogynie, constante chez les nazis, ce discours fait frémir.

Les quelques robinets des sanitaires n'étaient pas tous raccordés à l'eau, ou c'était un filet qui en sortait, l'eau a toujours été un problème à Birkenau, que ce soit pour boire ou pour se laver. Les baraques tout en longueur sont divisées en « niches », des compartiments maçonnés sur trois étages, une « lapinière sans porte ». Quatre détenues prévues dans chaque carré. Les compagnes du convoi seront huit par case, au début... Aucune intimité, aucun endroit à soi pour garder un objet personnel. La baraque n'a ni électricité, ni chauffage. Le sol en terre. En boue, l'hiver. L'obscurité, la puanteur, le froid.

Les latrines, à l'extérieur, en plein air, sans séparation. Des orifices en quinconces, au départ construits pour 7000 prisonnières, mais qui serviront parfois à près de 20000 femmes.

Le camp de Birkenau s'étendait sur 170 hectares recouverts de 300 baraques réparties en trois secteurs, divisés en sections, chaque section entourée de barbelés... À perte de vue, les baraques et l'espace quadrillé de barbelés. L'échelle immense du camp sur une plaine désolée, un paysage très laid, pas de forêt, pas d'arbres, pas de montagnes. La neige, le froid, le ciel. Il n'y avait pas de nom. Un lieu d'avant la géographie. La déportation d'êtres humains dans un endroit où rien ne renvoyait à quelque chose d'humain. Pas même le paysage – peut-on employer le mot de paysage, qui résonne comme visage, alors qu'il n'a aucun caractère, aucun signe qui renvoie à une expérience humaine ?

Rien ne pouvait accrocher le regard pour sortir de l'inhumanité subie, pour faire un instant diversion, pour l'amorce d'un dialogue intérieur. Sinon les barbelés, les miradors, les projecteurs. Des menaces.

Des déportés rapporteront d'Allemagne le souvenir des montagnes qui entouraient Mauthausen, ou le souvenir des forêts de Buchenwald. D'Auschwitz ? L'immensité de la désolation.

Les compagnes du convoi vont mourir comme des mouches dès les premières semaines. Alors qu'aucune d'entre elles n'était morte pendant le trajet dans les wagons de marchandises. Pourtant le froid était glacial, le vent passait entre les planches. On peut voir aujourd'hui à la gare de Compiègne deux wagons qui ont servi au transport des déportés. Leur vue est poignante. L'un des deux particulièrement. Ses planches sont si minces, on peut imaginer les corps à l'intérieur sans aucune protection contre les intempéries, les parois du train ont un air de fétu de paille, et, si hauts sur leurs roues, les wagons ressemblent à un fragile insecte. Le sol n'avait qu'un peu de paille, « une salissure qui donnait envie de balayer[1] » comme le précise Charlotte Delbo, et pas « une litière ». Rien à manger, le pain avait gelé, ou presque, une soupe après 24 heures. Rien à boire sinon une boisson tiède à la dernière halte avant Auschwitz.

Mais elles avaient encore en elles le courage entretenu à Romainville, le courage face à l'adversité, qui leur a fait trouver malgré l'effroi de l'arrivée le souffle pour entonner une *Marseillaise* qui résonna jusqu'à l'intérieur du camp. Événement mémorable qui a frappé prisonnières et SS. Les SS ont fait rentrer les rangs de détenues dans les baraques pour contrer *La Marseillaise* qui pénétrait dans Birkenau comme un ennemi qu'ils ne savaient pas comment repousser.

Deux mois et demi après l'arrivée, cent soixante-dix femmes étaient mortes sur les deux cent trente entrées à Birkenau ce 27 janvier. Les cadavres de leurs compagnes sont nus et entassés dans la cour, sortis des blocks, nus parce que les haillons doivent resservir. Certaines meurent sans que celles, à côté sur les châlits, le remarquent tout de suite. D'autres sont fracassées à coups de pelle au travail dans les champs, aux marais, sur les chantiers de démolition. Ou égorgées par les chiens. Certaines hurlent dans les camions, encore vivantes, on les emmène au crématoire, mélangées aux mortes.

---

1. *Le Convoi du 24 janvier*, *op. cit.*, p. 9.

Elles apprennent le sort des juifs, l'extermination à la descente du train. Elles voient les juives dans le camp, rescapées de la sélection, subir des conditions pires encore que les leurs, des vêtements tellement en loques, et des punitions extrêmes pendant les appels. Elles savent leur surnombre dans leurs blocks, qui fait passer à certaines la nuit debout, et les liens et les regroupements brisés par le hasard de la sélection, qui les font sans langue commune à partager, sans cette parole qui sauve, sans une entraide préétablie face au chaos.

La fumée, nuit et jour, qui s'échappe des cheminées, l'odeur de la chair qui brûle. Le sacrilège est partout présent et ravage.

Les coups, la soif, la faim, le froid, le manque de sommeil, les diarrhées, le typhus, les pneumonies, les abcès, l'absence d'eau, l'impossibilité de se laver, défont le corps. La peau que brûle le froid et démangent les poux, n'est plus une barrière protectrice de soi.

Des jours, des semaines, des mois dans le camp de Birkenau, Charlotte Delbo avec quelques-unes du convoi survit. D'une façon qu'elle ne peut s'expliquer, expliquer. « Je ne saurais jamais » comme elle l'écrit au bout d'une longue phrase, à bout de raisons cherchées. « Un miracle ». « Pour chacune, un miracle qu'elle ne s'est pas expliqué[1]. »

Mais Charlotte va donner des raisons.

Des raisons différentes et des raisons contradictoires.

Et qui me paraissent mêlées, intrinsèquement mêlées à la densité de ses livres, de son style, de ses phrases, à leur succession qui se heurte, à la densité de sa personnalité radicale. Disséminées, ici ou là. En paroles à des amis, à des journalistes au cours d'entretiens, dans des lettres, et plus encore dans ce qu'on peut comprendre de sa façon d'écrire, des images, des associations, dans le ton qui est le sien, fait d'un désir de raison et de sa passion pour la vie.

Trois semaines après la sortie des Françaises en avril 45 du camp de Ravensbrück où Charlotte a passé seize mois après

---

1. *Le Convoi du 24 janvier*, *op. cit.*, p. 22.

Auschwitz, elle écrit à Louis Jouvet. Elle est en Suède, en transit, retenue par la Croix-Rouge suédoise qui les a libérées. Elle lui écrit une longue lettre, au stylo, de cette encre bleu foncé qu'elle utilise, avec une écriture régulière et mesurée, elle qui écrivait d'habitude avec une telle rapidité. Pas une rature. Chaque mot a été pesé.

RYD, le 17 mai 1945

Cher Monsieur Jouvet,

Internée en Suède depuis le 26 avril, j'apprends aujourd'hui que vous êtes à Paris. Je ne veux pas vous raconter ce long et terrible voyage que j'ai fait, ni vous expliquer maintenant les raisons qui m'ont obligée à vous quitter à Rio. Nous en avons parlé plusieurs fois ensemble depuis et vous savez. Non, je veux vous dire pourquoi je reviens. Je reviens pour entendre votre voix. J'ai souffert les pires épreuves que le destin (ou la Gestapo) puisse accumuler sur un pauvre humain moyen et mes chances d'en sortir étaient minces. La raison et le raisonnement, la statistique et l'observation quotidienne, chaque battement de mon cœur – le cœur qui ne bat que parce qu'on lui commande de battre – tout montrait d'évidence que la lutte était vaine. Ma certitude intuitive était fondée sur autre chose. Sur la protection que vous m'apportiez, ma mère et vous, ma mère par la tension de sa volonté et la violence de sa pensée présente à la mienne, vous parce que vous me parliez. J'ai eu avec vous d'extraordinaires conversations. Nous avons parlé de tout et de tous les gens que nous connaissons, Alceste et Hermione, Électre et Don Juan, et j'ai été plus près de vous ces trois dernières années que pendant les précédentes où pourtant je ne vous quittais guère. Trois années de méditation avec la mort et l'espoir tour à tour m'ont donné le pouvoir d'évoquer et de susciter les êtres dans leur vérité. Aussi quand un jour je me suis élancée vers vous debout devant votre glace, que vous avez essuyé votre visage pour que je vous embrasse – vous vous démaquilliez et j'ai senti votre peau encore grasse – que vous m'avez dit « Alors fifille te voilà de retour » et que j'ai entendu votre voix, si exactement timbrée, si bien vôtre ce jour-là j'ai eu la certitude de revenir et de vous revoir. Du fond des marais d'Auschwitz. Il fallait un acharnement du miracle pour que je revinsse. Je reviens. Pour vous embrasser. Le Mendiant est dieu, il devait savoir.

Charlotte

Mais je ne sais encore quand. Cf. Légation et services du rapatriement… Électre et moi seules savons ce que c'est que l'attente[1]

Sans point final, la lettre ne se termine pas. Elle s'ouvre sur l'association que Charlotte Delbo fait entre sa situation et celle d'Électre. C'est à la fois faire venir l'image de celle qui sait attendre et le personnage de la pièce de Giraudoux où figure le Mendiant, Jouvet en portait le costume quand elle le rencontra pour la première fois. Il fallait une boucle à son trajet et à son retour. Son retour qu'elle met en scène. Imagination théâtrale de Delbo qui va créer sa propre histoire. Elle en fera plusieurs récits, écrira des œuvres très différentes. Il y a un nœud qui se noue à ce moment du retour, déjà, entre la survie et la nécessité de faire œuvre, une naissance à un monde autre, fait de récit et de fiction. Ce monde est lié à Jouvet, il lui en a donné l'accès.

Jouvet, à travers cette lettre, semble avoir accompagné toutes les années au camp. « J'ai eu avec vous d'extraordinaires conversations ». Mais cette affirmation a besoin de nuances. Elle écrira aussi qu'à Auschwitz il ne pouvait y avoir d'imagination, pas de possibilité de faire aller son esprit ailleurs. C'est à Ravensbrück semble-t-il, où les conditions sont moins extrêmes, qu'elle connaîtra le recours à la poésie. Ces cinquante-sept poèmes qu'elle s'efforce de reconstituer au cours de l'appel, au fil des mois, « et il fallait parfois des jours pour retrouver un seul vers ». La violence extrême de

1. BNF, Fonds Jouvet, LJ-Mn-88.

Birkenau a ôté toute possibilité à l'esprit de s'échapper. C'est à Ravensbrück qu'elle se récitera par cœur *Le Misanthrope* pendant l'appel.

« Vous direz qu'on peut tout enlever à un être humain sauf sa faculté de penser et d'imaginer. Vous ne savez pas. On peut faire d'un être humain un squelette où gargouille la diarrhée, lui ôter le temps de penser, la force de penser. L'imaginaire est le premier luxe du corps qui reçoit assez de nourriture, jouit d'une frange de temps libre, dispose de rudiments pour façonner ses rêves. À Auschwitz, on ne rêvait pas, on délirait[1]. »

C'est à Raisko que reviendra le théâtre. Raisko, c'est le petit camp à deux kilomètres de Birkenau, créé par les SS autour d'un laboratoire agrochimique pour cultiver une plante ramenée d'Ukraine, censée fournir du caoutchouc. Delbo y sera affectée avec plusieurs de ses compagnes, grâce à l'entraide du réseau communiste. Il y avait des paillasses pour dormir et de l'eau pour se laver. « Au sortir de la mort », comme l'écrit Delbo pour dire la sortie de Birkenau, il y avait de quoi reprendre « apparence humaine », « après quelque temps ». Et c'est là que revient le théâtre. « L'une de nous racontait des pièces aux autres qui se groupaient autour d'elle, bêchant ou sarclant. On demandait : "Qu'est-ce qu'on va voir aujourd'hui ?"[2]. »

« L'une de nous », c'est Charlotte, elle qui raconte les pièces, elle qui les met en scène en racontant de mémoire les répliques et le mouvement des personnages.

Je ne peux m'empêcher de penser que ce fut là un cahier de brouillon mental que Charlotte Delbo retrouvera quand elle écrira ses œuvres. Ce pouvoir de reconstituer une force dramatique. La puissance du langage dramatique qui redonne vie, sens, chaleur, sensation de vivre, à une personne « au sortir de la mort ». Ou qui peut être utilisé pour faire ressortir de la mort ceux qui sont partis.

---

1. *Une connaissance inutile*, *op. cit.*, p. 90.
2. *Ibid.*, p. 89.

Il n'y a plus qu'un pas à franchir pour écrire de la fiction, construire la vision d'une scène, raconter la silhouette de Jouvet au-dessus des marais d'Auschwitz, qui se démaquille devant la glace, se tourne vers elle, lui lance te voilà de retour, et dire que ce jour-là elle reçut la certitude de revenir, comme elle l'écrit au moment de sortir de vingt-sept mois de camp. Alors qu'elle écrira aussi cette absence de tout espoir qu'elle connut.

« Pourquoi êtes-vous devenue écrivain, Charlotte Delbo ?
— Parce que j'ai été déportée, parce qu'il y a eu Auschwitz[1]. »

Mais début août 1945, cinq semaines après l'atterrissage au Bourget de l'avion qui l'a ramenée avec des survivantes de son convoi, Charlotte est toujours couchée dans la maison de sa mère.

Du Lutetia où sa mère et sa sœur sont venues la chercher, et Jouvet s'était joint à elles, Charlotte est arrivée à Vigneux et s'est alitée. Alors qu'elle avait repris des forces en Suède, de retour en France elle sent la fatigue et le désespoir la terrasser.

C'est l'effondrement. Le monde autour d'elle perd sa réalité.

Les semaines se sont jointes pour faire une seule durée indistincte, les jours n'ont plus ni consistance ni moments, les choses près d'elle ont perdu leurs contours, les personnes qui lui rendent visite, elle les voit à peine, ne comprend pas ce qu'elles disent, elle entend de très loin leur voix.

Elle écrira plus tard sur cet état d'absence au monde. Quand il lui paraîtra indispensable d'écrire sur le retour des déportés, le retour si difficile des camps, cette réalité qui fut occultée après la guerre, et le sera longtemps encore.

---

1. Entretien avec Hélène Rénal, *Le Patriote résistant*, n° 381, juillet 1971.

Elle commencera alors par écrire son propre retour et tentera de rendre compte de cette « suspension d'existence[1] » qu'elle a connue. Jamais de plainte chez Delbo. Elle ne s'est jamais considérée comme une victime. Non, elle explore.

L'écriture, c'est prendre conscience, revivre de l'intérieur pour trouver les mots, le ton, la voix donc le style qui rendra avec justesse ce qu'il en était de cette expérience. Exploratrice de ce désarroi, elle cherche ce qui reste. Ce qui se manifeste, et qui parle de la vie lente. À peine perceptible. Le flottement entre veille et absence, entre ce qui peut être perçu et la tentation de disparaître.

Mais comme c'est difficile de trouver les mots pour dire cet état, écrit-elle, alors qu'à ce moment-là « il n'y avait pas de mots[2] ». Son absence au monde, Charlotte s'en souvient aussi comme une absence des mots, une absence aux mots. Si la réalité s'est éloignée, le langage s'est évanoui.

Elle parle de brume, de voile, de lumière interceptée par les corps qui s'approchent d'elle, de son propre corps sans poids, du sentiment de ne pas exister, tout en ayant de façon inexplicable quelques sensations.

Cette dépersonnalisation jusqu'à être une ombre posée sur un lit a commencé quand elle était encore dans l'avion avec ses compagnes. Au moment où vivre signifierait enfin quelque chose, parce qu'elles rentrent, c'est l'incroyable effacement de chacune qui commence. Charlotte va les voir se transformer sous ses yeux, devenir « diaphanes ». Les corps de ses camarades s'effacent parce que leur lien, ce lien vital au camp, n'a plus de nécessité. Ce ressort qui les a fait tenir, tenir ensemble, n'a plus lieu d'être. Il emporte ce qu'elles étaient. Au moment où la vie s'ouvre.

C'est cette disparition au fur et à mesure de l'approche de Paris, puis dans la foule de l'arrivée, au fur et à mesure de leur attente devant les bureaux, qui fait prendre conscience à Charlotte de son propre effacement.

---

1. *Mesure de nos jours*, Les Éditions de Minuit, 1971, p. 12.
2. *Ibid.*, p. 13.

Se défait ce qui fut : un seul corps. Un seul corps fait de toutes les compagnes qui tentaient de survivre, un « nous » fusionnel. Sorties, elles assimilent les ravages de la destruction qui ont fait assaut pendant des mois, des années.

Charlotte Delbo ne parle pas de fatigue, cela viendra pour toutes plus tard. C'est une perte qui a lieu. Elles perdent ce qui les tenait ensemble, faisait une résistance aux conditions effroyables, le lien d'entraide, d'amitié, de compréhension, d'affection au moment où c'était nécessaire, et ce savoir que chacune apportait à l'autre : la certitude d'exister.

Quand ce ballet des silhouettes va s'estomper, comme son propre étourdissement à attendre devant les bureaux du retour, Charlotte Delbo perçoit tout à coup avec violence et de façon aiguë sa solitude. « Il me fallait admettre que je les avais perdues et que désormais je serais seule[1]. »

Une solitude qui commence, profonde et qu'il lui semble ne s'arrêtera plus. Une solitude qu'elle veut « admettre ». Expérience essentielle. Celle de l'écart. La possibilité de l'écart par rapport aux autres et de continuer d'exister, de pouvoir exister à l'écart et dans la solitude.

Dès qu'elle le pourra, dès que les forces reviendront, elle l'habitera avec l'écriture. Mais le chemin est encore long, Charlotte ne se réhabitue pas à elle. Le soi, comme étranger. La vie, étrangère. Le monde, les choses se sont éloignés. Ce n'est même pas un à-quoi-bon-tenir maintenant ? C'est la vie qui s'est absentée. Les livres sont devenus des objets sans consistance. Elle ne fait plus la relation entre les livres et la lecture, les mots ont perdu leur vie.

Quand la vie revient, que ses sens se réveillent, sollicités par une lumière, une voix, elle ouvre un livre. Et le repose. Cela ne suffit pas d'ouvrir un livre pour trouver la nécessité de lire. Puisque la nécessité de savoir a disparu. « À quoi sert de savoir quand on ne sait plus comment

---

1. *Mesure de nos jours*, *op. cit.*, p. 11.

vivre ?[1] » Elle se laisse dériver. Pour s'éloigner du monde de la mort, sans volonté.

Elle laissera s'accomplir le retour de ses forces physiques qui vont la tirer peu à peu sur une rive où reprendre pied. Elle fera un séjour à l'hôpital Beaujon pour tenter de guérir le désordre endocrinologique qui a alourdi son corps, lui a fait prendre les derniers mois de déportation vingt kilos, ce qu'on a appelé un « œdème de famine ».

Elle veut retourner à l'Athénée, se remettre à travailler pour Jouvet, mais elle s'épuise vite. Elle est présente le 19 décembre, le soir de la générale de *La Folle de Chaillot*, c'est une conquête et une victoire pour elle. Trente ans plus tard dans un entretien, elle dira non sans fierté, « j'étais là. » Fin décembre, elle prend en notes dans la loge de Jouvet ses premières réflexions sur *Dom Juan* qu'il veut bientôt mettre en scène.

L'année 45 se termine, Charlotte peine à suivre le rythme du travail au théâtre mais elle est debout, elle peut tenir un stylo en main.

Retrouver le goût des livres sera pour beaucoup plus tard.

« Des années », même. Des années, pense-t-elle, pour sentir à nouveau qu'un livre lui apporte quelque chose à elle qui maintenant semble « savoir d'avance ce qui était écrit dans le livre, et le savoir autrement, d'une connaissance plus sûre et plus profonde, évidente, irréfutable[2] ». Si retrouver Jouvet à l'Athénée a représenté un but, sa place, sa place à elle, véritablement a bougé.

Tout le monde s'agite au théâtre, il y a une effervescence chaque soir pour créer l'illusion parfaite, décor, jeux de scène, travail de la voix, éclairages pour servir l'univers poétique de Giraudoux. Jouvet et la plus grande partie de la troupe qui rentrent d'Amérique latine depuis huit mois s'y emploient. Mais elle ?

---

1. *Mesure de nos jours*, *op. cit.*, p. 17.
2. *Ibid.*, p. 16.

« Je reviens d'un autre monde[1]. »

Écrire, écrire cet autre monde. Sa nouvelle place est là.

Il lui faut écrire le livre dont elle avait décidé le titre encore au camp, *Aucun de nous ne reviendra*. Elle le déclare à Jacques Chancel en 1974 et lui dit l'avoir écrit d'une traite. À François Bott, elle précise la date, « en janvier 1946[2] ».

Ce n'est pas un détail qu'elle écrive son livre alors qu'elle est à peine rétablie. Elle n'est même pas vraiment rétablie puisqu'elle va partir après l'écriture du livre pour une longue convalescence.

C'est avec cette zone d'épuisement à l'intérieur d'elle et en s'appuyant sur la nécessité impérieuse d'écrire, de trouver donc la voix et la forme, le rythme, qu'elle se met au travail. À l'écoute. Avec cette forme de fatigue qui désinhibe. En contact avec ce lieu de la sensibilité, là où ce qu'elle a vu s'est imprimé. Qui résonne des traumatismes vécus. Dont elle fait une force pour rendre compte. Et ne plus laisser faire le ravage en elle de la violence ressentie, ce travail obscur de l'informe.

Écrire pour ceux qui ne savent pas, défaire les croyances et les remplacer par la réalité d'Auschwitz qu'elle veut rendre, voilà ce qui anime l'écriture de Charlotte Delbo.

Elle ne fait pas passer au premier plan la vindicte, la rancune, la haine. Les bourreaux s'estompent. « *On* peut faire d'un être humain... » Faire voir ce qui a été fait. D'abord. D'abord ce qui a été vécu. Le procès du nazisme sera la conséquence de ce qu'elle écrit, pas le sujet, le raisonnement appartiendra au lecteur. Delbo fait confiance à la réflexion du lecteur. Ne jamais dire ce qu'il y a à penser. Mais ce qu'il y a à voir, à savoir, ce qui dans la chair et dans le regard s'est imprimé, qui se passait de l'autre côté du monde, dans « l'au-delà de la connaissance », c'est cela qu'elle veut écrire. D'abord.

Le contenu est venu d'une voix qui a traversé la mort et qui trouve son souffle de la lucidité. Il faut écrire ce qui fut,

---

1. *Une connaissance inutile*, *op. cit.*, p. 183.
2. *L'Express*, n° 715, mars 1965, p. 64.

ne pas épargner la violence supportée, l'horreur vue. Il faut l'écrire pour nous permettre d'y raccorder notre mémoire. Et elle nous introduit dans ce surprenant mouvement d'amour qu'elle a pour écrire les femmes, les hommes, les corps décharnés ou morts. Son regard précis est habité par l'empathie. Il se lit dans le détail trouvé. Les femmes autour d'elle, les hommes croisés, sont restitués, il n'y a pas de rupture entre elle et eux, le lien de son regard nous les rend, et avec un ton de beauté, de beauté solennelle pour rendre l'horreur de ce qu'elle appelait le paroxysme de l'Histoire.

« Je l'ai écrit d'une traite, dans une espèce d'état second[1]. » Du traumatisme dont elle est à peine sortie, elle garde la forme, des éclats. Éclats du récit. Scènes, tableaux. Pas de continu, le temps est fragmenté par la violence. Et la violence fait hésiter sur la capacité de résister, de survivre. Ce n'est pas un moi continu qui peut exister. Mais un sujet brisé, brisé par ce qu'elle voit, ce qu'elle endure.

Pas de chronologie dans *Aucun de nous ne reviendra*. Charlotte Delbo ne fait pas le récit de son arrivée à Auschwitz. Elle ne racontera pas leur arrivée dans ce livre-ci. Comme elle ne décrit pas une journée à Auschwitz. Il ne peut y avoir de déroulement d'une journée. « Quoi de plus près de l'éternité qu'une journée[2] ? » La mesure du temps est aboli. L'espace est lui-même immense, et sans bord.

Elles sont toutes « Nuit et Brouillard », comme les nazis nomment ces déportées interdites de correspondance, sans lien avec le monde qui a été le leur. Elles doivent être séparées, oubliées.

Le camp où elles arrivent est un monde d'avant la géographie, « l'immensité glacée, à l'infini éblouissante, est d'une planète morte / Immobiles, dans la glace où nous sommes prises, inertes, insensibles, nous avons perdu tous les sens de la vie. Aucune ne dit : "J'ai faim. J'ai soif. J'ai froid." Transportées d'un autre monde, nous sommes d'un coup

1. Entretien avec Jacques Chancel, « Radioscopie », avril 1974.
2. *Aucun de nous ne reviendra*, Les Éditions de Minuit, p. 78.

soumises à la respiration d'une autre vie, à la mort vivante, dans la glace, dans la lumière, dans le silence[1]. »

Il n'y a pas de pathos dans son livre. C'est d'un autre ordre. Elle veut toucher par ce qui a eu lieu.

À Birkenau les cheminées font sortir leur fumée nuit et jour, l'odeur de la chair brûlée. Elles apprennent quelques semaines après l'arrivée ce qu'il se passe à l'autre bout du camp, les chambres à gaz, les crématoires, l'extermination de convois entiers de juifs, elles apprennent les sélections.

L'inimaginable est là.

Elle commencera son livre par cela. À l'inimaginable, elle va substituer un immense tableau. Elle va faire voir une arrivée. Une arrivée, c'est-à-dire des personnes. Aux cheminées et à la fumée, elle va substituer des personnes. Les personnes qui descendent du train. Toutes celles qui descendent.

Comme si elle pouvait ne pas s'arrêter de les rendre, les personnes qui descendent, qui sont là sur le quai, elle écrit leurs vêtements, les détails des vêtements, les détails qui disent les catégories sociales, les professions, qui disent tant du moment où ils furent raflés, les uns au sortir d'un mariage, les autres d'une soirée, d'un pensionnat, les fillettes aux jupes plissées et leur maîtresse. À tous un accessoire, un geste, une attitude pour faire sentir leurs pensées, leur désir de garder espoir, de chercher du courage, de protéger les enfants. Leur envie même de se souvenir de cet événement pour le raconter plus tard à leurs enfants.

Qui ne les croiront pas, pensent-ils.

Delbo se sert du ressort du théâtre classique, l'ironie dramatique de la scène pour le spectateur. Nous savons, nous à qui elle fait voir, nous savons ce qu'eux ne savent pas. Nous savons ce qui se joue, derrière la scène, ce qui se prépare, ce qui va se dérouler. Nous savons, nous, ce qu'est Auschwitz, nous savons ce que l'Histoire nous a appris. Nous savons la suite. Nous savons le hors-champ du cadre, de la gare. Comme elle le savait. Et comme elle qui en a ressenti une

1. *Aucun de nous ne reviendra*, *op. cit.*, p. 55.

immense pitié, celle qui fait retrouver en soi le partage d'être humain, et de ne pas supporter ce qu'on fait aux mêmes que soi.

De tous les pays d'Europe, elle énumère les noms pour faire entendre l'origine et les cultures. À ceux qui allaient être exterminés, à ceux à qui on allait dérober la vie, et dérober la mort en les trompant puisqu'on leur dérobait la conscience de leur mort, masquée par le subterfuge d'une douche après le voyage, à eux, Delbo rend leur humanité. À nous, en la donnant à voir, elle permet l'humanité de notre regard, notre propre émotion.

Pas une émotion larmoyante. Une émotion qui s'approfondit de la connaissance.

Plus le détail choisi montre sa légèreté, plus l'opposition avec la violence du massacre à venir signe la tragédie. Croire que la candeur des fillettes ou celle de leur maîtresse ne peut que leur donner confiance ici, ou imaginer combien on étonnera plus tard ses enfants en faisant le récit d'un voyage incroyable, ces détails ont une résonance si cruelle, ils évoquent bien plus l'ampleur du crime que si Delbo disait son effroi. Elle préfère laisser parler son empathie qui dit avec deux trois mots la profondeur d'une vie, d'un savoir-vivre, ou le temps long d'une vie. Pour faire ressentir ce qui sera exterminé.

L'horreur du massacre à venir reste dans l'ombre – puisque nous savons. Nous savons le crime, elle n'a pas à nous l'apprendre. Mais nous ne savons jamais assez ceux qui descendaient du train. Nous n'avons rien vu.

C'est toujours à la suite que nous pensons. Mais s'attarder sur qui, qui était là, qui descendait du train… Quel geste, quel mouvement, quel regard, quels mots avaient ceux qui seraient anéantis ?

Delbo aura des injonctions nettes, qu'elle nous adressera pour couper court aux terribles scènes qu'elle écrit et nous convoquer. « Essayez de regarder. Essayez pour voir ». Ici, dans ce premier chapitre où elle ouvre sur l'extermination des juifs et pas sur son sort ni sur celui de ses compagnes, elle ne nous interpelle pas brutalement. Elle adopte le ton de la douceur, elle choisit la douceur alors qu'elle parle du pire. Elle fait toute la place à ceux qui sont là, ceux qui vont disparaître jusqu'en cendres, estompant du tableau la présence des bourreaux, remplaçant les SS par « on », « Et quand on leur crie... », « Car on fait passer d'abord... ». Elle privilégie ceux qui arrivent. Elle les regarde, elle cherche à rendre leur point de vue.

Comme s'il pouvait y avoir un autre point de vue à l'Histoire que celui de qui a le pouvoir.

Refaire vivre la tendresse des échanges qui eurent lieu, faire voir l'importance des usages et des coutumes, avant l'anéantissement. Bien sûr, pour augmenter par ce détour-là l'indignité du crime.

Parce que sont cités tous les pays d'origine, parce qu'on voit toutes les professions, les costumes, parce qu'on saisit tous les moments des rafles, son tableau a la valeur d'évocation de tous les convois de juifs arrivés à Auschwitz. Elle leur donne la première place dans *Aucun de nous ne reviendra*. Et je suis étonnée comme on le dit peu, à propos de Charlotte Delbo.

On parle toujours de la Résistante, ou de la communiste, ce qui est abusif, ou de ce qu'elle aurait écrit un témoignage, ce qui n'ajoute aucune valeur à ce qui aurait été un Souvenir... On ne parle pas ou peu de l'écrivain, de celle qui a été si profondément ébranlée par ce qu'elle a vu et vécu dans son rapport à sa propre expérience humaine de ce qu'est une vie, sa vie, l'autre, soi, la manière des rapports, la possibilité du rapport, ce qui fonde l'écriture d'un écrivain.

Elle a jour et nuit senti l'odeur que dégageait la fumée des cheminées de Birkenau, elle a appris, comme ses compagnes après quelques semaines, le sort des juifs, les chambres à gaz avant le crématoire. La situation de son block, qui se trouvait dans la partie II A du camp, comme la situation des voies en 1943 par rapport au camp, ne pouvaient pas lui permettre d'assister à l'arrivée d'un convoi. Ni le trajet que faisait tous les jours sa colonne pour aller travailler aux marais ou au chantier de démolition des maisons abandonnées. Je me suis longtemps demandé comment Charlotte Delbo avait vu. Quand ? Où ? Jusqu'au jour où j'ai trouvé dans le livre de souvenirs d'une de ses compagnes la trace de ce moment.

Conduites chaque jour de Birkenau à Raisko où six d'entre elles commençaient à travailler au laboratoire agricole avant que des logements y soient construits, elles empruntaient un chemin qui passait par la voie du train. Un jour de juin leur colonne fut arrêtée, arrêtée longtemps par l'arrivée d'un convoi. Elles étaient là « à quelques mètres de la scène[1] », elles assistèrent à la descente du train de toutes les familles, et à la différence de ce qu'il s'est passé pour leur arrivée à elles, il y avait des camions qui attendaient près des voies.

Les chambres à gaz étaient à l'autre bout du camp, c'est-à-dire loin, et puisque tous étaient trompés quant à la destination du train, camp de relégation, camp de travail, le camion était là pour soulager les plus faibles qui y montaient d'autant plus facilement.

Ce que Charlotte a eu sous les yeux, c'est soudain le contrechamp de la fumée qui sortait des cheminées, de l'odeur, atroce et écœurante dont elle savait pertinemment l'origine. Mais entre savoir et voir il y a un monde. Soudain elle a les personnes devant les yeux, leur réalité, ce qu'elle comprend de leurs vies en les regardant. Regarder comme sait le faire Charlotte, regarder et comprendre très vite à qui elle a affaire. Regarder. Voir les attitudes, les vêtements, les gestes, et savoir les interpréter. Et son imagination lui ouvre leur vie passée.

L'ampleur de la catastrophe est là pour elle qui sait, à regarder les hommes, les femmes, les enfants, les familles descendre du train. La compréhension de ce qu'il se passe, de l'ampleur du crime est dans cette scène, elle s'imprime. Et quand elle commence à écrire son livre, la scène arrive en premier. C'est la première chose à dire d'Auschwitz. Elle vient

1. Simone Alizon, *L'Exercice de vivre*, Stock, 1996, p. 251 et suivantes.

en premier, elle s'impose. « Je n'avais pas le moindre plan en tête ». Il ne s'agit pas d'une décision, c'est une évidence.

C'est une intuition intérieure qu'elle suit, à laquelle elle se fie avec confiance. L'ordonnance des scènes prend sa place, il lui semble qu'elle l'écoute, elle qui a toujours fait confiance à la voix qu'elle sait si bien écouter et entendre, elle sent qu'elle-même peut contenir une voix, qui est la distillation de tout ce qu'elle a vu et vécu dans son corps, dans son psychisme, dans son âme, et qu'elle va laisser s'échapper au fil des chapitres, oui, avec cette mesure intérieure, une balance pour le poids et la résonance des mots et des phrases qui peuvent dire car elle est sûre qu'on peut dire, et qu'il n'y a pas d'autre tâche à accomplir qu'écouter la voix intérieure qui attend, et lui donner forme.

Elle décrit l'arrivée comme pour faire remonter à la vie. Et elle va remonter plus en amont encore pour commencer son premier chapitre, plus en amont de la vie, avec la vie de nous tous, la vie ordinaire. Ceux qui arrivent de voyage et cherchent des yeux ceux qui sont venus les attendre au milieu de la foule, à qui ils confient leur fatigue du voyage au moment de les embrasser. Ou elle évoque ceux qui s'en vont et embrassent au moment du départ leurs proches, venus les accompagner. On se sent dans une gare ordinaire à lire le premier paragraphe de son livre, le mot de « gare » d'ailleurs n'est pas prononcé comme s'il était réservé à d'autres destins.

Elle ajoute qu'il y a une rue pour ceux qui arrivent, et une rue pour ceux qui partent, un café nommé « À l'Arrivée », un autre « Au Départ ». On peut penser à la gare Montparnasse, située entre la rue de l'Arrivée et la rue du Départ, et qui a, encore aujourd'hui, tout près, des cafés qui portent ces noms. Elle glisse sous nos yeux la description d'une gare, archétype de toutes les grandes gares, comme le comportement des voyageurs à toute arrivée, tout départ.

Elle le fait avec un ton mystérieux. Parce que l'emploi réitéré de l'expression « il y a » en début de chaque phrase, « Il y a les gens qui arrivent, il y a les gens qui partent, il y a un café, il y a une rue… » accumule un effet de banalité qui prend une résonance inquiétante. Tout semble si équilibré. La symétrie des descriptions, ils arrivent, ils partent, le balancement du rythme fait croire que tout glisse, il n'y aurait rien à ajouter… Ce trop lisse a quelque chose de suspect.

Delbo ménage son effet. Après avoir tant dit « il y a… », elle marque deux lignes de blanc, puis écrit, il *est* une gare… On change d'ordre. Ce qu'il s'y passe bouleverse le sens. L'existence d'une certaine gare fait arriver autre chose dans l'Histoire, juste parce qu'elle existe.

Dans cette gare, « ceux-là qui arrivent sont justement ceux-là qui partent », ou bien, « ceux qui arrivent ne sont jamais arrivés, ceux qui sont partis ne sont jamais revenus ».

Il y a une limite où le langage n'a plus de sens. Les mots ont perdu leur sens. Pas les mots tout seuls, bien sûr. Non, il existe un lieu où le sens de la vie n'existe plus. Pour le signifier, elle commence par montrer que les mots « arriver », « partir », ceux qui au début de son livre nous disaient des choses de nos vies que nous connaissons, que nous reconnaissions, ces mots perdent leur signification dans cette gare-là, mais elle, en écrivain, se sert de leur pouvoir d'évocation, pour faire entendre le drame, la tragédie.

Elle qui regarde, sait, nous qui lisons, nous savons. Dire « arriver » et « partir » c'est faire entendre l'atroce du sort de celui qui croit qu'il arrive, avec l'image du soulagement que convoque le mot, alors que la réalité, que sait celle qui les regardait comme le lecteur qui entend le mot, est justement de ne jamais arriver. La langue de Delbo est fulgurante, et sa voix est douce. La douceur est l'expression d'une immense pitié faite de tendresse pour ceux qu'elle voit soulagés d'être au bout d'un voyage éprouvant, inquiets de la suite mais sans imaginer l'inconcevable. La fulgurance est celle de la violence laissée en suspens, la violence inouïe du sort qui va être infligé.

Ce qui est le ressort des tragédies au théâtre, l'ironie dramatique – le spectateur sait ce que les personnages ne savent pas ce qui les attend –, elle en a l'effroyable vision et elle n'est pas au théâtre mais dans l'atroce de la vie. Et si au théâtre la catharsis, en nous montrant notre aveuglement, nous en lave quand nous voyons comment les personnages de fiction sont broyés, que peut-être ils le subissent pour nous, ici aucune conscience humaine, qui puisse porter le nom d'humain, ne peut voir la descente du train sans horreur.

À l'émotion, elle ajoute l'amour et la tendresse. Un amour qui est fait de respect. Elle leur a restitué une histoire. Et au moment où a lieu l'extermination, elle arrête d'écrire, elle s'arrête sur le seuil de la « douche ». Elle n'ira pas dans le lieu du sacrilège, elle les laisse au moment où ils peuvent réaliser ce qu'on leur a caché.

« Ils arrivent à une bâtisse et ils soupirent. Enfin ils sont arrivés.

Et quand on crie aux femmes de se déshabiller elles déshabillent les enfants d'abord en prenant garde de ne pas les réveiller tout à fait. Après des jours et des nuits de voyage ils sont nerveux et grognons

et elles commencent à se déshabiller devant les enfants tant pis

et quand on leur donne à chacun une serviette elles s'inquiètent est-ce que la douche sera chaude parce que les enfants prendraient froid

et quand les hommes par une autre porte entrent dans la salle de douche nus aussi elles cachent les enfants contre elles.

Et peut-être alors tous comprennent-ils[1]. »

Laisser ce moment humain et terrible de la conscience de la mort, de l'anéantissement, à ceux qui le traversent. Il est évident qu'il ne faut ajouter aucun autre mot, des mots qui deviendraient intrusifs, abusifs, voyeurs. « Et peut-être », c'est ce qu'elle ne sait pas. Ne peut pas savoir et ne cherche pas à savoir parce que cela ne lui appartient pas.

---

1. *Aucun de nous ne reviendra*, *op. cit.*, p. 16.

« C'est la plus grande gare du monde » écrit-elle pour nommer le lieu d'arrivée à Auschwitz. Mais, pourquoi écrit-elle « une gare » ?

Ce n'était pas une gare, ce n'a jamais été une gare.

Deux pages après avoir écrit que c'est la plus grande gare du monde, elle dit : « La gare n'est pas une gare. C'est la fin d'un rail. »

Mais il fallait trouver comment appeler l'inconcevable, là où arrivaient ceux qui n'étaient jamais arrivés.

Et que l'ordinaire d'un train qui roule vers une destination peut conduire à l'inconcevable. Et qu'il faut arriver à en faire prendre conscience.

Alors prendre des mots ordinaires, celui de gare, qui se trouve toujours au bout de rails, celui qu'on attend, le parer du superlatif le plus grand qui soit, puisque plus d'un million de personnes sont descendues là et jamais arrivées, puis dire que ce n'est pas une gare, pour que la tête nous tourne avec ces contradictions qui retournent le sens des mots.

Déstabiliser, mais avec les mots les plus simples, les plus familiers, là où pour nous il n'y aurait pas de doute.

Et faire sentir qu'on peut perdre pied. Que rien de ce qu'on savait n'est encore valable. Qu'il y a une autre connaissance dont il y a à prendre conscience. Supprimer du livre le nom du camp, Auschwitz, pour qu'on ne puisse pas penser qu'on « sait » en ayant le nom. Le mot d'Auschwitz figure à un seul endroit du livre et il n'est pas là pour nommer le camp. Il se trouve loin dans la lecture, page 140, et c'est le titre d'un poème qui évoque la traversée de la ville d'Auschwitz et pas celle du camp, un jour qu'elles allaient travailler aux silos de betteraves « de l'autre côté de la ville ».

Le camp n'a pas de nom.

Il a fait un trou dans l'histoire humaine.

Elle va refaire le tissu, mettre des pièces, composer des morceaux pour faire la trame. Le rhapsode est celui qui coud, comme le dit l'étymologie du mot. Coudre ensemble des chants différents pour raconter une épopée. Delbo écrit des récits, des tableaux, des poèmes, des dialogues, elle se sert de toutes les formes et choisit pour titres des mots ordinaires. « Un Matin », « L'Appel », « Le Jour », « le Lendemain », « La Nuit », « Le même Jour », « Le Printemps », « Dimanche ».

Si elle précise dans le titre son sujet, elle ne le caractérise pas, c'est « L'Orchestre », « La Tulipe », « La Maison », « Les Mannequins ». C'est à l'intérieur du chapitre que se met en mouvement la scène qui fait voir.

La lucidité de son regard nous fait sentir ce à quoi moralement elles ont été obligées. Quitter les limites du supportable, voir s'effondrer les limites de leur sensibilité en face de ce qui est à supporter, comme le mélange des mortes et des vivantes. Delbo l'écrit sans pathos parce que l'accomplissement à l'intérieur de soi de cette épreuve est une violence qui parle d'elle-même. Il faut travailler à la faire entendre.

Cette disparition des catégories tranchées, les mortes et les vivantes mêlées, elle la souligne en faisant la place au paysage, l'hiver glacé de la plaine, où neige et brouillard unifient le paysage dans l'indistinct. Pour échapper à cet indistinct qui tente de tout unifier, avaler, faire disparaître, il reste le corps qui lutte, qui souffre, signe par là son existence, et la lutte pour le sentir encore. Essayer de protéger encore son corps, de le garder, comme de *se* garder. « Ne pas laisser filer son être » comme elle le dira plus tard à un journaliste, « Il ne fallait pas laisser filer son être. »

Mais ce corps qui peut constituer le premier rempart et le dernier rempart de l'être, ce corps fuit de tous côtés. Diarrhées qui le vident, coups qui le meurtrissent, rigueurs du froid qui lui ôtent toute protection pendant l'appel interminable. « Chaque bouffée aspirée est si froide qu'elle met à vif tout le circuit respiratoire. Le froid nous dévêt. La peau cesse d'être cette enveloppe protectrice bien fermée qu'elle est au corps, même au chaud du ventre. Les poumons claquent dans le vent de glace. Du linge sur une corde[1]. »

Corps si présent par sa souffrance et corps qui disparaît dans la transparence du gel, la lumière éblouissante du paysage de glace, le silence de la plaine, ce silence qui l'enveloppe comme de « la ouate glacée[2] ».

Le silence de la plaine est signe de l'oubli du monde. Personne ne sait qu'elles sont là, ce qu'elles vivent.

Le silence de la plaine étouffe les cris de celles qui hurlent d'être emmenées à la mort, mélangées dans les camions aux mortes. Et les cris de celles qui voient passer les camions, impuissantes, décimées de voir l'infernal. « Un cri que la glace dans laquelle nous sommes prises ne transmet pas[3]. »

Il y a l'horreur qui terrorise, fait la stupeur, il y a l'horreur qui émeut et fait surgir pitié et amour. Et il y a les images de l'écrivain qui donnent de la beauté, ce registre qui perturbe les catégories, frappe nos mémoires comme on frappe de la monnaie, et s'inscrit. Qui laisse sa trace indélébile, quand le sens lui vacille.

Pendant un appel, les femmes regardent les efforts désespérés de l'une d'elles, sortie du rang pour atteindre de l'autre côté du fossé la neige propre avec laquelle elle imagine dans son délire pouvoir humecter ses lèvres et sa bouche. Trois pages décrivent la folie de ce corps décharné qui n'en peut plus et sa volonté hallucinée.

La main de la femme s'est tordue dans un geste désespéré vers toutes celles qui la regardent, dans l'attente de leur aide. Soudain, perdant son énergie folle, sa main retombe. « Une étoile mauve fanée sur la neige[4]. »

Frapper nos mémoires d'une image pour dire la beauté poignante d'une douleur que personne n'adoucira. Les doigts sont en pointes d'étoile, la main cherchait au-delà du fossé la liberté. Pour dire le violacé de la mort, Delbo évoque le

---

1. *Aucun de nous ne reviendra*, *op. cit.*, p. 104-105.
2. *Ibid.*, p. 75.
3. *Ibid.*, p. 13.
4. *Ibid.*, p. 42.

mauve, comme la mauve qui fait voir une fleur. L'étoile, et la fleur, il faut en dire la fin, et la glace mortelle qui l'attend sur la neige. Décrire un cycle, c'est raconter le regard et dire l'impuissance. Par une image concentrer l'expérience humaine de celle qui souffre à la folie et de celle qui voit la souffrance impossible à adoucir, tout le mal qui est fait.

La main, les doigts de celles qui agonisent, ont marqué Charlotte Delbo. Dans la cour mitoyenne de leur block 26, se traînent les invalides, à qui on ne donne plus à manger ni à boire jusqu'au jour de les emporter à la chambre à gaz, ou au crématoire. C'est au terrible block 25 que sont jetées celles qu'une sélection a triées. Les cadavres entassés dans la neige de la cour, « ce sont nos camarades d'hier[1] ».

Delbo raconte un regard jeté par les compagnes sur la cour depuis le carreau grillagé de leur block, et l'horreur qui fige. Des doigts bougent dans le tas des cadavres gelés. « Les doigts se déplient lentement, c'est la neige qui fleurit en une anémone de mer décolorée[2]. »

Que le silence qu'il y a dans l'image rende la stupéfaction, parce que l'horreur à supporter est dépassée. Et que la fleur fasse un hommage, par-dessus la douleur qui les étreint.

L'image garde la frappe muette du traumatisme. Et rend le chaos engendré entre glace, mer et fleur, puis Delbo l'arrange dans la beauté d'une forme inattendue, explore la terreur par la beauté. Pour nous permettre de rester humain.

Un jour d'avril que la mort s'imprime sur le visage de sa voisine, que son corps est affalé contre le block sur la poussière du sol, ce sont ses mains que Charlotte regarde, « ses doigts qui se tordent et se nouent comme des brindilles que mord la flamme[3] ». Delbo voit les derniers soubresauts du corps déjà atteint par les flammes du crématoire. C'est la dernière image du livre, dans un chapitre nommé « Le Printemps », terrible antinomie dans ce lieu de mort, et Delbo

1. *Aucun de nous ne reviendra*, *op. cit.*, p. 30.
2. *Ibid.*, p. 32.
3. *Ibid.*, p. 181.

termine sur un ton désespéré. En deux phrases. La première, détachée après trois lignes de blanc, « Aucun d'entre nous ne reviendra. » La deuxième, seule au milieu de la page suivante, « Aucun d'entre nous n'aurait dû revenir. »

Reste l'image de mains. Des mains émergent dans le récit d'*Aucun de nous ne reviendra* pour laisser entendre le lien, ou l'appel qui cherche l'autre main.

La mère de Charlotte Delbo, si importante dans sa vie, apparaît plusieurs fois dans le livre et dès le troisième poème. « Ma mère / c'était des mains un visage ». Avant que n'apparaisse le souvenir de son visage, ses mains d'abord.

Avant le visage, avant les traits singuliers de sa mère, l'image de ses mains, les mains de la mère, qui portent le soin et rattachent à l'origine.

Je ne peux m'empêcher de penser à ce moment d'août 1971, quand vient de mourir la mère de Charlotte et que sa mort la plonge dans un chagrin immense, un désarroi inattendu. Elle aura cette demande à l'amie qui l'accompagne, parce que chaque jour elle vient voir encore le corps de sa mère, installé à la morgue. L'amie s'en souvenait encore, « Charlotte me demanda une chose, pensa à une chose pressante avant tout, d'aller acheter des gants noirs. Nous étions en plein mois d'août. »

Il fallait marquer le deuil des mains qui ne toucheront plus. Le deuil des mains qui n'auront plus ce lien à sa mère. « Il fallait ces gants, elle voulait des gants noirs pour elle et pour moi ». C'était aussi l'attachement de Charlotte à la cérémonie. Le costume des mains pour la cérémonie, et pour exprimer leur douleur.

Longtemps après le retour, Charlotte au chevet d'une ancienne compagne en train de mourir, à laquelle elle rend une dernière visite, lui tient la main, et revoit l'amie qu'elle était au camp, « tu m'as tant aidée, tu m'as réchauffée quand j'étais transie, tu m'as prêté ta main pour que j'emporte un goût de douceur dans mon sommeil...[1] »

1. *Mesure de nos Jours*, *op. cit.*, p. 142.

Ce que la main porte et donne.
Comme la main qui écrit.

La main et les mots. Les deux portent la chaleur qui sauve. La vie.

Une journée de pluie à travailler aux champs, courbées sur les sillons, trempées jusqu'aux os, rigoles de pluie entre les omoplates, mains gelées dans la terre, les compagnes ont vu au loin une maison abandonnée. Quand la pluie redoublera, les surveillantes voudront se mettre à l'abri et les y conduisent. Leur vœu s'exauce.

Mais c'est un lieu de mort, de destruction, de saccage. « Nous entrons dans la maison comme dans une église. (…) Les cultivateurs ont été liquidés d'abord. La maison est marquée d'un "J" à la peinture noire. Des juifs l'habitaient[1] ».

Parquets et papiers aux murs arrachés, fenêtres et portes aussi. Le lieu est dévasté. Assises sur les gravats, à l'abri de la pluie, regardant les murs et les traces, elles se mettent à parler pour refaire la maison. Au-delà des morts assassinés, au-delà des murs détruits, elles la refont avec leurs mots. Les unes et les autres ajoutent un mot pour dire un meuble, une radio, des plantes… Elles font leur maison. Elles parlent pour refaire. Pour refaire ensemble. Tout le chapitre dit « nous ».

« Le plus grand recours, c'est de parler. C'est ça qui sauve. Parler de tout. C'est une façon d'exister, le seul mode d'existence. En parlant, on existe, les autres aussi existent[2] ». Avec leurs mots, « la maison devient tiède, habitée. (…) Nous regardons la pluie en souhaitant qu'elle dure jusqu'au soir[3] ». Les mots ont ramené du temps, une conscience du temps, la possibilité d'exister.

Il peut arriver aussi qu'un mot donne du goût, redonne le goût.

Au milieu des mots qui font chavirer le cœur rien que de les imaginer, « Marais, wagonnets, briques, sable. Nous

1. *Aucun de nous ne reviendra*, *op. cit.*, p. 126.
2. Entretien avec Madeleine Chapsal, *L'Express*, 14-20 février 1966.
3. *Aucun de nous ne reviendra*, *op. cit.*, p. 127.

ne pouvions penser ces mots-là sans que le cœur nous manquât[1] », un mot peut survenir, un mot à lui seul qui rende la vie. Alors qu'elles traversent un paysage de glace, elles approchent d'une maison habitée, une maison qui a des rideaux blancs aux fenêtres. « Des rideaux de mousseline. Nous disons "mousseline" avec du doux dans la bouche[2] ».

Retrouver le mot pour caractériser les rideaux, c'est se prouver qu'on n'est pas morte en soi. La richesse des mots, c'est la richesse de l'esprit qui sait distinguer les tissus, connaît leur diversité. Et le mot n'est pas seulement ce qui distingue la chose, il peut aussi contenir, comme celui-ci, sa suavité. Dire le mot de « mousseline » en marchant sur la plaine d'Auschwitz. Le mot met « du doux dans la bouche ». Le mot témoigne de l'autre monde au-delà du camp, et de soi dans cet autre monde.

Il fallait parler pour oublier l'absence de tout espoir à Auschwitz. La menace continuelle de la mort ôtait l'espoir de s'en sortir, il fallait se lancer, parler du retour. « Croire au retour était une manière de forcer la chance. Celles qui avaient cessé de croire au retour étaient mortes[3] ». Un jour qu'elles sont trois à devoir creuser la terre au fond d'un fossé, loin du reste du commando, donc à l'abri des cris des kapos et de leur surveillance constante, elles parlent, elles parlent depuis le matin. « Ces projets irréalisables qui avaient la logique qu'ont les projets des insensés[4] ». Soudain, on vient en chercher deux. « Je reste seule au fond de ce fossé et je suis prise de désespoir[5] ». Charlotte est sûre qu'elle ne réussira pas à tenir jusqu'au coup de sifflet pour rentrer au camp, moment où elles reprendront le rang, pourront se donner le bras, « parlant, parlant à nous étourdir ».

---

1. *Aucun de nous ne reviendra*, *op. cit.*, p. 98.
2. *Ibid.*, p. 98.
3. *Ibid.*, p. 162.
4. *Ibid.*, p. 163.
5. *Ibid.*, p. 164.

« Au milieu des autres, on tient[1] ». Seule, elle ne peut tenir, ses pensées ne sont que pour l'angoisse qui les habite toutes. C'est impossible de se sortir d'ici. Elle voudrait se coucher dans la boue, et attendre d'être trouvée morte par la kapo. Sans les mots, la mort et la boue sont là.

Pendant un mois en janvier 46, Charlotte Delbo pétrit et sculpte des mots, des phrases pour qu'elles tiennent le rythme, il faut que l'œuvre s'écrive et rende ce que fut Auschwitz.

Et les mots la raccordent à elle. La font un sujet et quitter le « nous ». Elle se crée une place, une voix, qu'elle garde secrète puisque le livre, elle veut qu'il attende avant d'être certaine de vouloir le publier. Secrète Charlotte Delbo, elle s'est reconquise en sujet, et garde ce qu'elle vient de faire, l'œuvre, au secret. Le travail pour raccommoder le trou. Ce trou dans l'humain fait par une violence inouïe. Le trou des disparitions, les corps assassinés sans sépultures. Elle a cherché à écrire, pour tisser la trame qui raccommode. Écrire l'œuvre qui nous raccorde à ce qui fut.

Après avoir écrit, le silence. Comme lorsque l'œuvre musicale au concert vient d'être écoutée et que pendant quelques secondes le silence se fait. Le temps de réaliser ce qui a été entendu, que ça s'est arrêté et de changer d'ordre, et d'entrer à nouveau dans le monde.

Il me semble qu'il y a dans le silence qui suit l'œuvre qu'elle vient d'écrire, quelque chose de cette expérience. Ce n'est pas quelques secondes qu'il faudra à Charlotte pour quitter l'état d'écoute, ce sera des années. On peut accepter que l'épreuve d'Auschwitz, et la composition de l'œuvre qui la rende, demandent un temps de silence exceptionnellement long. À côté de toutes les raisons qu'elle pourra rationnellement exposer.

Il y a aussi, avec l'écriture de cette œuvre, une femme qui fait la reconstruction d'un être traumatisé. Et brisé par

1. *Aucun de nous ne reviendra*, *op. cit.*, p. 165.

tant de douleurs morales successives. La reprise d'elle-même, naissance et reconnaissance d'elle-même qui fut au camp, a vu ce qu'elle a vu, et qui revient et qui accepte la solitude d'être, et le sens d'exister, cette reprise d'elle-même en trouvant le souffle pour écrire cette œuvre a besoin d'un cocon. Cocon qui l'abrite, elle et l'œuvre, et il y a là une symbiose entre elle et son livre, celle que le souffle, qui s'inscrit en lettres sur le papier, permet. Ce cocon abrite avant la mise au jour, avant de connaître le jour, d'affronter l'épreuve du jour. Le secret et le silence servent de protection, parachèvent la composition.

Le secret, le silence, il reste encore l'écart. S'en aller…

Charlotte Delbo va partir. Puisqu'il est temps maintenant de s'occuper de son corps tant éprouvé, elle peut s'en aller, ailleurs. Délivrée de ce qu'elle avait à faire, l'œuvre est écrite. Elle part en convalescence.

Geneviève de Gaulle avait cherché et trouvé dès l'automne 45 des maisons en Suisse pour assurer une convalescence à des déportées qui en avaient grandement besoin à leur retour. Par des anciennes de Ravensbrück, Charlotte a eu connaissance des Hortensias situés sur les hauts de Lausanne et réussi à y obtenir une place.

Si le silence, décider de garder l'œuvre au secret est une décision prise avec le sentiment net de la nécessité, s'en aller met en jeu ses relations sociales et affectives, un attachement à son univers sensible et bien concret, le théâtre, son travail, ses amis, Paris. Le départ s'accompagne de sentiments contradictoires. À peine est-elle arrivée le soir du 9 février 46 aux Hortensias, qu'elle écrit à Jouvet.

Après avoir fait dix heures de train de Paris à Lausanne, puis le trajet jusqu'au Grand-Mont, les formalités de l'accueil, la première visite du médecin, à peine installée dans sa chambre, elle prend le papier à lettres bleu qu'elle a emporté et lui écrit une lettre. « J'arrive à l'instant[1] ».

Les premiers instants, vécus seule à des centaines de kilomètres de l'Athénée, il faut écrire à Jouvet comme si elle lui parlait, adopter un style parlé, qu'il entende sa voix. « J'ai eu un sacré cran de quitter l'Athénée pour venir ici. Je me demande encore comment j'ai fait. Je vous embrasse cher

1. Lettre de Delbo à Jouvet, le 9 février 1946, BNF, Fonds Jouvet, LJ-Mn-88.

Monsieur Jouvet. Si vous vous ennuyiez de moi... Charlotte ».

Elle lui donne son adresse, lui assure que « Ici c'est la nature – neige. Silence, repos, propreté suisse. Pour ce qui est de faire la noce... ».

Son départ, elle semble déjà le regretter, guettée par l'ennui qu'elle craint plus que tout.

Heureusement qu'elle peut tout de suite ajouter : « Je vous dirai quand j'attaquerai *Dom Juan*. » Elle a emporté les notes prises dans sa loge le 29 décembre, elle ne les avait pas encore transcrites, c'est pour elle et à son livre qu'elle a travaillé dès qu'elle a pu en janvier, mais si elle s'en allait, il fallait emporter de quoi abolir la distance avec Jouvet.

Ce n'est pas de sitôt qu'elle pourra se remettre à travailler à sa machine à écrire. Son corps est bien plus éprouvé qu'elle ne voudra l'accepter. De toute façon, comme elle lui écrit ce premier soir, personne ne peut imaginer ce qu'elle a subi. « Le médecin au premier contact me dit : scorbut. On voit bien qu'eux jugent par rapport à des gens... sous-alimentés. »

Elle savait qu'elle avait été atteinte profondément. Une première convalescence au Mont-Dore en septembre 45 avec sa sœur n'avait servi à rien. Les fortes fièvres avaient repris, les violents maux de tête, et le médecin appelé à son chevet n'avait pu diagnostiquer aucune maladie. L'état de faiblesse d'un corps mis à si rude épreuve que personne n'était capable d'imaginer en 45, a rendu perplexes plus d'un médecin. Odette avait écrit à Jouvet depuis le Mont-Dore l'échec de cette convalescence, et terminait sur l'impatience de Charlotte à le retrouver, sa volonté de « renoncer à son oisiveté[1] ». Voilà comment Charlotte voyait sa guérison ! L'oisiveté était le poison, retrouver sa ferveur, le seul remède trois mois après être rentrée. Elle a voulu retourner travailler à l'Athénée en octobre pour

1. Lettre d'Odette Delbo à Louis Jouvet, BNF, Fonds Jouvet, LJ-Mn-88.

retrouver moralement le fil de sa vie. Mais son corps ne se remettait pas.

L'écriture d'*Aucun de nous ne reviendra* en janvier 46 semble donc un tour de force. Que seule a permis la nécessité d'écrire, de trouver une forme aux souvenirs hallucinés, de trouver des mots-sépultures aux femmes emportées vivantes au crématoire, aux agonisantes, aux cadavres entassés, la nécessité de travailler les souffrances traversées avec les mots de la poésie, celle qu'elle avait tant lue, tant aimée, qui l'habitait.

Et une fois le livre écrit, elle a voulu le silence. Ni le publier, ni en parler.

Elle en donnera des raisons bien claires et rationnelles. Très raisonnables même. « Nous sommes là devant la plus grande tragédie que l'humanité ait connue et j'aurais l'audace de me prétendre au niveau de cette tragédie ? Je voulais plus que rendre compte : donner à voir. Comment savoir si j'y avais réussi ? » Elle pensait qu'il lui fallait laisser reposer ce qu'elle avait écrit « tout de suite dans la palpitation, dans le frémissement du présent[1] ».

La deuxième raison : elle n'a pas voulu informer sur la réalité d'Auschwitz, c'est le travail des journalistes. Ce qu'elle voulait, c'était ce « qui ferait sentir la vérité de la tragédie en restituant l'émotion et l'horreur ». Et elle estime que le public n'est pas prêt à le recevoir, il sort d'un pays ravagé par la guerre, les privations, les deuils. Ce qu'était la déportation, ce que fut Auschwitz, ce n'est pas le moment de le faire entendre.

Les raisons qu'elle expose à Claude Prévost, comme dans d'autres entretiens, on peut les retourner. Quels moyens supplémentaires aura-t-elle vingt ans plus tard pour juger de la qualité de son œuvre ? Elle sera à ses yeux tellement plus convaincante ? Et quelle meilleure réception à son livre vingt ans plus tard ? En 1965, elle verra que personne, ou presque, n'est prêt à entendre la réalité d'Auschwitz.

---

1. Propos tenus à Claude Prévost, *La Nouvelle Critique*, n° 167, juin 1965.

Pour Charlotte Delbo, c'est si important de voir rationnellement une situation. Mais elle s'apercevra que son besoin de rationalité pouvait l'empêcher de voir la vérité. « J'ai découvert ce que mon goût pour le rationnel et l'expliqué m'avait toujours empêché de voir[1] ». C'est aussi ce balancement, cette tension chez Charlotte entre les lumières de sa raison et sa perception du trouble, de l'émotion, sa sensibilité au mystère qui donne de la profondeur à ses pages.

Charlotte dira que tout de suite au camp encore, lorsqu'elle s'était promis à Ravensbrück d'écrire un livre, elle a su qu'elle attendrait pour le publier. Parce qu'elle savait le degré d'horreur qu'elle avait vu. Et parce qu'elle savait qu'elle travaillerait l'intensité de son écriture, et quelle ambition elle avait. Il y a de quoi vouloir le silence après. Se taire. Ne plus rien dire. Faire silence, à l'intérieur de soi et à l'extérieur de soi. Comment expliquer cela, qui paraît si invraisemblable ? Que toute la force déployée pour écrire le terrible, et l'émotion pure, et l'amour qu'elle pouvait ressentir pour celles qui furent si décharnées, martyrisées… que cette force demandait qu'il y ait pendant un temps l'oubli de ce qu'on a fait. Un répit. Le repos. Pour entrer ensuite à nouveau dans le monde, le quotidien.

Si elle a pu se décider à s'éloigner ensuite, partir, il y a cette phrase claire qu'elle dira à Madeleine Chapsal, qui l'explique : « J'ai écrit tout ce que j'avais à dire dans *Aucun de nous ne reviendra*, toute la réalité d'Auschwitz, telle que je l'ai ressentie[2]. » Ce n'est pas rien cette déclaration. À sa manière, elle savait qu'elle tenait son livre. Elle l'avait écrit, elle pouvait s'en aller.

Mais l'image du repos lui tombe dessus. À peine arrivée, son premier souci est de savoir comment s'échapper. « Tout paraît bien, surtout le tram qui mène à Lausanne en une ½ heure[3] ». Renseignements pris, il fallait en 1946 une

1. Dans une lettre à Louis Jouvet du 23 avril 1947, BNF, Fonds Jouvet, LJ-Mn-88.
2. Entretien avec Madeleine Chapsal, *L'Express*, 14-20 février 1966.
3. Lettre du 9 février 1946 à Louis Jouvet, BNF, Fonds Jouvet, LJ-Mn-88.

heure et demie, et en changeant de tram, pour atteindre le centre de Lausanne depuis Les Hortensias. Ou bien elle aura entendu ce qu'elle voulait, ou on lui aura caché le premier jour la réalité.

Elle ne va donc pas rester tranquillement aux Hortensias, à attendre l'issue de sa convalescence. Elle va prendre contact avec ceux dont Jouvet lui a laissé le nom, à qui il a écrit pour la recommander, Fred Uhler, Pierre Cailler et Richard Heyd. Les deux premiers sont de jeunes éditeurs. Cailler commence à éditer des livres d'art, Corot, Daumier, et en 48 il éditera la Correspondance d'Apollinaire, c'est dire les affinités qu'il pouvait partager avec Charlotte Delbo. Et Pierre Cailler fut aussi le jeune homme qui servit d'impresario au début de la tournée en accueillant la troupe à la frontière suisse, le 2 janvier 1941. Fred Uhler, avocat de formation, lui, a créé les éditions Ides et Calendes en 1941, après avoir écouté une conférence de Montherlant à Lyon quelques mois plus tôt. Elle ne pouvait être publiée sous l'Occupation, il décide alors de créer sa maison d'édition pour se faire l'écho de cette France littéraire qui ne peut paraître librement. Comme Albert Béguin, dans *Les Cahiers du Rhône* édités par La Baconnière à Neuchâtel, qui publie depuis 41 avec l'aide de Bernard Anthonioz, son ancien élève, tant de poètes français proches de la Résistance. Comme François Lachenal, fondateur des Éditions des Trois Collines, éditait à Lausanne depuis octobre 1940 la revue *Traits* qui publiait Aragon, Éluard, Vercors.

Fred Uhler collabore avec le photographe Richard Heyd pour les illustrations de plusieurs de ses livres d'art, et en 1946 Charlotte a la surprise de retrouver à Lausanne, devenue la femme de Richard Heyd, celle qui s'appelait Jacqueline Chantal, la jeune comédienne recrutée pendant la tournée en Suisse, qui avait suivi la troupe en Amérique latine et avec qui elle avait fait la traversée du retour de Rio à Lisbonne. Ces fils du destin...

Uhler avait rencontré Jouvet pendant la tournée en Suisse. Enthousiaste, il lui avait proposé de publier ce qu'il voudrait.

Jouvet lui parle d'un traité de scénographie du XVIIIe, l'ouvrage sur le théâtre qu'il met au-dessus de tous ceux qu'il a lus, *Pratique pour fabriquer scènes et machines de théâtre* de Niccola Sabbattini. Jouvet s'est proposé de le préfacer. Le livre sortira en 42. Les premières pages de sa préface, il la commence sur le paquebot qui les mène à Rio, seront les derniers feuillets de Jouvet transcrits par Charlotte avant de rentrer en France.

Fred Uhler éditera plus tard le Théâtre complet de Giraudoux, comme celui d'André Gide. Charlotte Delbo retrouve en Suisse son univers. Réel et rêvé, celui qu'elle a découvert auprès de Jouvet. Cette fois, seule, indépendante, et même si elle est en convalescence, c'est elle qui doit s'imposer. Jouvet n'est plus physiquement là.

Il a proposé à Charlotte d'aller chercher l'argent qu'il lui assure pendant sa convalescence chez Ides et Calendes puisqu'il y a son compte d'auteur. Une façon pour Jouvet de ne pas s'occuper directement d'argent. En juin 1939, Charlotte avait pris son courage à deux mains pour lui dire dans une lettre qu'elle n'arrivait plus à joindre les deux bouts. Son salaire était de mille francs, ce qui à l'époque correspondait à celui d'un ouvrier spécialisé. Mais la vie avait tellement renchéri ces deux dernières années ! De 40 % avait-elle précisé, alors que son salaire n'a pas bougé. « Alors j'ai beau me restreindre et me creuser la tête – et l'estomac aussi, ajoute-t-elle en note de bas de page – je ne peux plus y arriver. »

Jouvet a toujours eu le souci de la trésorerie de son théâtre pour avoir de quoi payer les frais de ses exigences artistiques, de payer cher le travail de ses décorateurs et musiciens. Il accepte souvent ses rôles au cinéma pour avoir les moyens de faire le théâtre qu'il veut. Mais régler les besoins d'argent de sa vie quotidienne ne passait pas par lui. Ils étaient couverts par l'ensemble des dépenses du théâtre.

Charlotte, elle, a le souci d'une économie précise et scrupuleuse. Dès qu'elle le peut, elle met en place un autre circuit pour recevoir l'argent de Jouvet. « Odette par sa Chancellerie (sa sœur avait trouvé un poste au consulat de Belgique) va pouvoir m'envoyer 350 fr suisses par mois (10000 fr français, précise Charlotte) ce qui ira parfaitement alors, de sorte que je ne prendrai plus rien alors chez Ides et Calendes (j'ai peur que cela ne vous soit débité trop cher...) ce sera moins coûteux de donner 10000 fr à Odette pour moi[1]. »

Toujours, ce souci de protéger Jouvet, même depuis sa convalescence. Tant de fois avant la guerre, elle avait pris soin de sa santé, rédigé des listes de conseils pris auprès de son médecin, qu'elle lui envoyait sur son lieu de tournage pour soigner ses crises d'eczéma. Elle s'inquiétait, au début de ses lettres professionnelles, de risquer de le déranger pour lui donner des nouvelles du bureau alors qu'il se reposait ou avait besoin de se reposer. Elle rentre de déportation, a dû quitter Paris et son travail parce qu'elle n'est plus en état de l'accomplir, mais il lui faut trouver le moyen de peser le moins possible sur lui, sur sa trésorerie.

Le froid est intense en février au Mont-sur-Lausanne. Qu'on appelait d'ailleurs à l'époque le Grand-Mont. La bise, ce vent du Nord redoutable, y souffle sans que rien l'arrête. Comment Charlotte a-t-elle supporté de retrouver le grand froid, ces rigueurs, qui ont dû lui en rappeler de pires...

Mais ces hauts, c'est aussi la vue sur le lac Léman et les Préalpes françaises. C'est d'ailleurs cette vue qui avait fait décider la construction de cet hôtel que fréquentaient les touristes anglais à la fin du siècle précédent. Avec la crise des années 30, il fut transformé en école ménagère pour jeunes filles, puis fermé au moment de la guerre en 40.

Quand l'instituteur, Joseph Ziegenhagen, s'installe en 1943 dans l'appartement au-dessus de l'école située cinquante mètres plus bas, le bâtiment est encore fermé. Il ne rouvre qu'avec la recherche de maisons de convalescence par Geneviève de Gaulle-Anthonioz qui, après la guerre, à sa libération de Ravensbrück, a rencontré et épousé à Genève Bernard Anthonioz. Le fils de l'instituteur, Michel Ziegenhagen, ingénieur aujourd'hui à la retraite, a gardé un souvenir frappant

1. Lettre du 25 avril 1946, BNF, Fonds Jouvet, LJ-Mn-88.

de Charlotte Delbo. Elle avait trouvé porte ouverte chez son père, au premier étage de l'école, l'après-midi et le soir autour de la table de la cuisine. Ses parents étaient militants communistes, cela a tout de suite permis une entente privilégiée avec Charlotte, dit-il. Et il n'y avait pas que les sujets politiques à partager, son père avait le sens de l'humour, le goût des jeux de mots, l'amour de la littérature.

Elle venait seule, ou accompagnée d'autres résidentes. Au début elle ne parlait pas des camps. Elle pensait qu'on ne la croirait pas, dit-il. Puis, après un ou deux mois, elle en a parlé. J'avais douze ans et avec mes deux sœurs j'ai entendu là des choses qu'on n'était pas censés écouter, des histoires de baignoires servant pour les tortures de la police de Vichy, puis des camps de concentration, je me souviens que Charlotte parlait de cendres. La personnalité de Charlotte Delbo était extraordinaire. Elle riait beaucoup, elle avait d'extraordinaires yeux noirs ! L'intensité de son regard aura fait ce souvenir, Charlotte avait les yeux verts.

L'adolescent qu'il était se souvient qu'elle surnommait la directrice, Madame Richard qui était peu commode, « Madame Cœur de Lion », et lui demandait après trois semaines de choux, « Avons-nous épuisé le 6e stock de choux ? » Il n'a aucun souvenir qu'elle eût dit qu'elle écrivait. C'est lui qui me parlera de l'isolement du Grand-Mont à l'époque et m'explique ce long trajet pour rejoindre le centre de Lausanne. Un café au Grand-Mont où elle aurait pu aller écrire ? Il y avait juste ce petit café sombre où allaient les ouvriers agricoles et les soûlots du village, et à l'époque c'était quelque chose ! Non, elle ne pouvait y venir pour écrire.

Les premiers mois, et c'est encore l'hiver, ont été durs. Les médecins ne voient pas d'amélioration à son état en mars, et son moral accuse le coup, cette relégation loin de tout lui pèse, et le temps lui semble long, très long. Jouvet, qui lui écrit le 7 mars, évoque « sa mauvaise lettre » qui l'inquiète.

Elle doit se reposer mais s'en lasse vite. « Repos = ennui et atrophie de la volonté à secouer cet ennemi » écrit-elle le 7 avril à Jouvet. C'est clair et catégorique comme une formule mathématique.

Fin avril, sa sœur Odette lui rend visite. « L'Hortensia était un peu morne pour qu'Odette y passe deux jours », écrit-elle à Jouvet, lui racontant qu'elle l'a emmenée chez des amis à Genève. Elle a du coup manqué son appel. Jouvet lui avait téléphoné le jour de Pâques. Était-ce pour Pâques ou pour l'anniversaire de sa libération ? « Moi aussi j'ai pensé à vous ces jours-ci, c'est le 23 avril l'an dernier que j'ai été sûre de vous revoir », ajoute-t-elle. Elle parle de la date de sa libération pour la certitude qu'elle a eue de le revoir, plutôt que d'évoquer la fin des années d'horreur, pourtant tant attendue ! C'est lui, la référence, lui qui est associé à ce qui la tient en vie.

Si elle s'écoutait, elle lui téléphonerait tous les soirs, lui écrit-elle. Il y a un téléphone au bas de l'escalier qui mène aux chambres, cet escalier qui porte encore aujourd'hui sa grosse boule en cuivre au bas de la rampe. Mais le téléphone est fermé la plupart du temps et surtout le soir où il porte même une étiquette ! Charlotte le regarde, et cet empêchement lui fait faire des conversations entières imaginées avec Jouvet. Cette « supériorité du verbe », lui écrit-elle, ces conversations qu'elle voudrait avec lui, la font se détourner de longues lettres. C'est l'effervescence de la conversation qu'elle veut, ce qui fait que s'inventent paroles, réflexions, réponses, reparties, associations... Et entendre sa voix, cette modulation, le souffle de la poitrine – le théâtre et l'intimité. Ce qu'elle entend aussi quand elle écrit. La voix. Dans la solitude des Hortensias, il y a cette volonté d'entendre quelque chose qui n'est pas là.

Elle a obtenu d'avoir une chambre seule, ce qui est une faveur. Tout le monde savait qu'elle était la secrétaire de Jouvet. Elle a dû faire valoir des impératifs, comme son besoin de travailler.

Ida Grinspan qui avait été déportée à quatorze ans à Auschwitz en mai 44, après le départ de Charlotte pour Ravensbrück, fait la connaissance de Delbo aux Hortensias où elle arrive après une précédente convalescence à Montana. Ida arrive sans doute en mai d'après les calculs que nous avons refaits ensemble, elle y arrive ce mois de mai où Charlotte est mieux, et Ida en garde une image éblouie. Éblouie par la femme belle et raffinée, avec ses beaux cheveux noirs, qui avaient bien repoussé, eux, précise-t-elle. Charlotte se maquillait, elle avait des sous-vêtements de prix, nous le savions parce qu'on lui proposait de laver son linge, elle avait autre chose à faire, lui disions-nous, on savait qu'elle écrivait, on aurait fait tout ce qu'on pouvait pour elle ! Elle avait pris une autorité qui la faisait veiller sur tout le monde, aller en cuisine demander du rab pour toutes quand un plat était enfin meilleur. Et elle riait ! Elle écrivait, mais pas aux Hortensias. Elle ne faisait pas la sieste, comme nous y étions obligées, elle partait sans doute dès le déjeuner pris, ou peut-être même avant le déjeuner.

Charlotte Delbo avait enfin obtenu fin avril de la part des médecins le droit de travailler, de se remettre à sa machine à écrire. Elle aura fait appel à ses amis, Richard et Jacqueline Heyd, ou à ses contacts à Lausanne pour trouver un endroit où travailler. Et ses amis lui font rencontrer des responsables de la presse, de *La Gazette de Lausanne*, du *Journal de Genève*, du mensuel féminin *Annabelle*.

Qu'elle soit la secrétaire de Jouvet lui ouvre des portes. Charlotte avait vu de près l'accueil triomphal en pleine guerre que la Suisse avait réservé à Jouvet, elle l'avait accompagné dans ses deux tournées, celles de janvier-février et d'avril 41. La Suisse se tenait serrée à l'intérieur de ses frontières, comme paralysée au milieu de l'Europe en guerre, avec la plupart de ses hommes mobilisés, et lorsqu'elle reçut la visite du théâtre de Jouvet, ce fut l'occasion d'éprouver une liberté, de montrer à travers la fête de la langue française une solidarité qu'aucun mouvement politique n'avait pu ressouder, mais qui existait depuis l'émigration des huguenots à la suite de la révocation de l'édit de Nantes jusqu'aux cantons alémaniques. La langue française prenait avec les spectacles de Jouvet une présence exaltante, et donnait peut-être une identité culturelle dans un pays où elle a toujours été problématique. Et cela en pleine guerre. Le passage de Jouvet en 41 avait marqué la Suisse.

Et Charlotte Delbo avait été arrêtée pour faits de résistance, et déportée dans les pires camps de concentration. La Suisse romande s'était faite l'écho des camps de concentration. Albert Béguin avait consacré un numéro entier des *Cahiers du Rhône* au camp de Ravensbrück, et ce, déjà en décembre 45.

Elle avait plusieurs raisons objectives pour retenir l'attention des gens de la presse et pour être sollicitée. En mai et en juin 1946, le magazine *Annabelle*, *Le Journal de Genève*, *La Gazette de Lausanne* publient des nouvelles de Charlotte Delbo.

La rédaction d'*Annabelle* la présente en six lignes au-dessus de son texte, annonçant d'abord qu'elle est la secrétaire de Louis Jouvet depuis 1936, lui ajoutant ainsi une année supplémentaire, et précise que rentrée d'Amérique en 41 pour participer à la Résistance, elle fut arrêtée pour avoir travaillé dans la presse clandestine. La présentation insiste sur sa très longue captivité (38 mois), les deux camps qu'elle connut, la durée de sa détention (27 mois), et qu'elle reprit le travail avec Jouvet en collaborant au montage de *La Folle de Chaillot*, alors que dans son dossier pour la retraite, son emploi à l'Athénée ne reprend qu'en janvier 1946. Pour Charlotte Delbo, il n'est pas question de dire comme elle était atteinte à son retour des camps. Rien n'est dit non plus de sa convalescence aux Hortensias, ni même de sa présence en Suisse. Ni qu'elle est la veuve d'un mari assassiné au Mont-Valérien par la Gestapo. La réserve de Delbo. Ce « privé » de sa vie, dont elle avait une conception élargie et très personnelle. C'était aussi une façon de tenir. Garder longtemps pour soi, comme elle le fit, ses difficultés, le drame même. Elle fait seulement ajouter qu'elle a déjà publié des nouvelles dans *Poésie 46* (la revue de Pierre Seghers. En fait, ce sont des poèmes, et qui ne paraîtront qu'en décembre 46), et dans *Les Étoiles*, une publication issue de la Résistance.

Surtout, il est annoncé que la nouvelle lui a été commandée. « Nous sommes heureux qu'elle ait bien voulu écrire Lily pour *Annabelle* ».

Je m'étonnais que ce texte qui fera partie d'*Une connaissance inutile*, le deuxième livre de sa trilogie qu'elle intitulera *Auschwitz et après*, ait pu être au départ une commande, et jusque-là je ne voyais pas Delbo répondre à une commande. Et puis la cohérence s'est dessinée, ce qui a suscité le sujet de sa nouvelle.

Annabelle était un magazine féminin de qualité. La rédactrice en chef, Simone Hauer, est une femme cultivée, appréciée du monde de la culture, qui demande régulièrement à des écrivains une nouvelle qu'elle publie au milieu des rubriques de mode et de vie pratique.

On peut imaginer la rencontre, la conversation. Charlotte sait dans le secret d'elle-même qu'elle a écrit un livre, elle est d'ailleurs en train de le mettre au net et de le taper. Il est certain que ses cahiers continuent de recevoir des poèmes et des récits qu'elle écrit d'un jet au stylo à encre, et que ses accents de vérité ne trompent pas quand elle parle de sa déportation, que l'aura qu'elle détient de sa proximité avec Jouvet lui fait tenir une place respectable et sûre dans les yeux de son interlocutrice. Charlotte sera sortie de cette rencontre, sentant qu'elle pouvait saisir l'occasion dans ce magazine d'écrire quelque chose qui touche des femmes, sans condescendance mais avec finesse, liberté. Et qu'il y avait justement un pari, là, à faire sentir la délicatesse de sentiments qui ont existé quelques jours dans un univers de terreur et de massacre. Elle avait à dire de cet événement ce qu'il racontait au milieu de l'horreur sur l'amour, la patience, la coquetterie, la solidarité, la peur, l'endurance.

Lily met en scène la disparition d'une jeune prisonnière que deux SS sont venus chercher un matin parmi le « petit groupe de laborantines recrutées pour faire pousser une plante nécessaire à l'économie de guerre des nazis », il s'agit du laboratoire agricole de Raisko, à deux kilomètres de Birkenau, où ont été affectées Charlotte et quelques-unes de ses compagnes après six mois du grand camp.

Delbo décrit le silence et la peur de chacune qui a vu le drame, Lily emmenée par deux kapos, sans pourtant pouvoir en parler. Ni ensemble, ni avec Eva qui veut garder espoir la première nuit et attendre le retour de sa sœur. La deuxième nuit de veille, elle comprendra que sa sœur ne reviendra plus. Silence, fait de la peur que chacune a de son propre sort en voyant ce qui est arrivé, et de la volonté de ménager les inquiétudes d'Eva.

Charlotte Delbo reprend ce mot de « savoir », ou de « ne pas savoir », qu'on a vu déjà la hanter dans ce qu'elle a rendu d'Auschwitz. À Raisko, savoir et ne pas savoir reste le leitmotiv. Ce qu'elles savent, ce qu'Eva sait, ce qu'elles ne savent pas et dont le pressentiment seul fait une chape de terreur au-dessus d'elles, ce que les SS savent et ne savent pas, eux aussi. Et ces flammes qui sortent des cheminées nuit et jour, dont elles savent, elles, et bien seules vis-à-vis du reste du monde, que ce ne sont pas des hauts-fourneaux.

« Ce n'est que le troisième jour que nous avons su. Nous sommes toutes allées vers Eva. Nous l'avons embrassée. Nous n'avons pas pu lui parler. Eva ne pleurait pas. Elle avait le visage défait, le regard traqué plus qu'autrefois. [...]

Nous savions maintenant. Comment l'avions-nous su ? Presque impossible à dire. Par les hommes peut-être. Pas par Eva en tout cas. Eva n'avait rien dit à personne. Toutes savaient sans qu'aucune eût rien dit jamais[1]. »

Après Eva, c'est de Lily que Delbo dresse un portrait, faisant revivre la scène de ses sorties du laboratoire mettant prestement le petit col blanc qu'elle s'était fabriqué, ôtant son tablier de laborantine pour sortir dans sa robe rayée qu'elle avait raccourcie, pour déposer un billet, la lettre écrite avec conscience et amour la veille au soir pour un jeune prisonnier polonais. Ils s'étaient fiancés de leurs seuls regards échangés au long des semaines, et le jeune fiancé se penchait au-dessus

1. Version publiée dans *Annabelle*, Lausanne, mai 1946, p. 38-39.

des semis pour déposer son billet à lui, et prendre plus loin celui que Lily avait déposé au milieu des potirons.

Lorsque les SS intercepteront un billet qui ne peut être à leurs yeux qu'un message politique déguisé, ce seront des arrestations immédiates. « Parce que pour la Gestapo tout était code, et les mots d'amour traduisaient forcément des mots d'ordre politique ».

Non seulement l'amour ne peut exister au camp pour les nazis, la vérité de la langue non plus. Le langage, ils lui ont fait perdre son sens. Delbo le savait. Les mots qu'ils employaient maquillaient la réalité, « douche » pour chambre à gaz, l'adjectif « spécial » pour tout ce qui devait servir au crime de masse. Delbo en tirera dans tout ce qu'elle écrit la volonté déterminée du mot juste. Et de le faire entendre, résonner, nu, avec des répétitions, au cœur de phrases courtes, elliptiques.

Ils seront fusillés, Lily et son fiancé, comme celui qui a servi d'intermédiaire pour faire passer le billet.

La nouvelle se termine par ce paragraphe : « Dans la lettre de Lily, il y avait cette phrase : "Nous sommes là comme des plantes riches de vie et de sève, comme des plantes qui voudraient pousser et vivre, et je ne peux m'empêcher de penser que ces plantes ne doivent pas vivre." C'est un qui travaillait à la *Politische* qui nous l'a dit. »

Lily savait. L'amour ne pouvait pas vivre au camp, eux ne pouvaient pas vivre, comme tous ceux qui étaient déjà partis en fumée. Et Delbo de le dire dans sa nouvelle. « Lily était juive ». « Lily était la seule parente qui lui restait. Toute sa famille avait été gazée. Toute la petite ville de Slovaquie avait été gazée. Alors les autres, à la table, s'étaient espacées. On avait retiré un tabouret et on ne voyait plus qu'il manquait Lily ». Delbo, elle, se situe là, à reprendre dans les mots le terrible, et l'effacement. Dans la baraque même, pour durer, il fallait effacer. Ôter le tabouret de Lily. Mais l'écriture restitue ce qui a eu lieu. Comme Delbo restitue ce qu'il y avait dans la belle lettre. Et dit aussi comment elles ont appris le contenu de la lettre. Alors, il lui faut un rythme heurté. « C'est un qui travaillait à la Politische qui nous l'a dit ». Une construction gauche, un vocabulaire pauvre pour ce camp qui massacre. Dire la langue détruite.

Charlotte, à la même époque, ne parle à personne de son amour, de celui qui fut assassiné sous les balles d'un peloton allemand. Elle ne parle à personne de Georges Dudach. Elle fait de l'humour, elle joue avec les mots certains soirs avec l'instituteur, elle met de l'entrain dans la salle à manger des Hortensias, son amour qu'elle ne verra plus, dont elle ne touchera plus la peau qu'il avait si douce « la première fois que je l'étreignis / et toutes les autres fois / si douce », avec qui elle marchait enlacée, « il prenait ma main / protégeait mon épaule », cette douleur de lui absent à jamais, elle ne peut en parler à personne. Ne pas ouvrir cette brèche-là.

Y avait-il aussi, mêlé à sa douleur le sentiment que Georges avait été responsable de leur arrestation puisqu'il s'était entêté à attendre un ordre du Parti pour quitter l'appartement, au lieu de fuir dès les premières arrestations du réseau et déjouer les filatures. Et qu'elle tenait tout ça lié ensemble au fond de son cœur, désespoir et colère, pour que ne sorte pas l'atroce de cet adieu quand elle aurait voulu lui dire, sans oser le faire, et ayant honte d'y songer, d'accepter la solution tendue par les nazis, pour le garder. Combien elle l'aimait ! Un jour, écrire ce nœud fait de douleur, d'estime, d'amour, de honte, la cruauté d'une situation à perdre connaissance. Mais pour le moment, écrire ceux qui furent assassinés et disparurent en fumée, et une histoire d'amour, assassinée, à laquelle elle rend sa fraîcheur et sa gravité. Un amour fait de si peu.

Lilly est le premier texte en prose de Charlotte Delbo à être publié pour un large public.

En 1965, elle le corrigera légèrement pour lui donner plus de fluidité, ôte quelques adjectifs et ajoute à trois endroits une explication qui rend le contexte plus explicite au lecteur, chose qu'elle ne voulait pas pour *Aucun de nous ne reviendra* qui disait un monde si violent qu'aucune explication ne pouvait avoir une place. Elle le propose cette fois à *La Nouvelle Critique*, revue culturelle liée au parti communiste, qui le publie en tête du numéro consacré à la littérature des camps. Elle le modifiera encore légèrement, des virgules et des prépositions, pour l'intégrer à *Une connaissance inutile* qui paraîtra en 1970. C'est peu dire qu'elle vouait à son texte une précision au millimètre. Le ton, la voix, devait atteindre le lecteur comme son oreille le voulait. Elle se faisait une confiance illimitée, et testait donc longtemps, sans faiblir, l'écho des mots.

Et si la rédactrice en chef d'*Annabelle* lui a demandé à Lausanne une nouvelle, *Le Journal de Genève*, le quotidien le plus ancien de Suisse romande qui jouit d'une renommée internationale, lui offre ses colonnes au moment du premier anniversaire de la libération des camps.

Est-ce le lien entre Genève et la Croix-Rouge qui lui fait écrire la nouvelle « Le Matin de la liberté » ? Elle raconte le jour de la sortie des Françaises de Ravensbrück, le souvenir de l'officier suédois qui les attendait à la porte du camp.

« L'homme qui apparaissait à nos yeux était le plus beau que nous ayons vu de notre vie.

Il nous regardait. Il regardait ces femmes qui le regardaient sans savoir que pour elles il était si parfaitement beau de la beauté humaine.

Debout sur le perron, à l'entrée – chose surprenante à laquelle nous ne pensions pas encore, l'entrée pouvait être la sortie –, sans doute attendait-il que nous arrivions. Seul, à côté d'un groupe d'imperméables en feutres mous.

Il regarde cette bande de taches pâles que sont les têtes sur le fond de l'obscurité, cette bande qui se déroule lentement, en silence, et s'avance. Ce sont des visages qu'il distingue maintenant, et tous les yeux sont fixés sur lui, mais ces yeux ont tellement l'habitude de rester éteints aux spectacles les moins croyables, qu'ils ne marquent pas ce qu'ils éprouvent à la vue de l'homme. L'étonnement, l'interrogation[1] ».

1. *Le Journal de Genève* du 16 mai 1946.

Début de la nouvelle, qui montre l'écrivain. Ce n'est pas le témoignage de ce qu'elle a vécu, c'est le récit d'un écrivain qui prend la place, le regard, de l'homme qui voit les femmes du camp pour la première fois devant lui. C'est le champ et le contre-champ en un paragraphe pour rendre une scène incroyable, incroyable des deux côtés où elle est vécue.

Pas de « je ». Mais *l'homme*, *ces femmes*, *ces têtes*, *nous*... Tentative de voir et reconnaître ce qui peut l'être, dans la lente et progressive compréhension de ce qu'il est en train de se passer... Ce n'est que dans le dernier quart de la nouvelle que le brassard blanc à croix rouge est vu. L'essentiel n'est pas là. Delbo a autre chose à raconter, à faire sentir.

« L'homme regarde les femmes. Lui, on devine qu'il fait effort pour ne pas montrer les sentiments qui l'atteignent.

Les femmes regardent l'homme et ne le voient pas. C'est-à-dire qu'elles ne le voient pas dans ses détails, dans ce qui le distingue en tant qu'homme. Elles ne voient qu'un homme, une effigie des humains oubliés. Et cela est plus surprenant que la présence même de l'homme ».

Faire comprendre sans digression morale ce que le camp a fait d'elles.

Qu'elles puissent observer qu'il porte un brassard viendra après une transformation intérieure, c'est ce cheminement que nous fait suivre Delbo. Un homme, elles ne savaient plus ce que c'était. Mais quel intérêt de le dire ainsi, plutôt faire sentir cette épaisseur de soi qui va revenir en chacune d'elles, une autre façon de percevoir le monde, ce monde où il n'y avait plus eu d'humains.

Cette nouvelle, Charlotte la choisira aussi pour *Une connaissance inutile*, la corrigeant à peine, remplaçant le mot *officier* qui apparaissait plusieurs fois dans le dernier quart par le mot *homme*. Ce mot d'homme qu'elle veut écrire pour dire ce qu'elles ont vu soudain devant elles, un homme qui prenait la place des monstres qui les avaient gardées, des prisonniers qui comme elles avaient perdu leur apparence, à qui on avait tout enlevé. Ce mot d'homme, le premier de la nouvelle, elle le conservera tout le texte, comprenant que l'éblouissement est celui de l'humanité revenue devant elles.

Ce qui ne l'empêchait pas de finir la nouvelle par des mots de désespoir.

« La terre était belle d'être retrouvée. Belle et triste à jamais. »

Elle les modifiera dans son livre. « Belle et déshabitée », écrira-t-elle, préférant un adjectif loin du registre sentimental, subjectif, pour dire le retour de déportation et le constat tragique d'un monde où celui qu'elle aime n'est plus.

Ce mois de mai Charlotte se sent mieux. C'est le quatrième mois de sa convalescence, deux textes d'elle ont paru, et c'est le printemps, la saison qu'elle aime tant. Elle veut rentrer à Paris, au moins envisager son retour. Mais les médecins suisses la retiennent. Le médecin des Hortensias l'a envoyée à nouveau chez le cardiologue qui l'avait vue début mars à Lausanne. Elle est « atterrée » par le rapport médical qu'elle vient de recevoir. Elle l'envoie à Jouvet, en l'accompagnant de sa résolution, « ne pas le prendre au tragique » ! En fait, il semble bien que c'est la détermination, la ferveur de Delbo que les médecins cherchent à tempérer, ils dressent en creux un portrait de l'énergie qu'elle semble avoir reprise. Ainsi, écrit le cardiologue, « il vaut mieux prévenir que guérir » et en dehors de gouttes à prescrire, il faut « surtout intensifier le repos physique. Mademoiselle Delbo (au médecin non plus, Charlotte n'aura pas précisé qu'elle est veuve) sera vraisemblablement incapable de reprendre son activité professionnelle à la fin du mois de mai ; il faut envisager une prolongation de son séjour en Suisse, jusqu'à la fin du mois d'août, en bref, jusqu'à la reprise de l'activité théâtrale, qui se situe généralement en septembre. Cette intéressante malade a le privilège de se reposer dans notre pays, dont le climat convient à son cœur, par sa sérénité et sa carence en tentations, il faut donc en profiter au maximum, lui permettre, en un mot, de retrouver une santé suffisante, ou si vous préférez les ailes résistantes à la vie fiévreuse qui l'attend à Paris[1] ». Elle avait beau avoir assisté tant de fois à des scènes de *Knock* de Jules Romains, ce rapport ne l'a pas fait sourire. Pourtant, il y avait de quoi, avec ce climat de « carence en tentations » qu'offre la Suisse ! Ou par la méconnaissance de ce qu'elle a traversé. Le mot de « privilège » choque pour une convalescence après deux ans et demi de camp de concentration.

Ce que Charlotte Delbo en retient, c'est la seule question qui l'occupe, on diffère sa possibilité de rentrer, de reprendre sa place auprès de Jouvet, sa vie. Elle n'hésite pas à écrire dans sa lettre : « J'ai passé un hiver merveilleux, j'ai travaillé avec une joie, la plus grande de ma vie. » Elle en a oublié la fatigue extrême. Décembre-janvier, la plus grande joie de sa vie, retourner à l'Athénée, avoir écrit *Aucun de nous ne reviendra.* « Pourquoi faudrait-il que maintenant je m'embête. Je n'aime plus la nature que dans *Intermezzo.* Si vous ne me donnez pas raison, je croirai que vous ne voulez plus me voir revenir ».

Et pour répondre à la demande du médecin, « deux années de *ménagement* ! », elle a trouvé sa réponse. « Eh bien sortir de mon lit pour entrer au théâtre, et sortir du théâtre pour entrer dans mon lit c'est tout ce que je demande. » Elle sait ce dont elle a besoin pour vivre. « Ils ne vont tout de même pas me faire perdre confiance dans ma carcasse, avec leur repos. Alors je reviendrai au mois de juin, recalcifiée, redentée... » Elle a accepté une partie du traitement, une nouvelle série de piqûres de calcium, « ça vaut la peine parce que là on voit le résultat, mes dents sont sauvées. Un autre miracle, j'ai l'habitude ». C'est ce qui l'intéresse, les miracles, là ses dents sauvées. Elle parlera toujours de la survie à Auschwitz, comme d'un « miracle ».

1. Lettre du Dr Saloz à son confrère, le Dr Balissat, incluse dans la correspondance Jouvet-Delbo, BNF, Fonds Jouvet, LJ-Mn-88.

Ce n'est pas rien ce vocabulaire de la foi, chez Delbo, profondément athée. Sa façon de dire son amour de la vie, exprimer sa gratitude d'avoir gardé la vie. Avoir senti la volonté de sa mère tendue vers elle toute sa déportation, et « que vous me parliez » comme elle l'avait écrit à Jouvet depuis la Suède. Le fil à la vie est celui-ci, le mystère des soutiens, par des voix et des visions, ce monde toujours présent chez Charlotte Delbo. Actif. Mystère de la vie, théâtre où le Mystère se représente, et représente pour elle le ressort déterminant.

Elle assure à Jouvet vouloir être de retour en juin. « Ne fermez pas l'Athénée avant, je veux dire que je souhaite vous savoir bientôt moins fatigué pour revoir Arnolphe après l'avoir si longtemps suscité dans ma mémoire et ma tendresse ». La fatigue dont Jouvet lui a parlé dans sa dernière lettre la préoccupe plus que la sienne après deux ans et demi de déportation, il lui importe tant de se sentir habitée de son amour de la vie rêvée. Et elle a repris des forces, Charlotte. Et une confiance. Elle a rencontré l'un des responsables de *La Gazette de Lausanne*, qui lui propose de publier une nouvelle. Le quotidien, en 46, s'ouvre à la jeune génération des auteurs d'après-guerre, écrivains et intellectuels. Charlotte Delbo donne cette fois un texte sur Birkenau, un chapitre qui figure dans *Aucun de nous ne reviendra*.

La nouvelle paraît sous le titre de L'Amie dans *La Gazette de Lausanne*, et deviendra « Lulu » dans *Aucun de nous ne reviendra*. Au vu des modifications, elle l'inclut dans l'ouvrage après l'avoir écrit pour le journal. Au sein du livre, il y a des détails ajoutés pour faire voir la scène, et des adjectifs superflus enlevés. Les explications qui avaient été données pour le lecteur du journal sont ôtées, la narratrice s'estompe, le fait de raconter est diminué au profit de ce qui est vécu par elle et par les autres, ce qui est le point de vue d'*Aucun de nous ne reviendra*.

Charlotte Delbo travaille ses livres en montant les chapitres comme scènes et plans d'un film s'intègrent au montage.

Elle écrit ses textes comme autant de pièces isolées dont elle dispose l'arrangement ensuite. Elle place le lecteur au sein d'un espace, cet espace imaginaire où doivent se mettre à vivre l'émotion, les sensations, la conscience et la réflexion. Il faut que ça bouge dans ces tableaux pour que le lecteur soit pris, et qu'il ait toute la place pour que se mettent en branle ses propres capacités. Et elles sont nombreuses pour se faire une conscience, comme le désire Delbo. Alors elle pose et déplace ses chapitres jusqu'à ce que se construise cette scène « véridique ».

Dans L'Amie, elle dit l'importance de la parole qui les fait tenir. « Parler, c'était faire des projets pour le retour (...). Celles qui avaient cessé de croire au retour étaient mortes. (...) Je ne crois pas au retour quand je suis seule. Avec elles, puisqu'elles semblent y croire si fort, j'y crois aussi, je veux y croire ».

Ici, comme dans plusieurs de ses œuvres ou dans ses entretiens, on entend combien Delbo a été traversée par le désespoir, contrairement à ses compagnes animées de volonté déterminée ou de certitudes. Pendant les cinq mois d'emprisonnement au fort de Romainville, Charlotte est habitée par la tristesse, elle n'a pas le cœur de descendre pour la promenade et de voir en face les prisonniers tourner, elle qui n'a plus son homme, et ne voit en eux que de futurs fusillés. À Auschwitz, les premiers jours, quand elles ont vu les cadavres abandonnés autour d'elles, Charlotte Delbo a voulu se suicider pour ne pas faire elle aussi un horrible cadavre. Elle le raconte en 1966 à Madeleine Chapsal et l'écrira dans sa pièce de théâtre, *Qui rapportera ces paroles ?* C'est une compagne communiste, Josée Alonso qui la convaincra d'y renoncer, elle qui mourra deux semaines plus tard d'une pneumonie. C'est la résonance intime de ce désespoir qui donne aux tableaux qu'elle écrit, en apparence objectifs, leur émotion. C'est ce dialogue avec son désespoir qui fait la profondeur de ses livres. Et sa pudeur, qui retient les précisions personnelles, met en valeur sa lucidité.

L'Amie raconte sa détresse quand elle s'était retrouvée seule au fond d'un fossé qu'elles creusaient à trois jusque-là, un peu à l'écart. Moins harcelées par la kapo, parce que le commando travaillait plus loin, elles avaient pu parler entre elles. Le travail presque fini, on a hurlé à deux de rejoindre le reste du commando. Charlotte doit rester seule, elle veut s'allonger et mourir. Son désespoir est tel, lorsqu'elle reçoit l'ordre de rejoindre les autres, que Lulu qui lui a fait une place près d'elle ne trouve plus de façon de lui redonner courage. Ni par ses paroles, ni en échangeant son outil plus léger, ni par un geste de la main pour effleurer la sienne et lui faire sentir la chaleur de l'amitié. « "Je t'assure qu'aujourd'hui je n'en peux plus. Cette fois, c'est vrai."

Lulu regarde autour de nous, voit qu'aucune kapo n'est près pour l'instant, me prend le poignet et dit : "Mets-toi derrière moi qu'on ne te voie pas, tu pourras pleurer." Elle dit cela à voix basse, avec un peu de gêne, craignant de me heurter. Sans doute est-ce justement ce qu'il faut me dire puisque j'obéis à sa poussée gentille. Je pose mon outil, je reste là, appuyée au manche de l'outil, et je pleure. Je ne voulais pas pleurer, mais les larmes jaillissent, elles coulent sur mes joues. (...)

Lulu travaille et guette. Parfois elle se retourne et de sa manche, doucement, elle essuie mon visage. Je pleure silencieusement. Je ne pense plus à rien, je pleure. Et je ne sais plus pourquoi je pleure lorsque Lulu me tire : "C'est tout maintenant, viens travailler, la voilà", avec tant de bonté que je n'ai pas honte d'avoir pleuré. C'est comme si j'avais pleuré contre la poitrine de ma mère.

"Mets-toi derrière moi qu'on ne te voie pas, tu pourras pleurer", il n'y a que l'amitié qui puisse trouver ces mots-là[1] ».

La dernière phrase, la chute de la nouvelle, elle la supprimera dans son livre, et ôtera des mots pour serrer l'expression. Supprimer la chute, ne pas commenter mais donner à voir. Et avec le moins de mots possible. Faire ressortir les

1. *La Gazette de Lausanne*, 8 juin 1946, p. 3 et 5.

mots essentiels pour faire sentir la bonté et la délicatesse de celle qui permet de pleurer sans honte au milieu de l'enfer, montrer qu'au milieu de la boue, du brouillard, de la violence, de la menace de mort, il y avait cela. Et les mots le gardent encore, le donnent à voir, nous le font sentir, et surtout ne rien commenter pour nous sur l'amitié. La place doit être faite pour le lecteur chez Delbo, pour s'approprier ce qu'il y a à ressentir, pour trouver une place, sa place au bord de ce trou dans l'Histoire qu'est Auschwitz, et que l'indicible ne peut qu'agrandir.

La douceur et la pudeur des gestes, ce moment de régression autorisée au milieu de l'enfer et la désolation, prennent une couleur nouvelle après tant de tableaux d'épouvante dans *Aucun de nous ne reviendra*, et dégagent une chaleur irradiante. On avait eu des bribes de ce registre dans des chapitres précédents, quand les compagnes trouvent comment « organiser » un seau d'eau pour secourir la soif insupportable jusqu'à la folie de Charlotte, ou quand une amie sait la ranimer de l'évanouissement à l'appel, mais on n'avait pas lu encore tant de douceur attentionnée. « Lulu » est sans doute le seul chapitre du livre à avoir été écrit plus tard. À la fin de sa convalescence, quatre mois après tous ceux écrits avec la terreur rapportée d'Auschwitz.

Les propositions de publier ne s'arrêtent pas là. L'accueil réservé à Lily a été suffisamment important pour que le magazine *Annabelle* lui demande une autre nouvelle, pour son numéro de Noël, en décembre 1946, quand elle est déjà rentrée à Paris.

Charlotte Delbo fait le récit du 25 décembre 1943 au petit camp de Raisko à 2 kilomètres de Birkenau. Les prisonnières polonaises qui étaient avec elles ont tenu à préparer un Noël, entraînant les Russes et les Françaises. Mais le cœur des quelques Françaises du convoi n'y est pas. Comment ne pas penser « à leurs camarades qui n'ont pas la chance d'être avec nous dans ce commando privilégié. Comment passait-on

Noël au Camp de la Mort ? ». Les Polonaises ont beau avoir préparé avec des ruses pour déjouer la surveillance un repas le plus proche de leurs traditions, la pensée du camp là-bas ne quitte pas les compagnes.

Arrive l'instant de déballer les cadeaux préparés, Delbo rend la scène en faisant glisser l'attention vers le bout de la table. Une compagne l'a interpellée, lui montre ce qu'elle voit, « "Regarde, me dit Madeleine, regarde ! C'est un nounours ! Un nounours d'enfant." Et sa voix s'altéra. » Une jeune fille caressait ce qu'elle avait reçu, « un ours de peluche rose avec une faveur au cou ».

« Je regardais l'ours de peluche. C'était terrible ». Et trois lignes de blanc, et une ligne de pointillés dans le magazine. Son regard, ce qu'elle comprend, c'est une scène qui l'explique et termine la nouvelle. « Un matin que nous passions près de la gare pour aller aux champs, notre colonne avait été arrêtée par l'arrivée d'un convoi de juifs. Les gens descendaient des wagons à bestiaux, se rangeaient sur le quai aux ordres que hurlaient les SS. Les femmes et les enfants d'abord. Au premier rang, donnant la main à sa mère, une petite fille. Elle avait gardé son jouet qu'elle serrait contre elle.

Voilà comment un ours en peluche arrivait à Auschwitz. Dans les bras d'une petite fille qui allait mourir. Un du "commando du ciel" l'avait trouvé dans les vêtements entassés à l'entrée de "la salle de douche" et échangé contre des oignons[1] ». Delbo ne condamne pas les actes de survie, son regard est d'un autre ordre, il s'agit de montrer le terrible. Le faire savoir. Et faire sentir la douleur de ceux qui savaient.

Il s'est passé beaucoup de choses pour Charlotte Delbo en Suisse de février à juillet 46. Autant pour sa santé qu'elle reconstruit, que pour l'écrivain, séparée de l'Athénée, séparée de Jouvet. On la rencontre, on lui demande des textes, elle tape son manuscrit. Elle se fait, se construit face à ces

1. « L'Ours en peluche », *Annabelle*, décembre 1946, p. 67 et 94.

feuilles, celles qu'elle assemble pour son livre, celles qu'elle donne au magazine et aux journaux qui la sollicitent. Sa vie d'écrivain prend sa forme, sa première forme ici à Lausanne.

Comme un jour d'avril où elle marche place Saint-François, au centre de la ville, devant la cathédrale. Elle sort des bureaux de la *Guilde du Livre* où elle vient d'acquérir *Le Bulletin de la Guilde du Livre* qui présente ses nouveaux livres aux abonnés et publie des textes inédits d'écrivains. Elle vient de lire un texte de Claude Roy, *L'Homme-qui-lit*, dans le *Bulletin* d'avril. Ce texte l'a saisie. Elle y pense, elle veut lui donner un prolongement à cet Homme-qui-lit tel que Claude Roy l'imagine, celui qu'elle a expérimenté au camp.

Claude Roy écrivait, « Lire, c'est ajouter aux rêves qu'on engendre ceux qu'autrui a conçus pour vous. (...) L'homme qui souffre échappe à sa souffrance grâce à celle d'Œdipe, de David Copperfield, de la Princesse de Clèves, de Swann. *Je est un autre*, dit Rimbaud : c'est vrai de chacun de nous, constamment. Mais jamais plus que lorsque nous cédons aux attraits du vice impuni qu'analysa le merveilleux Valery Larbaud. Le *je* du lecteur est un autre, toujours un autre[1]. » Delbo, femme-qui-lit, voit toute son expérience au camp de femme-qui-a-lu s'animer. Se déployer tout ce que les personnages de ses lectures lui ont appris sur eux, sur elle, sur la littérature dans son compagnonnage avec eux au camp.

« Chacun de nous était homme qui lit lorsque la Gestapo un matin ou un soir, prenant figure de destin (...) nous a retranchés de la vie que nous vivions. Nous a retranchés du même coup de la vie que nous nous étions créée, celle où "je" est un autre ». C'est tout ce qui deviendra sa réflexion et les scènes qu'elle imaginera dans son étonnant livre, *Spectres mes compagnons*, qui prend germe ici quand elle écrit « La Réalité du fantastique » pour parler de ces « hommes-qui avaient-lu » et raconter comment « nous emportions avec nous, dans le milieu où on nous plongeait vifs, nos amis et la vie imaginaire de nos lectures ».

1. *Bulletin de la Guilde du Livre*, avril 1946, p. 72, Lausanne.

« C'est alors que nous avons vu que personnages et livres ne prenaient leur vie que dans le climat humain qui est celui de l'humanité même. Nous retirés de ce climat, eux l'étaient aussi. Mme de Clèves et Goriot devenaient souvenirs. (...)

Du moins était-ce ce que j'éprouvais quand je me réveillais les matins dans ma cellule nue et sonore où se croisaient les voix de mes invisibles camarades de prison. (...) Je croyais que tout pouvait m'être ôté, hors cette richesse de mes souvenirs. Je me trompais. Ce n'était pas le vrai dépouillement.

C'est en franchissant le seuil d'Auschwitz que mes souvenirs devaient mourir. (...) Ils se sont évanouis au moment où j'entrais. (...)

Et quand à force de les évoquer, de les provoquer, je les suscitais, je n'y parvenais qu'en ressuscitant mon passé propre. (...) Et quand j'appelais la Sanseverina ou Don Juan, ils me répondaient : "Nous étions avec toi quand tu étais toi, avant. Tu n'es plus toi et nous ne sommes plus nous." Et n'apparaissaient que spectres aux côtés du spectre de moi-même.

Rien ne résistait à la lumière décomposante d'Auschwitz. La lumière de mort décomposait la vie.

Rien ne résistait. Ni Stendhal, ni Molière, ni Shakespeare. Hamlet était puéril – Ni aucun autre. Dante lui-même se décolorait à cette réalité qui surpassait ses visions les plus terrifiantes. Rien ne résistait.

Rien ? Si. Le Maldoror.

Rien des autres n'était assez fort pour ne pas succomber à l'horreur. Maldoror supportait l'horreur. Au moins gardait-il sa violence plastique, sa puissance, son efficacité bouleversante.

Alors j'ai su la vérité du fantastique. (...)

Mais si Lautréamont ressurgi pouvait rendre, dans une œuvre pour l'homme-qui-lit revenu, cette réalité incroyable, faire avec la matière de la réalité ce qu'a fait Maldoror avec la matière du fantastique et l'imaginaire, celui-là laisserait aux hommes-lisant, le témoignage d'une époque, d'une réalité que des hommes de chair et de faiblesse ont vécues. Et ce témoignage serait terrible[1] ».

Quand Charlottte Delbo marche dans les rues de Lausanne ce printemps 46, et que lui viennent ces images, on saisit quel écrivain est en train de se construire, qui prend conscience de sa propre œuvre, et de l'originalité de son expérience qu'elle élabore ici loin de Paris, loin de Jouvet, loin de ses amis. Elle adresse à la Guilde « La Réalité du fantastique », qu'Albert Mermoud ne publiera pas. Il ne choisissait dans son *Bulletin* que des textes d'auteurs connus, il éditait leurs œuvres. Mais Charlotte Delbo garde au fond d'elle tout ce qui se compose là et va se tramer durablement dans ce qu'elle écrira.

Charlotte quitte Les Hortensias en juillet 46 pour rentrer à Paris. C'est une autre jeune femme que celle qui était partie en février pour sa convalescence, sa vie d'écrivain a commencé. Elle a fait paraître quatre nouvelles dans une presse estimée, mis au net son premier livre qui lui tient tant à cœur, et pensé au personnage de fiction qui peut devenir compagnon dans l'enfer, un spectre qui a tant à lui apprendre, un ami.

Sa vie rêvée la rejoint au plus profond d'elle-même, là où elle a vécu l'insoutenable. Sa vie rêvée donne de la profondeur aux douleurs les plus terribles qu'elle a connues, elle entre dans un autre monde, Charlotte Delbo, là où se conjugue ce qu'elle écrit, où s'ouvrent les plis de ses émotions enfouies. Émotions de lectrice, émotions de survivante, d'amante meurtrie.

Partie cinq mois à l'écart, seule, loin de l'Athénée et du Patron, dans un pays étranger, elle vient d'entrer dans sa vie d'écrivain.

Juste avant d'aller aux Hortensias, elle avait écrit deux articles de journalisme culturel pour la revue que venait de créer Jean Cassou, *Arts de France*. Cassou, le poète, l'écrivain,

1. « La Réalité du fantastique », article inédit, BNF, Fonds Delbo, 4-COL-208-251, Succession Delbo.

le directeur de la revue *Europe* de 1936 à 1939, en même temps qu'il écrivait aux *Cahiers de la Jeunesse* où Charlotte l'avait connu. Il s'était éloigné du parti communiste au moment du pacte germano-soviétique. Résistant, proche du réseau du Musée de l'Homme, il deviendra au sortir de la guerre le conservateur en chef du musée national d'Art moderne. Avec sa nouvelle revue, il veut ouvrir le monde des beaux-arts à un large public, « l'art actuellement ne sert qu'à la délectation d'un public restreint ». Il fait une place aux artistes les plus représentatifs de son époque pour les questionner sur le rapport entre les événements et leur art. La première rencontre qu'il publie est celle du peintre Gromaire et c'est à Charlotte Delbo qu'il l'a demandée, elle qui aime la peinture française. Et lorsque Cassou voudra un entretien avec Christian Bérard, le peintre, et le décorateur des Ballets russes de Diaghilev puis de Jouvet, c'est Charlotte qui fait l'entretien et le rédige.

Elle avait beau être fatiguée cette fin janvier 46, elle a accepté, juste avant de partir en convalescence, ces sujets lui tiennent à cœur.

Elle a écouté Bérard lui parler de ses débuts difficiles avec un Jouvet si exigeant jusqu'au moment où il voit Jouvet apprécier ses propositions, écrire même un article élogieux dans le programme de *La Machine infernale* de Cocteau, leur première collaboration. Ce qui marque Charlotte, c'est l'insistance de Bérard à parler de l'importance du vide sur un plateau, le vide qui permet de mettre en valeur quelques détails, comme pour *L'École des femmes*, deux rosiers, cinq candélabres, un petit jardin… Il lui parle des mises en scène de Meyerhold qu'il a pu voir, elles ne montraient presque rien, il avait compris la force d'un art de l'allusion.

Delbo sait l'importance d'une précision ou deux pour écrire une scène. Comme si on ne voyait qu'elles. La description doit les isoler. Et la langue les ciseler. Un camion glisse au fond du paysage, des têtes rasées se pressent les unes contre les autres, des bouches ouvertes par les cris. Ensuite elle peut créer une image, qui peut dire la douleur sans pathos. « Les hurlements restent écrits sur le bleu du ciel ». À la lecture, on sent le vide autour, l'épouvante qui a effacé le reste.

Ses deux articles ont paru dans le même n° 3 des *Arts de France*, le 15 février 1946. L'entretien avec Christian Bérard est publié en même temps dans la revue suisse *Graphys* à Zurich, et trente ans plus tard on demandera à Charlotte Delbo qu'il figure dans l'exposition consacrée à Christian Bérard à la BNF. Elle avait aussi adressé, avant son départ pour la Suisse, un texte, « Les Hommes », au journal issu de la Résistance, *Les Étoiles*. « Une nouvelle inédite par C.J. Delbo » comme le titre le journal, qui évoque des scènes au fort de Romainville. C'est dans cette nouvelle qu'on découvre dans quelles circonstances tragiques elle a entendu le poème d'Apollinaire et le vers qu'elle a gardé en mémoire. Il s'imposera pour devenir son titre, « Aucun de nous ne reviendra ».

Dix-sept des leurs ont été appelées par un sous-officier allemand pour voir leurs maris qui allaient quitter la prison, elles doivent leur rendre leurs vêtements qu'elles raccommodaient, sans qu'on leur ait précisé la raison de leur départ. Elles reviennent silencieuses dans le dortoir, étreintes par une douleur muette. Une compagne décide de ressouder le groupe en proposant d'écouter ensemble un poème.

Cette scène, dans la réalité, s'est tenue le 21 septembre 1942, jour de l'exécution de 46 otages pris au fort de Romainville sur ordre du chef des forces d'occupation allemandes en France, von Stülpnagel, le gouverneur militaire de Paris en charge de la politique de représailles aux attentats. Parmi ces otages, c'est la direction politique du parti communiste qui est touchée, et dix-sept de ces hommes avaient leurs femmes actives dans la Résistance, prisonnières à côté d'eux au fort. La date du 21 septembre n'a pas été choisie au hasard par les Allemands. Première victoire de l'armée révolutionnaire française en 1792, elle établit la Première République française sur une cuisante défaite prussienne. Les nazis veulent répondre à une date humiliante pour eux. Ils avaient commencé à Rethondes, en faisant signer aux responsables militaires français l'armistice de juin 40 dans le wagon où s'était signée la défaite allemande à Versailles, le 11 novembre 1918, il leur fallait poursuivre cette revanche symbolique.

Mais Delbo n'évoque pas cette guerre nationale et symbolique, c'est ce qu'il se passe dans leur cœur qu'elle veut faire sentir. La douleur qui les rend muettes et l'écoute de la poésie qui raccorde à autre chose, au destin, à une dimension collective.

Elle dit le lien entre la douleur et la poésie, entre la mort, la séparation et l'écriture, la nécessité des mots quand l'épreuve est indicible. La poésie féconde pour comprendre, se reprendre. Celles qui reviennent, muettes de douleur, écoutent les vers du poème. « Chacune sut à l'atteinte de ces paroles que malgré le mensonge des hommes et l'hypocrisie du commandant avec le linge à rendre, chacune sut qu'elle avait eu tout de suite le sentiment de la mort et sa certitude[1] ». Elles pensaient ne pas savoir, elles réalisent qu'elles savent. Delbo le dira aux étudiantes des universités américaines à propos de son travail littéraire, la poésie fait prendre conscience. L'éveil au sens, au sens symbolique, passe par la littérature.

Cette scène du fort de Romainville deviendra un chapitre d'*Une connaissance inutile*, après d'infimes corrections. Dans le passage cité, ce sera le temps d'un verbe pour marquer ce qui a été effectué, « chacune a su… », la prise de conscience. Elle placera le chapitre en ouverture de son livre.

Ce premier semestre 1946, « dès qu'elle a pu tenir une plume », est d'une fécondité stupéfiante. La femme qui rentre a pris confiance. Il reste à en convaincre un, Jouvet !

Elle, qui voulait garder vingt ans son livre au secret, décide tout à coup de le donner à lire à Jouvet. Une partie, l'ouverture, peut-être le chapitre auquel elle tient le plus, ce

1. « Les Hommes », *Les Étoiles*, 26 février 1946, BNF, Fonds Delbo, FOL-COL-208-4, Succession Delbo.

« long poème » du début. Elle choisit de lui envoyer par la poste, tant il lui faut se protéger de son audace et l'accompagne d'une lettre.

Cela fait quelques jours qu'elle a repris son travail à l'Athénée, mais elle attend qu'il parte comme il le fait chaque été, pour lui parler de ce qu'elle a écrit. Elle amène le sujet par bien des détours. L'espoir de ne pas le déranger, le bonheur de l'avoir comme patron, l'affirmation de n'avoir pas d'autre ambition que son travail, et en même temps le souci d'avoir son approbation, lui qui désire tant qu'elle ait une autre ambition...

Elle se montre si scrupuleuse, s'efforce à tant de circonvolutions... Elle distingue encore la nécessité qu'il y a eu pour elle d'écrire ce livre, et les desseins qu'elle a pour d'autres livres... Enfin elle lui écrit l'importance qu'il y aurait pour elle qu'il dise, lui, ce poème, ce qui n'est pas rien ! Ce n'est pas seulement le lecteur qu'elle veut en le choisissant, c'est lui, Jouvet comme l'interprète de l'œuvre qu'elle a écrite. Il y a dans cette lettre la coexistence de sentiments et de désirs si opposés. Crainte et tremblement, modestie et orgueil, une assurance profonde et l'expression de son rêve, convaincre de la force de son écriture l'homme qu'elle estime le plus pour juger une œuvre.

Elle lui avait envoyé au mois de mai la coupure du *Journal de Genève*, avec sa nouvelle Le Matin de la liberté, accompagnée d'un mot dans la marge plein de distance et d'humour. « On vieillit / on écrit / faut bien gagner sa vie / dans des journaux sérilleux (sic) / que lisent de vieux messieurs / Charlotte ». En signe de complicité, elle adoptait la prononciation qu'il enseignait dans ses cours...

Elle est cette fois loin de cet humour.

Elle sait qu'il est parti avec ses Notes sur *Dom Juan*, qu'il réfléchit à cette mise en scène depuis sept mois et qu'il va bientôt commencer à travailler avec Christian Bérard le décor et la scénographie.

Elle le prie de lire son texte avec le courrier, cela ne le dérangera pas de *Dom Juan*, affirme-t-elle. Étonnante Delbo, qui semble faire un aveu de toute-puissance...

« Moi j'ai honte de m'en distraire, et j'ai du désespoir à reconnaître que je ne sais pas, je ne peux pas y penser sensiblement. Je suis à côté de vous comme un peintre privé de ses mains. Tout reste mental – et inutile pour vous ». Voilà, elle ne peut pas avoir des idées pour les décors... Son travail à elle n'est que mental ! Elle a pu prendre en notes ses réflexions, pouvait poser des questions qui le faisaient préciser sa pensée, elle éprouve le besoin de dire comme elle souffre de n'être pas capable de faire des propositions visuelles... « Un peintre privé de ses mains » ! Elle termine sa lettre avec son souci de sa santé, elle a appris qu'il était malade avant de partir, n'a pas voulu pour cela le déranger, regrette aujourd'hui de ne pas être allée « quand même » le voir... et ajoute : « Je ne suis jamais sûre qu'on s'occupe bien de vous. Guérissez vite. Faites bien travailler B.B. (Bébé était le surnom de Christian Bérard), vous pas trop, reposez-vous, n'oubliez pas ma carte postale quand vous irez à Aix que je ne vois plus qu'aux Invalides, un dimanche matin, avec sa place immobile de clair de lune – bien dramatique – ses fontaines et vous. Seul. Et ce jour-là vous m'avez fait cadeau d'un souvenir qui m'appartenait. Au revoir. Je vous embrasse, Charlotte[1] ». Cette lettre dit le lien intense, sublimé, qu'elle entretient avec Jouvet.

Elle attendra la réponse.

Quand elle la lira dix jours plus tard, elle tombera de haut.

« Ma petite Charlotte, ... Il faut que tu le réécrives...[2] »

On peut imaginer ce qu'elle aura ressenti à lire sa condescendance paternaliste et son conseil de le réécrire.

D'un ton sans nuance il lui affirme que le poème ne commence en fait qu'après le premier paragraphe et que « les dix premières lignes sont inutiles ». Puis c'est une suite de « Il faut qu'il soit... Il faut qu'on puisse le dire... Il faut que tu

1. Lettre de Delbo à Jouvet du 19 juillet 1946, BNF, Fonds Jouvet, LJ-Mn-88.

2. Lettre de Jouvet à Delbo du 23 juillet 1946, BNF, Fonds Delbo, 4-COL-208-29, Succession Delbo.

retrouves… Interroge-toi… » Pour terminer sur la tendresse dont il l'assure… Même s'il lui écrit qu'il est touché de sa lettre et que son poème est « beau », il n'en garderait au fond pas grand-chose.

À partir de cette date, il n'y a plus de lettre de Charlotte Delbo à Louis Jouvet pendant neuf mois, le temps qu'elle prendra pour le quitter.

Dès l'automne, elle commence à chercher du travail ailleurs. D'abord à l'Unesco.

L'idée de travailler pour un organisme international lui plaît. Elle en connaît les salaires avantageux et celui de l'Athénée ne lui convient plus. Quand elle est rentrée de déportation, elle n'avait plus rien, ou presque. « Tout ce qui était rue Molière a été vendu. Malles avec vêtements, meubles rue de la Faisanderie sont en garde chez la concierge, l'appartement ayant été loué…[1] », voilà ce que sa sœur lui a appris quand Charlotte était encore en Suède. Le Centre d'accueil des déportés à l'hôtel Lutetia lui donnera du petit linge, une robe, une paire de chaussures, et quelques milliers de francs de l'époque… La route sera longue pour retrouver une vie agréable, maintenant qu'elle est seule. Et sans doute, le champ large d'un organisme international compenserait à ses yeux de ne plus travailler pour ce qui lui a tant tenu au cœur, Jouvet et le théâtre.

Elle postule un emploi à l'Unesco en octobre, mais ne l'obtient pas, c'est ce que j'apprends oralement d'une des employées aux Ressources humaines de l'ONU qui me lit ce que Charlotte avait écrit dans un des trois formulaires de CV conservés aux Archives de l'Organisation. Elle cherche un poste à l'ONU, à Genève, ce n'est pas l'inconnu pour elle, elle y décroche une place de sténographe au Service des conférences.

Ses décisions en disent long sur sa réaction à la lettre de Jouvet. Elle protège son livre. Elle ne changera pas ce qu'elle

1. Lettre d'Odette à Charlotte datée du 21 mai 1945, adressée à la Légation française à Stockholm, BNF, Fonds Delbo, 4-Col-208-3, Succession Delbo.

a écrit. Et ne modifiera rien au tapuscrit mis en forme au printemps 1946.

Claudine Riera-Collet, qui le tapera à la machine en 1964 parce qu'il a pâli entre-temps et doit paraître, m'a confirmé qu'aucune correction n'y figurait. Delbo rompt un lien de travail, qui lui paraît soudain caduque. Elle gardera intacte son affection pour Jouvet mais dorénavant discutera avec lui sur un pied plus ferme de ses choix esthétiques quand elle verra ses nouvelles mises en scène. Et si elle souffre affectivement de la décision radicale de partir, elle l'assume, s'y tient, et pour longtemps.

Jouvet était la personne pour qui elle avait le plus d'estime. Longtemps elle a craint son jugement. Elle disait que si elle se savait courageuse, longtemps elle eut peur de Jouvet. Un jour elle s'aperçut que sa peur avait disparu. C'était au retour des camps.

Le camp ouvrait à des peurs plus profondes, qui ont fait les cauchemars et les angoisses de sa vie à venir. Charlotte Delbo n'a plus peur de lui. Et elle le lui dit quand elle le voit devant elle, il a accompagné sa mère et sa sœur venues la chercher au Lutetia. Elle l'avait senti si proche toute sa déportation, nous avons eu « d'extraordinaires conversations. Nous avons parlé de tout (...) et j'ai été plus près de vous ces trois dernières années que pendant les précédentes où pourtant je ne vous quittais guère » lui avait-elle écrit depuis la Suède. Le sentiment que Jouvet l'accompagnait dans l'horreur aura aussi fait disparaître sa crainte de lui. Les pensées qu'on a de quelqu'un qu'on ne voit pas influent sur le sentiment. Elle retrouve celui qui l'a si fidèlement accompagnée, ce n'est plus le même que celui qu'elle quittait à Rio. Ils ont vécu des choses incroyables ensemble, c'est l'étrange sentiment qu'elle a.

Devant le Lutetia, elle a vu alors les yeux de Jouvet se remplir de larmes. Elle pense que c'est son aveu. Elle dira à Jacques Chancel que Jouvet pleura d'émotion lorsqu'il entendit qu'elle n'avait plus peur de lui.

J'imagine plus vraisemblablement Jouvet ému de voir dans quel état se trouve Charlotte Delbo à son retour de déportation. Elle n'est pas décharnée comme les déportés qui rentrent, elle souffre d'œdème, elle ne ressemble plus à la jeune femme de Rio de Janeiro en octobre 41. C'est elle qui est émue de retrouver celui auquel elle a tant pensé là-bas, et qui ne songe qu'à l'effet de ses paroles, « je n'ai plus peur de vous », les premiers mots à nouveau échangés !

Un peu moins de deux ans plus tard, sa détermination à partir ne fut pas d'un seul tenant. Elle s'arrachait à qui avait été la référence de sa vie d'adulte. Son modèle. Par sa rigueur, son acharnement au travail, ses choix esthétiques, son exigence d'artiste, sa culture phénoménale, ses qualités humaines qu'elle avait tant appréciées. Il n'y eut jamais de relation équivoque, amoureuse entre Jouvet et elle. Charlotte lancera parfois plus tard dans ses conversations une pique sur les femmes qui faisaient partie de la troupe, ajoutant que toutes « avaient couché avec Jouvet, sauf elle ». Elle avait suffisamment d'orgueil, et tellement d'amour pour son conjoint, et d'ambition personnelle d'écrivain, sans rien savoir encore de ce qu'elle écrirait, qu'il fallait garder son feu secret, sans interférence, et sans lien intime avec qui l'aidait à nourrir sa propre exigence.

Elle aimait parler de la bonté de Jouvet, « un homme extrêmement bon qui perçait les gens à jour », disait-elle de lui, elle aimait cette « extraordinaire perspicacité ». Mieux elle restait à distance, mieux elle pouvait l'observer. Percer les gens à jour, c'est aussi ce qu'elle voulait pouvoir faire.

Son enthousiasme personnel, ce volcan qui sommeillait en elle, ne lui donnait pas toujours la possibilité ou même le goût d'être sûre de ses amis, il lui arrivait de trancher après coup, après une déception. Charlotte après la guerre a besoin de preuves d'affection, qu'on s'occupe d'elle à cause de cette accumulation de douleurs, d'épreuves extrêmes qui avaient fait assaut. Et si elle a pu renaître à la vie avec une capacité étonnante, elle n'en a pas moins le désir de voir ses amis proches pour se sentir au fil de la vie accrochée.

J'ai aimé le portrait de Charlotte Delbo que j'ai entendu avec ces quelques phrases de Cynthia Haft me parlant d'elle au moment du premier café du matin – Cynthia logeait chez elle quand elle était de passage à Paris, venant des États-Unis. Elle m'a fait part d'une Charlotte Delbo, debout, en robe de chambre, sa tasse de café à la main, se tenant près de la table ronde du salon, « comme un fantôme ». À ce mot, je l'ai vue qui cherchait à rejoindre son âme, comme si chaque matin, il lui fallait tenter ce trajet, se rejoindre, pour réussir à pouvoir commencer, recommencer.

Comme si elle sentait encore ce qui s'était imprimé chaque aube à Auschwitz, « tout un détroit d'éternité à traverser entre la nuit et le jour[1] ».

Bien souvent au moment du crépuscule qu'elle supportait mal, elle téléphonait à Claudine Riera-Collet qui sentait à sa voix que cela n'allait pas, et si Charlotte n'avait pas de projet pour sortir, Claudine traversait Paris pour dîner avec elle, parfois même restait dormir dans le salon, pour que Charlotte ne se sente pas seule.

Quand elle eut son engagement à l'ONU et quitta Paris, elle savait de qui, de quoi, elle se séparait. Une part de sa vie. Moins de deux ans après son retour des camps où tout s'était défait, déjà. Alors, s'éloigner, quitter… Il lui a fallu sa détermination dans l'action. Quitte à en avoir des tourments plus tard.

Et ils n'ont pas tardé ! Quinze jours après son arrivée, elle les dit à Jouvet.

« Presque chaque jour je vous ai écrit un télégramme que j'ai chaque fois déchiré avant d'arriver au guichet. Je vous ai aussi écrit des lettres, si longues que vous ne les auriez pas lues. Hier, à la lecture du *Figaro* sur la première, j'ai senti l'exil, et la fuite – et l'incohérence en moi. Ce que je vous dirai maintenant il y a longtemps que vous l'avez vu, vous. En méditant sur ce départ-ci, j'ai découvert ce que mon goût pour le rationnel et l'expliqué m'avait toujours empêchée de voir. Il y a des moments où il faut que je parte. Et je pars

1. *Aucun de nous ne reviendra*, *op. cit.*, p. 93.

pour ne pas laisser passer l'occasion, peur de la regretter. Je ne veux pas regretter. Et quand je suis partie, je me rends compte que j'ai eu tort.

Quand vous parlez de disponibilité, pour moi c'est : pouvoir partir. "On ne part pas", a dit Rimbaud, qui savait. Les comédiens ont de la chance. Ils satisfont le besoin de l'ailleurs sans s'en aller. (Ici vous pouvez rire : l'ONU ! Tu parles d'un ailleurs...)

Cher Monsieur Jouvet, je crois que je vous ai peiné et j'en ai du chagrin – Gardez-moi de l'amitié et ne doutez pas de toute la mienne. Je vous embrasse, fort.

Charlotte »

Modèle d'une lettre de séparation. Elle affirme sa nécessité de partir et ne parle pas de l'avoir quitté.

Ce n'est pas lui qu'elle quitte. Elle part.

Écrire lui a donné un autre destin. Elle aura senti la séparation nécessaire, la solitude, comme elle s'était séparée du *nous* organique en écrivant, s'était séparée du groupe qui lui avait permis de survivre, en trouvant dans la solitude sa voix.

Elle avait senti que Jouvet ne l'aiderait pas à écrire, ni à publier ce qu'elle avait écrit. « Ma petite Charlotte », « il faut que tu le réécrives », il ne lui était pas possible de laisser cela flotter autour d'elle, ou entre eux.

Quelque chose s'était cassé de la nécessité d'être à ses côtés qu'elle avait tant sentie par le passé, qui lui avait fait résister à l'Occupation en occupant l'Athénée, travailler à faire exister le théâtre de Jouvet malgré la présence allemande, accompagner la tournée à l'étranger alors que le danger cernait son mari.

Elle-même est si partagée par un manque d'assurance sur ce qu'elle a écrit – comme le prouve la mise de côté de son manuscrit pour attendre d'être convaincue de sa force – et si partagée par la conviction d'avoir écrit ce qu'elle avait à écrire, d'avoir abouti la voix qu'elle avait laissé monter.

Oui, elle décide de partir loin, dans la solitude, comme s'il y avait à assumer ce qu'elle ne comprend pas clairement, mais qui a besoin de s'accomplir. Un destin à elle. À l'écart.

Mais une fois partie, Charlotte Delbo n'écrira pas pendant dix ans. De cette période à Genève, il y a deux textes, restés secrets. Le premier, trente-cinq pages dans un cahier en 1948, qu'elle oubliera pendant vingt ans, le deuxième, une nouvelle écrite en 1958, seul écrit intime d'une Charlotte Delbo amoureuse et désespérée, trente-cinq feuilles qu'elle gardera toujours au secret.

Jusque-là, tout ce qu'elle a écrit, elle l'a signé d'un énigmatique « C.J. Delbo ». Elle n'écrit pas son prénom. Personne ne peut savoir qu'une femme est l'auteur du texte.

Elle signe ses lettres professionnelles manuscrites aussi de ce C.J. Delbo. Pierre Seghers, à qui elle a adressé, sans le connaître personnellement, en mai 1946, quelques poèmes pour sa revue – elle savait que Seghers avait connu et apprécié Georges Dudach –, Pierre Seghers interprète sa signature faite d'un C et d'un J si rapprochés qu'il lit un « Y », et présente dans sa revue des poèmes d'Yvonne Delbo !

Si, dans le magazine *Annabelle*, la présentation de l'auteur est faite, avec son nom en toutes lettres en tête du texte, dans *Le Journal de Genève*, la signature au pied du Matin de la liberté ne permet pas de savoir si l'auteur est un homme ou une femme.

Charlotte Delbo avait fait de même pour signer tous ses articles de critique littéraire dans *Les Cahiers de la Jeunesse.* À aucun endroit du sommaire ou au bas des articles, on ne pouvait savoir qu'il s'agissait d'une femme. Or elle fut la seule femme qui a régulièrement écrit pour ces *Cahiers*. Pour elle, il n'était pas question de revendiquer qu'elle était une femme qui écrivait parmi tous ces hommes, la plupart écrivains ou poètes, Paul Nizan, Romain Rolland, Jules Romains, Luc Durtain, Jean Cassou, Luc Dietrich, Pierre Jean Jouve, Federico García Lorca… Il y aura au sommaire deux fois le nom d'Édith Thomas pour un article et pour une nouvelle, et celui de Juliette Pary pour un article. Delbo, elle, ne permet pas qu'on sache qu'elle est une femme. Elle se sert d'une deuxième initiale, celle de son deuxième prénom qu'elle n'a jamais utilisé, Joséphine. Je rapprocherai son choix de ce que j'ai assez vite su, elle a toujours plus volontiers fréquenté dans ses relations intellectuelles les hommes que les femmes, n'accordant semble-t-il pas le même prix sur ce plan aux femmes.

Des relations amicales précieuses avec des femmes, elle en eut toute sa vie et elle fut fidèle et généreuse avec ses amies. Mais les échanges intellectuels, elle les a eus longtemps exclusivement avec des hommes.

Ce que peut ressentir plus particulièrement une femme, dans l'esprit qui dominait ces années 30 à 60, ce qu'elle vit dans son corps de femme, dans son cœur de femme, elle l'a beaucoup écrit, sa propension à la tendresse aussi, à ce qu'elle appelait une qualité maternelle de l'amour, elle l'a écrit pour l'avoir tant senti. L'héroïsme, l'abnégation, la détermination dont elle a vu tant d'exemples chez les femmes qu'elle a côtoyées, ce n'est pas ce qu'elle mettra en valeur. Le courage, si, parce que c'est ce qu'elle a vu de plus partagé entre les deux sexes. Avec la pudeur des sentiments qui était la sienne, elle évoquera beaucoup la tendresse, une forme de l'amour dans l'amitié, dans le regard sur l'autre, sur ceux que l'on empêchait de garder leur dignité.

La sexualité dans l'amour, elle ne l'évoquera jamais. Le sexe de la femme elle le dira avec impudeur dans ce premier « bain » au ruisseau de Birkenau un jour d'avril, mais le sexe est alors partie du corps, ce corps qu'elle découvre à nouveau, et dans tous les sens du mot.

Comme nulle autre femme déportée elle écrira le corps des femmes, vécu de l'intérieur et vu de l'extérieur, dans l'horreur et le désespoir de la féminité perdue. Et dans la douceur des gestes maternels, ou dans son regard empreint de pitié infinie, disant par là comme le corps d'une femme souvent ne s'arrête pas à elle-même mais se prolonge jusque vers l'autre.

Elle a su évoquer le corps et le cœur de femmes emprisonnées, puis déportées à Auschwitz, ou le cœur des mères et des épouses dans beaucoup de drames de l'Histoire, comme dans *Kalavrita des mille Antigone*, ou dans presque toutes ses pièces de théâtre, comme elle a su écrire la compassion des femmes pour les hommes emprisonnés.

« Nous avions pour les hommes une grande tendresse. Nous les regardions tourner dans la cour, à la promenade… Nous les aimions. Nous le leur disions des yeux, jamais des lèvres. Cela leur aurait semblé étrange. Ç'aurait été leur dire que nous savions combien leur vie était fragile. Nous dissimulions nos craintes. Nous ne leur disions rien qui pût les leur révéler mais nous guettions chacune de leurs apparitions, dans un couloir ou à une fenêtre, pour leur faire sentir toujours présentes notre pensée et notre sollicitude[1] ». Ce souci de protéger les hommes, c'était le leur, et la fragilité de leur vie, c'est à quoi elles pensaient, prisonnières en 1942, sans savoir ce que leur propre sort allait leur réserver. Elles qui avaient imaginé que leur condition de femmes les protégeait, elles souffriront bien pire en déportation et mourront dans des conditions si atroces, que beaucoup pensèrent que les hommes qui furent fusillés eurent un sort plus digne que le leur.

« Ce n'est rien de mourir / en somme / quand c'est proprement / mais dans la diarrhée / dans la boue / dans le sang / et que ça dure / que ça dure longtemps[2] ».

Charlotte était de son époque, ayant grandi entre les deux guerres, imprégnée d'une répartition traditionnelle des rôles entre les hommes et les femmes. Et sa vie d'écrivain qu'elle commence avec ses toutes premières publications, ne va pas modifier son rapport à ces rôles.

---

1. *Une connaissance inutile*, *op. cit.*, p. 9.
2. *Ibid.*, p. 35.

La conscience de son travail d'écrivain forme son noyau intérieur, secret, à l'image de son livre qu'elle garde au fond d'elle-même, et fait qu'elle ne se considérait pas comme une femme parmi d'autres. Elle ne pensait pas qu'une conscience collective des femmes pût l'aider à vivre, à modifier sa situation. De sa condition de femme elle s'occupait elle-même. Voyageant seule de par le monde, partant vivre seule à l'étranger. La conscience même d'une condition féminine lui aura sans doute semblé étrangère longtemps.

L'image de la vie s'attache à la femme, par sa capacité de mettre au monde, d'élever, de nourrir, de soigner les enfants, toutes les vies qui commencent, et Delbo qui écrit la tendresse amicale que des compagnes peuvent avoir pour aider, réconforter, s'occuper de l'une ou de l'autre, reprend cette association entre la vie, la mère, la chaleur, la tendresse. Les nazis réservaient des agonies immondes aux femmes à Birkenau, c'était un acte sacrilège contre la vie, c'est ce qu'elle fait sentir, comme de décider que l'humanité se divisait en races et que certaines devaient être exterminées. Le féminin devait être broyé. Le féminin juif, tzigane, ou d'une opposante politique devait être avili, broyé, nié. Jusqu'à ce qu'il n'y ait plus rien. Heureux, les compagnons, les maris qui n'ont pas vu « ce qu'ils ont fait de vos femmes, de leur poitrine que vous osiez une dernière fois effleurer au seuil de la mort, des seins de femmes si doux toujours, d'une si bouleversante douceur à vous qui partiez mourir – vos femmes[1] ». L'image est forte pour dire ce qui incarne la vie et fait la sensation « bouleversante » de douceur, avant le basculement dans la mort.

Ses premières années, Charlotte Delbo a été initiée à la vie par son père. Il se comportait avec elle comme un père avec son fils, racontait Claudine Riera-Collet, ce que Charlotte avait dû lui dire. Il l'emmène partager ce qu'il aime, la pêche, la cueillette des champignons. Avec lui, elle peut se sentir élue. C'est lui qui s'apercevra qu'elle a

---

1. *Aucun de nous ne reviendra*, *op. cit.*, p. 174.

appris seule à lire. Avec le journal. Ils achetaient ensemble *Le Petit Parisien*, elle le regardait quand il pêchait, elle à côté de lui.

Première manifestation de son goût d'apprendre par elle-même. Et quand elle rencontrera les deux hommes qui lui apprirent tant, Jouvet et Lefebvre, ce n'est pas se mettre à leur service qu'elle fit, comme j'ai pu l'entendre récemment à propos de Charlotte Delbo, c'est apprendre d'eux ce qu'elle cherchait à acquérir pour elle-même.

Et elle ne perdait ni son esprit critique ni son point de vue personnel.

Quand elle écoute Jouvet au Conservatoire, elle n'en garde pas moins son jugement. Elle n'aimait pas Ruskin qu'elle avait lu parce qu'elle entendait Jouvet y faire souvent référence, et elle aime Oscar Wilde, contrairement à lui. Elle laisse ses appréciations personnelles au milieu des résumés qu'elle rédige pour lui en juillet 40. Que Jouvet les lise ! Ajoutant même « Au fond, le théâtre ce n'est pas de la littérature[1] ».

À Henri Lefebvre, elle dira toujours franchement ce qu'elle pense des manuscrits qu'elle tape, ne l'épargnant pas de ses commentaires sur un livre qui lui paraît entièrement une redite par rapport au précédent, ou critiquera son narcissisme, ses considérations sans intérêt pour le lecteur. Quand Lefebvre reprend sa carte du Parti, après vingt années de marginalisation active, elle lui en veut tant de son opportunisme qu'elle rompt son amitié, ne le voit plus.

Indépendance gardée précieusement, comme elle le faisait à l'intérieur de son couple. Elle avait beau être très amoureuse de Georges, elle n'a pas partagé toutes ses idées. Elle est toujours restée en marge du parti communiste. Les deux premières années de la guerre, il n'est pas question pour elle de participer à des groupes de résistance politique. Elle, elle s'est engagée dans le théâtre, auprès de Jouvet.

Très tôt, et encore plus après la guerre, après la déportation, une chose est essentielle pour Charlotte, séduire.

1. Résumé du cours du 6 avril 1940, BNF, Fonds Jouvet, LJ-D 31-13.

Autant par son langage, c'est-à-dire sa pensée et son expression, orale et bien sûr par la force de son écriture, autant par sa personne. Un mélange de prestance et de goût pour s'habiller, pour se maquiller. Et d'affirmer sa liberté.

Elle aime jouer de son pouvoir de séduction.

Tous ceux qui l'ont approchée parleront de sa beauté, de son élégance, de son soin pour s'habiller, de ses robes, ses chapeaux jamais discrets, de ses toques de fourrure, ses foulards, ses boucles d'oreilles.

Elle avait une couturière pour lui faire ses robes. Quand Jouvet lui apprend qu'il sera en tournée au Caire début 48 et qu'elle pense pouvoir les rejoindre depuis Genève, « Dites-le-moi bientôt que j'aie le temps de me faire faire au moins une robe[1] », lui écrit-elle. Quand elle sera emprisonnée, en mars 42, le premier mois après leur arrestation, une des compagnes se souvient du nécessaire de maquillage qu'elle avait emporté, et que Charlotte Delbo se maquillait tous les jours, c'était bien la seule dans les salles glaciales du Dépôt de la Préfecture.

Elle fustigera au début des années 70 les jeunes femmes qui ne voudront plus se soucier de s'habiller de façon seyante. Pour elle, c'était un pacte avec la vie, l'élégance, l'élégance d'une femme. Une résistance au laisser-aller. Une façon de marquer son territoire. Séduire avec des atouts de femme. La revendication de sa liberté passait par là. Sa place était aussi dans les regards qu'elle pouvait susciter. Elle aimait se sentir femme, porter des dessous raffinés, qu'elle seule savait. Ida Grinspan raconte comment elle et ses deux jeunes camarades en convalescence aux Hortensias aimaient s'occuper de son petit linge, admiratives de son raffinement de femme après ce qu'elles avaient connu. « On se disputait pour lui laver son petit linge, nous, “ses caméristes”, comme disait Charlotte quand elle parlait des Hortensias, “du temps où j'avais mes caméristes...” »

---

1. Lettre à Jouvet du 8 janvier 1948, BNF, Fonds Jouvet, LJ-Mn-88.

Continuer d'obtenir ce raffinement d'elle-même, alors que les nazis les avaient obligées à des années de traitements indignes, leur avaient nié leur existence de femmes.

Être une femme libre. Garder son nom, ne pas adopter celui de son mari, c'était rare à cette époque. Mais elle mettra des années à mettre au jour la femme derrière l'écrivain.

Quand elle arrive, elle s'installe non loin des bâtiments de l'ONU, 23 chemin de Moillebeau, sur la rive droite du Rhône. Des différents appartements qu'elle habitera à Genève, c'est le seul qui sera sur la rive droite. C'est sans doute par les services du logement de l'Organisation qu'elle l'a trouvé.

La prise en sténo des conférences en anglais ou en français s'avère épuisante. Les sténographes se relaient toutes les vingt minutes pour taper à l'extérieur de l'enceinte les pages de notes, avant de retourner relayer celles qui à leur tour sortent pour saisir leurs pages. Quelques minutes après la fin de la conférence, la transcription intégrale de la conférence doit être remise aux participants. Au bout de deux mois, Charlotte demande à changer de poste, elle sera affectée à la Commission économique pour l'Europe, comme secrétaire et sténographe bilingue.

Charlotte Delbo, quelle que soit sa déception, s'accroche à son nouvel emploi. Quand j'apprends ce qu'elle a écrit dans les différents curriculum vitae qui se trouvent aux Archives du personnel de l'ONU, il est clair qu'elle voulait une place à l'ONU et ne pas réitérer l'échec à l'Unesco l'automne précédent.

Les trois formulaires de CV ont sans doute été remplis à différentes étapes de son engagement. Dans l'un, elle précise avoir obtenu un « baccalauréat es Lettres » en 1930 à Nice, après des études au lycée de cette ville entre 1923 et 1930. Après des recherches auprès des lycées de la ville, de l'association des anciens élèves, de l'Académie de Nice, de celle d'Aix, je ne retrouve aucune trace d'un baccalauréat, ni d'années de lycée. Claudine Riera-Collet se souvenait qu'effectivement Charlotte et sa mère connaissaient bien la ville de Nice... Peut-être, lors de déplacements du père, ont-elles passé quelque temps à Nice, ou y avait-il une parente de la famille, l'Italie n'est pas loin, à qui elles rendaient visite... Mais Charlotte n'y a pas décroché de diplôme. Dans un autre CV, elle écrit qu'elle a obtenu trois certificats à l'Université de Paris (sic), des certificats d'Histoire moderne, d'Histoire de la philosophie et d'Histoire de la sociologie. C'était en tout cas le sujet des cours du soir qu'elle avait écoutés d'Henri Lefebvre. Charlotte voulait obtenir un poste à l'ONU et elle pouvait justifier de n'avoir pu garder aucune trace matérielle des diplômes, puisque tous ses documents personnels avaient été emmenés par la police de Vichy au moment de son arrestation.

Elle écrira en 1960, dans le CV qu'elle rédige pour entrer au CNRS, qu'elle n'a aucun diplôme : « Je n'ai pas fait d'études "officielles" et aucun diplôme n'atteste de mes connaissances. Cependant, j'ai fait de la philosophie avec Henri Lefebvre de 1930 à 1934. »

L'ONU lui aura certainement fait passer des tests de sténographie pour le poste à pourvoir. Charlotte était une excellente sténo, c'était sa formation, et auprès de Jouvet elle n'avait pas perdu la main.

Delbo, pragmatique comme elle a toujours su l'être, avait trouvé le moyen de pallier le manque d'argent, elle s'était trouvée bien démunie au retour, et son rêve était de voyager. Elle voulait avoir les moyens de ses rêves, les compagnes s'étaient aperçues au retour combien, pour tous ceux échaffaudés au camp, elles avaient « à ce point perdu le souvenir des soucis d'argent[1] ». Elle s'en tient à sa décision, quitte à traverser une morne période, et sans doute plus que cela.

Un témoignage émouvant sur Charlotte Delbo à cette époque se trouve dans une lettre que lui adresse en 1971 celle qui partageait en 1948 son bureau à l'ONU.

---

1. Charlotte Delbo, *La Mémoire et les Jours*, Berg international, 1985, p. 81.

Renée Bridel vient de lire, avec émotion et admiration pour l'écrivain, les trois livres d'*Auschwitz et après*. Elle lui adresse une lettre chez son éditeur pour lui dire les souvenirs qui sont remontés de la jeune femme qu'elle côtoyait.

« Je me rappelle les instants passés dans le même local que vous (à taper des statistiques...) comme s'ils dataient d'hier. Vous m'avez infiniment impressionnée et je crois, comme beaucoup d'autres autour de vous, j'ai ressenti d'autant plus vivement ma propre futilité et ma propre incohérence que vous étiez l'image même de la dignité et de la réserve après les effroyables épreuves que vous aviez traversées. Bien souvent j'ai pensé à vous après avoir quitté Genève.

Je me demandais ce que vous deveniez et c'est par les éditions Gonthier, il y a quelques années déjà, que j'ai vu que vous écriviez enfin ce qui était resté du domaine de l'indicible pendant si longtemps. Je crois que personne n'a pu lire votre premier petit livre sans pleurer. Les autres n'étaient pas moins bouleversants. J'ai lu sans doute tout, ou à peu près tout, ce que l'on a écrit sur le cauchemar concentrationnaire parce que des êtres très chers sont morts là-bas et parce que d'autres, liés intimement à ma vie, en sont revenus marqués à jamais. Mais rien n'approche de ce lamento poignant, de cette déchirante poésie que vous avez communiquée. Tout devient impuissant et décoloré après ces pages qui nous tordent le cœur. Or pendant les mois où vous étiez à l'ONU, vous parliez si peu, vous étiez si lointaine, votre regard était si étranger, qu'on ne soupçonnait pas ce monde de sensibilité, ce lyrisme, ce prodigieux talent d'évocation qui vous habitaient.[1] ».

Renée Bridel livre un portrait sensible de Charlotte Delbo en 48. Ses mots témoignent d'une femme absente au milieu de ses collègues. On comprend que Charlotte leur a dit avoir été déportée, mais sans rien ajouter. Sans raconter, sans faire sentir ce qu'elle avait traversé. Je repense à ses mots, « J'ai

1. Lettre de Renée Bridel du 11 avril 1971, BNF, Fonds Delbo, 4-COL-208-119, Succession Delbo.

écrit tout ce que j'avais à dire dans *Aucun de nous ne reviendra* ». Elle n'a rien à dire de plus.

Mais autour d'elle, personne ne sait qu'elle a écrit un livre, et Charlotte se tait.

Ce qu'elle découvre de l'ONU, de ceux qui y travaillent, de l'atmosphère qui y règne, ne l'emballe pas, c'est le moins qu'on puisse dire. « L'ONU, tu parles d'un ailleurs », avait-elle écrit à Jouvet. Il y a quelque chose d'un piège là, d'une décision qui l'enferme, et qu'il lui faut transformer, si elle le peut... quand elle le pourra... Pour le moment, on peut imaginer le moral bas, la brume quotidienne qu'elle aura sentie, ce qu'il faut de courage pour chasser les pensées sombres et poursuivre.

Comprendre ce qu'elle a fait ? Elle le voudrait. Elle se croyait rationnelle, elle s'aperçoit qu'elle ne l'est pas. « Il y a des moments où il faut que je parte[1] ». Sans plus de raison que la peur de ne pas saisir l'occasion de partir. Elle a le caractère d'une femme d'action, le tranchant de qui aime agir, décider, vivre... Elle aime le défi, la confrontation avec le destin, se mesurer à l'urgence, créer la nécessité des décisions à prendre.

Elle ne va pas fouiller les raisons de ses gestes, les motivations profondes. Ni pour elle, ni pour les autres. Dans la vie ou dans l'écriture, ce sont les actes qu'elle décrit. Plutôt que chercher des ressorts intérieurs, c'est la mémoire involontaire qu'elle reçoit, et elle cueille les souvenirs avec des images pour donner forme, forme en dehors d'elle, dans l'écriture.

Pour le reste elle combattra comme elle le pourra les états sombres que la traversée d'Auschwitz lui a laissés. Parfois avec l'aide d'un psychiatre ou d'une cure de sommeil. Le plus souvent avec la chaleur de ses amis, une conversation, du champagne. Mais les deux premières années à Genève sont dures. Si l'action, la décision de partir entraîne d'abord un sursaut d'énergie, le travail fastidieux après ce

1. Lettre du 23 avril 1947 à Louis Jouvet, BNF, Fonds Jouvet, LJ-Mn-88.

qu'elle a connu à l'Athénée est difficile à admettre. C'est alors que garder une forme de dialogue avec Jouvet devient primordial.

Cette fois, il lui faut l'inventer.

Un événement la stimule et cet événement est la création du *Dom Juan* de Molière, le 24 décembre 1947 au Théâtre de l'Athénée. Elle s'y rend bien sûr, ce sont les vacances de Noël, elle restera plusieurs jours à Paris pour voir sa mère et retourner quatre soirs au Théâtre pour goûter cette mise en scène.

Cela faisait plus d'un an que Jouvet y travaillait, depuis l'été de l'année précédente, alors que Charlotte avait honte de l'en distraire en lui adressant les premières pages de son livre.

Delbo avait entendu tant de scènes de la pièce au Conservatoire, Jouvet les reprenait réplique par réplique. Et ses premières réflexions sur la pièce, elle les avait prises en sténo deux ans plus tôt dans sa loge et les avait emmenées aux Hortensias pour les mettre en forme. En mars 47, peu de temps avant de quitter Jouvet, elle avait assisté à son travail avec Igor Markevitch sur la musique de scène, pris en notes quarante pages de leur discussion, du déroulement scène par scène et de l'accompagnement musical à trouver.

Elle ne pourra voir que brièvement Jouvet après le spectacle. Elle a tant à lui dire, alors c'est à son retour à Genève qu'elle lui écrit. Après lui avoir dit sa joie de l'avoir revu, embrassé, d'avoir passé quelques moments avec lui, elle le complimente sur la beauté du spectacle. Une beauté qui garde tout son pouvoir d'étonnement, elle ajoute « Je suis sûre que cela ne devient jamais familier, connu[1] ».

Pourtant l'interprétation qu'il donne du personnage ne l'a pas convaincue. « Pourquoi ne m'avez-vous pas donné dans Don Juan la "satisfaction" que vous me donnez dans Arnolphe ou dans le Mendiant ? » Arnolphe que Jouvet a interprété avec une telle vérité dans *L'École des femmes*, et le Mendiant dans *Électre* de Giraudoux, avant-guerre, étaient

1. Lettre à Jouvet du 8 janvier 1948, BNF, Fonds Jouvet, LJ-Mn-88.

devenus ses fidèles compagnons. Quand elle écoute battre son cœur pendant l'appel interminable, elle se sent comme Arnolphe qui parle à son cœur. Il est le seul personnage de fiction qui apparaît dans *Aucun de nous ne reviendra*, parce que évoquer ce personnage donne, lorsqu'elle écrit, à celle qui souffrait là-bas sa profondeur d'être. Alors que tout l'interdisait.

Le Mendiant, c'est le personnage qu'elle eut devant les yeux la première fois qu'elle entra dans sa loge. Et à son retour, Delbo a écrit un poème où trois fois elle interpelle le personnage et corrige une de ses répliques, pour donner un sens héroïque à la mort de Georges et des camarades fusillés au Mont-Valérien. C'est dire comme ces deux personnages l'accompagnent depuis des années et des épreuves.

Jouvet qui interprète Don Juan, elle lui cherche sa vérité.

Elle n'aime pas son costume noir, elle le lui écrit, elle ne l'aime pas parce qu'il lui donne un air cruel et que les pointes de son col lui font une petite tête, « un peu aigle noir ». Elle trouve son Don Juan dur et fermé. Elle aime qu'il lui ait donné sa hauteur de héros, mais trouve à redire sur les traits du caractère. Elle critique sa façon de prononcer « Je crois que deux et deux font quatre » d'un ton grave et lourd. Elle lui affirme que l'attitude de celui qui cherche à se rassurer, en affichant sa détermination, serait plus sentie s'il prononçait ces mots avec désinvolture.

Enfin, il commet une vraie erreur en faisant croire que Don Juan savait son destin tragique et ce que serait la sentence du Commandeur. Il fait l'erreur de lui faire prononcer la tirade de l'hypocrisie sur un ton désespéré, le ton de celui qui doit affronter son destin. Pour elle, Don Juan a encore l'espoir de gagner, il aurait pu le jouer « seulement cynique, et courageux comme celui qui ne veut pas encore se rendre ». Ce qui frappe, c'est comme elle semble s'être approchée du personnage, combien elle paraît le comprendre de l'intérieur et voir son courage, son audace, son pari. On sent la lecture de Charlotte Delbo mûrie de sa terrible expérience.

Et Charlotte ne le lâche pas, Jouvet, point par point, elle fait ses remarques. Voudrait-elle lui montrer ce qu'il a perdu à son départ, maintenant qu'ils ne partagent plus d'échanges sur les personnages ? Et elle s'inquiète de son audace. « Ne me traitez pas trop de petite imbécile s'il vous plaît, avec mes questions. Mettez sur le compte de l'O.N.U.fication et pardonnez-moi ». Elle craint d'avoir fait preuve d'arrogance. Pas facile de trouver sa place, une nouvelle place, maintenant qu'elle ne travaille plus pour lui.

Mais elle a tant regardé et goûté le spectacle, pensé à tant de choses dont elle aimerait lui parler, voici Charlotte Delbo qui se retrouve.

Le dialogue, entamé il y a onze ans, ne peut s'arrêter. Même s'ils ne se côtoient plus. « Je vous écris cela pour que nous pensions à en reparler la prochaine fois ». Elle aimerait tant revivre leurs conversations.

Il l'a mise de plain-pied avec un imaginaire qui lui appartenait, à Charlotte Delbo, mais dont il lui a donné les clés. Les clés pour l'aborder avec l'artifice, le « faire voir », le rendre vivant avec les moyens de l'art.

Sa vie rêvée peut devenir vivante, « vraie ». Des personnages qu'elle a rencontrés dans les livres, vus au théâtre, peuvent l'amener dans une scène imaginaire où elle se sent vivre, où elle se sait vivre sur un mode qui n'est peut-être pas vrai, mais qui est véridique. Et elle va le raconter de façon troublante, je veux dire troublante à lire, tant elle montre que la vie et la vie rêvée peuvent se mêler et que la vie peut dégager sa vérité de la vie rêvée.

C'est à lui qu'elle veut raconter ces étranges emmêlements. Lui avec qui elle a tant parlé l'été 39 pendant leurs promenades au milieu des collines de Vallauris, quand les personnages qu'ils avaient évoqués tout le jour semblaient peupler la nuit et les bois autour d'eux de leur présence invisible.

Charlotte Delbo alors ouvre un cahier et écrit. Elle écrit un récit qu'elle débute comme une lettre fictive, « Cher Monsieur Jouvet », pour dire ses journées à la prison de la Santé, ses nuits dans le wagon qui l'emmène à Auschwitz, « comment a commencé cette extraordinaire aventure – je veux parler de mon voyage avec nos amis communs[1] ». Elle le raconte, mettant en scène ses dialogues imaginaires avec leurs amis communs, ces personnages qu'ils connaissent, celui qu'elle sent venir s'asseoir près d'elle dans sa cellule, et, plus loin dans le cahier, celui qui l'accompagne pour le voyage vers le désert, « le vrai désert (...) Le seul désert peut-être, celui où les hommes perdent jusqu'à leur qualité humaine ». Trente-cinq pages qui constitueront bien plus tard, quand elle aura retrouvé ce cahier oublié, la première partie de *Spectres, mes compagnons*.

Si l'on compare l'écriture avec celle d'autres écrits, on peut la dater des années 45 à 48. Le cahier a été acheté en Suède dans une papeterie, il en porte l'étiquette à l'intérieur de sa couverture noire.

Ses premières phrases sont pour la visite qu'elle a faite en Suède du théâtre de Drottningholm. Jouvet avec qui elle correspondait depuis le camp de transit où elle se trouvait en mai 45, l'avait recommandée auprès d'Anje Beijer, le conservateur du théâtre du château de Drottningholm, qui est sur une île en face de Stockholm. Jusque-là les déportées séjournaient à Ryd. Sur son invitation, Charlotte Delbo part séjourner chez Anje Beijer en juin 45.

Le théâtre de Drottningholm était à l'époque le seul théâtre du XVIIIe qui avait conservé une machinerie intacte de plus de deux siècles. Anje Beijer l'avait fait restaurer en 1922 après un siècle de sommeil. Il montre le théâtre à Charlotte, les prouesses d'illusion de sa machinerie.

On peut imaginer Delbo qui voit au sortir du camp ces décors et artifices descendre des cintres pour faire croire au vrai... À elle qui revient de l'enfer, elle qui porte des images inconcevables, que personne ne pourra croire.

J'ai pensé un moment, en découvrant l'écriture de ces pages, que Charlotte les avait écrites en juin 45. Elle vient de voir

1. Cahier manuscrit de *Spectres, mes compagnons*, BNF, Fonds Delbo, 4-COL-208-117, Succession Delbo.

la machinerie d'un décor qui faisait descendre des cintres les diables de l'enfer où chantait Eurydice, et dit à Jouvet que pour dire l'enfer d'où elle vient, « il faut d'autres mots », car les flammes à l'opéra sont des feux de Bengale, « flammes pures et soyeuses qui ne sentent pas la chair humaine ».

« Je reviens », écrit-elle dans le manuscrit, qu'elle corrigera plus tard pour préférer « j'en reviens », qui a un tout autre sens. Au moment de commencer le récit, elle semble tout juste revenir, et répète ce présent. « L'enfer d'où je reviens », écrit-elle encore, et « je commence à douter de l'autre, le vrai, celui où j'étais ».

Si elle amorce son texte par un Cher Monsieur Jouvet, elle n'écrit pourtant pas sur des feuilles volantes destinées à être envoyées. Elle écrit pour reconstruire sa pensée, pour retrouver un monde intérieur, une profondeur réflexive et sensitive. Le camp a tout détruit, en même temps qu'il l'a obligée à tendre une telle force psychique et physique, une telle volonté pour sortir vivante de l'épreuve. Cette force psychique, cette force de la volonté ne seront plus nécessaires au moment du retour chez sa mère. La solidarité, qui avait été si essentielle entre elle et ses camarades, disparaît, disparition effrayante après qu'elles ont tenté de vivre comme un seul corps organique dont il fallait croire la survie possible. L'émiettement du groupe a-t-il commencé en Suède ? En tout cas Charlotte Delbo est partie seule à Drottningholm, elle y retrouve sa vie singulière, son monde intérieur. Elle a acheté un cahier. Elle voudrait écrire.

Je ne vois pas un seul arrêt de la plume de son stylo sur les trente-cinq pages. Les corrections manuscrites d'une écriture presque semblable, avec une encre plus foncée, dateraient-elles de 48 ?

Ce n'est pas à l'arrivée à Paris qu'elle aurait pu corriger ces pages, couchée chez sa mère à Vigneux, elle que son corps et son esprit plongent dans l'engourdissement parce que la vie n'a plus aucune couleur, elle que les effets de l'épreuve subie submergent. Ni lorsqu'elle retrouve des forces, « suffisamment de forces pour tenir une plume » et que c'est *Aucun de nous ne reviendra* qu'il faut écrire. Qui ne relate pas de visites de personnages de fiction pour lui donner sa consistance d'être, sinon qu'elle parle à son cœur comme Arnolphe. Mais personne ne vient près d'elle à Auschwitz dans *Aucun de nous ne reviendra*. La réalité véridique d'Auschwitz, c'est un monde terrifiant, ce monde d'avant la création, d'avant l'humanisation de l'homme, celle où l'imaginaire n'a plus de place.

Il y a, dans l'aventure de Delbo écrivain, une géographie saisissante du voyage personnel d'une personne riche et vivante qui a connu « le souterrain », le passage obscur de son effondrement, après avoir traversé la détresse morale la plus grave confrontée à la mise à mort de masse et individuelle, et qui écrit ensuite par étapes successives des livres sur le sens et la réalité de son voyage.

Et il y aura plusieurs étapes pour raconter de façons différentes sa déportation.

Quand elle écrit sur ce cahier noir, c'est pour elle le moment de raconter sa détresse face à la mort avec cette autre dimension d'elle-même, ce qu'elle a reçu de ses lectures qui l'ont abreuvée de l'autre dimension de la vie, celle qui fait traverser les murs, les distances, celle qui fait venir près de soi ceux qu'on peut seulement imaginer. Elle veut faire voir ces interlocuteurs invisibles, avoir une vie plus large que la sienne. Et recomposer ce qu'elle a traversé. Le raconter en s'aidant de ceux-là mêmes qui lui donnent une dimension autre que celle étroite de la vie.

Est-ce tout de suite dans cet entre-deux, entre la sortie de l'enfer et le retour, après un mois de convalescence dans un lieu qui est un peu nulle part pour elle, en Suède, dans un moment qui a pu être d'euphorie ? Ou trois ans plus tard ? En tout cas elle commence son récit en évoquant les moments d'épiphanie de l'été 39. Et ces soirs bleutés et veloutés de Vallauris sont les pages les plus nimbées de douce plénitude de son œuvre – quand les personnages de fiction hantaient leurs pas, et les paroles qu'ils échangeaient, Jouvet et elle.

Je pense qu'il aura fallu de la distance, le temps de trois années pour que revienne la capacité de se dédoubler de l'horreur et raconter cet autre elle-même qui regarde Fabrice del Dongo assis à côté d'elle, ou celle qui se met à parler avec Alceste dans le wagon qui la menait à Auschwitz, ou pour écrire la douceur des soirs à Vallauris..., même si Charlotte Delbo est surprenante dans ses sursauts d'énergie comme dans la capacité de sa vie psychique de se sentir autre. Et ce n'est pas Auschwitz qu'elle raconte dans ces pages du cahier, c'est une conscience qui se crée. Qu'elle peut écrire maintenant, plusieurs années après être rentrée, une conscience de soi en train de se faire. Et qui a commencé avant l'arrivée à Auschwitz.

« Au début, j'étais enfermée dans une pièce haute où rien ne m'atteignait que des voix sans visages, une lumière pâlissante qui animait des ombres sur le mur taché d'humidité. Dans cette lumière, les volumes s'abolissaient. Pensées et objets n'existaient plus que comme des ombres sur le mur. Ombres de mes pensées, ombre de ma vie, ombre de mon amour, étaient projetées sur l'écran de ma mémoire – ce mur – tandis que leur souvenir sensible m'échappait. Pendant des jours et des nuits, j'ai dû m'acharner à donner à ces ombres contour et relief. Leur glissement était silencieux, leur présence réticente et fugitive. À ces ombres, j'étais moi-même ombre, semblait-il. Pendant des jours et des nuits, j'ai dû m'acharner à affirmer mon être, à me saisir dans un effort extrême de conscience pour m'assurer de mon existence en face des fantômes qui voulaient l'absorber, l'engloutir. (...) Dans cet effort d'appréhension que fait la sensibilité réduite à l'état du souvenir, la mémoire – privée de repères sensibles, dématérialisée – apparaît pourtant comme un moyen dérisoire. Dans un monde d'objets sans volume et sans poids (...) où les souvenirs sont abstraits, je me suis rendu compte que je ne retrouverai que des spectres. C'est alors que Fabrice est venu me voir[1] ».

---

1. Cahier manuscrit de *Spectres, mes compagnons*, *op. cit.*

Dans sa cellule à la Santé, Charlotte Delbo a reçu par le vasistas, grâce à sa voisine du dessus qui n'était pas condamnée « Nuit et Brouillard » comme elle et avait droit aux livres, *La Chartreuse de Parme* de Stendhal au bout d'une cordelette. Elle fait vivre le personnage de Fabrice del Dongo devant elle comme Jouvet lui avait appris à faire à Vallauris avec Julien Sorel et Sim Tappertit. Le but ici est celui de sa survie morale, pas de faire du théâtre, aussi grande que soit l'ambition donnée au théâtre. Il s'agit de retrouver son être, à travers la force singulière que donne la présence de Fabrice del Dongo.

« À partir de ce moment, ma cellule était habitée. La présence de Fabrice était plus qu'une présence. Un personnage vit d'une vie supérieure à celle d'un être humain. (...) Fabrice, debout dans ma cellule nue avait à mes yeux pour la première fois toute sa taille ». Du personnage, Delbo fait une personne, dont elle peut écrire ce qu'elle perçoit. Elle scrute son visage, épie son regard, découvre sa façon d'être silencieux, un silence sans secret, il sait s'ennuyer, rester sans rien faire, sans pensée, dans la tour qui l'enferme. « L'angoisse qui m'étreignait quand j'anticipais le futur lui demeurait étrangère. Cependant il avait le sentiment de l'inéluctable et du destin. (...) C'est parce que j'étais enfermée dans cette prison en compagnie de Fabrice que j'eus alors le sentiment de l'inéluctable. Sentiment de l'inéluctable, conscience du destin[1] ».

En mettant en scène un personnage à côté d'elle dans sa cellule, Charlotte Delbo peut faire le récit d'un destin. Elle le fait en choisissant un héros que tout le monde peut connaître. Il le fallait partageable et extraordinaire. Fabrice est celui qu'on a déjà rencontré et celui que l'art d'un romancier a fait. Il a sa profondeur d'être, il n'a pas tout révélé de lui-même, alors qu'on croit le connaître. Charlotte Delbo se sert de cette ambivalence pour parler de sa situation : ordinaire, enfermée entre quatre murs, et extraordinaire parce qu'elle

1. Cahier manuscrit de *Spectres, mes compagnons*, *op. cit.*

s'interroge sur une conscience de soi encore possible quand il n'y a plus d'espoir de vivre.

Étrange compagnie que celle qui fait sentir l'inéluctable de son propre destin, et qui permet en même temps de retrouver une vie intérieure.

Dans la cellule au secret où elle est jetée un mois après son arrestation, Charlotte Delbo a eu peur, peur de se perdre, sa sensibilité dans cet univers sans objets, sans contours, est devenue « un moyen dérisoire ». Ellc affirme cette étrange chose que sa mémoire « privée de repères sensibles » s'est dématérialisée, alors que justement on attendait un recours fécond à sa mémoire… Charlotte Delbo donnera à la mémoire des fonctions bien singulières, celles que l'expérience d'Auschwitz a configurées.

Ici, elle substitue au rôle de la mémoire la présence de spectres. Il lui faut des personnages, pas des souvenirs. Ce sont eux qui lui donnent sa dimension, la scène où vivre, où elle se conçoit de vivre. « Un personnage vit d'une vie supérieure à celle d'un être humain ». Donc ce sont eux qui peuvent la porter. C'est leur vie, cette vie imaginée qui donne à la sienne une profondeur reconquise.

Elle n'insiste pas sur la mémoire, une mémoire qui les lui restituerait. Elle crée ces visites singulières, les personnages sont plus vrais que ce que la mémoire peut en garder. Il suffit de les regarder vivre, de les écouter.

À l'évocation de la mémoire qu'on aurait attendue quand elle est seule entre quatre murs, Charlotte Delbo préfère substituer l'évocation de l'oubli ! La cruauté de l'oubli qui efface, mais qui permet de survivre. Et c'est Ondine qui sait oublier, Ondine, venue de la pièce de Giraudoux, qui est là quand Charlotte est amenée dans la cellule de Georges Dudach. « Elle était là, à côté de moi, aussi présente, aussi réelle que moi. Était-ce moi ? J'ai eu peur tout à coup (…) peur de ce qui peut-être était un autre moi-même. (…) Ma peur a vite disparu. Ondine présente me donnait la preuve de ma propre présence en me portant avec elle dans le surnaturel (…) Hans allait mourir et non mourir de sa mort de théâtre. (…) J'étais entrée dans la cellule où Hans allait me dire adieu, avec des mots qui sont ceux de tous les adieux, car c'était un éternel adieu, impossible de s'y méprendre, et la présence d'Ondine l'attestait, elle qui oublierait ; et de savoir que moi aussi je devrais oublier me déchirait le cœur. Et pourtant c'était l'évidence, puisque je vivais, (…) cela voulait dire que je l'oubliais déjà (…). J'appelle oubli cette faculté qu'a la mémoire de rejeter dans l'insensible le souvenir d'une sensation chaude et vivante, de transformer en images qui ont perdu leur pouvoir enivrant ou atroce, le souvenir de l'amour vivant, de l'amour de chair et de chaleur. Et Ondine ressurgissait au moment même de ma vie où se jouait le destin – l'adieu –, où tout était arrangé de telle sorte que rien ne pouvait en modifier le cours. Hans mourrait et je vivrais encore. Hans mourrait et j'oubliais, et tous les repères que j'aurais eus si sa mort était survenue naturellement, dans le cadre de notre vie, tous ces repères étaient perdus ; en prison et dans les autres lieux où j'irais ensuite, qui n'étaient pas ceux où nous avions vécu ensemble, et c'était vraiment comme de respirer dorénavant dans un autre élément, et quand je pensais à ma vie avec lui et que j'essayais de penser à ma vie sans lui, il y avait entre ces deux lieux autant de différence qu'entre la terre et l'eau où retournerait Ondine. (…)

Dud. devait mourir et moi je devais l'oublier en luttant à chaque heure contre l'oubli (…) Dans ce sortilège d'oubli, Ondine n'était plus à côté de moi, elle était repartie sans doute au fond des eaux et me laissait me débattre avec l'oubli, avec moi-même, avec le souvenir de Dud.[1] ». Appelait-elle Georges, Dud. en abrégeant son nom ? En tout cas, court dans ses phrases la douleur de l'effort pour lui survivre, pour survivre à cet adieu tragique. La conscience de l'inéluctable, du destin vient dans le dialogue avec un personnage, héros intérieur et personnel qui permet de voir, de réaliser l'ampleur de ce qui se joue.

1. Cahier manuscrit de *Spectres, mes compagnons*, *op. cit.*

Le plus étonnant, c'est que Charlotte Delbo va oublier ces pages, tout ce cahier, oublier son contenu.

Elle glissera dans le silence la mort de Georges comme Georges lui-même dont elle ne veut pas ou ne peut pas parler.

Elle n'écrira plus rien sur lui pendant près de vingt ans. L'oubli, ou ce qu'il faut appeler l'enfouissement dans les profondeurs de soi.

Ce qu'elle dépeint avec un personnage pour donner à la scène « une vie supérieure » et se permettre de la voir dans sa dimension de destin comme de l'écrire, une fois que le travail de l'écriture est fait, va s'évanouir. Pour lui permettre de vivre.

Quand elle raconte l'arrivée au fort de Romainville après avoir quitté la « citadelle » de la Santé, aucun personnage n'est venu près d'elle : elle retrouve ses compagnes et fait connaissance de tant de nouvelles, il n'y a pas de place pour une autre dimension dans la vie active, collective, bien réelle au fort, celle « des amitiés nouvelles et des distractions obligées ».

Ce sera dans la solitude de la nuit tombée dans le wagon, quand elle prend conscience que son passé s'est arrêté, comme son avenir, maintenant qu'elle se sent encore plus seule et vulnérable parce que lui « manquait la certitude d'être aimée », « puisque cet amour avait été anéanti, assassiné », c'est dans cette solitude qu'elle entendra Alceste lui parler. Elle raconte le misanthrope, sorti de la pièce de Molière, dont elle entend la voix près d'elle. Elle met en scène sa surprise, leur dialogue. Comment, tu nous accompagnes ? Et lui, de corriger, non, pas vous toutes, toi seule !

La conscience d'un destin c'est aussi se sentir choisie. Et c'est aussi pour Delbo le moyen de dire l'amour qu'elle reçoit, et veut recevoir des héros de fiction. L'amour n'est jamais loin avec Charlotte Delbo. C'est l'amour qui rend brûlante la vie, impérieuse, si attachante, désespérément attachante.

Alceste qui se tient à ses côtés jusqu'au seuil du camp, lui témoigne ce qu'elle ose à peine nommer de l'amour. Oui, de l'amour pour elle qui a pourtant un caractère si loin de la frivole et inconstante Célimène… « J'étais tout au contraire d'elle, grave et terriblement fidèle, si proche d'Alceste dans son besoin d'absolu, ce côté un peu absurde d'exigence qui fait presque de lui un ridicule ». Charlotte Delbo se raconte dans les pages du cahier, elle raconte une femme qui reprend consistance dans le train glacé qui l'emmène dans un univers de mort parce qu'elle se sent reconnue par un de ses pairs, ceux qui s'inventent dans leurs actes et leurs répliques.

Elle écrit sa déportation cette fois avec ceux qui inventent leur vie.

Ils lui donnent sens et perspective. Comme si en se retournant, elle regardait en ligne de fuite son propre destin en train de se faire.

Elle peut alors faire sentir ce qu'elle a tenté d'élucider de son destin. Les questions qui l'ont assaillie l'obligent à se retourner sur ces années passées. « Mais pourquoi avoir quitté aussi Jouvet, lui qui pouvait te permettre de revivre » et m'accompagner jusqu'en enfer ? Elle le demande à Alceste ou à elle-même ? À elle qui va se « jeter dans la gueule du loup » comme prédisait Jouvet pour la dissuader de rentrer en France en octobre 41.

La narratrice voit Alceste qui renonce à sa chance de vivre dans un monde qui était fait pour lui, pour « des passions de mesure courante », et faire ce trajet qui va mener au terrible… Charlotte Delbo écrit alors cette phrase saisissante, « Je ne savais pas encore combien extraordinaire devait être le destin qui m'attendait au sortir du wagon. »

Voilà, c'est dit, c'est un destin extraordinaire qu'elle se veut et qu'elle prend en main, avec la main qui écrit.

« Laissez-moi vous raconter d'abord comment a commencé cette extraordinaire aventure – je veux parler de mon voyage avec nos amis communs », elle a commencé ainsi… Jamais de plainte chez Charlotte Delbo. « J'ai eu le privilège d'être témoin de ce paroxysme de l'histoire, d'y participer, la chance d'en revenir et la capacité d'en écrire », dira-t-elle à Jacques Chancel. Le *privilège*... d'y *participer*... Elle n'a pas subi, elle a participé ! Delbo choisit très précisément ses mots et affirme une position qui est née après son retour. Sa conscience d'écrivain est allée de pair avec la conscience de la tragédie, de la tragédie d'Auschwitz, la plus grande de l'humanité. Elle peut se concevoir un destin.

La Tragédie et l'Histoire, elle a toujours affirmé les deux, et travaillera à écrire les deux. *Aucun de nous ne reviendra*, en 1946 et *Le Convoi du 24 janvier* en 1965. Et sur trente ans, elle écrira *Spectres, mes compagnons*. Elle retrouvera le premier jet au fond d'un tiroir en 1969, écrira la suite en 70 et ajoutera encore des pages plus tard pour le terminer. Écrire un destin en train de se faire, lui aura pris du temps pour filtrer ce qu'elle a saisi de l'emmêlement du terrible, de la douleur, de l'amour.

De toutes ses œuvres publiées, *Spectres, mes compagnons* est la plus intime par son ton et son sujet. C'est elle qui parle, il n'y a plus de « nous ».

Elle y parle avec beaucoup d'insistance de la peur, et encore plus dans le premier jet. Cette peur qu'elle appelle au cours du manuscrit « la peur de Vallauris », peur qu'elle n'est pas sûre d'avoir comprise, car c'est Jouvet qui l'évoque, « la peur transcendantale devant le mystère et la mort ». Elle va barrer ce mot de mort, mais réalise qu'elle aurait pu lui répondre que sa peur, enfant devant son propre visage dans la glace, a été une peur qu'elle a éprouvée jusqu'au vertige devant la question de son identité. Comme elle a senti la peur l'envahir quand elle a vu dans *Le Sang du Poète*, le film de Cocteau, le poète regarder sa main ensanglantée plonger dans le miroir.

Cette peur de la transparence, du reflet et du vide, comme des traces de la mort, elle les ôtera dans le texte définitif, elle efface ce qu'elle avait écrit, cette inquiétude « en écoutant ma voix comme celle d'un autre : c'est toi, toi qui es là, qui existes – et je touchais mon visage sur la glace – c'est toi qui te regardes, et un jour tu ne seras plus toi ».

Elle abrégera ce passage pour juste faire entendre sa peur, enfant, jusqu'au vertige et laisser de côté l'allusion à l'autre en soi. Mais la question du double, de l'autre en soi, restera chez Charlotte. Peu de temps avant de mourir, elle écrira des pages essentielles sur le dédoublement qui lui a permis de vivre après Auschwitz. Sur « tout ce qui est arrivé à cette autre » en elle. « Je vis dans un être double ». C'est tout un chemin qu'elle fera pendant sa vie pour pouvoir nommer cet autre, ce double, dont elle avait une conscience vertigineuse enfant et jeune femme avant-guerre. L'épreuve l'obligera à donner un contour à l'autre en elle, qui garde les images effrayantes. Elles l'empêcheraient de vivre si elle les laissait déborder, s'échapper.

En 1948, elle s'est arrêtée d'écrire au moment où elle voulait développer l'arrivée au camp et qu'elle découvre la lumière « décomposante » d'Auschwitz.

Lorsque la narratrice entend les portes du wagon rouler sur leurs glissières, sent le froid s'engouffrer, et que toutes elles comprennent aux ordres hurlés qu'il leur faut sauter sur le ballast, elle voit la silhouette mince d'Alceste sur le fond d'un jour pâle d'hiver se détacher dans l'encadrement de la porte et sauter avec elles, puis disparaître. Elle écrit encore son cœur qui bat de voir la ressemblance avec une silhouette familière, elle voit un instant Arnolphe entrer en scène tenant sa cape et son chapeau, la ressemblance la sidère, c'est Jouvet qu'elle croit voir disparaître au coin de la rue Caumartin.

« À Auschwitz, le héros était anonyme, tristement anonyme ; l'héroïsme perdu, et celui qui avait franchi le seuil était mort déjà aux autres hommes. Ainsi pour moi mourut Alceste. Ainsi mourut même son ombre qui disparut dans la brume du matin et se confondit avec celle de Jouvet disparaissant de mon souvenir parce que les souvenirs les plus chers devaient être abandonnés, parce que nous devions nous alléger de tout ce qui, en nous gardant notre tendresse, nous rendrait vulnérables. Et il me semblait que c'était pour toujours[1] ».

Maintenant qu'elle est rentrée, il faut renouer avec ce qui s'était cassé. Avec la tendresse aussi. Et c'est la tendresse qu'elle va réussir à introduire dans ce livre, au fil des années, comme un fil ténu, renoué avec intermittence, et qui gardera quelque chose de ce sentiment fragile qui tient parfois de la grâce, de l'épiphanie, du cadeau qu'on peut mettre si longtemps à pouvoir recevoir.

Avec son stylo qui court sur les lignes du cahier après avoir débuté par une calligraphie précise et déterminée, Charlotte Delbo donne une leçon à Jouvet. En prenant un ton en apparence déférent. Mais derrière cette douceur respectueuse, elle est radicale. À lui qui a tant cherché comment faire entendre la vérité des personnages, tant essayé avec ses comédiens ou à travers ses propres interprétations, avec ses élèves au Conservatoire, comment on pouvait faire ressentir les qualités d'un personnage sans le tirer d'un côté ou de l'autre, sans diminuer sa complexité en le caractérisant trop, en faisant voir sa profondeur où il mêlait vie spirituelle et contradictions humaines, Delbo fait le récit de ses entretiens avec ces personnages dans les situations extrêmes qu'elle connut. Comment ils ont résisté et sont restés présents. Comment ils lui ont donné à voir des qualités qu'ils n'avaient pu révéler jusque-là. Ou comment ils n'ont pu tenir en face de l'épreuve, ou ne sont même pas venus lui tenir compagnie.

Jouvet n'en finissait pas de chercher la manière de les donner à voir, elle l'avait tellement entendu ! Charlotte Delbo les a placés en situations extrêmes. Elle peut dire alors ce qu'ils ont été. Ce qu'ils ont manifesté. Et ceux qui se sont évanouis.

Il y avait une intransigeance de la situation, qu'elle pouvait écrire. Et dont elle semble presque jouer face à Jouvet, son interlocuteur, fictif pour le coup ! Les personnages, eux, sont

1. Cahier manuscrit *Spectres, mes compagnons*, *op. cit.*

devenus réels, Fabrice dans sa cellule, Alceste dans le wagon, Jouvet lui-même qui devient personnage, elle a cru le voir disparaître à l'angle de la rue Caumartin. C'est elle qui prend la place du maître. Qui dit ce que les personnages révèlent, et elle peut dire l'inédit.

Qui d'autre qu'elle, peut prétendre les avoir vus là-bas ?

Il faudra du temps pour qu'elle réalise l'originalité de ses pages sur son extraordinaire voyage. Le temps de refouler cette audace. Vingt ans presque. C'est étonnant ces chiffres qui reviennent chez Delbo. Il aura fallu avoir publié trois livres, apprendre l'heureuse nouvelle de la traduction aux États-Unis d'*Aucun de nous ne reviendra*, écrire une pièce de théâtre qui mette en scène ces paroles, pour qu'elle assume la création de ces personnages devenus compagnons, de ses dialogues avec eux qui donnent une scène intérieure formidablement vivante au cœur du terrible, à l'opposé de tout ce qui dissolvait l'être à Auschwitz. Vingt ans pour retrouver ce cahier et désirer le donner à lire à la nouvelle amie qu'elle rencontre en 1969, Rosette Lamont, professeur de littérature comparée à l'Université de la ville de New York.

Mais pour le moment elle vit des années difficiles à Genève, et un séjour de quatre mois à Paris, de septembre à décembre 48, ne semble pas avoir arrangé les choses. L'ONU l'a affectée à son Assemblée générale à Paris, comme traductrice-rédactrice, peut-être à sa demande. L'état de santé de sa mère s'est dégradé au printemps. Elle a dû renoncer à un projet qui lui tenait à cœur, répondre à la proposition de Jouvet de venir les voir jouer au Caire. « Je regrette de n'être pas avec vous en Égypte (surtout pour le 3e acte d'*Ondine*) mais avec maman c'eût été impossible. Je l'ai vue à Pâques :

elle va un peu mieux : elle n'ira jamais vraiment bien – c'est terrible[1] ».

« C'est terrible », parce que sa mère lui est essentielle. À son retour des camps, c'est chez sa mère qu'elle va. Elle reste couchée, se laisse plonger, il n'y a plus à tenir, sa mère peut tenir pour les deux. Elle a pu descendre au plus profond de la léthargie avant de lentement se raccorder à la vie. Son père était mort en 41, Georges avait été assassiné en 42, et le camp qui l'a obligée à chercher des forces de résistance de chaque minute ne lui a pas permis de traverser le deuil de Georges. Son jeune frère, Daniel, qui s'était engagé en 44 « pour aller chercher sa sœur », son préféré dans la fratrie, a été tué au printemps 45 au passage du Rhin. Quand elle l'avait appris à son retour, le 23 juin 45, elle avait senti sa « volonté s'en aller ». Elle rentrait, elle avait tout perdu sauf sa mère. Cette menace sur la vie de sa mère, trois ans plus tard, affecte fortement Charlotte.

Madame Delbo se remettra, retrouvera des forces et vivra jusqu'en 1971. En attendant Charlotte est là, cet automne 48, à Paris, sans être là vraiment non plus, sans vouloir retrouver des attaches anciennes. Jouvet, inquiet, finit par lui envoyer un télégramme le 22 octobre, à son nouveau domicile, 95 rue de la Faisanderie. « Je souhaite te voir bientôt, inquiet de ton silence. »

Lointaine..., même à Paris, même vis-à-vis de Jouvet.

Il faut dire que le logement qu'elle a pu retrouver à Paris, 95 rue de la Faisanderie, se trouve dans le même immeuble, avec la même entrée que celui où elle avait vécu avec Georges au 93 les trois derniers mois de leur vie ensemble l'hiver 41-42. Comment se dégager de souvenirs torturants dans une telle proximité ?

Il y aura une parenthèse dans ce mal-être, cette année 48, c'est un voyage en Grèce au mois de mai. Elle était venue plusieurs fois en avril voir sa mère, elle faisait le trajet en

1. Lettre du 9 avril 1948, BNF, Fonds Jouvet, LJ-Mn-88.

voiture, elle aimait conduire, conduisait vite, le train c'était onze heures de voyage, et puis le train... ce n'était plus ce que Charlotte préférait. Sa mère va mieux, elle se décide à prendre des vacances. « Si je rentre, j'irai en Grèce ». Cette promesse, elle se l'était faite au camp, à l'époque où toutes les phrases commençaient par « Si je rentre... » Tous les projets paraissaient simples et fabuleux. « Aussi fabuleux d'aller en Grèce qu'aller dans la lune. Aussi simple : il suffisait de rentrer. Une fois rentré, tout était facile. Tout était possible. Que de projets se sont brisés sur les récifs de la réalité, au retour.

(...) Le plus difficile était de retrouver l'envie de réaliser les rêves qui avaient aidé à survivre, là-bas. L'irréalisable dont nous avions rêvé, devenu réalisable, ne suscitait plus notre désir. Nous étions trop fatigués. Ce dont nous avions attendu volupté suprême : manger, prendre un bain, se promener dans un parc, nous coûtait un effort démesuré. La moindre décision nous épuisait. Alors entreprendre... Sans parler des questions d'argent, qui n'entraient jamais dans nos calculs quand nous rêvions de faire ceci ou cela, au retour. (...)

Pourtant cette fois, c'était vrai. L'incroyable était là. J'étais sortie vivante du camp et maintenant j'étais en Grèce. Tout l'attestait : une robe claire à manches courtes, les lauriers-roses, les odeurs, les couleurs, le ciel. La Grèce était telle que je l'avais désirée. Tout m'enchantait. Après avoir été pendant deux ans dans un état second où rien de ce qui se passait dans le monde ne venait à ma conscience, j'avais retrouvé force et vitalité. Je voulais tout voir, épuiser la beauté, savourer chaque instant, chaque gorgée[1] ».

La Grèce qu'elle est venue voir est celle aux noms magiques : Delphes, Olympie, Épidaure... Le pays porte les marques de la guerre civile qui a suivi l'occupation allemande, et qui s'achève, mais Charlotte n'est pas venue pour cette Grèce-là, ce qui compte, c'est le rêve inouï qui se réalise. Un matin de mai, elle monte les gradins du théâtre d'Épidaure. Elle était arrivée par la scène, et avec quelle émotion elle

1. *La Mémoire et les Jours*, *op. cit.*, p. 81-82.

s'est tenue là, imaginant la voix d'Électre, la voix d'Antigone qui avaient résonné ici pendant les représentations des tragédies d'Euripide, de Sophocle. Cinquante mille spectateurs écoutent, l'acoustique prodigieuse permet au moindre son de monter jusqu'en haut, les mots volent, traversent l'espace. Les mots traversent les siècles, ces mots qui disent l'horreur et la pitié au-delà du temps et de l'espace.

Épidaure n'était pas que le lieu du théâtre le mieux conservé de l'Antiquité et qui servit sans doute de modèle à la construction de tant d'autres théâtres, Épidaure était aussi le lieu d'un sanctuaire dédié à Asclépios, ce dieu capable de guérir les malades et de ressusciter les morts. Elle avait retrouvé « force et vitalité » comme elle le disait, les morts et les mortes ne ressusciteraient pas, elle le savait, mais ses mots pour les compagnes qui avaient agonisé et n'étaient pas revenues, pouvaient leur faire une sépulture. Et résonner ici, si elle savait en écrire la tragédie. Elle pouvait penser avec une émotion intense et secrète à ce qu'elle avait écrit.

Charlotte Delbo se trouvait dans les lieux des mythes qui l'avaient nourrie, mais deux événements la sortent de ses songeries.

Elle rentre à Nauplie après cette « douce journée de mai » à Épidaure, passée à « embrasser du regard l'immense théâtre », nourrie de ce qu'elle a vu et qui comble ce qu'elle a si longtemps imaginé. Elle est au port, quand débouche une colonne d'hommes qui marchent pesamment vers le quai. Une colonne dont elle aperçoit vite la piètre allure, à peu près en rangs par quatre au début de la colonne, en désordre à la queue, en débris d'uniformes militaires qui n'étaient plus que des haillons, les épaules lourdes de fatigue, le visage entortillé de chiffons mis en turbans.

Delbo remarque tout de suite les officiers qui les encadrent, « astiqués, eux, comme toujours les officiers de l'armée victorieuse, les mains libres, le revolver au côté, dans son étui de cuir luisant[1] ».

---

1. *La Mémoire et les Jours*, *op. cit.*, p. 85.

À lire ce qu'elle écrira bien plus tard de l'événement, on comprend ce qui revient si fort de l'expérience personnelle. Ses yeux enregistrent tous les détails qu'elle reconnaît, le petit baluchon, la ficelle à la taille pour tenir l'accoutrement, le quart de fer-blanc qui y pend, la barbe qui fait sale, la chevelure en désordre, les yeux qu'on ne voit pas, la démarche pesante. « De quelles geôles les avait-on tirés et pendant combien de semaines, combien de mois, y avaient-ils été entassés, battus, interrogés ? Dans quels transits interminables avaient-ils attendu, couchés par terre, sans se laver ni se raser, avant d'être transférés à Nauplie où ils embarqueraient pour Makronissos ? »

Elle voit les jours et les mois d'emprisonnement de ces vaincus. En mai 48, l'armée royale a repris le terrain, la répression s'est abattue sur les partisans de l'armée populaire, sur les opposants politiques, les communistes. La guerre avait ravagé le pays comme le reste du monde, les traces étaient visibles encore, routes défoncées, façades trouées, Charlotte ne s'y était pas arrêtée, mais voilà qu'elle est rejointe par une réalité qui lui parle au cœur. Une colonne de déportés passe devant elle. Les officiers faisaient s'écarter les rares passants qui s'attardaient, Charlotte, elle, ne bouge pas, elle fait celle qui ne comprend pas. Sa mémoire profonde a immobilisé son corps. Elle veut regarder. Son regard veut les recevoir, son regard attend.

« Je regardais les hommes qui avançaient, je les regardais, je les regardais. Je les regardais pour rencontrer leur regard, pour rencontrer un regard qui lirait dans le mien que je savais ». Regarder, avoir le courage, ne pas partir, ne pas détourner le regard. Elle l'avait tant demandé au lecteur en écrivant *Aucun de nous ne reviendra*. « Essayez de regarder. Essayez pour voir ». Voilà que revenait l'injonction, cette fois pour elle. Et elle ajoute cet autre verbe qui traversait son livre : « savoir ». Oui, elle, elle sait.

Soudain il faut que ces hommes voient que, elle, elle sait !

Ce savoir qui est la reconnaissance du drame de l'autre, connaissance de la tragédie, ce savoir-là n'est pas une connaissance inutile mais une reconnaissance.

Les hommes, abrutis de fatigue, ne la voient pas. Mais elle veut se faire reconnaître, elle veut « qu'ils sentent la violence de la volonté que je voulais faire passer dans leurs veines, cette volonté de revenir, d'en sortir vivant, qui m'avait soutenue moi ». Elle cherche avec rage dans son sac, « sans les quitter des yeux », ce qu'elle pourrait leur donner, ne trouve qu'un paquet de cigarettes entamé qu'elle lance. Elle voit au geste étriqué et preste de celui qui l'a intercepté au vol, qu'elle a affaire à un vieux prisonnier qui sait ne pas attirer l'attention. Elle sait. Et lui, a-t-il reconnu l'ancienne prisonnière qui avait choisi une seconde d'inattention des officiers ?

De lui, elle voulait être reconnue. Trois ans après être sortie du camp, ses années terribles, elle veut les voir reconnues dans le regard d'un prisonnier qu'on déporte vers l'île de Makronissos. Le premier camp de concentration ouvert en Europe après la fin de la guerre.

C'est un moment crucial de sa vie, un moment qui s'est passé alors sans mots. Dans son regard et ses gestes, qui sont passés inaperçus. « Il a fourré le paquet dans sa vareuse. Il a continué de marcher. Il ne m'a pas regardée ».

Il reste à Charlotte Delbo de pouvoir écrire la détresse. Elle écrira trente ans plus tard la détresse du prisonnier qui connaît son sort, que rien ni personne ne peuvent changer, qui ne doit risquer ni de se faire attraper ni de se faire remarquer, voué à la solitude. Tout ce qu'elle *sait* d'expérience. Et elle rendra sa détresse à elle, confrontée à son impuissance, mêlée de pitié et de chagrin.

« La colonne s'est arrêtée à la passerelle, un bout de planche. Les hommes ont posé leur baluchon à terre, attendant, puis ils ont commencé à monter à bord, un par un, par la planche incertaine.

Le soir est tombé sur le golfe, la mer est devenue bleu sombre et le ciel s'est obscurci tout en restant bleu, du bleu de la lavande qui fane. La petite forteresse de Bourzi, ancienne prison, sur son îlot à quelques brasses du rivage, a allumé ses feux de nuit.

J'étais là, stupide, comme les passants qui nous ont vus partir de Compiègne, ce dimanche-là, le 24 janvier 1943, et qui détournaient la tête.

Je suis restée longtemps sur le quai désert mais j'ai dû rentrer avant que le bateau lève l'ancre. Je tremblais de désespoir comme on tremble de froid[1] ».

La détresse de ces déportés et son impuissance lui sont revenues quand Jacques Chancel l'interrogera sur ce qu'elle vivait, ce jour de janvier 43, traversant la ville de Compiègne debout sur les camions qui les emmènent au train pour Auschwitz, et qu'elles voient les passants « en entrant dans la ville » hâter leur marche, le regard fuyant. Les camions qui convoyaient les prisonniers du camp de Royallieu traversaient encore la ville par le centre à cette époque, pour se rendre à la gare où attendaient, « près d'une voie de garage éloignée des quais[2] », les wagons ouverts. La Gestapo plus tard les fera passer par le bord de la Seine pour éviter que la population voie ces convois... Charlotte Delbo parle à Chancel de sa « honte » à Nauplie. « Moi j'étais là, je les ai regardés et je n'ai rien fait pour eux. Que pouvais-je faire ? J'ai eu honte et j'ai compris les gens qui à Compiègne ne nous regardaient pas. Peut-être avaient-ils honte, et peut-être avaient-ils peur, et peut-être étaient-ils désarmés en songeant, que faire ? »

Associer ce qui fait sens, et débusquer les jugements faciles, Charlotte l'a toujours fait.

Mettre en rapport, relier des événements, comme les promenades le soir à Vallauris et la veille de la guerre mondiale, le début de son destin et des conversations sur des personnages de fiction, la Grèce de la tragédie antique et celle de la guerre civile, les déportés à Nauplie et celles qu'elles étaient à Compiègne, chaque fois elle ouvre aussi sur une interrogation plus profonde, intime et sans réponse, sur son identité,

---

1. *La Mémoire et les Jours*, *op. cit.*, p. 87-88.
2. *Le Convoi du 24 janvier*, *op. cit.*, p. 9.

son souci d'être reconnue, de se reconnaître dans le miroir enfant, ou adulte dans le regard du prisonnier.

Il ne s'agit jamais de juger d'un comportement, le sien ou celui des autres, il s'agit de montrer une confrontation avec plus loin que soi, l'interrogation sur la mort, la solitude. Faire sentir la peur ou la honte, ces choses secrètes qui n'ont rien à voir avec un manque de courage, qui sont peut-être simplement conscience de vivre, conscience de soi et des autres.

Un autre événement la tire de la Grèce qu'elle visite pour la première fois pour la ramener à son passé. Elle s'est installée à la terrasse d'un petit café au pied du Parthénon, elle regarde la lumière du couchant sur la pierre des colonnes, quand elle entend son voisin de table lui demander si le numéro tatoué sur son bras lui vient bien d'Auschwitz. Sa robe d'été qui lui découvrait le bras, était le signe pour elle qu'elle pouvait enfin vivre sans cacher ce que longtemps elle n'avait plus supporté de voir. Son regard ne s'y arrêtait plus, parce que les images du camp commençaient à se retirer pour rejoindre sa mémoire profonde. Elle avait retrouvé les plaisirs à la surface de la vie, le goût du soleil sur la peau, la beauté des fleurs et leur parfum, la vue sur le Parthénon. Y goûter chassait l'enfer au fond d'elle.

Son voisin au café lui dit qu'il sait, il sait d'où vient ce numéro. « À la grande librairie de Salonique, il y a une femme qui en porte un. Elle est au rayon des livres français. — Il y aurait donc une juive de Salonique qui serait revenue ? Je croyais qu'il n'en était resté aucune[1] ». Et Charlotte de revoir le camp de Birkenau. Le convoi des juifs de Salonique, arrivé deux mois après leur convoi, en avril 43. C'est le souvenir de leur voix, leur langue qui revient en premier à Charlotte. La plupart parlaient cet espagnol de l'époque de Cervantès, comme l'avait reconnu Charlotte, ce ladino que

1. *La Mémoire et les Jours*, *op. cit.*, p. 82.

les juifs chassés d'Espagne au temps de l'Inquisition avaient emporté dans leur exil. Il y en avait qui parlaient français, et Charlotte se souvient de celle qui lui parlait dans un français littéraire et lui disait « vous ». La voix revient, le souvenir de la voix reste toujours si vif dans sa mémoire. Quand elle repensait à sa propre enfance, à un souvenir de peur devant le miroir, c'était sa voix qui était revenue d'abord, sa voix qui s'interrogeait avant de revoir l'image qui la troublait.

Toute la communauté de Salonique était là, à Auschwitz. Les Grecques disparurent très vite à Birkenau, décimées par le climat auquel le soleil de leur pays ne les avait pas préparées, et par les violences. Charlotte se souvient de la ficelle que cherchait la femme pour accrocher ses galoches que la boue retenait à chaque pas. Et revient le souvenir de la boue, « La saison de la boue était la pire de toutes ». Les coups pleuvaient sur celles qui ne pouvaient marcher assez vite. Et elle revoit la sélection qui fit choisir les Grecques pour des expériences médicales sur la fécondité. Elle l'avait écrit de son écriture au couteau deux ans plus tôt dans un bref chapitre d'*Aucun de nous ne reviendra*. Le médecin SS avait d'abord parcouru leurs rangs sans s'arrêter, avant d'aller voir les Grecques qui venaient d'arriver, en leur demandant qui parmi elles avait eu un enfant vivant. Les Françaises et les Polonaises étaient là depuis trop longtemps, leur corps décharné ne permettait pas une opération probante.

Le martyre des Grecques est remonté à sa mémoire sur cette terrasse à Athènes, et elle l'écrira trente ans plus tard en faisant parler celle qui racontait là-bas leur rafle, le voyage, ce qu'on leur avait demandé d'emporter, ce qui serait utile à la réinstallation, linge, vaisselle, argenterie, argent, bijoux, dans cette ville où on les emmenait, où seraient regroupés tous les juifs d'Europe. Delbo développe ce qui éclaire encore la tragédie, laissant de côté la stupeur et la terreur qu'elle et ses compagnes avaient connues. Le traumatisme s'est estompé, pas la mémoire. Au contraire. Plus souple, elle s'ouvre, l'écriture la déplie.

Carmen a incité ses compagnes à aller rendre visite à une Grecque parce qu'elle est seule au milieu des Polonaises. Elle sort de l'expérience médicale atroce, le ventre recousu comme « un édredon américain », c'était l'expression de Carmen. « Nous avons bavardé un moment et l'avons quittée sur un “à demain”. Le lendemain, nous ne l'avons plus trouvée ». Charlotte Delbo n'en dira pas plus, elle n'écrit plus dans les années 80 avec la violence du ton d'*Aucun de nous ne reviendra*.

Puisqu'on lui apprend aujourd'hui qu'une Grecque est revenue, elle prendra le train pour Salonique le lendemain. Pour une raison, « On aime savoir la fin des histoires ». Ce n'est pas pour partager une épreuve ancienne, qu'elle irait rencontrer la libraire de Salonique. Mais pour satisfaire sa curiosité, savoir. Elle avait bien confié à son ami François Bott que si elle était revenue d'Auschwitz, c'était parce qu'elle voulait connaître la suite ! Qu'est-ce qu'il pouvait y avoir « après » ? C'est sa curiosité qui l'a fait tenir, veut-elle faire croire. Provoquer, c'est une façon d'affirmer que son expérience, à nulle autre pareille, l'autorise à dire ce que personne ne penserait. Qui la contredirait ?

Elle renoncera à prendre le train pour aller à Salonique. Elle voudrait que la quitte cette mémoire d'Auschwitz, d'autant plus ici, dans cette Grèce qu'elle avait tant rêvé, là-bas, de venir visiter.

Elle terminera son récit, ce voisin de terrasse qui l'a replongée dans la mémoire de Birkenau, par sa décision de se rendre à Épidaure le lendemain. Elle l'écrit d'une phrase brève, isolée, à l'image de sa capacité à rebondir, à partir. Pour se raccorder aux forces de vie, quand elle sent que l'entament des chaînes mortifères, paralysantes.

À la fin de ses quatre mois d'affectation à Paris, elle doit rentrer à Genève. Mais elle repartira vite, dès janvier. Elle a sans doute demandé un poste à l'étranger, et on lui a proposé Athènes, un poste de secrétaire et traductrice à la Commission spéciale des Nations unies pour les Balkans.

A-t-elle eu le choix entre plusieurs pays ? On ne le sait pas, mais on peut imaginer tout ce qui lui a fait répondre « oui » à la proposition d'aller en Grèce.

Et elle aura l'occasion de voyager dans le Moyen-Orient parce qu'elle travaillera aussi à la Commission de l'ONU qui cherche les résolutions d'une paix en Palestine. Elle découvrira Jérusalem, Istamboul, une partie de la Turquie, de la Syrie, de la Jordanie. Son goût des voyages et sa curiosité y trouvent des satisfactions mais elle décide tout de même au terme de ces affectations de rentrer à Genève à la fin de l'année et de renoncer aux propositions qui lui sont faites.

« On me propose toutes sortes de possibilités… » a-t-elle écrit en septembre à Jouvet. On n'en connaît pas le détail. Elle souhaitait en parler avec lui, la seule personne, à ses yeux, capable de l'aider à y voir plus clair. « J'ai grand hâte de vous voir. On me propose toutes sortes de possibilités en face desquelles je suis perplexe et même désemparée : j'ai voulu faire une campagne genre saison pour rétablir mon assiette pécuniairement, car j'en avais bien besoin à mon retour d'Allemagne, et maintenant j'ai l'impression que je me suis laissé prendre au goût de gagner de l'argent et d'en avoir, et c'est vite une entreprise dont le but recule toujours. Il me semble que j'en jugerais sereinement si j'en parlais avec vous. Outre que "ce n'est pas une vie" pour une femme, l'exil[1] ».

« À mon retour d'Allemagne », on croit entendre parler d'un retour de voyage comme un autre. Après l'extraordinaire voyage, cette fois une évocation banale. Charlotte Delbo est vive, change de registre, de vies, de regard sur son histoire.

Elle mettra fin à sa perplexité, la possibilité d'un exil plus long ou plus lointain. Elle se rapproche de la France, veut pouvoir venir facilement à Paris, rendre visite à sa mère, à ses amis.

1. Lettre à Jouvet du 4 septembre 1949, BNF, Fonds Jouvet, LJ-Mn-88.

Elle aura certainement été voir une représentation du *Tartuffe* à l'Athénée, créé le 27 janvier 1950. Puis Jouvet sera très absent de Paris cette année-là, il part en tournée avec *L'École des femmes* et *Knock* jusqu'à la fin juin. La Belgique, la France, le Portugal, l'Espagne, l'Afrique du Nord et la Suède. Mais elle ne se déplacera pas pour aller voir ces deux pièces. De *Knock* de Jules Romains, elle ne parle nulle part, ce n'est certainement pas le répertoire qui l'intéressait. *L'École des femmes*, elle avait vu la pièce interprétée par Jouvet avant de le rencontrer, et si Arnolphe est le seul personnage qui apparaît dans *Aucun de nous ne reviendra*, la pièce entière ne la marque pas comme *Électre* et *Ondine*. L'été 50, il prépare *Pour Lucrèce* de Giraudoux et une adaptation de *La Puissance et la Gloire* de Graham Greene, Charlotte ne se sent pas liée aux sujets de ces pièces.

Début 51, Jouvet accepte de mettre en scène la pièce de Sartre, *Le Diable et le Bon Dieu*. Il en trouve l'idée fascinante, mais il ne peut choisir les interprètes, et avec Sartre, le courant ne passe pas, ce travail n'aura cessé de l'inquiéter, tant il se sentait peu à l'aise avec cette mise en scène. Fin février, il part pour une longue tournée aux États-Unis, et ne reviendra qu'à la fin du printemps.

Je pensais que ses liens avec Jouvet s'étaient distendus. Je me trompais.

Dans un article qu'elle écrit en mai 1961 à la demande du sociologue Daniel Lerner, pour une enquête qu'il mène afin de savoir qui écoute La Voix de l'Amérique en France, un article que Charlotte écrit en anglais, elle nous apprend beaucoup de choses sur elle. Elle y précise que ce qui l'intéresse, elle, avant tout, c'est le théâtre, ça nous le savions, et que cette radio n'en parle pas. Si elle est au courant de quelques pièces qui se donnent à New York, elle ne sait rien de ce qui se joue à Chicago ni dans aucune autre ville des États-Unis, ni des jeunes troupes, ni où les jeunes peuvent apprendre le métier de comédien, ni des metteurs en scène, s'il existe un régime de bourses, etc. Voilà des sujets qui l'intéressent, dont elle aimerait être informée. Charlotte rebondit face aux situations, à ce qu'on lui demande, développant des pistes projetées vers l'avenir. Mais ce qu'elle nous apprend de neuf au détour d'une précision, c'est qu'il a été question qu'elle accompagne la tournée de Jouvet aux États-Unis ce début 51. Jouvet le lui avait demandé, il la voulait comme interprète personnelle, elle avait accepté, Claudine Riera-Collet me l'a confirmé, mais Jouvet n'a pu obtenir le financement de son poste. Son article révèle qu'elle se considérait toujours liée à Jouvet au point d'y écrire qu'elle avait été sa secrétaire de 1937 jusqu'à sa mort, en 1951 !

« *Why am I so much interested in theater, not being an actress ? Because I have been secretary of Louis Jouvet (from 1937 until 1951, when he died). I did not go with his Company to the United States, in April/May 1951 (Gouvernement subsidies did not allow for a non-actor accompanying the group)*[1] ». Elle ajoute qu'elle est immédiatement allée voir Jouvet à son retour pour l'entendre parler de la tournée. Il rentrait enthousiaste de la qualité du public américain, et elle rappelle comme il pouvait s'emporter, quand il sentait que le public n'était pas sensible à son travail. Jouvet revenait en ayant abandonné son préjugé de l'Américain inculte.

Et ce n'est pas sa mort qui va couper le fil avec Jouvet. Dans le même article, elle raconte qu'en 1952, quand ils reçurent l'enregistrement d'une représentation de *L'École des femmes* à Boston, ils ont pu entendre avec quelle attention le public y avait assisté. « *In 1952 – one year after Jouvet's death – we had the records of the École des femmes made during the performance in Boston*[2] ». Le « we had... », ce *nous*, nous qui recevions ces enregistrements, nous qui les

1. « Pourquoi je m'intéresse autant au théâtre, sans être moi-même comédienne ? Parce que j'ai été la secrétaire de Louis Jouvet (de 1937 à 1951, date de sa mort). Je ne suis pas allée avec la Compagnie aux États-Unis en avril-mai 1951. (Il n'y avait pas de subventions gouvernementales si on accompagnait la troupe sans être comédien). » BNF, Fonds Delbo, 4-COl-208-70, Succession Delbo.

2. « En 1952 – un an après la mort de Jouvet – nous avons reçu les enregistrements de *L'École des femmes* réalisés pendant la représentation à Boston. »

avons écoutés ensemble… ce nous reconstitue le groupe des proches de Jouvet, de ceux qui travaillaient avec lui, Charlotte en est. Voilà un autre « nous » qu'elle utilise, après ce « nous » qui faisait corps au camp, corps qui reste en mémoire au-delà de la mort de nombreuses d'entre elles, il y a un autre nous encore auquel elle appartient, et qui existe au-delà de la mort du « Patron ».

Ils écoutent ces enregistrements et, tel que Charlotte le raconte, on retrouve ce lien extraordinaire qu'elle sait établir entre ce qu'elle entend et ce que son imagination produit. Elle écrit qu'à écouter les rires des spectateurs, leurs soupirs, leurs silences, elle vit le jeu des acteurs ce soir-là à travers les yeux de ce public. Entre oreille et empathie, Charlotte reconstituait ce qu'elle voulait, elle *voyait* la scène entendue.

Au pied du texte, elle écrit la date, « Mai 1951 ». Après avoir parlé d'un enregistrement reçu en 52 ! Il arrive ainsi dans ses archives de retrouver ici et là des dates surprenantes données par Charlotte, mais qui sont bien sûr signifiantes. Là, c'est ce qui l'a marquée et reste daté de 51, la mort de Jouvet. En tête des trois feuillets qu'elle classera, elle notera : « Remis à Dan Lerner pour son enquête sur la voix de l'Amérique Mai 1961. »

À la première phrase de son article qui est aussi son titre, « Je n'écoute pas la radio », elle ajoute une confidence entre parenthèses, « mes amis disent que je suis quelqu'un qui n'écoute pas, je parle trop ! ». Une façon de se moquer d'elle-même et de provoquer, d'autant quand on a lu des pages de son livre sur le retour, des récits qu'elle a entendus des années plus tôt d'amis survivants et qu'elle restitue avec tant de détails. Elle écrit encore, « Les voix à la radio ont un étrange effet sur moi : je ne peux réellement suivre ce qu'elles disent ». Sa confidence qui pouvait paraître paradoxale révèle qu'il ne s'agit pas pour elle d'écouter mais d'entendre. C'est sa caisse de résonance qui doit être sollicitée. C'est sa perméabilité à ce qui la touche involontairement, émotionnellement qui la fait entendre, et du coup, voir, recomposer, donner le développement qui s'impose.

Entendre ce qui résonne juste. Pour écrire ce qui peut être entendu par le lecteur.

Neuf ans après n'avoir rien écrit, c'est sa voix, la voix d'une femme passionnément amoureuse que Charlotte Delbo veut faire entendre. Elle écrit une nouvelle, vingt-sept pages manuscrites, sur une passion amoureuse pendant ces années 50, la passion amoureuse de sa vie au sens où cet amour l'a autant transportée qu'il l'a fait souffrir.

Elle avait rencontré Serge Samarine en Grèce en 1949, mais c'est à Genève, lorsqu'il vient y travailler, que l'amour se noue. À lire la nouvelle, on ne peut savoir le nom de celui autour duquel tournent ses phrases et ses souvenirs, et contre lequel se cogne son désespoir après la rupture. C'est par le cercle des amis qu'ils fréquentaient ensemble, qu'elle nomme dans la nouvelle, et son trajet dans les rues de Genève, dont on peut restituer le plan, qu'on peut reconnaître Serge Samarine.

Il ne s'agit pas de confidences, dès les premiers mots elle trouve le ton d'une forme distancée, littéraire. Son intention est d'écrire une nouvelle sur la fin de cet amour, sur ses propres questions, le doute qui s'insinue jusqu'à la peur, toutes ces années où elle s'est heurtée au caractère fuyant de celui qui lui disait qu'il l'aimait.

Charlotte Delbo donne un titre à sa nouvelle, Février, qui dit le froid, le gel après la passion, et se réfère au décor du début de son texte, le parc enneigé qu'elle traverse avant de rentrer chez elle, et qui la rend si méditative. La neige qui pèse sur les branches la fait penser et revoir un autre paysage, et elle commence avec douceur, prenant son temps, comme si une fois encore ce prodige de la mémoire qui superpose était un effet qui donne de toute façon un certain bonheur, la possibilité d'être, de se retrouver. La neige du parc évoque un souvenir dont elle s'étonne, puisqu'il n'avait pas l'hiver pour cadre. C'était un voyage à Venise avec lui, or elle n'a jamais vu Venise sous la neige. Et c'est un autre souvenir qui aurait pu venir, pense-t-elle, un retour ensemble de Paris en voiture, une route verglacée… « Mais qu'elle était jolie la route entre les arbres dont les troncs étaient noirs avec une rayure blanche tout du long, la neige plaquée et durcie en lignes si parallèles, si régulières sur tous les troncs – et nous avancions dans ce paysage blanc à rayures noires verticales – ce paysage froid et doux que nous transpercions dans la voiture où nous étions comme dans un abri fragile et chaud. Pourtant aujourd'hui le parc sous la neige me fait penser à Venise, où il n'y a pas d'arbres, où nous ne nous sommes pas promenés dans un parc, où il n'y avait pas de neige – mais peut-être y pensé-je parce que la lumière de la neige est douce et réfractée et y rend tout transparent et comme immédiatement compréhensible et qu'entre nous à Venise : c'était ainsi : il semblait qu'il n'y avait rien d'obscur entre nous[1] ».

Charlotte Delbo joue avec sa mémoire comme avec un jeu de cartes. Pour les distribuer autrement, et elle découvre une liberté retrouvée. Celle d'écrire. Soudain il paraît doux de jouer. Alors qu'au tout début, cette pensée de lui qui la tenaille, fermait l'horizon. « Je pense à Venise. Pourquoi Venise ? Je n'ai jamais vu Venise sous la neige. Je pense à vous. Je ne pense qu'à vous ». Le « vous » survient – Serge et Charlotte se vouvoyaient –, pour s'adresser à un interlocuteur, le prendre à partie. Elle reprend la forme d'une lettre fictive, ou de l'adresse au lecteur. Ce moteur qui la fait écrire.

« Et voilà qu'à Venise toutes ces images juxtaposées n'en formaient qu'une – elles étaient fondues entre elles et dans cette synthèse surgissait clair votre vrai visage – total – sans aucune ombre. Il était tout à coup sans énigme, sans réticence, sans contrainte. Il ne craignait pas de se laisser déchiffrer, et se donner à lire. Je le découvrais ne sachant si c'était le résultat de cet effort patient que j'avais fait pendant des années pour arriver à le faire apparaître – ainsi tout ce jeu de mosaïques aboutissait enfin à un dessin sensible, formé de

1. Février, BNF, Fonds Delbo, 4-COL-208-275, Succession Delbo.

quelques traits essentiels, qui contenait tout, ou si ce n'était pas plutôt parce que là à Venise, vous étiez enfin vrai et laissiez tomber vos défenses pour vous montrer vivant ».

Elle voudrait faire revivre le lien tissé pendant des années et ses phrases semblent sinuer comme la phrase proustienne pour découvrir une élucidation. Ce Marcel Proust qu'elle aimait tant lire et qui semble ici hanter son écriture. Elle cherche le secret qui lui ferait voir qui est Serge, et que la patiente évolution de la phrase lui permettrait de découvrir.

Elle traverse le parc des Bastions avant de remonter vers la rue de Contamines où elle habitait depuis trois ans. Elle hésite à passer sous ses fenêtres, c'est sur son chemin, il habite au 7 de la rue de l'Athénée, là où elle lui a trouvé en 1952 un appartement. Rue de l'Athénée ? Le nom du théâtre de Jouvet ? A-t-elle choisi la rue, pour son nom et les souvenirs qui y étaient attachés, ou a-t-elle constaté un de ces signes du destin, qui lui étaient si chers ?

Mais douceur et patience s'évanouissent d'un coup à la cinquième page, comme si une brûlure les chassait d'un coup. Il lui faut annoncer que c'était « faux ». « Faux votre visage de Venise comme tous les autres ». Et elle aimerait appeler au secours son ironie, garder distance et maîtrise sur la douleur, voir l'illusion dont elle fut victime, « un effet du charme de Venise qui avait agi sur nous comme sur des milliers d'autres. D'une banalité à pleurer ! ». Mais son ironie n'est d'aucun secours. Quand elle veut regarder s'il y a de la lumière chez lui, imaginer ce qu'il fait, chaque détail de son appartement lui revient en mémoire et creuse sa blessure.

C'est elle qui le lui a aménagé, a choisi la place de chaque meuble, chaque objet. Cette passion invasive lui a tout fait choisir à sa place, mais s'en est-elle rendu compte, Charlotte Delbo ? Elle a donné sans mesure, sans limites, et aujourd'hui s'ouvre une douleur sans barrière possible. Va-et-vient entre douleur et réflexion, ses pages mettent en scène des faits qu'elle raconte et ses pensées qui prennent corps. Chaque fait dont elle se souvient augmente la conscience de sa douleur. Tout parle tellement d'elle dans cet appartement, il devrait le fuir s'il s'en rendait compte, pense-t-elle, elle le voit qui touche un objet, à l'endroit où elle l'a placé – mais sans penser à elle. Tandis qu'elle n'a rien qui lui appartienne chez elle, sinon les trois ou quatre livres prêtés qu'elle veut garder puisqu'il n'y a rien d'autre de lui chez elle. Rien de lui, mais il est présent chez elle comme une partie d'elle-même. Vertige de cette présence absente, et de son absence à elle-même.

« Je ne suis jamais chez moi – jamais en moi. (...) L'été a passé sans que je sache ce qui s'est passé, l'automne, la fin de l'année, l'hiver. Je pourrais dire ce que j'ai fait – à peine j'ai marché ici ou là ou ailleurs, j'ai parlé à des gens. Je n'ai rien dit – voilà maintenant des mois – huit je compte – que je ne dis rien. Que je parle à personne, je ne parle qu'à vous ». Sa respiration semble au bord de se couper. Menacée.

Elle tente de reprendre un rythme plus long, l'évocation de ce qui la construisait. « Ce dialogue ininterrompu cette conversation constante entre nous, pendant tant d'années, n'était-ce pas ce qui vous était le plus précieux, à vous ? » Mais la rupture revient tout de suite avec cette menace sur elle-même qui semble disparaître. « Je n'ai plus personne à qui parler. Je ne parlais qu'à vous. Quand je lis un livre, c'est à vous que j'ai envie, que j'ai besoin d'en parler et je commence une conversation à une voix où se presse tout ce que j'ai à dire. Et la conversation s'étiole et s'interrompt et aussi ma lecture. Pourquoi lire ce livre. Je n'ai personne à qui dire ce que j'en pense. Je ne pense plus rien. Je pense à vous ».

Combat entre le je et le vous, le vous qui a englouti le je. Sa voix de femme amoureuse, blessée, qui veut parler, ne trouve plus qu'un filet de voix.

Serge Samarine avait onze ans de moins qu'elle, il a vingt-huit ans quand leur relation amoureuse commence, elle a près de quarante ans. C'est un jeune aristocrate russe né à Moscou, dont la famille a été prise dans la tourmente de la Révolution et qui ne s'exila qu'en 1931 après la mort du père, arrivant à Paris dans de grandes difficultés matérielles.

Serge n'a que six ans, mais l'aîné d'une fratrie de cinq, il est considéré comme le chef de famille après la mort du père. Cette responsabilité, il en porte le poids, comme son assujettissement à une mère autoritaire, et qui ne voulait pas de Charlotte Delbo pour son fils aîné.

Après l'école des cadets, créée par l'émigration russe blanche, il entre au lycée Michelet de Vanves, brillant élève, il obtient le 1er prix au Concours général en dissertation française. À vingt ans il s'est engagé dans la Résistance communiste auprès du colonel Rol-Tanguy. Il se vivait communiste de cœur parce qu'il considérait que sa patrie était l'Union soviétique, précise son frère, Michel Samarine.

Il est poète depuis l'adolescence, écrit ses poèmes en russe, en écrira toute sa vie, plus d'un millier, non publiés, alors que le roman qu'il écrit en français dans les années 70, *L'Abolition*, paraîtra chez Gallimard en 1978 et recevra le prix de l'Académie française. Il a fait des études de philosophie jusqu'à la licence, a dû les interrompre pour subvenir aux besoins de sa famille. Son don pour les langues lui a permis de devenir interprète en 1946 à la faveur d'une circonstance. Il a vingt-deux ans, son meilleur ami qui lui se prépare à entrer à Polytechnique l'emmène à la Conférence sur la Paix au Palais du Luxembourg. Samarine s'avère capable d'être interprète dans les deux langues, et depuis les deux langues, le français et le russe, qualité rare. Son goût et son don ne s'arrêtaient pas là. Parce qu'il aimait la poésie d'Adam Mickiewicz, il s'était inscrit à l'Institut des Langues orientales pour apprendre le polonais. Il lisait en russe à Charlotte les œuvres de ses écrivains préférés, Tchékhov, Dostoïevski et Tolstoï, et elle à cette époque s'est mise à apprendre le russe, le comprend et commence à le parler. Michel Samarine dit que son frère lisait très mal. Longuement, le soir, il lui lit les pages des auteurs qu'il aime, c'était une tradition familiale, leur mère leur avait lu trois fois en entier *Guerre et Paix* de Tolstoï.

Charlotte et Serge ont voyagé ensemble, sont allés à Paris, à Venise, ont suivi ensemble à la radio l'entrée des chars russes à Budapest en 56, leur dialogue est constant, la rupture qu'il lui a demandée l'été 57 a plongé Delbo dans la douleur.

Anne de Belleval, qui avait rencontré Charlotte Delbo quelque temps après leur arrivée à Genève, en 55, m'a parlé de Serge Samarine. Anne de Belleval et son mari Guy avaient été incités à venir s'installer à Genève, par les Vichniac, Isabelle Vichniac était la correspondante du *Monde* à Genève, Guy était journaliste. Anne avait fait du théâtre très jeune à Nice puis au Conservatoire de la rue Blanche. Elle avait vu les mises en scène de Jouvet, les décors de Christian Bérard, elle en avait gardé un souvenir éblouissant et ce fut tout de suite un sujet de conversation avec Charlotte.

Serge Samarine était là quand ils venaient dîner chez Charlotte. Garçon timide, réservé, fin gourmet, sachant parler tant de langues, russe, anglais, polonais, allemand, et très cultivé. Anne de Belleval se souvient que Serge avait fait découvrir Beckett à Charlotte. Et l'image qu'elle garde de leur amie ces années-là est celle d'une femme qui aimait tant la vie et ses plaisirs, et qui était d'une gaieté exubérante. Elle se souvient de leurs pique-niques joyeux avec Serge dans le Jura, les soirs d'été, puis de la rupture, tragique pour Charlotte. Elle traversa une profonde dépression, fit un séjour en clinique, subit une cure de sommeil qu'elle supporta mal. Ils découvrirent tous deux, Guy et elle, seuls autorisés à lui rendre visite, une femme méconnaissable.

Michel Samarine a connu Charlotte Delbo en 1956, quand il vient rendre visite depuis Paris à son frère. Serge lui a parlé d'une femme remarquable, à la personnalité très intéressante, chez qui il l'a emmené dîner plusieurs fois, mais il ne lui a jamais parlé d'elle comme d'une femme qu'il aimait, n'a jamais évoqué une relation amoureuse. Charlotte faisait une excellente cuisine, elle débouchait elle-même ses bouteilles de vin, il en avait été frappé. Le jeune homme qu'il était s'était toujours demandé ce que cette femme pouvait bien recevoir de son frère en regard de tout ce qu'elle faisait pour lui, en plus de le convier souvent à de très bons dîners. Il savait qu'elle avait entièrement meublé et décoré son appartement.

Lorsque Michel Samarine est venu s'installer plus tard à Genève avec sa femme et leur bébé, il se souvient des yeux rougis de Charlotte un dimanche après-midi qu'elle venait chercher Serge et que Serge voulut rester avec eux. Il venait fréquemment chez nous s'assurer que nous allions bien, il se sentait toujours très responsable de nous, dit Michel Samarine.

La nouvelle de Charlotte fait le récit d'une autre histoire, passionnée et passionnelle, de sa dévotion à un amour auquel elle a sans réserve voué quelques années de sa vie. Totalement. Et intensément.

Georges Dudach était plus jeune qu'elle aussi, d'un an seulement. Cet amour fut plus charnel, doux, tendre. Avec Serge Samarine, elle partageait une entente intellectuelle qui la comblait. Elle s'est mise à faire pour lui ce qu'elle aurait voulu pour elle, comme se remettre aux études. Elle l'a incité à reprendre ses études de philosophie, et bien sûr à écrire, poursuivre son œuvre, comme si c'était plus facile, dans le feu de la passion, de le faire à travers lui. Avec l'air malheureux qu'il pouvait avoir, Charlotte l'a pris sous son aile, elle voulait renverser le cours des choses pour lui. Et le ressusciter d'une névrose profonde, dont il semble qu'il lui ait parlé.

C'est au cours de l'année 56, en pleins feux de l'amour, qu'elle s'est rendue au mariage du fils de l'instituteur qui lui avait ouvert grand sa porte quand elle séjournait aux Hortensias en 1946. Et Michel Ziegenhagen m'a parlé d'une femme éblouissante. Quand je lui dis son âge à cette époque, 43 ans, il se souvient d'une femme qui en faisait dix de moins, pourtant lui qui n'avait que vingt-deux ans, n'était pas prêt à rajeunir la génération au-dessus de lui.

Charlotte avait passé douze mois à Auschwitz, seize à Ravensbrück. Et dix emprisonnée en France. C'était à peine croyable pour ses contemporains.

Mais elle gardait ses secrets. Si elle découvrait son bras et laissait voir le tatouage de son numéro, jamais elle ne parlait d'Auschwitz, ni de son livre, Michel Samarine ne savait pas qu'elle avait écrit un livre, ni des nouvelles. A-t-elle parlé à Serge de son livre ?

Quand Samarine lui annonce qu'il va partir, retourner dans son pays natal, et donc qu'il va devoir la quitter, elle se raisonne. « Je comprenais qu'un poète veuille vivre là où se parle la langue qu'il écrit. Pour sauver ce poète du désespoir, de l'ennui de vivre, que n'aurais-je fait, que n'ai-je fait ». Mais elle apprendra par leur ami commun qu'il a renoncé à partir. Ce n'était donc qu'un alibi vis-à-vis d'elle. Sa douleur devant l'inéluctable, sa colère d'avoir été trompée, la tristesse, le dépit devant sa propre impuissance, l'emportent, elle voit défiler tous ses efforts depuis des années qui n'ont servi à rien.

Elle a besoin de retourner le couteau dans la plaie de son ignorance, de son aveuglement. Comme elle n'abandonne pas le besoin de retrouver les expressions de bonheur sur son visage, quand il la cherchait à son retour de voyages professionnels avec tant d'ardeur, qu'il ne la trouvait pas chez elle, partait à sa recherche jusque chez des amis, et qu'elle voyait l'expression de son visage s'illuminer de la voir enfin. « Que ne donnerais-je pour la revoir, même feinte ».

Les pages de Charlotte Delbo sur la douleur de cet amour qui n'est plus partagé sont bouleversantes, elles rappellent *Les Lettres de la Religieuse portugaise*. Et par instants la narratrice retrouve sa lucidité, reprend distance, évoque un voyage, une conversation, des pages de Stendhal ou de Shakespeare qu'elle voudrait relire, puis revient au « vous », au ton d'une lettre qui ne sera jamais envoyée et dit qu'elle tourne elle-même au « soliloque dément ». Il n'y a personne d'autre que lui avec qui elle aimerait être, elle ne s'intéresse plus au monde qui l'entoure puisque lui n'est plus à ses côtés. « Il y a au cœur de moi-même une zone dure et opaque où rien ne vit – ce doit être cela être mort vivant ».

Elle sent bien que « c'est pire que le désespoir de l'été dernier », et comme le lui dit Guy, « c'est la vie qui s'en va du dedans de toi ».

Au détour d'une conversation avec des amis, elle les entend parler d'*Hiroshima mon amour*. À cet instant elle décroche de la conversation. « J'ai cessé de parler parce que *Hiroshima mon amour* c'était toute mon histoire à moi ». Le film était sorti en 57, elle l'avait vu, il lui revient et avec cette association, « c'est toute mon histoire ». Étonnant raccourci.

Elle voudrait pouvoir nuancer : « … et cependant… quoi de comparable entre cette rencontre cet amour de quelques heures et mon histoire à moi ». Entre cette femme qui se trouve pour le tournage d'un film sur le lieu de la catastrophe d'Hiroshima, qui rencontre un amour et retrouve le souvenir de son amour de jeunesse qu'on a assassiné, ce qui l'a rendue folle de douleur. Comme on a assassiné l'amour de Charlotte, Georges Dudach, événement qui aurait pu la rendre folle de douleur. À la différence que son amour à elle était pour un Résistant. L'amour de la jeune héroïne du film était pour un soldat allemand, qui sera assassiné à la fin de la guerre à l'endroit même où ils devaient se retrouver pour fuir ensemble. L'héroïne du film retrouve ce souvenir quand elle doit quitter son amoureux japonais, comme Charlotte réveille la douleur du premier amour assassiné au moment où son amant russe la quitte.

La mémoire comme l'oubli, et les deux sont liés à l'amour dans le film d'Alain Resnais écrit par Marguerite Duras, font écho à sa vie, où Auschwitz occupe la place d'Hiroshima. Autre mémoire à garder, autre oubli contre lequel lutter. « Tu n'as rien vu à Hiroshima » résonne comme un leitmotiv dans le film, Delbo en aura été frappée, elle qui avait écrit plus de dix avant, dans *Aucun de nous ne reviendra*, combien il fallait voir, avoir le courage de voir. « Essayez de voir », répétait-elle dans ses pages, pour défier le lecteur.

Le film la renvoie à l'oubli qui menace de la prendre, elle aussi. Alors qu'elle vient d'écrire qu'elle ne pense qu'à lui depuis huit mois. « Ce qui était déchirant c'est de savoir d'expérience humaine que tout s'efface et qu'un jour je ne penserai plus à vous qu'un jour je vous aurai oublié » reprenant ce qu'elle écrivait dix ans plus tôt, évoquant l'adieu à Georges, la douleur de savoir qu'elle vivrait et l'oublierait.

Son amant vivra, mais l'amour sera mort. « Je voudrais oublier pour ne plus souffrir. Je voudrais ne pas oublier, garder en moi toujours, chaud et palpitant, ce moment unique où je croyais que nous étions heureux à Venise, chaque moment unique dont ont été faites ces années pendant lesquelles nous avons vécu ensemble, cette conversation que rien n'interrompait, qui ne s'arrêtait que pour reprendre et qu'alimentait sans fin la participation que nous prenions à la vie autour de nous, aux événements, à la pensée ».

La mémoire et le jeu terrible de la mémoire avec l'oubli, qui est comme le combat entre la vie et la mort, se retrouvent dans toutes les œuvres de Charlotte Delbo.

Elle avait débuté sa nouvelle par une première phrase « Je traverse le parc pour rentrer chez moi », qui manifestait le désir de se retrouver, de retrouver son « je » et ne plus passer son temps à ne penser qu'à lui, à chercher ce qu'il fait, ce qu'il ressent, ce qu'il regarde… Comme si l'écriture qu'elle reprenait, après tant d'années sans avoir écrit, allait lui donner le chemin vers elle-même. Mais le texte prend un chemin introspectif qui l'amène à ouvrir tant de questions sur elle, sur lui, jusqu'au vertige. Une béance s'ouvre avec l'accumulation d'interrogations sans réponse, et finit par laisser apparaître une zone morte à l'intérieur d'elle-même. Il est à penser que c'est peu de temps, quelques semaines plus tard, qu'elle sera hospitalisée. Le fil des dernières phrases reste en suspens. Elle abandonne la nouvelle commencée sans lui donner de fin, mais ne la détruit pas. Elle l'a gardée dans ses archives personnelles jusqu'à sa mort.

Au cœur de moi-même une zone dure et opaque où rien ne vit… Charlotte traverse une nuit intérieure, d'où la vie s'est retirée, ce printemps 1958. L'enthousiasme qu'elle avait allumé, ce feu dont elle attisait les braises en permanence pour elle, pour Serge, s'est éteint. Froid, cendres, désert. Sensations d'abandon et de gel, qu'elle avait affrontées dans la violence de l'Histoire. Cette fois, elle les traverse dans les ténèbres de l'intime.

Charlotte Delbo aura bientôt quarante-cinq ans. La violence qu'elle a subie quinze ans plus tôt ne peut pas l'aider à traverser une nouvelle fois le désert. Au contraire, c'est le coup de trop au moment où elle a cru l'intensité de la vie amoureuse à portée de main.

La douleur, la colère, l'impuissance... À quoi servirait-il de lutter, puisque Serge ne reviendra pas.

La nuit, des cauchemars la réveillent, elle voit tous les dangers s'abattre sur lui, elle suffoque parce qu'elle ne réussit pas à l'en protéger... Renoncer, Charlotte n'a jamais pu. Les tourments de son impuissance l'épuisent, comme elle s'épuise à penser qu'elle voudrait encore tant parler avec lui. Le dernier livre de Butor, qu'en pense-t-il ? Cet article, bien quelconque, sur Heidegger, nous aurions mille choses à en dire, n'est-ce pas ? Le soliloque tourne sans fin, elle ne trouve pas l'issue. Elle entre en clinique, une clinique psychiatrique aux environs de Genève, mais se réveille anéantie par une cure de sommeil. Elle qui avait tant d'énergie. Une énergie à revendre, une énergie à donner, à tant donner. Vulnérable dans son besoin de donner de l'amour, d'éprouver si fort l'amour.

Elle se relèvera de sa dépression et retrouvera des forces. Sa volonté durcie. Sa capacité si grande d'amour, cachée, plus cachée qu'elle n'était, et cachée derrière un esprit mordant, corrosif.

Sa mère n'a rien su, à quoi bon, Charlotte voulait la protéger. Sa sœur, Odette, non plus, Charlotte a rompu avec elle. Odette avait cherché, dans le dos de sa sœur, à faire mettre à son nom le bail du studio rue de la Faisanderie. Charlotte l'avait laissé l'occuper. Être trahie, il ne faut plus lui en parler.

À Genève, elle quitte son ancien appartement pour ne pas se retrouver sur les traces du chemin où elle s'est perdue. Elle déménage pour aller habiter un peu plus haut sur Champel, 18 avenue Peschier. À Paris de même, elle avait quitté la rue de la Faisanderie et ses mauvais souvenirs, et s'était trouvé un studio, 8 bis rue Blomet, dans le 15e, qu'elle occupe quand elle vient voir sa mère et ses amis.

À la fin de cette année, la comédienne Dussane est venue à Genève parler de Louis Jouvet. Elle avait terminé sa carrière sur scène commencée en 1903, et s'était mise à faire des conférences sur le théâtre. Charlotte vient l'écouter. Après avoir entendu tant de choses fausses sur Jouvet, Charlotte Delbo lui adresse une longue lettre. Un réquisitoire.

Elle relève approximations, bêtises, anecdotes ridicules, et tout ce que Dussane a passé sous silence. Point par point.

Pourquoi n'avoir parlé de Jouvet qu'en évoquant le jardin de *L'École des femmes* ? Pourquoi n'avoir parlé de Jouvet artisan du théâtre qu'en évoquant ses fonctions d'accessoiriste chez Copeau ? Et Jouvet directeur de comédiens ? Celui qui veillait sur chacun des membres de la troupe ? Et Jouvet professeur de théâtre ? Jouvet écrivain ? Pas un mot. Et son originalité véritable, qu'en avez-vous dit ? Pourquoi n'avoir pas dit qu'avec lui « la poésie était revenue au théâtre[1] » ?

Charlotte sort ses griffes, maintenant. À la violence de ce qui l'attaque, elle sort sa violence. Argumentée, précise. La raison, la connaissance, comme bagages. Et dire. Ne pas laisser passer. Ne plus laisser passer.

Et puisqu'elle avait appris que Serge Samarine avait renoncé à partir en URSS, elle, elle décide d'y aller. Elle veut voir ce qu'il en est du pays du socialisme réel. Et elle en trouvera le moyen. L'été 1959, l'ONU finance une mission d'observation de la navigation fluviale en URSS pour des experts asiatiques. Charlotte Delbo les accompagnera comme secrétaire administrative et interprète. Elle avait trouvé le moyen de visiter une grande partie de l'Union soviétique, de Moscou à Rostov-sur-le-Don.

Le séjour de la mission commence à Moscou et Charlotte pourra parcourir la ville à son gré du matin au soir.

1. Lettre du 12 décembre 1958 à Dussane, BNF, Fonds Delbo, 4-COL-208-41, Succession Delbo.

Elle descendra ensuite la Volga sur trois mille deux cents kilomètres en visitant plusieurs villes, et à Stalingrad ils emprunteront le canal de la Volga au Don jusqu'à Rostov. Elle reviendra à Moscou quelques jours, et fera encore un saut à Leningrad avant de rentrer.

Elle travaillera à la rédaction du rapport de la mission en anglais, mais c'est pour elle qu'elle entreprend ce voyage. Ce qu'elle a observé au cours de la journée, elle l'écrira chaque soir dans un cahier. Elle gardera ces impressions à chaud, des phrases entières, dans le récit qu'elle va écrire à son retour. Des détails viendront s'ajouter mais, dès qu'elle écrit, fût-ce à chaud, c'est une voix qui lui vient, *sa* voix qu'elle écoute et restitue. En octobre, en un mois elle écrit *Un métro nommé Lénine.*

Depuis la vitre du train dans lequel elle est montée à Vienne, elle guette les « choses vues » au pays du socialisme réel. Elle scrute le paysage, remarque l'absence de routes goudronnées, voit des maisons mal construites, le puits à l'écart et le long des routes des poteaux électriques qui ne sont pas raccordés aux maisons. Pas d'eau, pas d'électricité ! Et tous ces champs en friche… « Je n'en peux plus de regarder des champs socialistes[1] », s'exclame-t-elle à la fin de la première journée de train.

Tant de femmes travaillent à la voie et posent même les rails. Les usines dans la banlieue de Moscou sont mal bâties et « tristes »… Sur le toit des maisons, le nombre des antennes révèle le nombre incalculable de familles qui y logent… « On arrive à Moscou, j'avais le cœur tellement serré que je me suis demandé si j'avais envie de continuer le voyage ». En face de Lénine embaumé, elle se demande à quoi correspond ce « cérémoniel religieux », ce « retour aux religions les plus primitives », pour un homme qui a écrit « une œuvre de raison et de lucidité ».

Elle sillonne la ville à pied, en tram, en taxi pour voir le plus de choses possible de la ville et de la vie quotidienne. Elle cherche la maison de Stanislavski, le théâtre continue à la guider, la cour de la maison est pleine de débris, les

1. *Un métro nommé Lénine*, BNF, Fonds Delbo, 4-COL-208-236, Succession Delbo. Et pour toutes les citations qui suivent.

gosses jouent dans les mares sales. Elle passe près de l'entrée d'un immeuble, voit les caves habitées, elles n'ont qu'un soupirail qui arrive en contrebas du trottoir. Beaucoup d'anciens bâtiments sont à l'abandon, elle en éprouve une « tristesse accablante ». Elle déteste ces larges perspectives qu'on borde de bâtisses genre HLM, les belles maisons donnaient un cachet à chaque quartier, on les a laissé s'écrouler. Et « le Kremlin au milieu, un vestige, comme une réserve d'Indiens ».

Elle regarde les vitrines, ce que vendent les magasins, les queues à faire pour chaque aliment, la queue pour être servi, la queue pour payer, la queue pour emporter, la vie quotidienne lui paraît impossible, la vie des femmes, laborieuse, usante, leur visage est si fatigué, le teint brouillé et maladif… « J'avais envie de rentrer tout de suite, de ne pas rester un jour de plus dans cette ville qui tombe en poudre par la bêtise, l'ignorance ou l'incompétence de ses édiles ».

« Chaque fois que je rentre pour le repas à l'hôtel on me demandera si la nourriture était bonne à mon hôtel, franchement je n'en sais rien. J'ai la gorge si serrée que je mange à peine ».

Quand elle visite un palais, on lui parle du seigneur qui a éduqué les serfs pour en faire des comédiens ou des danseurs ou des musiciens dans le théâtre qu'il s'était fait construire. Jamais elle ne pourra apprendre le nom de ce seigneur. C'est « Le Musée du Génie des serfs », c'est tout ce qu'on lui répond. Elle est exaspérée. « Conçoit-on une histoire de la Renaissance qui tairait le nom des Médicis ? »

Elle noue une conversation avec une jeune femme qui lui parle de sa vie de jeune couple à Moscou, Charlotte lui pose la question de l'utilisation de la contraception. « Nous n'utilisons pas cela, c'est de la perversion ». Elle voit sa gêne, mais n'hésite pas à poursuivre. « Comment conciliez-vous la liberté de l'amour et la non-liberté de choisir le moment d'avoir un enfant ? » Elle imaginait que ses convictions d'Occidentale éclairée ne pouvaient être que celles d'une jeune femme au pays du socialisme réel. En France, elle était exaspérée des positions du parti communiste réfractaire au planning familial, opposé à l'avortement.

Elle ne se doutait pas de la condition faite aux femmes. Elle découvre les femmes astreintes aux travaux les plus rudes. Elle l'avait vu depuis le train, mais voilà que sur la chaussée en ville, ce sont elles qui portent des briques, se servent « d'une trague comme à Auschwitz », manœuvrent à la main les aiguillages du tram, courent d'une voie à l'autre.

Elle épingle les détails qui défient toute organisation rationnelle. Les boîtes aux lettres clouées sur la porte des appartements, des portes ont toute leur surface recouverte... Les appartements communautaires ne sont pas une légende, elle le sait, mais elle imagine le facteur monter dans les étages comme au temps des tsars. Et des boîtes au rez-de-chaussée qui faciliteraient la distribution du courrier. Il y a une réformiste qui veille chez Charlotte, pas seulement une révolutionnaire.

Mais au musée du Théâtre, elle s'émerveille. Elle découvre un théâtre de marionnettes du XVe siècle dont les poupées et le décor sont intacts. Elle parle avec la conservatrice, quel n'est pas son étonnement de l'entendre lui demander si en France on connaît Tchékhov ! Et de s'apercevoir qu'elle ne connaît rien de ce qui s'est écrit et monté en France au XXe siècle. « Il y a quelque chose de déchirant à ces contacts avec les gens cultivés qui s'occupent de musées ou de librairies : passionnés mais qui s'y réfugient. Ils ne sont pas adaptés à la vie du dehors, ils vivent dans leurs musées, dans leurs archives et recherches. Eux aussi sont des objets de musée, fragiles et dans un monde secret ». Si elle s'énerve en vain de leur complaisance, elle n'en éprouve pas moins de l'empathie pour leur monde intérieur qu'ils protègent.

Une femme dans un magasin de café l'entend « commander sans hésitation un mélange de 100 grammes de Guatémala et 100 grammes de Colombie ». Charlotte Delbo voyage avec sa cafetière, elle ne peut se passer de café, et il lui faut du bon café. La femme l'a entendue s'assurer qu'il s'agissait bien de café importé de ces deux pays, il ne faut pas lui en conter, à Charlotte. La femme lui adresse la parole, elle aimerait lui faire rencontrer son mari et son beau-frère si elle était libre un soir, tous deux sont professeurs, elle, musicologue. Charlotte découvre « des gens charmants qui s'expriment avec beaucoup de liberté », et elle peut leur poser les questions qui la taraudent. Le discours de Khrouchtchev ? Il ne leur apprenait rien. « Tout le monde savait mais on n'en a pas cru ses oreilles qu'il dénonce officiellement. Les crimes, ce n'était pas une révélation, tout le monde savait. Il n'y avait guère de famille qui n'ait eu l'un des siens déporté. » Charlotte Delbo leur apprend que *L'Humanité* avait démenti le rapport, soutenant que « c'était un faux américain » et découvre que c'était elle qui était prisonnière de fausses informations. Quand elle leur pose la question du culte de la personnalité de Staline, ils lui disent qu'il n'y avait que les communistes étrangers pour faire admirer Staline à leurs adhérents. C'était un rite. Ils ignoraient tout de la vie des gens. « Et les camps, comment était-ce ? » Le sujet qui la touche de plus près, elle l'a gardé pour la fin. Ils lui répondront, « durs, évidemment ». Les travaux forcés. Charlotte, en notant le soir ce qu'elle a entendu de la bouche de ses amis, ajoute entre parenthèses, « … à l'époque où Staline écrivait : “L'homme, le capital le plus précieux.” » Ses amis voudront la raccompagner en taxi à son hôtel, mais elle veut rentrer à pied. Seule.

Elle notera tout de sa déambulation nocturne, de ce qui lui fait aimer marcher la nuit en ville. Le mouvement des balayeuses qui ont pris possession de la ville, l'arroseuse municipale, les gerbes d'eau, les éclairages inattendus d'où « surgissent des décors et des fantasmagories », les façades modelées par la lumière comme des décors de théâtre. Elle lit sur les murs les petites annonces qui racontent la vie des gens, elle regarde les boutiques, les ateliers de réparation, toutes les sortes de pains d'une boulangerie encore ouverte, elle y reviendra, elle pense qu'elle pourrait trouver ces kalatchis, l'égal russe des croissants parisiens, qu'elle a « lus » dans tant de classiques russes. Charlotte entrerait bien dans la vie qu'elle avait découverte dans les pages des auteurs russes.

Elle consacre la moitié de son cahier de notes à la ville, sa curiosité y est stimulée, l'histoire passée, présente, se lit sur tout ce qu'elle voit. Mais tout l'afflige dans cette ville, écrit-elle au moment de quitter Moscou, la laideur, la vulgarité, l'abandon. Ne jamais voir une jolie robe, une démarche gracieuse, de belles fleurs, des couleurs fraîches, un joli sourire, et voir ces dents abîmées, ces prothèses qui déforment les bouches – rien n'échappe à son regard. Elle ne supporte plus l'absence de ce dont elle a besoin et aura besoin toute sa vie, des fleurs, un joli bouquet, un geste gracieux, une allure qui la charme, un exemple de l'art de s'habiller, l'arrangement d'une vitrine, la beauté gratuite, qui se goûte d'un regard. « Il y a un moment où on ne peut plus supporter tant de laideur. C'est aussi le moment où on s'y habitue, où on cesse de la voir. Mieux vaut partir et revenir plus tard ». Il ne lui suffit pas de dire qu'elle part submergée par la déception et la tristesse, il faut dire la conséquence, les capacités qui s'émoussent. Elle ne supporte pas de fléchir. Elle pouvait exprimer son exaspération légitime et nécessaire à dire, à ses yeux, mais plus important était encore ce contrôle sur elle-même, sa lucidité sur ses capacités, au nom de la connaissance qu'elle mettait au-dessus de tant de choses.

De la navigation sur la Volga, elle note peu de chose sinon ses conversations avec les deux jeunes femmes du personnel à bord, Choura et Nina qu'elle trouve sympathiques. Le bateau ne s'arrête ni à Gorki ni à Kazan, villes interdites aux étrangers, et elle le regrette bien. L'arrêt à Oulianov pour visiter la maison natale de Lénine se transforme en supplice pour Charlotte. La platitude des propos de la guide, son autoritarisme pour obliger les visiteurs à suivre ce parcours hagiographique lui sont si insupportables qu'elle s'enfuit.

L'enthousiasme de l'équipe soviétique qui les accompagne lorsque la radio annonce le succès de l'alunissage d'une fusée l'agace. Le progrès technique n'est en rien la preuve d'un degré élevé de civilisation à ses yeux. Ni d'une forme aboutie de gouvernement, de démocratie. « J'ai refusé d'admirer le fascisme parce que les trains arrivaient à l'heure sous

Mussolini. Je n'ai jamais reconnu la moindre vertu à l'hitlérisme malgré les autostrades et l'industrie chimique.

Je voulais admirer l'URSS pour avoir donné à la vie un sens nouveau, pour avoir créé un nouveau style de vie, pour avoir fait naître entre les hommes des rapports neufs. C'est ce que je cherche depuis que je suis ici et que je n'ai pas encore trouvé ». La crainte des patrons a été remplacée par la crainte des chefs. Si la caissière d'un magasin se trompe, elle est renvoyée sur-le-champ. Delbo se souvient du temps où elle a assuré la traduction en simultané des conférences de l'ONU, épuisante, et d'une collègue soviétique qui l'assurait toute la journée, ce qui était interdit par le règlement de l'Association des interprètes. Des souvenirs, qui n'étaient pour elle que des observations, mais dans la déception qui l'accablent et reviennent en chefs d'accusation.

Soudain dans le récit arrive la guerre d'Algérie. Parmi les interprètes qui les accompagnent, un jeune Soviétique, agacé par l'esprit contradicteur de Charlotte Delbo, « son esprit indépendant », lui brandit sous les yeux *La Pravda* qui relate de nouvelles mesures du gouvernement français en Algérie. Charlotte est furieuse qu'il puisse s'imaginer qu'il n'y a pas d'opposition en France à la politique colonialiste, qu'il n'y a pas de presse d'opposition qui existe et s'exprime. Et à brûle-pourpoint elle lui demande : « Pourquoi l'URSS n'a-t-elle pas reconnu le gouvernement algérien ? Il est interloqué. Oui, le gouvernement provisoire de la république algérienne dont les ministres sont à Tunis ? » Elle poursuivra quand il reviendra troublé et confus : « Je ne comprends pas que l'URSS, championne de l'indépendance des peuples, de la lutte pour l'indépendance et la liberté ne reconnaisse pas ce gouvernement qu'une douzaine de pays ont reconnu… » Alors il lui demande ce qu'elle fait pour arrêter la guerre. Cette phrase restera gravée dans l'esprit de Delbo. « Là il me tient » écrit-elle dans son récit. Quand elle *fera* quelque chose pour arrêter la guerre d'Algérie, quand elle écrira *Les Belles Lettres*, elle répondra à sa façon à la question.

Sur le moment elle n'abandonne pas le débat : « Qu'avez-vous fait pour empêcher la terreur du temps de Staline, les arrestations, les déportations... — Mais on a liquidé le groupe... tente-t-il de lui répondre. — Oui, mais *après* la mort de Staline. » Et quand il lui demandera si elle aimerait vivre à Moscou, elle se met en colère, « non ! », et raconte la vie d'une femme, d'une mère, ses journées harassantes et la crainte de l'arrestation, de la déportation des maris. Il lui répond par la crainte du chômage en France. « Il commence à me chauffer les oreilles ; il connaît la vie de la classe ouvrière du temps de Zola ».

Mais le lendemain quand le bateau arrive en vue de Stalingrad, l'émotion l'étreint. Elle entend encore le nom de la ville prononcé par le cheminot français derrière la paroi du wagon qui les emportait vers Auschwitz, et leur affirmer que les Allemands étaient battus, les Russes avaient écrasé l'armée là-bas. « "Ne vous en faites pas, les petites, vous reviendrez bientôt. Courage !" Et il est allé porter son message à chaque wagon. Stalingrad, c'était l'espoir et la vie ».

Stalingrad porte une charge émotionnelle qui dépasse l'intérêt de n'importe laquelle de ses observations jusqu'ici. « L'amas de ruines calcinées », comme elle imagine la ville après les combats, a fait place à une ville qu'elle voit avec les yeux de Chimène. « Tout est reconstruit et ordonné selon un plan aéré, généreux ». Il est 22 heures, elle vient de descendre du bateau, elle prend le premier tram qui passe jusqu'au terminus. La receveuse lui demandera de descendre. Lorsque Charlotte lui dit qu'elle retourne en ville, elle voit sa perplexité. Comment une touriste a-t-elle pu vouloir venir jusqu'ici ? « Il n'y a rien à voir. Ce n'est pas beau. C'est ici qu'habitent les travailleurs ». C'est là, note Charlotte, qu'elle a « entendu les mots les plus terribles ». Elle est affligée qu'une Soviétique trouve normal que les travailleurs soient relégués dans des lieux tristes et laids, loin, à l'écart. Tout ce qu'elle avait imaginé de cette autre société est mis à bas.

Mais au moment de quitter Stalingrad, l'émotion revient, avec retenue. « Nous remontons à bord. Le fleuve est magnifique dans le soleil. Le bateau nous emporte et nous regardons une dernière fois Stalingrad ressurgie ». À la fin du périple, elle se renseignera au bureau de l'Intourist, elle veut revenir l'été prochain pour ses vacances ! Elle projette de les passer au bord de la mer Noire, de voyager avec sa voiture. Elle prend les renseignements nécessaires, les papiers qu'elle devra avoir pour sa voiture, comment réserver sa place dans les campings, la paperasserie administrative, elle l'a vue. Son engouement n'est pas mort. Il y a quelque chose de plus fort, qui résiste. Qui résiste à la résignation. Une fois de plus.

Elle rentre à Genève avec son cahier. Ce qu'elle a à dire venait dès qu'elle l'ouvrait. C'est le moment d'écrire qui catalyse la forme. Charlotte écrit vite, pense vite, observe, analyse et synthétise immédiatement ou presque. Elle a toujours pu compter sur cette rapidité. Elle a parfois écrit ce qu'elle a fait et vu au bout de deux ou trois jours, mais sa mémoire a gardé tout ce qui l'a frappée, ses réactions, ses réflexions et le ton vient au moment d'écrire. Elle fera des ajouts au-dessus de quelques phrases, des ajouts plus longs, parfois toute une scène, numérotés à la fin du cahier, rétablis dans le texte au moment de le taper. Notamment une conversation avec un voisin de table, un soir à l'hôtel. Un jeune fonctionnaire soviétique, l'entendant commander en russe son repas s'adresse à elle, curieux de ce qu'elle a vu à Moscou. Ils parlent, elle lui dit entre autres qu'elle est allée au cinéma un soir, voir *Destin d'un homme* d'Eisenstein, qu'elle n'a pas aimé « parce que c'est faux ». « La vérité de l'art n'est pas celle de la vie ». Elle n'hésite pas à lui dire ce qui lui tient à cœur, la nécessaire transposition de l'art. « Vous ne voulez pas d'art réaliste ? » s'étonne-t-il, accusateur. « Je veux que l'art soit vrai ». « Il ne comprend rien du tout », note Delbo, et elle part à la charge en évoquant l'amour de Roméo pour Juliette ou la douleur de Bérénice, ces personnages qui ne sont pas réels mais « vrais ». Elle n'en peut plus de voir l'art prôné, falsifié par l'idéologie, où la transposition à faire pour trouver la justesse est inexistante.

Elle trouve « burlesque », « la situation d'un pays qui a fait la révolution la plus radicale de l'Histoire, qui veut changer le monde et qui vit dans une salle à manger Henri II ». Quand elle s'insurge que rien ne soit fait pour libérer les femmes de tâches usantes et sans intérêt, et qu'« on pourrait mobiliser quelques milliers d'ouvriers pour sortir 500 blocs de cuisine par jour. Cela ne mettrait pas le plan par terre », et qu'un économiste lui fait remarquer qu'il fallait d'abord faire des barrages, elle lui répond : « Vous êtes un imbécile. Voilà vingt ans que j'accepte vos arguments sans les analyser et que j'admets pour vérité démontrée que l'industrie lourde a priorité absolue. C'était vrai au début. Après quarante ans, ce n'est plus vrai. » Elle n'arrête pas de voir ce qui ne va pas, « elle n'avait pas les yeux dans sa poche, Charlotte », comme me l'avait dit Claudine Riera-Collet. Quand une jeune Soviétique s'étonne qu'elle ait pu reconnaître un policier, Charlotte lui fait remarquer : « Ici tout le monde regarde vos chaussures. Ce sont les seuls qui vous regardent la figure, les flics. »

Mais de retour à Moscou, elle est allée tous les soirs au théâtre et quand elle voit les Petites Tragédies de Pouchkine, « j'assiste à un des meilleurs spectacles qu'on puisse voir ». Des trois tragédies, c'est *Le Convive de Pierre* qui la touche le plus, « parce qu'elle est montée dans l'esprit où Jouvet voulait monter *Dom Juan* : une harmonie en noir et blanc. Jouvet n'a pas monté *Dom Juan* selon sa première idée mais à la façon dont il me l'avait expliqué, j'ai gardé pour toujours la nostalgie de ce *Dom Juan* en noir et blanc ». Elle se souvient très bien des premières réflexions de Jouvet qu'il lui avait dictées le 29 décembre 1945 dans sa loge. Treize ans plus tard, voilà qu'elle découvre sur un plateau de théâtre à Moscou ce qu'il avait imaginé. « Il y a cette idée qui m'est venue de Baudelaire que toute la pièce pourrait se jouer presque *en noir et blanc*, c'est-à-dire des décors sans couleurs proprement dites, où seul compterait pour la couleur le ciel, et quand j'entends le ciel, ce n'est pas seulement la toile de fond, c'est tout le cadre de scène, les trois côtés de la scène, avec absence de frise, afin que le décor n'ait pas de limite, que le ciel soit infini dans sa hauteur[1] ». Je pense à celle qui avait écrit tous ces ciels que sa mémoire visuelle lui avait laissés, ces ciels qui reviennent quand elle écrit les appels, les ciels au-dessus de Birkenau. Le sentiment d'une scène.

Quand elle a vu *La Mouette* de Tchékhov au Théâtre Stanislavski le lendemain, elle s'est ennuyée « au respect pieux de la mise en scène ». Un souvenir lui revient. À quelques jours d'intervalle, elle avait vu *L'École des femmes* à l'Athénée puis à la Comédie-Française. « On ne cessait de rire chez Jouvet, on bâillait au Français. Molière était un auteur moderne au parler contemporain chez Jouvet, un raseur à la langue archaïque au Français ». C'était en 1936, de quoi découvrir la jeune femme passionnée de théâtre qu'était Charlotte, un an avant de rencontrer Jouvet.

Delbo a toujours été critique. On voit tout ce qui la choque en URSS ! Mais elle n'épargnait pas la France non plus. Quand elle entendait ses amis excuser les peintures soviétiques en invoquant que « les Russes n'ont pas de goût, ils n'en ont jamais eu », elle leur répondait « Croyez-vous que les Français en avaient quand ils aimaient Bouguereau. Il a fallu Cézanne et Picasso pour que le goût renaisse… ». « Les Russes ne sont pas peintres. Ils sont musiciens. Il n'y a jamais eu de peintres chez eux ! » lui disaient ses amis après avoir vu comme elle l'exposition de la peinture soviétique à Paris en 1937. Elle ne s'en laisse pas conter. « Quelle ignorance ! Roublev s'égale aux plus grands peintres de son époque. C'est de lui et des peintres d'icônes qu'est parti Le Gréco. Les portraits classiques du XVIIIe valent ceux de l'Europe, mais surtout qu'on songe au bouillonnement de recherche, à l'effervescence qui a éclaté chez les peintres russes avant la révolution et a duré jusque dans les années 20… La peinture est retournée à Répine et voilà Guérassimov. Or Répine n'est pas le seul peintre

1. Notes sur *Dom Juan*, BNF, Fonds Delbo, 4-COL-208-34, Succession Delbo.

russe. Pourquoi avoir choisi un aussi mauvais peintre ? Parce que lorsqu'on a peur des idées, on prend pour modèles les œuvres où il n'y en a pas, les œuvres qui ne prêtent pas à des prolongements tant elles sont pauvres. Répine n'est pas un point de départ. On ne part pas de Répine, on y reste ». L'autodidacte parle, celle qui a appris dans les livres, qui allait au Louvre, parfois juste pour revoir un tableau de Corot ou de Watteau, visitait les expositions, cherchait des rapprochements, les évolutions, les bonds en avant. Apprendre par elle-même en a fait cette personne de l'émerveillement et de la contestation critique, qui aime se laisser émouvoir par la beauté et refuse ce qui ne passe pas le crible de sa réflexion. Le cœur et la raison. Ces faux jumeaux qui l'habitent, qu'elle abrite et nourrit ensemble.

Son cœur et sa raison débattent au terme du voyage, elle s'interroge... Tant d'observations l'ont révoltée, mais à la toute fin de son récit le jugement global n'est pas radicalement négatif comme on s'y attendrait. Elle fait une place à ceux qui argumentent qu'il faut être patient avec l'URSS, même si elle ironise sur ce tour de passe-passe qui attribue à Staline les maux du socialisme comme au nez de Cléopâtre les malheurs de l'empire.

Elle fait lire son récit à quelques amis. Jean Picart Le Doux, le peintre et dessinateur de cartons de tapisserie, qui avait participé aux *Cahiers de la Jeunesse*, est contre sa publication qui affaiblirait la lutte pour le socialisme. François Marié, homme de théâtre qu'elle a connu par les Belleval, responsable du syndicat CGT des comédiens, avec qui elle a souvent des discussions politiques quand il passe à Genève, approuve « ces *choses vues* concrètes, particulières, des plus utiles, des plus vraies ». Mais dans une lettre suivante, il lui dit ce qu'il lui a manqué à la lecture. « Vous m'avez dit un jour dans la conversation que tous vos espoirs déçus vous les avez reportés naguère sur l'URSS et l'avenir de l'URSS. Je regrette de ne pas trouver une telle phrase dans votre manuscrit. Toutes ces choses dites avant le train donneraient leur contexte, donc leur vrai sens aux impressions qui vous touchent tout de suite si brutalement, on comprendrait alors pourquoi[1] ».

Il n'y a pas lieu pour elle d'en dire plus sur elle : ce qu'elle veut c'est que les choses parlent d'elles-mêmes, parce qu'elle aurait réussi à les faire voir. Elle avait écrit *Aucun de nous ne reviendra* dans ce sens. Elle n'avait pas présenté celle qui voyait, qui subissait. Ni elle, ni ses compagnes. C'est l'horreur qu'elle avait voulu décrire. Ce livre-ci, bien différent, sans comparaison possible, est du même auteur, c'est-à-dire d'un écrivain qui donne à voir. Que le lecteur voie au moyen de ce qu'elle écrit, ouvre les yeux, ses sens, son entendement à ce qu'il en est du monde. Si elle entreprenait ce voyage, ce n'était pas pour parler d'elle, mais pour montrer ce qu'elle voyait. Ses commentaires ne viennent qu'ensuite, ils se dégagent de la réalité.

La confrontation de ses espoirs avec la réalité lui faisait mettre au premier plan ce qu'elle observait, et surtout pas la personne qu'elle était. Le contraire, même. Entre son cahier et le texte tapé au retour, elle effectue des changements pour corriger et faire disparaître l'émotion personnelle. Elle ajoutera par contre le souvenir des phrases chuchotées par le cheminot derrière la paroi du wagon plombé parce que ce n'est pas qu'un souvenir personnel mais le sort que l'Histoire a réservé à 230 femmes déportées vers l'Est. Le « je » personnel s'il traduit une singularité n'intéresse pas Delbo, celui qu'elle écrit c'est un « je » mêlé à l'Histoire, qui prend une autre dimension, celle d'un destin. Les promenades nocturnes de Vallauris, elle les avait rendues avec émotion parce qu'elle en a fait le début de son destin. Ce qu'elle a vécu enfermée, elle l'élargit à des personnages de la littérature, des mythes pour donner vie et valeur symbolique au-delà de l'individuel.

Et s'il y a à préciser quelque chose sur son regard, ce qui a préparé le voyage, elle le fait en convoquant le personnage d'Électre, c'est la première fois dans son œuvre. Dix ans

1. Lettres du 6 et du 19 décembre 1959, BNF, Fonds Delbo, 4-COL-208-238, Succession Delbo.

plus tôt, elle s'était arrêtée d'écrire au moment d'évoquer la lumière décomposante d'Auschwitz, ce n'est que bien plus tard, mettant en forme ce premier jet de *Spectres, mes compagnons*, qu'elle dira que dans cette lumière dissolvante Électre est apparue au-dessus de la ligne des marais. Au retour d'URSS, pour demander des comptes de toute l'injustice vue, elle en appelle à Électre, quitte à jouer de l'ironie en faisant répondre que le rôle a déjà été distribué à Nikita Sergueï Khrouchtchev. On voudrait lui faire croire que la vérité ayant été révélée par son rapport, la révélation dégage l'avenir. « En avant sur la voie lumineuse… » Elle ne peut s'empêcher d'être ironique. Et dire combien elle-même fut longtemps aveugle. « Il me semble que lorsqu'il s'agissait de me représenter l'horreur, à propos de l'Union soviétique, mon imagination était paralysée, refusait. Inconsciemment, je faisais comme si le discours n'avait jamais existé. Autre chose est d'imaginer, et de voir six ans après la mort de Staline, que les amis moscovites ne vous raccompagnent le soir qu'à cent mètres de votre hôtel.

On n'a pas cru toute sa vie à quelque chose pour accepter ensuite aisément que rien de ce qu'on croyait n'était vrai.

Hélas, j'en ai la certitude maintenant, rien n'était vrai ».

Il lui paraît alors évident d'évoquer sa situation personnelle. « Pendant des années j'ai refusé d'entendre sur l'Union soviétique tout autre son de cloche que celui donné par *L'Humanité*. Je me suis fâchée avec un ami parce qu'il voulait monter *Le Zéro et l'Infini*, j'ai insulté David Rousset parce qu'il parlait des camps en Union soviétique ». Je m'étais longtemps demandé quelle avait été la position de Charlotte Delbo au moment du procès retentissant de Rousset, en 1951, contre *Les Lettres françaises* qui l'accusaient de falsification lorsqu'il a révélé, le premier en France, l'existence des camps en Union soviétique. David Rousset, ancien déporté résistant, était fort d'une renommée incontestable à la suite de sa publication de *L'Univers concentrationnaire* en 1946. Mais Charlotte avait rejoint à cette époque le camp de la défense du pays du socialisme réel. « J'étais persuadée qu'on édifiait le socialisme en URSS durement, péniblement, à partir de rien que de la volonté et de l'enthousiasme d'un peuple qui accomplissait les plus rudes privations pour réaliser le plus vieux rêve des hommes. J'étais d'une incroyable naïveté ».

Elle avait déjà pris ses distances avec le parti communiste français en 1945, à cause du massacre de Sétif en Algérie, mais de l'autre côté de l'Europe existait le socialisme, elle le croyait. Si un événement aurait pu faire naître un doute dans sa croyance en un peuple soviétique révolutionnaire, c'était à Birkenau, le souvenir lui revient. Les prisonnières soviétiques étaient incorrigiblement zélées pour biner des champs de pommes de terre, alors que les Françaises, rebelles, faisaient tout pour ralentir le travail. Charlotte raconte que ses camarades l'avaient déléguée auprès des Soviétiques parce qu'elle parlait le « sabir du camp » – son talent pour les langues lui faisait parler ce mélange de polonais, de russe et d'allemand –, mais Charlotte tenta en vain de leur expliquer qu'il ne fallait pas travailler pour les SS. « Non. Elles ne comprenaient rien ».

Si elle parle d'elle comme le lui conseillait François Marié, c'est pour dire comme elle s'était préparée à ce voyage. « J'ai étudié le russe. J'ai lu tous les classiques de la littérature russe et quantité de romans et de poésies modernes. J'ai lu les journaux et les revues. Les classiques m'ont beaucoup appris des mœurs et de la façon de penser des Russes d'aujourd'hui. Aucun roman estampillé réaliste socialiste ne m'avait préparée à la réalité que j'ai vue ».

Il n'est pas question pour elle de justifier ses critiques par une déception personnelle. Sa critique de l'Union soviétique lui vient de l'observation de la réalité, pas de ses espoirs déçus. Et si elle avait espéré voir un pays socialiste, elle précise qu'elle était loin, bien avant de partir, de l'état d'esprit des membres du parti communiste français, jamais elle n'avait voué de culte à Staline. « Les louanges hyperboliques que lui décernaient les communistes m'avaient toujours gênée. J'ai été sauvée de bien des ridicules parce que je suis irrévérencieuse : un trait de ma nature, de mon éducation rationaliste et voltairienne ».

Elle écrira plus tard sur l'idéal communiste qui a pu être partagé avec Georges et la foi qu'il avait. « Comment faisais-tu donc / pour m'expliquer / et pour me convaincre / pour m'expliquer que le crime était justice / que la trahison était fidélité / que le mensonge était vérité / l'idéal réalité / pour m'expliquer qu'il avait raison / et que triomphe la révolution…

Pour la révolution nous luttions / nous luttions de toutes nos forces / en même temps que nous nous aimions / (…) que la vie était belle / beau notre amour / que la vie valait d'être vécue / Chaque jour plus près du but.

Comment faisais-tu donc / pour me convaincre / qu'il était la révolution triomphante ? / Pour la révolution / nous étions prêts à mourir / une fois de plus / nous avons été pris / une fois de plus / c'était pour la patrie.

Que faisais-tu donc / pour m'expliquer qu'il avait raison / celui qui nous a volé les étoiles / la scintillante / la brûlante / l'incandescente / l'étoile / et toutes les autres étoiles / pour les clouer captives sur des canons / pour les clouer glacées sur des engins noirs…

Quand je pense qu'il est mort / en criant / vive Staline / vive l'Armée Rouge / et que j'entends entrer dans Budapest / les chars à l'étoile captive / qui doivent rendre à Budapest son sourire / j'ai le goût de cendre dans la bouche

Quand je pense qu'il est mort / en criant / vive l'Armée Rouge / vive Staline / et que j'entends entrer dans Prague / les chars à l'étoile glacée / qui doivent protéger Prague d'elle-même / j'ai le goût de cendre à la bouche[1]. » Georges Dudach avant d'être fusillé, lui dit qu'il sait, c'est Politzer qui le lui a appris, l'armée allemande recule partout, l'armée de Staline a réussi à les repousser. « C'était faux. Les prisons sont toujours pleines de fausses bonnes nouvelles. En mai 42, vous savez où étaient les armées

1. Fonds Delbo, BNF, 4-COL-208-283, Succession Delbo.

hitlériennes. Elles avançaient partout, elles atteignaient presque la Volga[1] ».

Charlotte Delbo a écrit ce poème en août 1970 et veut l'intégrer à son manuscrit, il porte les pages 159, 160 et 161, et puis elle le retire.

Elle le range définitivement dans une chemise. Qu'elle n'entende plus que son Georges avait crié Vive Staline au moment de mourir ! « Je n'avais pas déifié Staline, mais apprendre qu'il était un criminel, un criminel qui avait forcément eu des complices… Tout était donc faux ». La lecture du rapport Khrouchtchev révélait une vérité si éloignée de ce qu'elle avait espéré, mais en plus cette vérité lui infligeait une souffrance insupportable : Georges avait sacrifié sa vie pour une imposture.

Cette douleur intime, elle n'en parlait pas. Elle la porte, secrètement. Charlotte ne parlait jamais de Georges, n'avait pas de photo de lui chez elle. Il était son amour et sa douleur, à elle qui savait, maintenant. Comment partager avec quiconque, une telle souffrance ? L'amour, la force de l'amour partagé se mêlait à la douleur de l'amour assassiné et la souffrance de l'immense tromperie derrière ce sacrifice qu'il avait librement consenti.

« Tout était faux » a-t-elle écrit à son retour d'Union soviétique, la constatation fait un étrange écho à ce qu'elle écrivait l'année précédente après la rupture avec Serge Samarine. « Et maintenant, traversant le parc sous la neige, je sais que l'une et l'autre interprétations étaient fausses – et faux votre visage de Venise comme tous les autres ». Il y avait beaucoup de cendres dans le cœur de Charlotte Delbo.

Plus elle avance dans l'écriture de sa postface, plus elle insiste sur la violence de sa désillusion. « Pourtant – et j'ai essayé de me raccrocher – malgré la terreur, le vocabulaire existe. Il doit rester quelque chose au moins à cause des mots.

À cause des mots, il reste la plus grande mystification que l'histoire ait connue, la plus grande aliénation dont

1. *Une scène jouée dans la mémoire*, HB éditions, 2001, p. 38.

l'homme ait été victime ». Si le jugement est sans appel, c'est qu'elle sait combien elle s'est impliquée dans cette mystification. Elle aurait pu savoir. Son ami Henri Lefebvre à l'occasion d'un séjour à Berlin-Est apprend avant tout le monde en Occident la teneur du discours de Khrouchtchev. Tous les journalistes, tous les représentants du monde extérieur avaient été sortis de la salle avant que Khrouchtchev ne commence son rapport, il devait donc rester interne et secret. Mais il y eut des fuites. Roger Vailland dans ses *Écrits intimes* évoque la visite d'Henri Lefebvre en avril 56 : « Il m'apportait le texte encore inconnu du discours de Khrouchtchev sur Staline[1]. » J'ai appris par ailleurs que Vailland et Lefebvre sont allés ensemble en parler à la cellule communiste de Vailland dans l'Ain, qui n'a du coup pas accepté de voter la résolution adoptée par le Parti. Or Charlotte Delbo passe tout l'automne 56 à Paris, elle a obtenu un congé de l'ONU pour travailler avec Daniel Lerner, l'ami sociologue, sans doute à des traductions. Elle aura vu Henri Lefebvre. Il faut donc croire que ses discussions avec lui, si critique vis-à-vis du Parti et de Moscou – il va être suspendu du Parti –, n'ont pas dessillé les yeux de Charlotte. On peut comprendre l'ampleur de sa désillusion trois ans plus tard.

À son retour, elle a entendu de la bouche de ses amis, « Il y a des erreurs, elles seront corrigées. » Elle ne s'en laissait plus conter. « Supprimer administrativement la République tchétchène et supprimer physiquement les Tchétchènes – quand on publie "le marxisme et les questions coloniales et nationales", ce n'est pas une erreur. C'est la trahison même des principes du socialisme. Et d'ailleurs, que sont-ils devenus les Tchétchènes, tous déportés ? »

Ce n'est qu'une fois qu'elle a terminé son réquisitoire, et le ton est grave dans sa postface, qu'elle trouve avec une pointe d'ironie le titre de son récit, *Un métro nommé Lénine*. Le métro de Moscou, ce décor mirifique construit pour le

1. *Écrits intimes*, Gallimard, 1968, p. 771.

peuple, elle en avait tant entendu parler comme le symbole de la nouvelle vie soviétique. « J'avais entendu vanter la beauté du métro, mais c'est bien pire qu'on croit ». Elle ne supporte pas ce mauvais goût ni ce qui lui semble d'une telle bêtise, ce décor construit à rebours du bon sens, impossible à nettoyer. Le nom des stations n'apparaît que sur des panneaux si éloignés les uns des autres qu'on peut, depuis un wagon, ne pas pouvoir les lire, ni savoir où on est. Aucun plan sur les murs, aucune direction des rames affichée. « Ces énormes lustres, ces marbres, ces colonnes, ces plafonds à stuc et à mosaïques dorées, ces vitraux, ces bronzes et ces ors, ces statues et ces fresques, ces bras de lumière et ces torchères... et cette foule misérablement vêtue qui circule dans ce décor ». Elle avait ajouté encore le lendemain, « Je ne comprendrai jamais la raison de ce luxe – en plus du mauvais goût. » Or ce métro était devenu le « chromo » du pays du socialisme réel ! Le peuple marche dans un métro somptueux...

Elle tient à la singularité de ses observations. Pour le reste je crois à son oreille, à son sens des titres. Elle se souvient certainement de celui qui sonnait si bien et qui ne pouvait qu'intriguer, celui d'une pièce, *Un tramway nommé désir* de Tennessee Williams, jouée à Paris dès 1949, qu'elle sera sans doute allée voir ainsi que le film, un an plus tard, elle qui aimait tant le cinéma et les acteurs américains, comme elle l'avait écrit au milieu des résumés qu'elle rédigeait pour Jouvet en 40. Charlotte Delbo aimait les beaux hommes et n'aura pas laissé passer le film qui fit connaître Marlon Brando.

La pièce de Tennessee Williams tournait autour du mensonge, un mensonge familial, un mensonge ravageur. Elle pouvait s'en souvenir, en tout cas qu'on puisse faire croire que le métro de Moscou symbolise le socialisme de Lénine est un abus qu'elle dénonce ironiquement.

Le 30 septembre, dernier jour à Moscou, elle lit dans *L'Humanité* daté de la veille, « Maurice Thorez, retour d'URSS, rend compte de son voyage aux mineurs du Gard : “Il suffit de se promener dans les rues de Moscou, pour voir que les gens vivent bien." » Elle n'avale plus ces mensonges, elle préfère le trait d'ironie : « Dans quelles rues de cauchemar d'habitude se promène Thorez pour avoir fait ce constat à Moscou ? »

Un métro nommé Lénine est le premier manuscrit qu'elle envoie à des éditeurs. Elle l'adresse à Gallimard, au Seuil, à Julliard. *Aucun de nous ne reviendra* est toujours au secret. Les trois éditeurs font une lecture attentive, preuve de leur intérêt. Roger Nimier, pour Gallimard, lui parle d'un livre « écrit d'une façon très vivante », François Wahl, au Seuil, d'un récit qu'il a lu « avec intérêt et sympathie », « qui vaut beaucoup mieux que beaucoup de ceux publiés ici », et René Julliard « d'une excellente évocation sur la vie moscovite, évocation dont l'auteur est évidemment un écrivain sensible et doué[1] ». Mais tous trois s'accordent à dire que ce récit arrive trop tard, après tant de livres édités dans des collections d'actualité critiquant la vie soviétique, dans lesquels se retrouvent bien des éléments du livre, précise René Julliard. François Wahl ajoute « il ne nous a pas paru d'une originalité suffisante pour s'imposer à présent ».

Charlotte Delbo n'avait rien voulu lire avant ce voyage qui serait venu d'écrivains, de journalistes ou d'hommes politiques qui n'étaient pas accrédités par le Parti. Elle n'avait pas lu le *Retour d'URSS* de Gide, ni le complément à son *Retour d'URSS* qu'il publiera l'année suivante. Si elle avait lu certains de ces livres, elle aurait été amenée à préciser la singularité de son histoire personnelle jusqu'à ce voyage. Elle aurait peut-être dit ce qu'elle avait cru jusque-là, ce qui l'avait fait accompagner son mari jusqu'à partager son activité dans la Résistance, qu'elle l'avait vu sacrifier sa vie et leur amour pour cet idéal, qu'elle avait été déportée avec des femmes communistes, était revenue, et pour faire face à une vie à reconstruire, avait gardé, chevillés au cœur, des

1. Ces trois lettres, respectivement du 17 mars, du 10 juin et du 23 février 1960, se trouvent à la BNF, Fonds Delbo, 4-COL-208-238, Succession Delbo.

idées et un idéal tenaces. Elle aurait sans doute donné une autre singularité à son récit.

Mais ce n'était pas l'état d'esprit de Charlotte.

Ce voyage, elle le faisait pour elle, après s'être relevée d'un drame personnel, même s'il s'inscrit dans sa vision d'un espoir collectif. Elle l'écrit à chaud, comme si ses observations n'avaient été vues par personne. Elle l'a fait au moment où elle le pouvait, le devait, le temps des autres n'est pas le sien.

Charlotte ne réussit pas à faire publier *Un métro nommé Lénine*, c'est une déception. Mais ce qu'elle a découvert pendant son voyage est évidemment si grave pour elle qu'elle ne peut en rester là. Elle va donner un autre tour à sa vie.

Elle vient de perdre tant d'illusions politiques, et d'illusions amoureuses, il lui faut réagir. C'est le moment de réaffirmer sa voix. Elle s'était placée dans la marge, une marge après ses années en première ligne de l'épreuve la plus terrible. Dans la marge pour obtenir un emploi à l'étranger qui lui permette de se refaire économiquement, dans la marge à vivre à travers un homme pour qui elle a voulu faire tant de choses. Et son amour pour Samarine l'a sans doute fait rester à Genève plus longtemps qu'elle ne l'avait pensé. Son voyage vient de la mettre en face de la mystification dont elle a été dupe. Elle est déterminée, elle poursuit. Il faut qu'elle sorte de la marge où elle s'est mise, elle a retrouvé ses forces.

C'est avec Henri Lefebvre à Paris qu'elle renoue ses liens et le dialogue. Elle lui a certainement donné à lire son récit, ils en auront parlé, ce sont des sujets qui ont toujours été les leurs. C'est une époque charnière pour Lefebvre, la fin de ces années 50. Il a été suspendu du Parti suite à sa longue opposition aux thèses staliniennes. En même temps qu'il a fait le bilan de sa vie politique et philosophique en écrivant le volumineux *La Somme et le reste* qui a paru à l'automne 59, il a repris son travail sur la critique de la vie quotidienne, et s'est rapproché du mouvement situationniste et de Guy Debord. Il parle à Charlotte de son projet de fonder une revue. Charlotte rentre à Genève, y réfléchit et lui écrit. Elle lui expose son analyse sur l'époque, et balaie les arguments qu'il avait proposés.

Lefebvre voulait retrouver la liberté révolutionnaire qu'il avait connue quand il côtoyait les surréalistes et fonder une revue de sociologie qui recueillerait des idées radicales de changement. Charlotte taxe ses idées de « romantisme révolutionnaire ». Elle veut être radicale, mais sur des bases théoriques fondées. Elle résume sa position en lui adressant trois feuillets. « Fonder une revue ? Pourquoi ? ». Elle est précise, argumentée. Les théories de Marx sont obsolètes, fondées sur la prise du pouvoir par le prolétariat alors que le prolétariat est profondément transformé sinon en voie de disparition. « Il est admis que depuis Marx la lutte des classes est le moteur de l'Histoire. Ce n'est plus vrai[1] ». Le progrès technique a modifié la situation politique, économique et sociale. « La technique est devenue puissance autonome : ne voit-on pas les mêmes problèmes se poser en URSS et aux ÉU ». C'était une pensée pas si fréquente à l'époque. À ses yeux, il faut « élaborer une théorie à partir d'une étude des conditions du monde contemporain : les structures sociales, leur dynamique, la dynamique démographique, les conséquences du développement technique et de l'accroissement démographique, la technique elle-même, la structure du capital moderne, etc. On peut créer une école qui préparera le terrain, c'est-à-dire le groupe de chercheurs (sociologues, techniciens, philosophes, économistes, psychologues, travailleurs scientifiques) qui feront pour notre temps ce que Marx a fait pour le sien.

De la connaissance de la réalité, on tirera une théorie qui permettra de changer cette réalité. On saura où aller, comment faire pour y aller. J'ai parlé de révision radicale à la Descartes. Sur la table rase il restera peut-être la méthode dialectique.

1. « Fonder une revue ? Pourquoi ? », BNF, Fonds Delbo, 4-COL-208-255, Succession Delbo.

Il ne faut pas craindre d'être ambitieux : il s'agit bien de répondre aux questions que se pose notre temps ». Elle signe le texte de son nom, qu'il le fasse lire ! Elle veut argumenter avec ses analyses politiques, économiques, sociologiques, nourrir sa collaboration avec Lefebvre, qui a toujours eu besoin de la confrontation de ses idées avec celles d'autres pour formuler sa pensée, il l'a eue avec ses étudiants, ses assistants. Il gardera Charlotte Delbo comme assistante personnelle jusqu'à la retraite qu'il prend en 1973, une assistante « contradictive et argumentée » comme il caractérisera sa collaboration dans les rapports qu'il fait à la direction du CNRS.

Il est certain qu'avec ce qu'elle rédige en mars 1960, elle prépare son retour à Paris et espère un emploi auprès de lui. Les démarches seront longues à aboutir. Au moment de déménager pour Paris, elle n'a encore aucune certitude d'un poste. Elle écrit un article qu'elle adresse au *Monde*, il dit dans quel état d'esprit elle fait son retour à un moment intense de la guerre d'Algérie. Elle tire à boulets rouges sur le parti communiste qui a cessé d'être un parti révolutionnaire, « n'a plus prise sur les masses, et compte à peine dans la vie politique du pays ». La thèse de la paupérisation est si fausse que même les économistes du Parti ne peuvent la défendre. Son attitude sur le contrôle des naissances, son refus d'autoriser l'avortement, est rétrograde. Elle est lasse de l'absence d'analyse politique du Parti, notamment ce qui le conduit à coller l'étiquette de fasciste à toute réaction, et voit le pays voter à 80 % pour de Gaulle, croyant voter contre le fascisme. Elle reproche au Parti d'avoir qualifié les événements du Constantinois l'été 45 de « séquelles du nazisme » et appelé à la répression de la manifestation de Sétif. « Duplicité pour rester dans le gouvernement de De Gaulle ? De cette erreur d'analyse partent toutes les erreurs commises depuis par le PC ». À Madagascar, le PC n'avait pas non plus dénoncé la répression, n'a pas été fermement anticolonialiste. Elle pointe surtout le « curieux incident » du 14 juillet 1954 lorsque les dirigeants algériens du MLN (le parti de Messali Hadj, que soutient Charlotte Delbo encore plus que le FLN) ont voulu prendre part au défilé en tête du cortège et monter à la tribune, et que les communistes s'y sont opposés. Étouffer des voix. Charlotte veut crier les voix qu'on étouffe, les voix de ceux qui s'opposent, les voix de ceux qui disent la souffrance du régime qui les oppresse.

Elle reproche au parti communiste sa position à l'égard des soldats du contingent appelés à combattre en Algérie : le Parti est contre leur insoumission et contre leur désertion, elle s'insurge contre l'incohérence. Le Parti prône l'insurrection de masse plutôt que l'insoumission ou la désertion. Elle débusque la faille, de quelles actions de masse parle-t-il puisque, en 1955 au moment des mutineries des soldats appelés, *L'Humanité* en a parlé seulement quand les CRS les avaient « matées », au quatrième jour, les soldats avaient tenu trois jours, seuls, sans aucun soutien du Parti. Elle termine en affirmant que c'est la victoire des Algériens qui permettra l'avènement d'un gouvernement démocratique en France, mais l'article ne sera pas publié par la rédaction du *Monde*. Quelle forme doit-elle trouver pour dire ce qu'elle pense ? Pour rendre ce que vit le pays à travers ses débats et des situations humaines déchirantes, tragiques ?

Si les situations en 41 et en 61 ne peuvent être comparées, il est frappant de voir que Delbo rentre quand son pays traverse des heures difficiles, quand il est en guerre.

Elle a suivi tous les événements de près, c'est l'objet de nombreuses conversations avec ses amis français, Guy de Belleval et François Marié quand il vient à Genève. La Suisse n'est pas à l'écart de la guerre d'Algérie. Les appelés du contingent qui veulent déserter s'y réfugient, des membres de réseaux du FLN et des porteurs de valise s'y donnent rendez-vous.

La guerre est de plus en plus violente, de plus en plus meurtrière, des deux côtés les actions sont sanglantes et l'évolution radicale. « Qu'est-ce que vous faites, vous, pour arrêter la guerre ? », lui avait demandé le jeune Soviétique sur le bateau. Elle veut trouver sa place et débusquer ce que les mots veulent dire. Elle avait terminé le récit de son voyage, en ajoutant « Il doit rester quelque chose au moins à cause des mots. Le vocabulaire existe. »

Elle lit les journaux, cette presse dont elle a parlé avec vigueur au jeune fonctionnaire soviétique, celle qui exprime son désaccord avec la politique colonialiste française depuis 1955. Les réactions des politiques, des intellectuels face aux événements s'y expriment. Dès le début de la guerre, après « la Toussaint rouge », la manifestation d'indépendance du 1er novembre 1954 réprimée dans le sang, Claude Bourdet a écrit un violent article dans *France Observateur*, et le titre ne l'est pas moins, « Votre Gestapo d'Algérie ».

Les références aux méthodes des nazis sont là dès les premiers textes, elles dureront tout le temps du conflit, elles sont utilisées par des journalistes dans leurs articles, par des soldats dans leurs témoignages, au cours de procès dans les cours d'appel en France, par des officiers dans leurs lettres de démission, par des écrivains. Le 15 janvier 1955, François Mauriac écrit un éditorial dans *L'Express* pour dénoncer la torture où il restitue un dialogue avec celui qui lui raconte ce qu'il a vu, « l'école de Himmler, quoi ! ».

Le gouvernement cherche à museler ces voix. Des mesures de saisies et de censure sont prises par l'État dès 1955, et renforcées « par un décret du 17 mars 1956 déclarant l'état d'urgence et autorisant les autorités administratives à prendre toutes les mesures pour assurer le contrôle de la presse et des publications de toute nature[1] ».

Toute l'année 1957, la presse, une certaine presse, mais pas des moindres, s'est faite l'écho des exactions de l'armée, *France Observateur*, *L'Express*, *Témoignage Chrétien*, *Le Monde*, auxquels se joignent *L'Humanité*, *Libération* d'Emmanuel d'Astier de La Vigerie et *Le Canard enchaîné*. Des numéros sont saisis. Des revues s'y joignent, comme *Les Temps Modernes*, *Esprit*, *Les Cahiers du témoignage chrétien*, *Témoignages et documents*, qui publient des témoignages

1. Martine Poulain, « La Censure » in *L'Édition française depuis 1945*, dirigé par Pascal Fouché, Cercle de la Librairie, 1998.

d'appelés du contingent et d'officiers qui font état des tortures infligées à des prisonniers, des représailles sur la population algérienne, des « disparitions » de prisonniers, des exécutions et des viols.

Un premier livre paraît en mars 1957 au Seuil, *Contre la torture*, son auteur, Pierre-Henri Simon, avait été envoyé comme officier de réserve en Algérie, sa renommée personnelle assure une force incontestable à ce qu'il dénonce. Il enseigne alors en Suisse, où il est professeur de littérature française à l'Université de Fribourg. Hubert Beuve-Méry, rédacteur en chef du *Monde*, après la lecture du livre publie un éditorial, il le titre *Sommes-nous les vaincus d'Hitler ?* « Les Français n'ont plus tout à fait le droit de condamner dans les mêmes termes qu'il y a dix ans les destructions d'Oradour et les tortionnaires de la Gestapo ».

Ce qu'il se passe en Suisse n'éloigne pas Charlotte Delbo de ses préoccupations. Les services secrets français avaient obtenu des services secrets suisses une coopération pour interdire l'entrée en Suisse des principaux militants nationalistes algériens. Quand la presse suisse l'a révélé, le procureur général de la Confédération, René Dubois, s'est suicidé, l'opinion publique s'est révoltée de cette immixtion dans son indépendance, est devenue plus tolérante envers les activités des ressortissants algériens. Des réseaux de soutien se sont créés à Genève et à Lausanne parmi les intellectuels, les artistes, les milieux religieux engagés, les partis de gauche, les syndicalistes, les membres du Parti du Travail. Le journal du FLN sera un temps imprimé la nuit sur les rotatives de *La Voix ouvrière*, journal du Parti du Travail, dans son imprimerie du Pré Jérôme. Et c'est un éditeur à Lausanne qui va publier les livres des Éditions de Minuit interdits en France, Nils Andersson, un jeune Suédois qui vit depuis son enfance à Lausanne. Il s'était essayé à créer deux revues poétiques, il ne put trouver suffisamment de lecteurs. À l'automne 1957 il propose à Jérôme Lindon de le diffuser en Suisse. Le Nouveau Roman l'intéresse, et Les Éditions de Minuit viennent de publier leur premier livre sur la guerre d'Algérie, la dénonciation de la torture, *Pour Djamila Bouhired*, signé de Georges Arnaud et Jacques Vergès. Andersson a pris contact aussi avec Robert Voisin de l'Arche Éditeur qui publie Brecht, et avec Pauvert qui publie Sade. Les trois éditeurs lui font confiance, François Maspero fera de même quand il aura créé en 1959 sa maison d'édition. Lorsque *La Question* d'Henri Alleg est saisi par décision du ministère de l'Intérieur un mois après sa sortie, et que Lindon suggère à Nils Andersson de l'éditer en lui rappelant le rôle que la Suisse éditrice a joué pour des poètes et des écrivains français interdits de publication par l'Occupant, dans le train de nuit qui le ramène à Lausanne, le jeune homme décide de transformer sa société de diffusion, La Cité-Diffusion, en maison d'édition, emprunte 5000 francs suisses à sa mère et édite l'ouvrage d'Alleg deux semaines plus tard à La Cité-Éditeur, accompagné du texte de Jean-Paul Sartre qui avait été publié dans *L'Express*, « Une Victoire ». Et lorsque *la Gangrène*, l'ouvrage sans nom d'auteur est saisi le surlendemain de sa parution aux Éditions de Minuit – le récit de cinq Algériens arrêtés et torturés au siège de la DST, rue des Saussaies –, Andersson le réédite à la Cité pour le diffuser en Suisse et clandestinement en France.

Charlotte Delbo, elle, a prêté en 59 son appartement de Paris à un homme qui fait partie du réseau Jeanson, et n'a pas hésité à convoyer une valise de Paris à Genève, comme me l'ont affirmé ses amis, Claudine Riera-Collet et Jean-Marcel Lèbre. En février 1960, quand elle lit « la police a arrêté dix-neuf Français et six Algériens qui appartenaient à un réseau d'aide au FLN. Le chef de ce réseau est Francis Jeanson », elle décide de rentrer. Cette information, qu'elle placera au tout début du livre qu'elle écrit à la fin de l'année, semble avoir agi sur elle à la façon d'un détonateur, comme lorsqu'elle avait lu dans la presse argentine à Buenos Aires que des Résistants, arrêtés avant son départ, allaient être guillotinés. Elle remet dès le printemps sa démission à l'ONU pour rentrer.

Elle avait acheté un appartement à Paris derrière le Panthéon, ce quartier qu'elle aime, le quartier de l'époque heureuse, celui de la rencontre de Georges boulevard Saint-Michel, des promenades au Luxembourg, du travail ensemble aux *Cahiers de la Jeunesse*, rue Claude-Bernard. C'est un deux-pièces rue Lacépède à un étage élevé, pour la lumière et la vue, qu'elle acquiert sur plan, il serait un jour un lieu où vivre.

Lefebvre travaille pour le CNRS depuis 1948, il vient d'être nommé directeur de recherches, Charlotte voudrait qu'il puisse l'engager, mais Lefebvre n'a pas encore de laboratoire. C'est à Jean Stoezel, directeur du Centre d'études sociologiques, que Charlotte Delbo adresse sa demande d'un emploi à l'automne 60. Elle rédige un CV très détaillé, insiste sur les deux voyages dans le cadre de son travail à l'assistance technique de l'ONU, en Sicile en 58, en URSS en 59. Elle précise qu'elle a « rapporté de ce voyage un livre » dont elle donne le titre, mais « qui n'a pas été publié ». Silence sur le premier, écrit au retour d'Auschwitz. À propos de la Sicile où s'est tenu à Palerme le séminaire sur le développement communautaire de nouveaux villages de paysans, elle ajoute qu'elle est allée à Gela pour suivre une mission d'observation des conséquences sur la vie sociale des forages de pétrole. À travers ces lignes on voudrait imaginer les pensées de Charlotte Delbo à Gela, où avaient débarqué en 1943 les Américains, où était mort l'inventeur de la tragédie, comme le raconte la légende. Eschyle y était terrassé en voulant fuir un destin funeste, à l'image de la tragédie, et mourait exactement comme le langage métaphorique de l'oracle l'avait prédit.

C'est d'abord un emploi bien modeste que Charlotte obtiendra au CNRS à partir du 15 janvier 61. Et ses amis de se moquer d'elle qui a quitté un poste à l'ONU pour être vacataire au CNRS à 150 francs par mois.

Quand elle arrive, vient d'être rendu public ce qu'on appelle *le Manifeste des 121*, du nombre des signataires de cette *Déclaration sur le droit à l'insoumission dans la guerre d'Algérie*. Charlotte Delbo ne l'a pas signé, comme elle ne signera aucune pétition. Elle ne croit pas à leur utilité, l'action qu'elle cherche, elle la trouve dans l'expression, dire, écrire. Elle ne veut pas confondre sa voix parmi d'autres.

Sa lecture des articles des journaux et des revues lui fait entendre des voix qui résonnent aux événements graves et qui deviennent conséquences, destins et prises de position. Elle veut faire entendre ces voix qui crient, dénoncent, démontrent l'injustice, les sortir de l'éphémère de la presse. Montrer ce que le vocabulaire signifie, « les mots existent », et qu'il y a des incohérences qu'on ne peut pas laisser passer parce que derrière il y a des vies assassinées, des personnes arrêtées, des consciences déchirées, des corps souffrants, torturés.

« Ce n'est pas une querelle d'intellectuels et de ministres. C'est de la liberté qu'il s'agit. Plus de 14000 hommes sont actuellement détenus en France comme condamnés politiques[1] », Charlotte Delbo le précisera à la fin de l'ouvrage qu'elle commence dès son arrivée à Paris. Elle veut retrouver les lettres et les articles adressés aux journaux, aux revues, monter des extraits déjà parus ou en choisir d'autres et insérer un commentaire qui fasse jouer en dialogue ces fragments. Elle va chercher auprès des directeurs de journaux et de revues l'intégralité des lettres. Ce qu'elle veut, c'est montrer ce que ces voix disent, parler de ceux qui les ont écrites. Elle fait entendre la voix d'écrivains, de journalistes, de préfets, d'hommes d'Église, de déserteurs, de soldats emprisonnés, de responsables de l'armée, d'intellectuels étrangers, d'Algériens qui souffrent.

À la suite de l'arrestation des membres du réseau Jeanson en février 1960, Maurice Duverger avait écrit un article dans *Le Monde* titré « Les Deux Trahisons ». Il estime qu'un Français a le droit et le devoir de protester contre les abus du colonialisme en Algérie, les excès de la répression, mais ne doit pas aider les réseaux du FLN. Le droit de s'exprimer est

1. *Les Belles Lettres*, Les Éditions de Minuit, 1961, p. 148.

légitime, mais le droit d'agir est une trahison. « Un soldat qui recevrait l'ordre de torturer, aurait le devoir de désobéir… Mais il n'existe aucun devoir ni aucun droit de désertion. » Cette position intenable que prône Maurice Duverger pour les jeunes appelés, dans un raisonnement casuiste, suscite de nombreuses lettres de protestation au *Monde.* Elles sont si nombreuses et venant de personnalités intellectuelles incontournables que Maurice Duverger va écrire un deuxième article, il souhaiterait reprendre le problème sous un autre angle. Après trois colonnes, il soutient simplement : « Entre ces deux abîmes, il faut louvoyer. »

« De qui se moque-t-on ? » écrit Charlotte Delbo. Elle se saisit de cet article et des lettres qu'il a suscitées pour introduire le sujet de son livre.

Il n'y a plus de manifestations, d'actions collectives, constate-t-elle, comme il y en eut tant dans les années qui ont précédé la guerre. Les syndicats, les partis politiques, le Parlement ont perdu leur pouvoir, les élections qui se sont transformées en référendums ne permettent plus aux citoyens d'exprimer leur voix. Les appels à la paix, les pétitions pour des négociations ou un cessez-le-feu n'ont servi à rien. « Privé d'autre moyen d'agir, on écrit des lettres ».

Si ces lettres sont les derniers moyens d'action, il faut les entendre. Et si la première qu'elle restitue est celle de Jérôme Lindon qui s'insurge contre l'impossible dilemme que propose Duverger, elle présente ensuite des extraits de lettres envoyées deux ans plus tôt à la revue *Esprit* par un sous-lieutenant qui a payé de deux ans de prison son refus de continuer à servir l'armée. « Je ferais sans déplaisir la guerre contre les nazis. Mais avec eux, non[1] ».

Le mensonge pour taire les faits, et prôner une attitude indéfendable à la lumière des faits, on n'y reprendra pas une autre fois Charlotte Delbo. Il y a six mois qu'elle est rentrée d'URSS quand elle a lu les deux articles de Maurice Duverger que *Le Monde* publie, et les extraits succincts des lettres de

1. *Les Belles Lettres, op. cit.*, p. 14.

protestation. Il y a pour elle une démonstration à faire, en citant ce que les mots veulent dire quand des témoins, des acteurs de la résistance politique s'expriment.

Paul Teitgen, le secrétaire général à la préfecture d'Alger en 1956-1957, a rendu publique en l'envoyant au *Monde*, sa lettre adressée au ministre pour être relevé de ses fonctions. « J'ai aujourd'hui la ferme conviction d'avoir échoué..., écrit-il. Je ne me permettrais jamais une telle affirmation si, au cours des visites récentes aux centres d'hébergement de Paul-Cazelles et de Beni-Messous, je n'avais reconnu sur certains assignés les traces profondes des sévices ou des tortures qu'il y a quatorze ans je subissais personnellement dans les caves de la Gestapo de Nancy... Sur quelque 275 000 déportés, nous ne sommes plus que 11 000 vivants. Vous ne pouvez pas, monsieur le Ministre, me demander de ne pas me souvenir de ce pour quoi tant ne sont pas revenus et de ce pour quoi les survivants, dont mon père et moi-même, doivent encore porter témoignage[1] ».

Charlotte Delbo reprend le texte intégral de la lettre quand elle compose son livre, elle le fait après avoir donné des extraits des lettres d'indignation de Jérôme Lindon et de Claude Simon à l'article de Duverger, et de la longue lettre de Francis Jeanson à Jean-Paul Sartre publiée par *Les Temps Modernes*. « On nous accuse de trahison. Mais je demande : qui – et quoi – trahissons-nous ? *Juridiquement*, nous sommes plongés dans une guerre civile puisque les Algériens sont officiellement considérés comme des citoyens français "à part entière" ; donc nous ne trahissons pas la France... Et puis, quoi ? Il n'y a plus une seule famille en Algérie qui n'ait eu un de ses membres au maquis, ou torturé, ou tué par les Français... Près de 2 millions d'habitants de cette "province française" sont concentrés dans des camps où il meurt en moyenne (rapports officiels) *un enfant par jour sur un "regroupement" de 1000 personnes* ; ce qui fait 1500 enfants par jour, au total. Faut-il que nous nous consolions en retenant

1. *Les Belles Lettres*, *op. cit.*, p. 80-81 et 83.

le fait qu'il n'y a dans ces camps, ni chambres à gaz ni fours crématoires ?[1] », écrivait Jeanson.

Charlotte Delbo fait une place aux arguments qu'elle trouve dans les lettres qu'un sous-lieutenant a envoyées en 58 à la revue *Esprit*. « Même si on est planqué, si on est dans un bureau, dans la transmission ou aux subsistances, on est un organe de la machine répressive, solidaire de tout l'organisme – et responsable. Ce que je crois avoir découvert justement, c'est la permanence de la responsabilité individuelle dans un système qui prétend abusivement l'abolir[2] ». L'affirmation ne peut que frapper, *Les Belles Lettres* paraît au moment où s'ouvre le procès Eichmann à Jérusalem. Et Charlotte laisse parler Jean Le Meur, son constat objectif et personnel. « Je n'ai pas entendu encore un seul partisan de cette guerre défendre avec moi le respect de la personne humaine. (...) Jusque-là je savais que ça existait. Je sais maintenant comment peuvent retentir en moi ces hurlements lugubres qui se terminent en sanglots d'enfant[3] ».

Elle va choisir des extraits de lettres publiées parmi des expéditeurs aussi divers que l'abbé de Cossé-Brissac, curé de l'église Saint-Michel à Dijon (qui affirme que l'usage de la torture « se généralise comme de la gangrène » ; c'est le type de « péché collectif ». « Nous sommes tous des tortionnaires si, par un silence complice, nous laissons faire »), ou celle de Djamila Boupacha, accusée d'une tentative d'attentat et qu'on a voulu faire avouer (elle fait savoir les tortures infligées « aux jambes, à l'aine, au sexe, sur le visage. La torture électrique alternait avec les brûlures de cigarette, les coups de poing et le supplice de la baignoire. Après quelques jours, on m'administra le supplice de la bouteille ; c'est la plus atroce des souffrances »). Et dans ce spectre très large, elle inscrit les lettres du journaliste Georges Arnaud, arrêté et inculpé pour avoir assisté à une conférence de presse clandestine de Francis Jeanson et qui est sous mandat d'arrêt, d'Henri

1. *Les Belles Lettres*, *op. cit.*, p. 24, 26-27.
2. *Ibid.*, p. 12.
3. *Ibid.*, p. 13.

Alleg qui revient sur la prétendue évasion de Maurice Audin pour masquer son assassinat après qu'on l'a torturé, de Jean-Paul Sartre qui défend le lien entre la guerre d'indépendance de l'Algérie et la défense de la démocratie en France, d'un Algérien interné, et d'un Algérien libéré après avoir passé quarante-deux mois dans un camp d'hébergement sans avoir été jugé, sans avoir pu prouver son innocence (« Je n'avais jamais été agent de liaison, je n'avais jamais cotisé. L'hébergement, c'est le fait du prince, c'est la lettre de cachet »). Elle ajoute ce qu'elle veut faire entendre des lettres de Graham Greene et d'Aldous Huxley, de certains des signataires du Manifeste des 121, interdits d'antenne à la radio, à la télévision, censurés d'avoir manifesté leur soutien, des comédiens, compositeurs, dramaturges, chansonniers. Elle fait part de la lettre de Claude Mauriac qui démissionne du Comité de télévision pour refuser d'appartenir à un organisme « dont les responsables font aussi peu de cas de la liberté d'expression et du droit au travail ».

Charlotte Delbo recrée une scène publique où chacun dit un texte qui répond à celui d'un autre. Elle transforme la vie politique en un plateau de théâtre où se font entendre les voix de ces lettres ouvertes. La forme du livre est singulière, elle y fait résonner toutes les voix qui composent la vie politique, elle ne choisit pas que les voix qui défendent l'indépendance de l'Algérie ou soutiennent le droit à l'insoumission. Elle fait aussi entendre ceux qui s'opposent au Manifeste des 121 et signent le Manifeste des maréchaux, comme Gabriel Marcel qui rejoint Henry Bordeaux et Jules Romains. Sa propre voix, elle la fait entendre sur un mode mineur. Souvent avec ironie pour commenter les décisions politiques ou les propos qui seront la cible des lettres de protestation, un moyen pour mettre en valeur la protestation argumentée qui suit, ou montrer les distorsions politiques faites aux textes. Une fois de plus, montrer le non-respect du sens des mots.

Dans ce sens, elle fait une place aux lettres qui protestent sur l'interprétation abusive du Manifeste des 121. Le droit à l'insoumission, qu'évoquait de manière trop frappante le titre, a fait croire qu'il s'agissait d'un appel à l'insoumission, alors qu'il s'agit d'un appel pour faire respecter le droit de ceux qui refusent de participer à cette guerre. Comme l'écrit Jean-Louis Bory dans une lettre qu'elle choisit de reproduire, le Manifeste précisait « expressément que les signataires interviennent non pas pour donner des conseils aux hommes qui ont à se décider personnellement face à des problèmes aussi graves, mais pour demander à ceux qui les jugent de ne pas se laisser prendre à l'équivoque des mots et des valeurs ». Défendre le vocabulaire, Delbo s'y voue. Mais elle joue aussi avec le vocabulaire quand il s'agit d'ironiser sur les abus des décisions de la censure qui vise enseignants, comédiens, réalisateurs, et l'absurdité des revirements de la censure après avoir interdit puis autorisé d'antenne tant d'artistes. « Faudra-t-il re-suspendre les dé-suspendus ? »

Elle rebondit en présentant d'autres lettres et faire que le ressort dramatique de son ouvrage vienne des mots et des phrases comme de répliques, comme dans un dialogue de théâtre. Il lui arrive de rappeler son passé de déportée, de ramener la mémoire de l'Histoire, de prendre à partie le lecteur, comme elle l'avait fait dans son premier livre. « Que les autorités françaises aient pu ouvrir des camps en Algérie marque déjà leur mépris pour l'opinion. Mais quoi, l'Algérie c'est loin. Qu'elles aient pu installer des camps en France même révèle que leur mépris était fondé. Les déportés vous diront quel crève-cœur était pour eux l'indifférence des civils allemands près desquels ils passaient, en rangs dans leurs vêtements rayés, quand ils allaient travailler hors du camp… Il y a un camp d'assignation à résidence surveillée à Larzac, dans l'Aveyron, et les gens des alentours dorment paisiblement dans leurs lits. Bien sûr, ce n'est pas Auschwitz. Mais ne suffit-il pas que des innocents (a priori, qui n'est pas condamné est innocent) soient dans des camps pour que notre conscience se révolte ? Avons-nous l'excuse de ne pas savoir ? Il arrive que des lettres réussissent à sortir du camp de Larzac ».

Les phrases de Charlotte Delbo entre les textes cités sont imprimées dans un corps différent, plus petit, légèrement en gras. En contrepoint. On peut la voir prendre la place du chœur antique, qui exprime la voix collective et encadre les voix singulières. Il lui arrive aussi de faire entendre au milieu des protestations argumentées sa voix vigoureuse et ironique. « Pour finir, il vaudrait mieux sans doute mettre tous les Algériens dans des camps et ne jamais les relâcher[1] ».

Jérôme Lindon, à qui elle proposera le manuscrit, acceptera mal cette ironie. Elle, elle y tient et assume. Elle le lui écrit. « Un livre sur un ton sérieux, politique – malgré votre courage d'éditeur – vous savez qu'on ne peut pas l'imprimer.

Vous dites : "Deux cents morts par jour, c'est trop grave pour qu'on fasse de l'esprit."

Il y a des gens qui ont été choqués par le dessin de Tim – Ben Gourion en receveur (casquette et sacoche) à la porte d'Eichmann : M. Eichmann, la note du gaz.

Moi qui suis allée à Auschwitz et ai respiré l'odeur, j'ai trouvé ce dessin très bon, et même j'ai ri[2] ».

Jérôme Lindon lui laissera sans doute la plupart ou toutes ses pointes ironiques. Il n'existe pas de tapuscrit des *Belles Lettres* dans les Archives de Charlotte Delbo, donc de possibilité de comparer ce qu'elle a donné à l'éditeur et ce qui sera imprimé. Mais on peut faire des déductions sur les corrections apportées par l'éditeur. Comme pour les passages qu'elle choisit de la lettre de Francis Jeanson à Sartre. La citation dans *Les Belles Lettres* a été coupée exactement aux places où Jeanson analyse ce qui s'est passé à la Libération. Lorsqu'il affirme que de Gaulle « a détourné à son profit les forces vives de ce pays » et à l'endroit qui concerne la gauche coupable d'avoir laissé faire. Or cette analyse reflète exactement ce que Delbo pense de De Gaulle qui a, selon elle, capturé les vues politiques de la Résistance. Elle l'exprimera vivement dans deux articles qu'elle écrira cette même

1. *Les Belles Lettres, op. cit.*, p. 61.
2. BNF, Fonds Delbo, 4-COL-208-99, Succession Delbo.

année 1961. Ce passage a été ôté de la citation, c'est sans doute une intervention de l'éditeur. Jérôme Lindon était gaulliste, comme il s'en est expliqué à Anne Simonin dans un entretien[1]. Lindon pouvait être membre du PSU et voter pour de Gaulle, de même qu'il publie les livres de Germaine Tillion, qui est gaulliste, Résistante de la première heure, ayant appartenu au réseau du Musée de l'Homme, arrêtée et déportée à Ravensbrück. Elle, elle ne prône pas l'indépendance pour l'Algérie, mais « une formule d'association », ce qui rencontre l'assentiment du Premier ministre de De Gaulle, Michel Debré. Lindon n'aura pas laissé passer cette analyse de Jeanson dans sa maison d'édition. Charlotte aura parfois des combats fermes avec son principal éditeur, elle ne les gagnera pas toujours.

Paradoxalement, ce n'est pas à Jérôme Lindon, directeur des Éditions de Minuit, qu'elle a d'abord l'intention de proposer son livre. C'est avec les éditions Grasset qu'elle prend contact, c'est François Nourissier qu'elle va voir en décembre 60 pour lui exposer son projet. Alors qu'à l'époque, c'est Jérôme Lindon qui est l'éditeur essentiel et courageux des livres qui ont protesté contre les exactions de la guerre d'Algérie. Quelques jours après leur rendez-vous, François Nourissier lui écrit[2] pour lui faire part de l'intérêt de ses collègues du comité de lecture pour son projet, et l'encourage donc vivement à écrire ce livre. Charlotte Delbo le lui apporte fin décembre, il en accuse réception le 22 décembre et lui dit le lire ces tout prochains jours, l'emmenant à la campagne, lui promettant de lui en parler au milieu de la semaine suivante. Est-ce la volonté de faire une œuvre littéraire, et de se démarquer d'un dessein essentiellement politique, qui lui a fait choisir Grasset ? Le titre de son livre est une indication. Un titre qui serait un manifeste, son Manifeste ? Choisir *Les Belles Lettres*, ce mot tombé en désuétude, pour signifier la

1. *Le Droit de désobéissance, Les Éditions de Minuit en guerre d'Algérie,* Anne Simonin, Les Éditions de Minuit, 2012, p. 55.

2. Lettre de François Nourissier du 6 décembre 1960, comme celle du 22 décembre, BNF, Fonds Delbo, 4-COL-208-99, Succession Delbo.

littérature et relever la force, la beauté, le sens des mots ? Delbo joue bien sûr de l'ambivalence de son titre. Elle veut dire la beauté de ces lettres ouvertes, le talent de leur argumentation, le courage de ces protestations écrites en toute conscience, qui défient le pouvoir avec un sentiment de justice, faire entendre qu'il y a là littérature, une fonction de la littérature, qu'elle développera plus tard auprès d'étudiants américains, celle « de porter au langage la conscience ».

Derrière la forme de ce livre, on peut discerner un écho à la forme adoptée pour *Aucun de nous ne reviendra.* Sa composition en pièces brèves. Des courts chapitres ou des poèmes qui semblent recommencer chaque fois la possibilité de dire. Choisir régulièrement un autre mode narratif pour rendre compte de la réalité vécue. Composer, avec ce qui précède et ce qui suit, un ensemble qui rende compte. Comme ici, à travers des extraits, où elle restitue une conscience de cette guerre, une conscience politique, morale, humaine.

Son livre est à la fois un livre de protestation et une tentative pour créer une œuvre littéraire singulière, un choral de voix pour exprimer et dénoncer, chaque fois d'une autre façon, ce qui ne doit plus être, et qu'une seule voix ne suffit pas pour en rendre compte. « Je déguise en anthologie pour 1 – faire repasser des lettres importantes ; 2 – exprimer un mouvement qui s'amplifie, de jeunes qui ont à dire...[1] ». C'est en style presque télégraphique qu'elle écrit à Jérôme Lindon ce qu'elle a cherché. Une fois de plus, faire entendre. C'est par le « cut up » qu'elle reproduit ces voix et compose l'ensemble. Ce procédé littéraire qui consistait à couper des extraits dans la presse et les inclure au texte, elle l'avait lu dans la littérature américaine, dans Dos Passos, avant la guerre comme en témoignent ses lectures à l'époque des *Cahiers de la Jeunesse.* À sa façon elle l'assimile dans la conception de l'ouvrage pour faire entendre un mouvement de voix qui s'amplifie et qui a à dire, et elle le précise à Lindon, « à dire contre Claude Bourdet et Servan-Schreiber

1. BNF, Fonds Delbo, 4-COL-208-99, Succession Delbo.

(qui tournent aux amortis), contre Thorez – déjà son et lumière. Bourdet et Servan-Schreiber ne bougent que lorsqu'on les pousse. Thorez est statufié depuis trop longtemps ; ne bougera qu'au déboulonnage. (Opinion à ne pas exprimer, j'en conviens, mais je tiens que le PC ne se relèvera pas de la guerre d'Algérie, comme l'Internationale socialiste est devenu l'ancien parti radical) ». Ses analyses politiques sont tranchées. Ce n'est pas elle en tant que « je » qui intervient pour dire la réalité, la narratrice disparaît de la surface du texte. Il me semble qu'en cela elle s'accorde et d'une façon très singulière à la disparition du narrateur qu'effectue le Nouveau Roman. Comme locutrice, elle disparaît de la trame du livre, et joue des voix, des lettres choisies, pour faire entendre la réalité politique qui déchire la France de 1960.

Elle termine par deux lettres très différentes de l'ensemble, deux lettres émouvantes, écrites par des Algériens. L'une est celle d'une épouse à son mari emprisonné depuis deux ans à Fresnes, l'autre, la lettre d'adieu à sa femme d'un combattant pour l'indépendance qui va être guillotiné dans la cour de la Santé. Celle qui écrit à son « Ahmed chéri » dit la violence de sa douleur avec son parler. « C'est aujourd'hui que ça fait deux ans qu'ils sont venus te chercher. Et ça fait deux ans que je suis morte ». Ces mots résonnent comme la voix de Mado, une de ses compagnes de déportation, telle que Charlotte la fera entendre, « Je suis morte à Auschwitz et personne ne le voit[1] ». Yamina raconte sa vie quotidienne, ce qu'elle voit, ce dont elle entend parler. « Les rafles », « le maquis », l'inquiétude pour « ses dents », l'évocation du dentiste de Fresnes, « un boucher », les regards fiers qui entraînent les arrestations, toutes ses inquiétudes pour lui qui doit être si mal traité en prison.

La dernière par laquelle elle veut terminer son livre, Delbo l'a trouvée dans la revue *Afrique-Action*. La lettre tient en cinq lignes pour dire l'amour, et le sacrifice consenti au nom

1. *Mesure de nos jours*, *op. cit.*, p. 66.

de la liberté. Un adieu. Le pire, pour Charlotte. Mais elle n'en dira rien de personnel.

Dans ce que font entendre ces deux lettres, il y a beaucoup d'elle-même. Si elle n'a pas été torturée rue des Saussaies où elle fut emmenée un jour, son mari, lui, a dû l'être. Elle pensait à lui quand elle voyait les traînées de sang sur les murs des sous-sols où on l'a enfermée entre son interrogatoire du matin et celui de l'après-midi, et elle le verra sur le visage de Georges au moment de l'adieu, sur ses lèvres abîmées, même si son mari lui assure que ce n'était rien par rapport à ce qu'a subi Georges Politzer. Delbo s'éclipse derrière ce qu'elle évoque, c'est son art de mener à la conscience du lecteur ce qu'elle veut faire entendre. Que la conscience de l'Histoire appartienne à tous. Les assassinats légitimés par le pouvoir, les rapprochements historiques qu'elle fait, parlent d'eux-mêmes. Au lecteur de prendre sa place, pour penser, conclure, réagir.

Je n'ai retrouvé aucune trace de la lecture de François Nourissier. Les archives des éditions Grasset ne possèdent aucune note de lecture sur *Les Belles Lettres*, et la conversation entre Nourissier et Delbo n'a pas laissé de trace écrite.

Son ami, François Marié, lui avait écrit, après la lecture du manuscrit, « Bravo, Charlotte. Il m'étonnerait que Grasset ne tremble pas, mais M. Lindon devrait vous le prendre. » À Claude Mauriac, le 16 décembre, elle a précisé que « le livre devrait paraître chez Grasset. J'ai exposé mon projet à M. François Nourissier, qui y a donné son accord (de principe évidemment, puisque tout dépendra en définitive de l'accueil que fera le comité de lecture à mon manuscrit)[1] ». Il est certain que le contenu de l'ouvrage, violemment antigouvernemental, avait peu de chance d'être édité chez Grasset. Alors qu'il s'inscrivait avec évidence dans le catalogue de Jérôme Lindon, qui avait édité quatorze ouvrages contre

1. Toutes ces lettres se trouvent à la BNF, Fonds Delbo, 4-COL-208-99, Succession Delbo.

la guerre d'Algérie, dont deux furent saisis en 58 et 59, ce qui ne l'avait pas empêché de poursuivre sa ligne éditoriale. Les Éditions de Minuit font paraître *Les Belles Lettres* le 24 mars 1961, et le tirent à 2500 exemplaires, ce qui n'est pas peu pour Les Éditions de Minuit, et montre l'engagement de Lindon.

L'ouvrage aura peu de succès, pas de retentissement, peu de lecteurs. C'est un livre qui a une forme inclassable, qui déroute. Ce n'est évidemment pas un roman épistolaire, même si le thème entre conscience politique et représailles politiques rebondit à chaque lettre. Ce n'est pas non plus une succession d'extraits ou de citations parce que leurs auteurs ont une position si bien spécifiée qu'ils ont à tour de rôle une fonction dynamique, dramatique, comme au théâtre les personnages.

Il n'y aura qu'un seul compte rendu après la sortie du livre, dans *Le Monde*, c'est le moins qui pouvait être fait, tant le journal est cité dans l'ouvrage. L'article d'Alain Jacob[1] chronique en page politique « deux documents sur le conflit algérien », publiés tous deux aux Éditions de Minuit à une semaine d'intervalle, *Les Égorgeurs*, immédiatement interdit, de Benoît Rey, un jeune appelé du contingent qui témoigne des exactions de l'armée en Algérie, et *Les Belles Lettres,* dont il dit tout de suite, « nous en connaissons d'ailleurs l'essentiel… » ! La conception du livre qui crée une scène publique n'est pas perçue. Mais le livre est un acte, c'est sa façon d'agir contre cette guerre, et la place qu'elle a trouvée pour sa voix. Le peu d'échos à son ouvrage ne semble pas l'atteindre outre mesure. Un autre fait l'affecte douloureusement ce printemps.

« J'ai écrit un livre sur Auschwitz – il est terrible et c'est la seule chose que j'aie jamais faite à laquelle je tienne vraiment. Malheureusement, les éditeurs n'en veulent pas, tout

1. Dans *Le Monde* du 9-10 avril 1961, copie à la BNF, Fonds Delbo, 4-COL-208-99, Succession Delbo.

en lui reconnaissant des qualités. "Ce n'est pas le moment. Le public est saturé, etc." Ci-joint les notes de lecture des éditions du Seuil qui m'ont été communiquées. Aie la gentillesse de me les renvoyer[1] ». La découverte de cette lettre révèle ce qu'elle a toujours caché. Charlotte Delbo a donc sorti du secret *Aucun de nous ne reviendra* en 1961, et l'a proposé à plusieurs éditeurs. Elle l'a donné à lire quinze ans après l'avoir écrit, alors qu'elle affirmera presque toujours que ce livre, elle l'avait gardé vingt ans près d'elle, et surtout, Charlotte Delbo n'a jamais parlé de refus.

La légende du manuscrit gardé vingt ans au secret ne tient plus. Il y eut certainement cette promesse qu'elle s'était faite d'attendre de le relire plus tard pour être sûre de sa valeur. Le chiffre de vingt ans lui aura servi pour marquer les esprits de sa détermination, et de son ambition, réelles. Elle insiste longtemps dans son entretien en 1974 avec Jacques Chancel sur ces vingt ans au secret, sur sa lucidité d'avoir su attendre alors qu'une amie au camp à qui elle avait confié son projet s'étonnait qu'elle veuille attendre.

Charlotte Delbo vient d'écrire deux livres, *Un métro nommé Lénine*, puis *Les Belles Lettres*, ils ne sont pas même évoqués. Le seul auquel « elle tienne vraiment », c'est *Aucun de nous ne reviendra*, dont elle n'écrit dans sa lettre pas même le titre, ce qu'elle a de plus cher, de plus intime, reste secret. Le voir refusé à la publication, lui ôte son nom. Un nom est une mise au jour. C'est comme un acte de mort qu'elle a reçu. D'autant qu'un livre, elle le rappelle, est un acte, la littérature est un acte, « la seule chose que j'aie jamais faite », et ce livre, le seul acte de sa vie auquel elle tient, c'est dire comme il la représente. Ceux qui penseraient à ces faits de résistance l'hiver 41-42, quand elle tapait des textes clandestins rue de la Faisanderie, voient qu'ils n'ont pour

1. Lettre de Charlotte Delbo à Boubou, du 23 juin 1961, BNF, Fonds Delbo, 4-COL-208-294, Succession Delbo. Il s'agit sans doute d'Odette Boubou. Prisonnière au fort de Romainville avec Charlotte, elle échappa au départ du convoi parce qu'elle venait d'être hospitalisée au Val-de-Grâce, elle fut déportée à Ravensbrück en avril 1943, où Charlotte l'a retrouvée.

elle aucun poids vis-à-vis de l'écriture d'*Aucun de nous ne reviendra*. Son expression, « il est terrible », dit la radicalité qu'elle lui reconnaît, la terreur qu'il contient, les yeux ouverts sur l'épouvante, le paroxysme des douleurs infligées et subies, ce *paroxysme de l'Histoire*, comme elle l'appelait.

Charlotte Delbo l'avait donc remis à des éditeurs au début de l'année 1961, ce qu'elle occultera à partir de sa reparution. En 65, à deux personnes, elle a fait comprendre que quinze ans après l'avoir écrit, elle a pu vouloir le donner à lire. À François Bott, « J'ai choisi d'attendre quinze ou vingt ans pour le publier » et plus précisément elle confie à Claude Prévost, au détour d'une question, « j'ai essayé de le publier il y a trois ans. Vous voyez que je n'avais pas calculé vingt ans ». Mais explicitement, elle ne parle pas de refus.

Elle avait des raisons de penser en 1961 pouvoir le faire publier. D'abord la guerre d'Algérie a ravivé les souvenirs de l'Occupation, des camps, de la déportation, de la torture, et ce contexte des réminiscences peut l'inciter à vouloir publier ce qu'elle avait écrit sur Auschwitz, puisque les épreuves terribles remontaient dans les mémoires. Ensuite elle a réussi à publier un premier livre, chez l'éditeur qui avait fait paraître en 1957, avec un certain retentissement, le livre de Micheline Maurel sur son expérience dans un commando de Ravensbrück, *Un camp très ordinaire*. Mais Neubrandenbourg n'est pas Auschwitz, et la réalité d'Auschwitz qui est celle d'un camp de concentration extrêmement dur associé à un centre de mise à mort, d'extermination de masse, n'est pas sue à cette époque, et on ne cherche pas à savoir.

Buchenwald et Ravensbrück sont des camps connus pour avoir détenu des Résistants, on en parlera, on les reconnaîtra. Et encore ! *L'Espèce humaine* de Robert Antelme qui évoque un camp satellite de Buchenwald et paraît une première fois en 1947 est peu lu, comme à sa reparution en 57. Ce n'est qu'à partir de la fin des années 70 que l'œuvre trouvera sa dimension auprès des lecteurs.

Le génocide des juifs mettra des années à être vraiment connu. En 1958, quand Jérôme Lindon publie *La Nuit* d'Elie

Wiesel, le tirage qui n'est que de 1500 exemplaires est peu vendu. Charlotte Delbo a peut-être donné à lire à Jérôme Lindon *Aucun de nous ne reviendra* dès 61 parmi les éditeurs à qui elle adresse le manuscrit. Mais le peu de lecteurs du livre d'Elie Wiesel avait bien montré à l'éditeur que le public ne voulait pas savoir ce qu'avait été Auschwitz, quelle que fût la qualité du livre.

Les éditions du Seuil, seul éditeur dont elle révèle le nom parmi les éditeurs qui refusent le manuscrit, n'ont pas gardé trace de ces notes de lecture. Elles ne se trouvent plus dans les archives de Delbo. L'amie ne les lui aurait pas retournées ou Charlotte les aurait détruites ? Nulle part ailleurs que dans cette lettre à une amie, elle ne dira explicitement qu'elle a envoyé *Aucun de nous ne reviendra* à des éditeurs qui l'ont refusé. Elle préfère garder la maîtrise et tient à sa réserve sur ses échecs personnels, ses douleurs morales.

Ses doutes sur ce livre qui a tant d'importance pour elle, furent beaucoup plus grands qu'elle ne l'a laissé paraître. Et elle ne s'est pas toujours sentie comme la seule lectrice pouvant l'estimer, comme elle l'a tant dit plus tard. Quand elle vivait à Genève, elle a lu à ses amis Anne et Guy de Belleval des pages d'*Aucun de nous ne reviendra*. Ils sont émus, bouleversés par la force de ce qu'elle a écrit, mais Charlotte les questionne, inquiète, exprimant tant de doutes qu'Anne de Belleval se souvient encore aujourd'hui avec émotion de ses mots et de son ton. « Est-ce que vous croyez que ça peut intéresser ? Est-ce que ce n'est pas trop tôt ? Ou est-ce trop tard ? »

La seule version de la publication de son livre, chez Gonthier en 1965, que j'avais entendue jusqu'ici, tenait au hasard d'une proposition. Andrée Michel, sociologue chargée de recherche au CNRS, que Charlotte côtoyait auprès de Lefebvre, lui demanda si elle avait « quelque chose à publier » qui pourrait prendre sa place dans la collection « Femme » que dirigeait Colette Audry. Elle venait d'y faire paraître en deux volumes son étude sur la condition féminine en France et Colette Audry recherchait des manuscrits écrits par des femmes et concernant les femmes. La réalité est donc autre, difficile, faite de doutes, d'échecs, de déceptions. La question de la publication l'a taraudée longtemps, depuis 1956, puis l'échec fut éprouvant intérieurement, elle s'en relèvera en gardant le silence. Fière, toujours.

Ce à quoi elle tient le plus ne peut être publié, et le premier livre paru n'est pas lu. La grande question qui la préoccupe, est celle de la représentation. De l'Histoire, de la politique, de la destruction de l'humanité. Rien de cc qu'elle a fait pour le moment ne réussit à faire ses preuves. Elle écrit un texte ce printemps à partir d'une anecdote, qui montre sa perplexité sur ce sujet, la forme à trouver pour représenter le monde. Sur ce qui s'écrit aujourd'hui, se publie, et ne répond pas à la question qui est la sienne.

Elle est dans le bureau de Jérôme Lindon, un téléphone interrompt leur conversation, elle l'entend répondre, « Je vais sortir un livre de Beckett. Un roman. C'est le premier roman de Beckett depuis *L'Innommable*, publié il y a neuf ans. Le titre ? *Comment c'est...* Oui : comment c'est. Comment est cela. Comment *c'est*. Je peux vous raconter à ce propos que lorsque Claude Simon m'a apporté le manuscrit de *La Route des Flandres*, il m'a dit : "À Dunkerque, j'ai vu mourir mon capitaine. Cela m'a fait une impression qui ne s'est pas effacée depuis. Et j'ai voulu écrire un livre pour raconter comment c'était." Claude Simon ne connaissait pas le titre de Beckett ; vous voyez, comment c'est... C'est cela le Nouveau Roman[1]. »

Elle aura été frappée de voir comme Jérôme Lindon ne manquait pas une occasion de mettre en avant ce qui pouvait faire l'unité littéraire des écrivains de sa maison et comme il s'engageait personnellement pour parler d'eux. Mais c'est le sujet en question, la représentation, comment rendre les perceptions, qui l'arrête, sur laquelle elle veut réfléchir. « Décrire comment c'est, c'est ce qu'ont toujours fait – consciemment ou inconsciemment – les écrivains, les poètes, les peintres,

1. « Sur la peinture moderne », BNF, Fonds Delbo, 4-COL-208-260, Succession Delbo.

les artistes en général. Décrire la réalité ou l'interpréter pour *donner à voir*, même lorsqu'il inventait un fantastique. (...) La nouveauté dans le Nouveau Roman, c'est que l'écrivain a la volonté de dire comment c'est. Il veut. Il fait ce qu'il veut lucidement, alors que Molière ne savait peut-être pas qu'il témoignait pour le XVIIe siècle et montrait l'entrée en scène de la bourgeoisie ». Elle ne s'arrête pas à cette pointe ironique. Pour elle il y a au XXe siècle un drame de la représentation, parce que l'intelligible n'est plus visible pour l'artiste, « le monde inconnaissable de la technique – qui a tant évolué – est un monde inconnaissable pour lui, incompréhensible. L'artiste voudrait la représenter. Le peut-il ? Les roues crantées de Fernand Léger évoquent l'industrie, ne la représentent pas. Elle est in-représentable. Il ne reste à l'artiste qu'à représenter ses sensations devant, dans le monde. L'art ne représente plus l'objet, ni le réel, il représente l'impression que produit cet objet, ce réel. Il y a rupture entre l'artiste et le monde.

Et comment alors représenter des sensations que provoque l'incompréhensible ? » Charlotte Delbo soulève la grande question qui est la sienne, le sujet auquel elle s'est confrontée pour écrire *Aucun de nous ne reviendra*. Et elle peut douter de ce qu'elle a écrit pour rendre compte, pour « représenter des sensations que provoque l'incompréhensible ». Du plus profond d'elle-même elle a tiré une forme, une écriture. Qui lui montrera, lui prouvera qu'elle a réussi ?

Dans ce bureau d'un éditeur qui s'engage sur ce qu'il publie, et qui rencontre le succès, elle s'interroge. Elle ne peut que sentir combien elle est seule avec sa question sans réponse. Alors elle écrit cet étrange texte, qu'elle intitule encore plus étrangement « Sur la peinture moderne » comme pour garder dans l'ombre, pudiquement, sa grande question.

Elle a aimé *La Modification* de Michel Butor paru en 1957, elle en parlait encore à la fin de sa vie. Comme des premiers livres de Beckett que lui avait fait lire Serge Samarine, elle a été sensible à leur langue, mais il reste que pour elle les écrivains du Nouveau Roman ne disent rien de ce qui a véritablement eu lieu. Même si l'on peut penser aujourd'hui que ce silence, l'évacuation de l'histoire, de l'intrigue, comme la destruction d'un personnage-sujet de l'histoire, contient dans l'ombre la destruction et l'extermination dans les camps. Mais en 1961, l'année où on refuse d'éditer son livre, elle ne peut le voir, et peut difficilement accepter que la disparition soit un thème préférable à l'horreur réelle qu'elle a vue et vécue.

Elle tourne autour du sujet de la représentation avec un argument pris en peinture, elle nomme par une périphrase le sujet qui la concerne vraiment, rendre l'incompréhensible, elle n'évoque pas ce qu'elle a écrit, ne parle pas de la question d'écrire sur Auschwitz. Ce silence plane dans ce texte. On a refusé de publier son livre, elle ne veut rien en dire.

L'autre texte qu'elle rédige, ce même printemps d'incertitude comme on pourrait nommer cette période, c'est celui que lui a demandé son ami le sociologue américain Daniel Lerner, à propos des émissions que diffuse La Voix de l'Amérique. « I am not a radio listener », « Je n'écoute pas la radio », mais là son dynamisme s'en donnait à cœur joie. Comme si dans une autre langue elle pouvait laisser parler l'autre elle-même. Et parler des voix qu'on entend, ou de ce qu'on devine à travers les enregistrements, tout ce qui peut être rendu par l'oreille, est la matière qui l'anime. Les voix qu'elle écoute, sa voix qu'elle veut rendre, le moteur en fait de son écriture.

Si elle parle de biais de sa vraie question ou de ce qui construit sa voix d'écrivain, il y a un sujet qu'elle aborde frontalement, c'est la politique. Elle rédige deux articles où elle prend une position nette après le putsch des généraux à Alger le 21 avril. Elle analyse la situation qui avait tout pour être prérévolutionnaire si la gauche ne restait pas inféodée à de Gaulle, avait su profiter sur le territoire national du désarroi, garder « son pouvoir de réflexion et l'imagination révolutionnaire ». Il fallait agir, concrétiser ce qui était à ses yeux une situation insurrectionnelle, ce soir d'avril 61 : « En quelques heures elle mobilise ses troupes, alerte l'opinion. En quelques heures les arsenaux sont dévalisés, les casernes subjuguées, les ouvriers sur la ligne de combat. En quelques heures, le despote qui avait peur de son extrême droite et ne pouvait compter sur personne, est débordé par la gauche qui le renverse et met en place un gouvernement démocratique[1]. » Bel exemple d'une Delbo révolutionnaire. Elle n'est pas à bout d'arguments historiques. Elle prend l'exemple du peuple espagnol en 36, et si on veut lui opposer « que ça a mal fini et que la République espagnole a été battue après 32 mois de combats sanglants, que depuis 23 ans Franco règne dans la terreur… », Delbo rappelle qu'à l'époque « Hitler et Mussolini dominaient l'Europe, et l'aide de l'URSS a été dérisoire et tardive, on le sait maintenant. En 1961, la conjoncture européenne est toute différente, la République française est au moins assurée de la neutralité de ses voisins ». Elle décrit les forces en présence la nuit du 23 au 24 avril, et en stratège révolutionnaire, ce qui aurait dû se faire pour prendre le pouvoir, elle n'y va pas par quatre chemins. Elle est en colère Charlotte, contre l'attentisme. « Vous êtes "de gauche" et vous avez peur de la guerre civile, peur du changement, peur de ce qui viendra après, vous avez peur que de Gaulle meure. Par peur du risque, vous avez laissé passer la chance… Faites gentiment ce que recommande Jean-Paul Sartre : "Si nous commençons à nous unir contre le terrorisme, nous forcerons à nouveau le gouvernement à agir." C'est cela ! Forcez le gouvernement à agir, au moins vous pourrez *réagir*. Courage donc. Préparez des listes de pétitions, réclamez des enquêtes (ça ne peut pas faire de mal), faites des meetings de protestation (qui seront interdits), et surtout priez Dieu qu'il prête longue vie à de Gaulle ».

Et son sens de l'ironie n'est pas en reste, elle sait persifler quand elle le veut. « Et si vos prières ne sont pas exaucées, notez une adresse : Boubée, place Saint-André-des-Arts, naturaliste, taxidermiste. *L'animal garde tout le naturel de la vie.* C'est écrit dans la vitrine. » C'est ainsi qu'elle termine son

1. « Naturaliser de Gaulle », BNF, Fonds Delbo, 4-COL-208-71, Succession Delbo.

article et lui donne pour titre « Naturaliser de Gaulle ». Les débats aujourd'hui sur les naturalisations nous font oublier le deuxième sens du mot. Son image d'empailler de Gaulle montre quel pamphlétaire elle pouvait être. L'article est publié le 24 mai dans le journal du FLN, sans sa signature. Elle protégeait sa sécurité, alors qu'éclataient les attentats de l'OAS.

Elle écrit un deuxième article, elle est indignée de ce qu'elle vient de lire dans *France Observateur*. Un journaliste met en avant le rôle décisif du contingent dans l'effondrement du putsch militaire et laisse dans l'ombre les actions du contingent « qui depuis le début de la guerre, depuis près de sept ans, a ratissé, quadrillé, participé à toutes les opérations de pacification[1] ». Et ce mot de pacification est si dévoyé pour parler du rôle de l'armée française en Algérie, qui n'a jamais fait baisser ses armes au contingent « devant les femmes et les enfants d'une mechta, ne lui a jamais fait refuser d'incendier les douars, ne l'a pas fait se dresser contre le lieutenant Charbonnier et ses pareils qui infligeaient la mort à Audin et la question à Alleg, ne lui a jamais fait arrêter aucun des crimes qu'ont décrits des livres comme *Les Égorgeurs*[2] – pour citer le dernier –, ne l'a jamais fait fraterniser avec un peuple opprimé qui lutte pour son droit ». Son exaspération éclate. Elle a eu beau relever l'hypocrisie, les incohérences et l'injustice des décisions politiques dans *Les Belles Lettres*, la situation perdure. On demande toujours aux jeunes du contingent d'accepter l'incorporation militaire pour respecter leurs obligations de citoyen, et qu'ils remplissent leur devoir avec scrupule, et Delbo ironise, « ça veut dire quoi, exactement ? Tirer sur les fellaghas, mais ne pas les achever... ». « Quant aux 121, les voilà tout penauds. Pauvres idiots. Ils osaient n'être pas d'accord avec le Général, ils osaient essayer

1. « Vive de Gaulle » paraîtra aussi dans le journal du FLN en mai 61, et se trouve dans le même dossier que le précédent, à la BNF, sous la cote 4-COL-208-71.

2. De Benoît Rey, paru aux Éditions de Minuit au même moment que *Les Belles Lettres*, et immédiatement interdit.

de secouer l'opinion en dénonçant une guerre où l'arme est la torture. Et cet autre imbécile de Jean Le Meur, comme il doit regretter d'avoir écrit : "Même si on est planqué, si on est dans un bureau, dans la transmission ou aux subsistances, on est un organe de la machine répressive, solidaire de tout l'organisme – et responsable." »

En mai 1961, elle ne croit plus à aucune solution acceptable pour qui souhaite la justice et la liberté contre l'oppression. « Et Francis Jeanson ? Il a bonne mine avec ses 3 ou 4 tondus d'égarés qui prétendaient soutenir les Algériens pour empêcher le fascisme en France ». De désespoir elle ne peut plus qu'ironiser. « Espérons que le contingent continuera à soutenir de Gaulle pour qu'il mène à bien la campagne d'Algérie et fasse régner la justice. Car pendant que vous êtes tous à vous donner raison, les juges de la République française jugent : "Le Tribunal militaire de Bône a condamné à mort, vendredi 5 mai, Abdelmadjid et Mohamed Malen, membres d'une cellule terroriste, auteurs d'attentats à la grenade." » Son amertume, sa tristesse s'expriment devant l'impuissance générale, devant la sienne, une rage de voir encore son « incroyable naïveté », elle qui avait pensé que son livre aiderait à un changement.

La première partie de l'année 1961 pour Charlotte Delbo, c'est un emploi à 150 francs par mois, un premier livre publié passé inaperçu, celui qui lui tient tant à cœur refusé, et une situation politique qui la désespère.

L'été arrive. Mais une grande porte s'ouvre. Elle n'hésite pas, une fois de plus. Elle part.

Daniel Lerner, le sociologue américain pour qui elle est venue travailler à Paris quelques mois en 1956, a proposé à Charlotte Delbo de venir s'installer aux États-Unis, il a un emploi pour elle. Il apprécie la traductrice, son goût pour la sociologie, sa sensibilité et son regard sur la vie quotidienne, son don de l'observation. Mais Charlotte a décliné la proposition, elle vient de rentrer en France et ne veut pas s'éloigner de sa mère qui vieillit. Par contre lorsque Lerner lui propose de venir au mois de juillet donner des cours de français dans un collège d'été du Massachusetts et de faire pour lui des travaux de traduction en échange du voyage et du séjour tous frais payés, elle accepte.

C'est la famille de Daniel Lerner qui a créé ce camp d'été pour jeunes filles de la bourgeoisie juive aisée, sa mère et sa sœur le dirigent. Il la convainc que c'est un intéressant poste d'observation pour elle, l'occasion de découvrir comment vivent ces jeunes filles de la côte Est. Charlotte ne laisse pas passer cette opportunité d'aller aux États-Unis. Elle a près de cinquante ans, et toute sa capacité à faire confiance à la vie quinze ans après être sortie de l'enfer. « Comme je n'avais guère d'argent, je travaillais au pair : professeur de français dans une école d'été, un camp près d'un lac en Nouvelle-Angleterre[1] ». Elle ne devinait pas toutes les conséquences

1. Phrase extraite d'un manuscrit inédit, « Récits de la gare où le train ne passe plus », BNF, Fonds Delbo, 4-Col-208-247, Succession Delbo.

que ce premier voyage aurait pour la connaissance de son œuvre.

Elle sera excédée par la superficialité de ces jeunes filles qui passaient leurs journées à changer de short, de blouse, et portaient des bigoudis sur la tête même pour aller déjeuner, la futilité de leurs conversations, de leurs soucis. Elle avait eu au Conservatoire des réflexions personnelles qu'elle laissait dans les Notes transcrites sur la négligence de bien des élèves vis-à-vis de leur texte à savoir, elle qui piaffait d'impatience d'en savoir plus, d'apprendre, de connaître. Au camp d'Allegro, il y aura parmi ses dix élèves en français avancé, deux jeunes filles attentives et bien différentes. Phyllis Mensch qui venait de Washington, et Cynthia Haft de New York. Charlotte noue une relation amicale avec elles deux, et qui se poursuivra avec les parents de Phyllis. Les Mensch deviendront des amis qu'elle verra jusqu'à la fin de sa vie, quand ils viennent en France ou elle aux États-Unis. Cynthia Haft savait déjà bien le français et Charlotte encouragera ses parents à permettre à leur fille des séjours en France pour se perfectionner.

Mais Charlotte sera bien embarrassée quand Cynthia débarquera en France un an et demi plus tard, décidée à prendre sa vie en main et convaincue que seule Charlotte Delbo, sa personnalité, son soutien amical pouvaient l'aider à sortir d'une vie familiale étouffante et à trouver sa voie. Cynthia avait vu une personnalité hors du commun en Charlotte, senti la force morale et l'extraordinaire sensibilité de Delbo qui savait voir aussi « à qui elle avait affaire ». La jeune fille a préparé pendant des mois sa fugue, économisé le prix d'un billet d'avion, quitté les États-Unis sans billet de retour, adressant le jour même à Charlotte un télégramme pour la prévenir de son arrivée à Orly. Si tous les amis de Charlotte ont très mal jugé cette jeune Américaine qui s'imposait si brutalement, Delbo acceptera de l'héberger un mois, après l'avoir obligée à prendre contact avec ses parents, s'être entretenue avec le conseiller juridique de l'ambassade américaine (Cynthia avait dix-huit ans, elle n'était pas majeure au regard de la loi) et l'avoir convaincue de rentrer aux États-Unis et d'y terminer ses études.

Charlotte comprenait les difficultés de l'adolescence, elle racontait à ses amis combien elle avait été, elle, intransigeante avec les adultes qu'elle avait pu connaître, et quand elle voyait à leur visage qu'ils acceptaient de rentrer dans le rang, « si je dois devenir comme eux, je préfère ne pas vivre[1] ».

Cette radicalité, cette intransigeance, dont elle fait le propre de la jeunesse, Delbo, en a gardé une grande part toute sa vie. Une colonne vertébrale qui la tenait ferme, intérieurement. Et elle avait eu pour modèle sa mère, qui ne ressemblait pas à ces adultes qui avaient accepté d'entrer dans le rang. C'était une femme au caractère trempé, qui avait une confiance si forte en elle-même qu'elle ne laissait personne l'influencer sur ses convictions de justice et de charité, et qu'elle mettait en pratique. Une mère qui élevait rudement ses enfants. À coups de taloches. Elle avait parlé à Cynthia Haft de l'intransigeance de sa mère dans son enfance. Jusqu'à lui dire « Si j'ai tenu au camp, c'est grâce aux coups de ma mère ! » Mais une mère compréhensive aussi, qui a laissé Charlotte se faire baptiser quand elle l'a voulu, suivre le catéchisme puisqu'elle le désirait, lui faisant apprendre très tôt la responsabilité de ses choix. Une compréhension qui n'a pas mené Charlotte à une révolte d'adolescente dans le foyer familial, mais qui l'a fortifiée pour sentir la nécessité de ses décisions personnelles, trouver sa force pour sortir des épreuves.

Lorsque Cynthia à New York voudra entreprendre une thèse en littérature française, Charlotte la persuadera aisément de l'intérêt d'un sujet sur les camps dans la littérature française. Rosette Lamont, sa directrice de thèse, voudra rencontrer Charlotte Delbo après avoir lu sur les conseils de Cynthia *Aucun de nous ne reviendra*, frappée par la beauté et la force de l'œuvre. Rosette Lamont introduira l'œuvre de

1. « Les Récits de la gare où le train ne passe plus », BNF, Fonds Delbo, 4-COL-208-247, Succession Delbo.

Delbo aux États-Unis. Elle traduira *Spectres, mes compagnons* en anglais bien avant qu'il ne paraisse en français, le fera publier en deux livraisons dans une revue américaine prestigieuse, traduira plus tard l'intégralité de la trilogie, mettra très vite son œuvre au programme de son université, la fera connaître à ses collègues, l'invitera à venir parler devant ses étudiants à New York, et sera la première à présenter son œuvre dans un colloque universitaire en France. Un mois de juillet 1961 aux conséquences essentielles.

Charlotte va profiter de sa liberté une fois les cours terminés au collège d'été et parcourir 3 000 milles en Greyhound, ces autobus qui sillonnent les États-Unis. Elle ira à New York, puis à Cleveland, à Detroit, toujours poussée par sa curiosité, qui est autant de visiter les musées de New York, découvrir au Metropolitan le plus beau Van Gogh qu'elle ait jamais vu, que de pénétrer dans une Amérique profonde, seule, observatrice des usages.

Elle remarquera que la Française qu'elle est ne rencontre pas toujours la compréhension, l'accueil qu'elle souhaite, que sa fierté personnelle attendrait. Dans un bar où elle est entrée à côté de la station du Greyhound parce qu'elle a bien lu que les femmes y étaient admises (!), elle est choquée de voir que le barman auquel elle a lancé depuis sa table, « un bourbon, s'il vous plaît » – Charlotte a toujours aimé le whisky et il lui en faut un avant d'affronter le long trajet... – ne viendra jamais à sa table pour la servir, ou prendre la commande, ne lui expliquera pas plus qu'il faut venir au bar passer commande. Elle s'étonnera qu'un chauffeur de taxi à Detroit, auquel elle a demandé une course à trois dollars, c'est tout l'argent qui lui reste sur elle pour se rendre à l'arrêt du Greyhound, la laisse avant le but, pile aux trois dollars affichés.

Un couple d'Américains qu'elle croise dans les salles des Impressionnistes au Metropolitan où elle reste longtemps, noue la conversation, ils s'extasient qu'en tant que Française, elle ait la chance de vivre à Paris au milieu des œuvres originales, alors que chez eux, ils n'ont que des reproductions...

De la naïveté de ces Américains, ou de leur rudesse, elle voudra faire un croquis, écrire ces « choses vues » en Amérique. À la fin de son séjour, elle écrit en anglais un texte qu'elle intitule « Sketches from the diary of a French visitor[1] » et qu'elle envoie, encore sur le sol américain, au *New Yorker*, pas moins ! Cet excellent hebdomadaire culturel publie chaque semaine une nouvelle des meilleurs écrivains de l'Est américain. Elle recevra à Paris le mois suivant la réponse du *New Yorker*, une petite carte imprimée, réponse type, qu'elle garde, date et range avec le texte qui lui est retourné, « We regret that we are unable to use the enclosed material. Thank you for given us the opportunity to consider it[2]. » Est-ce l'habileté si élégante de la formule qui la lui fait garder ?

Elle n'en a pas moins la volonté d'écrire encore sur ce qui l'a frappé aux États-Unis. Observer, comprendre, ne pas laisser les choses dormir, faire connaître, réveiller les esprits, le sien en premier, noter ce qui la frappe de la vie des gens, les détails pratiques de la vie quotidienne qui révèlent un autre état d'esprit, c'est une passion qui ne la lâche pas. Depuis qu'elle est sortie de la mort, revenue d'où elle n'aurait jamais dû revenir, il y a une urgence de voir comment vivent les gens. Les solutions domestiques trouvées, parfois absurdes, les solutions que les États fabriquent pour gouverner la vie des citoyens, elle voudrait tout observer. Elle écrit sur « L'Amérique aux anachronismes[3] », quelques pages pour parler aussi bien de ce cordon qui sert de commutateur, qui tombe du plafonnier au milieu de la salle de bains et qu'il faut chercher à tâtons la nuit, le bras levé… que de son étonnement devant l'absence de conseil municipal dans la capitale fédérale, parce que la ville de Washington n'a construit que

1. BNF, Fonds Delbo, 4-COL-208-257, Succession Delbo. Titre qu'on peut traduire par : « Croquis extraits du Journal d'une touriste française. »

2. « Nous regrettons de ne pas être en mesure d'utiliser les feuillets joints. Merci de nous avoir donné l'occasion d'en prendre connaissance ».

3. Article inédit, BNF, Fonds Delbo, 4-COL-208-258, Succession Delbo.

des bâtiments pour les services administratifs du pays, sans penser à ses propres habitants, et qu'en 1961 cette ville de 800000 habitants n'a en fait pas de conseil municipal. « Les Washingtoniens n'ont pas le droit de vote ! » Parler des fenêtres à guillotine, importées par les émigrants d'Europe du Nord au climat pluvieux et froid, qui n'ouvraient pas en grand les fenêtres dans leurs maisons qui n'avaient pas plus d'un étage... Aujourd'hui, elles se trouvent « à rebours du bon sens » dans les hauts buildings et sont impossibles à laver de l'intérieur pour la ménagère ou la femme de ménage. La sociologie, l'histoire pour passer au crible la vie quotidienne des Américains. Elle n'est jamais rassasiée d'observations, pour saisir, comprendre, puis écrire vite, rendre compte, quitte à ranger dans une chemise les feuillets qu'elle ne réussit pas à publier, comme cette somme d'anachronismes de ce pays moderne vers lequel se tournent tous les regards depuis les années 50.

Cette première année où elle est de retour à Paris, elle écrit toute sorte d'articles, de textes courts pour faire entendre sa voix. Sur la situation politique en France, forces en présence et possibilités de changements, sur la guerre d'Algérie, le parti communiste et les mensonges de Maurice Thorez, ce qu'elle a vu en Amérique. Elle s'engage sur une ligne personnelle avec ses propres analyses, ne se retrouve dans aucun parti politique, ne bénéficie d'aucun soutien d'intellectuels français. Sans diplôme universitaire, autodidacte, ayant brièvement participé à la Résistance, survivante d'Auschwitz, elle ne ressemble en rien à une intellectuelle engagée comme Germaine Tillon, ethnologue, Résistante associée au réseau du Musée de l'Homme, déportée à Ravensbrück, gaulliste, ni à une femme comme Marie-Claude Vaillant-Couturier, déportée dans le même convoi qu'elle, qui devint la responsable communiste au camp de Birkenau après la mort de Danielle Casanova et plus tard députée communiste à l'Assemblée nationale, ni à un écrivain comme Micheline Maurel, professeur de Lettres, Résistante déportée à Neubrandenbourg, camp annexe de Ravensbrück, dont le livre *Un camp très ordinaire*, a été très remarqué et distingué par un prix l'année de sa publication.

Charlotte Delbo est dans la marge et sans soutien. Une femme, revenue d'Auschwitz, qui veut avoir fait œuvre d'écrivain à partir de la plus grande tragédie, dont le livre n'est pas publié. Qui ne se reconnaît dans aucun parti politique et que sa sensibilité écorchée par l'épreuve a rendu irréductible aux compromissions. Trahie dans son engagement politique par un langage faux, une mystification, trahie dans son engagement amoureux par de fausses apparences, il lui faut casser tout accommodement possible. Ils auraient ravivé l'accommodement de Georges Dudach au Parti et ses tragiques conséquences, ou lui auraient rappelé le comportement des responsables communistes de leur convoi, qui ne lui a pas plu et l'a fait se tenir à l'écart d'elles pendant toute sa déportation.

Charlotte Delbo ne s'est pas étendue sur le sujet, mais deux faits l'attestent. D'une part, aucune des responsables communistes déportées n'a fait partie du petit groupe des « inséparables » autour de Charlotte, comme elles s'appelaient au camp, où se trouvaient Cécile, c'est-à-dire Christiane Borras, Lulu et Carmen, les deux sœurs Serre, Gilberte Tamisé, et Poupette, c'est-à-dire Simone Alizon. « Si les responsables politiques ont été d'une solidarité sans faille concernant l'entraide matérielle, il n'en fut pas de même sur le plan moral. (...) Notre petit groupe des six était le plus critique par rapport aux "huiles", ainsi que nous appelions ces dirigeantes[1] ». Charlotte elle-même fera mention de ses distances au camp déjà, dans une lettre à Philippe Robrieux en 1981 quand paraît son livre, *Histoire intérieure du parti communiste*. « Voir "les cadres" en déportation m'a refroidie tout de suite[2] ».

Charlotte Delbo a cette parole individuelle, singulière, et qui ne profite d'aucun appui. D'ailleurs, qui trouverait intérêt

1. Simone Alizon, *L'Exercice de vivre*, *op. cit.*, p. 273-274.
2. BNF, Fonds Delbo, 4-COL-208-295, Succession Delbo.

à la soutenir ? Les communistes se méfient d'elle depuis ses prises de position sur la guerre d'Algérie. Et ceux qui ne sont pas communistes la tiennent pour communiste. Elle n'a pas publié de livre remarqué et n'est proche d'aucun intellectuel dans ce début des années 60, sinon qu'elle travaille pour Henri Lefebvre, à qui elle sert d'esprit critique pour mettre au net ses écrits ou ses communications. Son origine sociale modeste, qu'elle soit une femme, qu'elle n'ait pas fait d'études, ne favorise pas sa fréquentation des intellectuels, qui à l'époque sont pour la plupart des hommes, et issus de la bourgeoisie.

Quand elle lit dans *Le Monde* en novembre 61 les déclarations de Maurice Thorez avant la réunion du Comité central du Parti, elle ne peut s'empêcher de prendre la plume et d'envoyer un article au quotidien où elle ne mâche pas ses mots. « Maurice Thorez ne savait rien, ne connaissait pas la réalité. Il n'était pas informé de ce qui se passait en URSS de 1925 à 1955. Et pendant trente ans, bien que n'étant pas informé, il a assuré quantité de choses qu'il ignorait. À toutes les questions il répondait avec la tranquille assurance de celui qui sait. Alors qu'il ne savait pas. Les plumitifs du *Figaro* en savaient plus que lui. (Et c'est ce qui m'enrage, moi qui croyais Maurice Thorez.) » Il ose assurer que la dictature du prolétariat est nécessaire, en même temps qu'elle est provisoire puisque l'État appartient ensuite tout entier au peuple. Delbo s'insurge. « En URSS ce ne fut pas la dictature du prolétariat, mais la dictature d'un seul individu. Donc comment l'étape de la dictature du prolétariat a-t-elle pu être sautée ? Donc elle n'est pas nécessaire ![1] » Il lui faut dire ce qu'elle sait, utiliser l'ironie, la logique d'une démonstration, mais sa parole échoue, l'article ne paraît pas. C'est l'époque de la guerre froide, l'année de la construction du mur de Berlin, l'opposition est nette entre communistes et anticommunistes. Les voix critiques qui discernent et contestent les

1. « L'esprit français », article inédit, BNF, Fonds Delbo, 4-COL-208-259, Succession Delbo.

faux raisonnements ne tiennent pas le haut du pavé. Ce sont les voix partisanes d'un bord ou de l'autre qu'on entend, celles qui reflètent la radicalisation des oppositions.

Charlotte critique violemment le parti communiste français sur ses positions et mots d'ordre, elle considère les théories de Marx « obsolètes », elle raille le romantisme révolutionnaire de son ami Henri Lefebvre, dont beaucoup d'analyses la rapprochaient. Elle défend une subversion rationnelle, proche de l'esprit de Marx mais dégagée de ses analyses historiques, et dégagée de tout rapprochement du parti communiste... Autant dire qu'elle est bien isolée et singulière, et que ses articles rejoignent ses tiroirs dans des chemises bien classées.

Elle est vacataire au Centre d'études sociologiques. Henri Lefebvre n'aura son propre laboratoire qu'en 1964. Elle travaille pour lui mais ce qu'elle voudrait, c'est prouver sa place au sein du département, alors elle rédige des articles et des comptes rendus pour la *Revue française de sociologie*, revue de référence, fondée en 1960 par Jean Stoezel, et dirigée les cinq premières années par Edgar Morin. Tous les noms importants de la sociologie écrivent dans la *Revue*, tous les ouvrages importants en français, anglais, allemand sont chroniqués dans la *Revue*. Elle va y publier dix comptes rendus d'ouvrages et un long article entre 1961 et 1965, pendant cette période charnière entre la parution des *Belles Lettres* aux Éditions de Minuit en mars 61 et celle *d'Aucun de nous ne reviendra* chez Gonthier en mars 65. Elle n'y met de côté ni sa personnalité ni son style.

Ses comptes rendus ne ressemblent pas à ceux qu'on peut lire dans la revue, elle ne cache pas ses références, joue de son goût pour la logique, s'en sert pour faire preuve d'ironie. À propos d'un ouvrage d'Henri Mendras, sociologue reconnu, sur des communautés villageoises en Grèce, *Six villages d'Épire*, elle apprécie de façon très personnelle ses observations et ses descriptions, elle qui avait visité la Grèce quand elle travaillait à Athènes. « Mieux qu'une mine de renseignements : une succession d'images, colorées, précises, vivantes. Si toutes les enquêtes socio-économiques avaient le pouvoir évocateur de celle-ci, l'on renoncerait à toute autre lecture... Jouvet disait qu'on pouvait savoir de quelle pièce il s'agit en ayant tout juste la liste des accessoires. "Une bourse, des jetons, une lettre. Qu'est-ce que c'est ? — *L'École des femmes.*" Sachant que chaque famille d'un village possède deux ou trois pioches ou sarcloirs, deux ou trois faux ou faucilles, quelques chèvres et quelques moutons, un âne ou un mulet, parfois une vache, on voit vivre les villageois de l'Épire. Pauvrement. (...) Et pourtant quelle richesse ! Intelligents, passionnés par la politique internationale, désireux – sans exception – de donner de l'instruction à leurs enfants, ouverts au progrès et aux innovations techniques, les Épirotes ont le sens du bonheur. Chaque fête est l'occasion de réunions... » Et quand elle voit l'auteur regretter que les Épirotes soient plus « citadins » qu'agriculteurs, obstacle à la modernisation de leur agriculture, qu'ils s'intéressent plus aux événements du monde qu'à ceux de leur village, qu'ils n'aiment pas la terre, et que l'auteur cherche des moyens de modifier cette mentalité, elle a d'autres conceptions : « Héritiers vivants de la grande civilisation grecque, les Épirotes ne seront jamais des paysans. (...) Que M. Mendras envoie son rapport à l'Office du Tourisme hellénique qui y trouvera la matière d'une publicité irrésistible. Que le Club Méditerranée quitte les sentiers battus de la Grèce traditionnelle, et toutes les couvertures de laine rouge à dessins noirs que tissent les jeunes filles de l'Épire seront vendues, plus mille autres choses, car le Grec est un commerçant génial. Peut-être trouvera-t-on alors le moyen qui permette aux Épirotes de rester en Épire (rien n'est plus malheureux qu'un Grec en Amérique, et pourtant tous songent à l'émigration comme au salut). L'auteur suggère quelques-uns de ces moyens (notons au passage qu'il parle de reboisement sans recommander de supprimer les chèvres, ces gracieuses destructrices de la forêt méditerranéenne). On peut douter de ceux de ces moyens qui se fondent sur la transformation de la mentalité citadine en mentalité paysanne. La mentalité citadine a été formée par vingt-cinq siècles de civilisation et si l'on en croit Oswald Spengler lorsqu'il dit que "toutes les grandes cultures sont nées de la Cité", on voit à la lecture du rapport que les Épirotes sont les gens les plus cultivés du monde ». Henri Mendras aura peut-être été surpris de ce compte rendu, lui qui signait régulièrement des articles dans la *Revue.*

Delbo est une citadine, elle aime plus que tout la ville, creuset des ferments de la pensée et des arts. « Je n'aime plus la nature que dans *Intermezzo* », avait-elle écrit quand elle s'était retrouvée dans la campagne suisse en 46. Sa mère était bien née dans un village du Piémont, et Charlotte l'accompagnera quand elle voudra revoir son pays natal, mais elle, elle sait quel genre de vie elle a définitivement adopté.

Elle travaille sur un sujet qui l'intéresse, le développement des villes américaines, écrit un long article, « L'Amérique en reconstruction », où elle appuie son raisonnement sur des articles du *Washington Post* parus en août 61 qu'elle avait lus pendant son séjour, et signe « C. Delbo, Centre National de La Recherche Scientifique ». Elle prend au sérieux sa collaboration à la revue, mais elle n'exprime pas moins son humour, et son ironie, comme ce qu'elle écrit à propos d'*Itinéraires de contagions : Épidémies et idéologies*, d'André Siegfried préfacé par Louis Pasteur Vallery-Radot. « Les hommes voyagent sur les routes – des itinéraires tracés –, les microbes aussi : ils voyagent avec les hommes. Vérité d'évidence qui tomberait sous le sens de chacun si nous ne savions depuis Colomb que les vérités, comme les pommes sur le nez de Newton, tombent de préférence sous le sens des grands esprits. Ainsi sont tombés en même temps, sous la main d'André Siegfried, le livre du docteur Duguet : *Le Pèlerinage de la Mecque* et les relevés épidémiologiques de l'Organisation mondiale de la Santé. Donc, microbes, bactéries, poux, puces, etc. (les vecteurs) – empruntent les sentiers battus par les hommes : la route du thé, la route de la soie, les routes des caravanes, les routes maritimes et maintenant les routes aériennes. Les hommes transportent aussi des idées, et des livres, des journaux (vecteurs) et voilà que les idéologies ont des itinéraires, comme la peste et le choléra. Comparaison tentante, mais les maladies sont toutes mauvaises tandis que les idéologies sont ce qu'elles sont et pas forcément mauvaises. Une note sur les anticorps : à New York, la démagogie des Irlandais, jouant le rôle d'anticorps, fait efficacement barrage au communisme. Si le communisme était virulent à San Francisco où il y a beaucoup moins d'Irlandais qu'à New York, la démonstration serait probante. Les itinéraires des épidémies, décrits dans la première partie, rendent celle-ci assez intéressante. Quant à la deuxième partie… Pasteur Vallery-Radot, dans sa préface, nous assure que parler des idéologies en termes de médecine est une idée neuve. Comme toute idée neuve elle ne manquera pas d'être féconde. On attend la création d'une Organisation mondiale des Idéologies, qui publiera des bulletins épidémiologiques hebdomadaires et des rapports sur les vaccins au fur et à mesure de leur mise au point. Mais de nos jours, les idéologies voyagent beaucoup toutes seules, prennent la radio – ce à quoi M. Siegfried n'a pas songé – de sorte que son idée neuve n'aura sans doute qu'un intérêt historique. C. Delbo ».

Sur les dix comptes rendus qu'elle rédige, quatre le sont sur des ouvrages publiés en anglais. D'après tous ceux que publie la *Revue française de sociologie*, la proportion d'études américaines que lit Delbo est bien au-dessus de la moyenne de ceux recensés. On lui proposait facilement les ouvrages rédigés en anglais, les collaborateurs n'étaient pas si nombreux à pouvoir les lire. Henri Lefebvre lui-même ne parlait pas l'anglais, et Charlotte l'accompagnait en Angleterre, pour lui servir d'interprète.

Il a été nommé professeur de sociologie à l'Université de Strasbourg en 1961, et en 1965 à Nanterre. En 64, Charlotte est intégrée à son laboratoire d'études sociologiques au CNRS. Dans les lettres qu'il écrit pour permettre à Charlotte de grimper d'échelon dans la grille du CNRS, ce qu'il sera difficile à Charlotte d'obtenir, il précise qu'elle effectue des travaux de recherche en sociologie, en sociologie urbaine, en histoire, rédige des fiches bibliographiques et des résumés de lecture d'ouvrages en anglais et en allemand. Elle s'occupe de ses relations avec ses étudiants, et organise son plan de travail pour ses deux séminaires de troisième cycle.

Dans le train pour Strasbourg, ou dans sa voiture quand elle la prend, ils dialoguent, Henri Lefebvre préparait ses cours dans la confrontation verbale. Il était plutôt essayiste que créateur de concepts. Lorsqu'il introduit ce nouveau terrain d'étude de « la vie quotidienne », il veut le faire dans un esprit « critique » et pas dans une démarche épistémologique. Lefebvre veut garder le langage du vécu. Pour lui, la connaissance du quotidien n'implique pas un langage spécial, conceptuel, comme il l'exprimera expressément plus tard. « Même lorsqu'il s'agit de discerner dans le quotidien le non-dit du dit, l'inconscient du conscient, le méconnu du connu, bref de déceler ce que contient le discours de la quotidienneté, il n'est pas nécessaire d'inventer un lexique, une syntaxe, un paradigme différents de ce qui se donne dans le discours. La connaissance critique du quotidien s'exprime dans le langage de tous les jours et de tous[1] ». Delbo ne peut qu'apprécier ce choix. Elle n'en garde pas moins un regard critique sur ses développements quand il rédige ses livres. Lefebvre avait l'habitude d'écrire par jets successifs, il donnait à Charlotte les parties manuscrites en leur état, déjà recopiées par sa compagne après ses corrections. Il attendait le tapuscrit de Charlotte pour y retravailler. Rédigeant *Métaphilosophie* qui paraîtra en 1965, il lui envoie en août 63 une première copie avec un mot pour lui expliquer qu'Évelyne a recopié son manuscrit illisible avec lui à ses côtés.

Charlotte lui envoie le 13 septembre une lettre[2] pour lui faire part de « son irritation croissante » à le lire. « Parce que c'est mauvais ». Elle lui conseille absolument d'y réfléchir

1. *Critique de la vie quotidienne*, tome 3, De la modernité au modernisme (Pour une métaphilosophie du quotidien), L'Arche éditeur, 1981, p. 25.
2. BNF, Fonds Delbo, COL-4-208-49, Succession Delbo.

et de réorganiser l'ouvrage. Elle n'hésite pas à critiquer le contenu. Les commentaires sont décousus, le saupoudrage d'urbanisme survient comme des cheveux sur la soupe, elle lui suggère de les garder pour un livre distinct. Puis, lui écrit-elle, il y a 80 pages où on cherche le fil de la pensée, on se demande, où veut-il en venir ? « À son thème favori, voyons ! Nous raconter sa vie ! La Somme et le reste (le titre de son livre autobiographique de 700 pages, paru en 1959), ça va une fois. Le jeune homme naïf généreux et cruellement égoïste qui met ses tripes en vitrine n'intéresse personne. Moi, il me fait vomir. Indécent et barbant. Il s'attache à des querelles qui n'intéressent que les exclus du parti. Ce n'est pas le thème préféré des gens qui s'intéressent à la philosophie, à la politique et cherchent ». Charlotte Delbo avait horreur des confidences sur la vie sentimentale. « Laisse à un biographe malveillant le soin d'expliquer que si tu es devenu communiste, c'est parce que tu avais été repoussé par celle que tu aimais. Mets tes confidences de côté pour *Elle* qui sera contente (sic) de les prendre pour faire suite à celles de Mme Clara Malraux (en cours de publication – c'est gratiné). Bref sur 200 pages, tu pourrais en garder 50 ». Elle est peinée en fait. « Qu'on me dise, votre patron, il gâtifie et que je sois obligée d'encaisser, non ! Certains de tes élèves – M. Baudrillard, par exemple – s'ils lisaient ce manuscrit, ils seraient atterrés ».

Elle ne s'arrête pas à critiquer sa complaisance, elle aborde son argumentation. Elle critique son chapitre sur Sartre. « Il est plein d'acrimonie, d'avis qui ne sont que des jugements qui restreignent la portée de l'argument ». Elle trouve qu'il fait un faux procès à Sartre en lui démontrant qu'il ne reprend pas la pensée du Marx de 1948. « Lui, la pensée authentique de Marx, ce qu'aurait pu ou dû être le marxisme si…, il s'en fiche. Tu ne peux pas reprocher à Sartre de partir d'ailleurs que de la fameuse pensée authentique de Marx s'il n'en voit pas l'utilisation. Il part de Marx et va de l'avant ». Cette fameuse pensée à laquelle Delbo fait ironiquement référence est celle des écrits de jeunesse que Lefebvre avait traduits et introduits en France. Elle ajoute : « Il y a eu une époque où la philosophie a retrouvé Platon en mettant de côté Aristote qui avait régné jusque-là. À quoi servait-il de les chicaner avec des : Mais Aristote dit que ? » Que Lefebvre veuille restituer ici ce qui serait la pensée authentique de Marx, elle le juge sans portée sur la pratique : une entreprise vaine. Delbo veut l'amener à réfléchir sur le présent, « Ce qui est mort, est mort, même si ça n'aurait pas dû mourir », rappelant ce qu'elle avait argumenté quand elle répondait à sa question de fonder une nouvelle revue. « On peut créer le groupe de chercheurs qui feront pour notre temps ce que Marx a fait pour le sien. De la connaissance de la réalité, on tirera une théorie qui permettra de changer cette réalité. On saura où aller, comment faire pour y aller ».

Lorsque, en 1964, elle écrit un compte rendu détaillé, dans la *Revue française de sociologie*, de l'ouvrage en deux volumes d'Andrée Michel et de Geneviève Texier sur *La condition de la femme française d'aujourd'hui* dans la collection « Femme » que Colette Audry dirige aux éditions Gonthier, elle le distingue parmi tous ceux qui paraissent cet été-là sur la condition des femmes, il a le mérite d'embrasser la question sous tous ses aspects : historiques, actuels, sociologiques, juridiques. Elle marque de sa patte son compte rendu. « Les Français peuvent bomber le torse : ils ont glorieusement pris la Bastille, se sont fait considérer partout comme les champions de la liberté, tout en réussissant à garder leurs femmes en tutelle sinon en esclavage (voir le Code, la collusion des notaires, des banquiers et des médecins, tous dressés contre la liberté des femmes, les barrages professionnels). Les Françaises peuvent mesurer la duperie : elles ont participé à toutes les luttes (de la Commune à la Résistance et à la paix en Algérie) sans en tirer autre chose que le droit de vote. A. Michel et G. Texier dénoncent avec preuves à l'appui. Parfois elles vont un peu loin : comparer les femmes aux colonisés, en quoi cela peut-il aider ces femmes à s'organiser pratiquement pour gagner leur émancipation ? Les comparaisons avec les autres pays ne me convainquent pas tout à fait non plus. Avec l'URSS par exemple. On sait qu'il y a en URSS une plus forte proportion qu'ailleurs, une grosse proportion même, de femmes ingénieurs et médecins, il y a des femmes cosmonautes. Oui, mais combien de laveries, combien de machines à laver, combien de salles de bains, de W-C en URSS ? J'ai souvent pensé que c'est le nombre de postes d'eau dans un pays qui donne la plus juste image de la situation des femmes. La femme mariée est juridiquement spoliée en France ; c'est vrai. Mais en Suisse, berceau de la démocratie classique ? » Ses treize années en Suisse lui ont montré que la démocratie n'entraînait pas nécessairement l'égalité des conditions et des droits entre les femmes et les hommes.

« Il est certain que de grands changements s'opèrent, et par la volonté des femmes, justement. Elles ont – avec quelle peine – conquis le droit de passer leur baccalauréat et leur permis de conduire. Elles conquerront le droit d'enfanter quand il leur plaira, d'avoir des crèches et des garderies pour leurs enfants, de travailler dans la branche qui leur plaît, d'accéder à toutes les fonctions ». Le premier droit que Charlotte distingue dans l'émancipation indispensable, c'est ce droit à la liberté de la femme sur son corps, le droit « d'enfanter quand il leur plaira », sujet qui lui est cher.

Son regard sur la condition des femmes, sa forme d'esprit si personnelle, incitent Andrée Michel à lui demander si elle n'aurait pas un manuscrit pour la collection de Colette Audry. Charlotte Delbo était vivante et ouverte à la discussion, Andrée Michel se souvient très bien de cette femme qu'elle aimait beaucoup et qu'elle estimait. Au CNRS, Andrée Michel trouvait l'atmosphère intellectuelle médiocre et desséchée, Charlotte tranchait avec son tempérament charnel, elle n'était pas une intellectuelle désincarnée, elle aimait la vie et l'amitié, s'intéressait profondément aux êtres humains, était inclassable. Et Charlotte Delbo répond « non ». Elle ne voit pas ce qu'elle pourrait donner à cette collection dont le catalogue est fait d'enquêtes, d'essais, de documents. Les deux volumes sur *La condition de la Française aujourd'hui* sont le n° 1 et le n° 2 de la collection, suivent l'ouvrage de Maria Montessori, *L'enfant* ; la réédition du journal d'un médecin gynécologue, *La grand'peur d'aimer*, de Marie-Andrée Lagroua Weill-Hallé qui milite au planning familial ; le livre de Clara Malraux, *Civilisation du kibboutz* ; celui signé Marie-Thérèse, *Histoire d'une prostituée* ; d'Alexandra David-Néel *Voyage d'une Parisienne à Lhassa*, les deux volumes de *La femme mystifiée* par la féministe américaine, Betty Friedan, et l'essai de la psychanalyste Maud Mannoni, *Le premier rendez-vous avec le psychanalyste*. Des ouvrages intéressants, mais pas particulièrement littéraires. La liste fait comprendre la réponse de Charlotte Delbo, jusqu'à un certain point. Elle aurait pu penser à son récit de voyage en URSS, ponctué de tant de remarques sur la condition des femmes. Mais *Un métro nommé Lénine* est à ses yeux la dénonciation d'une mystification. Une dénonciation terrible pour elle par le regard rétrospectif sur sa vie, sur celle de Georges. Elle avait voulu le donner à un grand éditeur, ne l'imaginait pas dans une collection avec une étiquette restrictive à ses yeux, celle de « Femme ».

La proposition d'Andrée Michel va faire son chemin dans son esprit. Il n'est pas question de la laisser passer.

Et Colette Audry saura entendre ce livre. La quatrième de couverture qu'elle écrira, le montre.

« Plus qu'un récit ce livre est plutôt une suite de moments restitués. Moments insoutenables d'Auschwitz qui se détachent sur le fond d'une réalité impossible à imaginer et à admettre pour ceux qui ne l'ont pas vécue. Par des moyens d'une étonnante simplicité, l'auteur évoque les atroces souffrances subies et parvient à les porter à un degré d'intensité au-delà duquel il ne reste que l'inconscience ou la mort. Charlotte Delbo n'a pas voulu raconter son histoire, non plus que celle de ses compagnes : les individus ne sont que des initiales ; à peine parfois des prénoms. Car il n'est plus de place en ces lieux pour l'individu. Voici notre espèce réduite à l'anonymat du besoin, de la violence et de la mort ».

Jérôme Lindon, quand il rééditera le livre aux Éditions de Minuit en 1970, gardera presque intact ce texte pour la quatrième de couverture.

La collection de Colette Audry concernait les femmes. Bien sûr, son livre rend compte du camp des femmes d'Auschwitz, du sort des femmes détenues à Birkenau, et en cela pouvait concerner la collection. Mais si la tendresse habite les gestes d'entraide, si son corps de femme et le corps de toutes les femmes sont si présents, si tant de formes de l'expérience féminine traversent le livre, Charlotte Delbo s'en sert pour dire ce que fut Auschwitz. Et Colette Audry perçoit la portée du livre.

On peut imaginer qu'entrer dans une collection « Femme » n'a pas été sans quelques questions pour Delbo. À cette époque, Charlotte ne se serait pas dite féministe. Pour elle, la littérature n'a aucune frontière de sexe, il n'y a pas de littérature féminine, pas plus qu'il n'y aurait une littérature masculine. Il y a la littérature, et ce qui n'en est pas. Et ses revendications de justice et de liberté sont politiques, l'égalité des conditions elle les veut pour tous, si elle pense souvent aux droits des femmes, c'est bien parce qu'ils sont les moins accordés. Ce décalage entre son livre, universel, et l'orientation de la collection semble n'avoir jamais été une question, un problème entre Charlotte Delbo et Colette Audry.

Colette Audry va ajouter un Appendice sur *Les camps de concentration en Allemagne* qui résume avec justesse l'historique des camps du IIIe Reich, distingue camps de concentration et camps d'extermination, dit l'extermination des juifs, l'usage des chambres à gaz, toutes choses qui n'étaient pas largement sues encore en 1965. Colette Audry était déjà sensible à un sujet qu'il lui tiendra à cœur de faire savoir, c'est elle qui en 1975 traduira de l'anglais le livre de Gitta Sereny, *Au fond des Ténèbres*, fait d'entretiens dans sa prison avec celui qui fut le commandant du camp de Treblinka et de Sobibor, Franz Stangl. Une notice biographique de huit lignes sur l'auteur suit l'Appendice, n'y figurent ni sa date de naissance ni ses années de travail auprès de Jouvet, mais son adhésion aux Jeunesses communistes en 36, son mariage avec un jeune militant, Georges Dudach, la lutte clandestine, l'arrestation par la police française qui les livre à la Gestapo, l'assassinat de Georges et l'emprisonnement de Charlotte à la Santé, au fort de Romainville et la déportation à Auschwitz en janvier 43. La notice fait d'elle un témoin, qui entre ainsi dans le champ de la collection. La route sera longue avant que l'on parle de Charlotte Delbo comme d'un écrivain.

L'édition Gonthier comporte une Table des matières, qui distingue les titres des scènes et des poèmes comme autant de chapitres. Une Table des matières que plus tard Charlotte Delbo refusera pour tous ses livres. Elle la fera disparaître pour la réédition chez Minuit. Après avoir écrit le deuxième livre de la trilogie, elle a pris conscience de son procédé du montage, ses livres ne se découpent pas en chapitres, présentent une suite de scènes, de tableaux qui font naître un ensemble.

Deux phrases figuraient à la suite de sa notice biographique. « Aujourd'hui elle dit : "Je ne suis pas sûre que ce que j'ai écrit soit vrai. Je suis sûre que c'est véridique." » Elles ont pu paraître énigmatiques à l'époque après sa brève biographie, comme un commentaire sur une expérience vécue. Au moment de la réédition, ses deux phrases deviendront un exergue, en tête du livre. *Aujourd'hui je ne suis pas sûre...* Elles disent alors la voix d'un écrivain qui cherche sa vérité, doute de la réalité tant cette réalité dépassait ce qui peut se concevoir.

Le livre sortira fin février 1965. Quatre critiques littéraires le repèrent. Dans *Combat*, Josane Duranteau lui consacre, déjà le 4 mars, trois colonnes, commençant par : « Voilà un grand livre... » Derrière le style, elle glisse un portrait. « Les vertus de ce talent sont aussi les vertus de l'âme : la maîtrise de soi, une sensibilité héroïquement retenue, une pitié trop profonde pour s'attendrir. Le style de Charlotte Delbo tient debout, comme elle tenait debout à l'appel. Et à ce point de tension, son livre ne pouvait être qu'un poème. Le poème d'une agonie immense, multiple, partagée, refusée, acceptée parfois comme une tentative insidieuse ». Elle analyse le désespoir exprimé jusqu'à celui du dernier chapitre sur la faiblesse et l'impuissance de la mémoire. Elle relève la dernière phrase du livre « Aucun de nous n'aurait dû revenir », toutes les questions que la lecture de la phrase peut soulever. Elle sait voir combien la force du livre tient aussi à un non-dit, à une réserve, à la façon rare d'un auteur de se servir de la parole pour se retrancher devant la puissance du réel, et laisser au lecteur sa part de liberté, de propre inquiétude pour recevoir ce réel énigmatique. « Charlotte Delbo en sait trop long sur la vie, la mort, la souffrance, le courage et l'amitié pour ne pas rester très en deçà de ce qu'elle a à dire. C'est une des beautés de ce livre pur, que je recommande très vivement à nos lecteurs ».

François Bott tient une chronique littéraire dans *L'Express*. Il écrit un article très élogieux[1] où il laisse parler son émotion à entendre cette voix « déchirante », « cette voix douce et mutilée, vive, écorchée, poignante et obsédante comme un songe indélébile ». Sa lecture le fait penser à Éluard, celui de *Corps mémorable*, à Rimbaud, « Un soir, j'ai assis la Beauté sur mes genoux. Et je l'ai trouvée amère. Et je l'ai injuriée ». Il voudrait trouver une catégorie et un genre pour parler du livre, de l'émotion qui se dégage de sa lecture, mais place ce livre hors catégorie. François Bott a reconnu l'apparition fulgurante d'un livre hors norme, poignant, d'une beauté bouleversante. « Je ne connais pas d'œuvre comparable à celle de Charlotte Delbo, sinon *Guernica*, sinon le film *Nuit et Brouillard* : même pudeur, même déchirure, même atroce tendresse, chez cette femme, chez Alain Resnais ». Pablo Picasso, Alain Resnais, un peintre, un cinéaste, François Bott trouve des rapprochements loin d'autres livres, tant il découvre une œuvre innovante, inédite. « Il existe peu d'ouvrages où la beauté injuriée, crucifiée, soit malgré elle ou presque, si flamboyante ». Il en perçoit néanmoins

1. *L'Express*, n° 715, mars 1965, p. 64.

la douceur, il titre son article « Une si bouleversante douceur », évoque sa « parole murmurée, frémissante, lointaine, aux confins de nous-mêmes, de la mémoire et du corps et de la mort ».

François Bott percevra à travers tous les livres de Charlotte « sa voix douce d'écorchée », « la beauté » de ce qu'elle écrit, au risque de choquer en employant le mot de beauté pour dire ce qu'elle réussit à écrire sur Auschwitz. « La poésie » qui est la sienne est là non pas pour tempérer le cauchemar mais pour faire toucher la vérité. Il avait souhaité rencontrer l'auteur, tant le livre l'avait impressionné. Il se souviendra vingt ans plus tard, à la mort de Charlotte, de son accueil, de ses mots ironiques pour conjurer peut-être ce qu'elle redouterait, que son livre ne fût pas vraiment entendu. « Vous me rendez visite pour connaître la couleur de mes yeux ? » Non, François Bott venait lui parler d'un livre qui l'avait bouleversé, et le mot lui paraît faible. « Ce livre m'avait fait comprendre tant de choses ! », écrira-t-il après sa mort[1].

Une amitié indéfectible naîtra à la suite de cette première rencontre. Quand François Bott quittera *L'Express* pour *Le Monde*, il l'invitera à écrire dans le quotidien et lui ouvrira à plusieurs reprises la rubrique des Libres Opinions. Il y chroniquera chacun de ses livres et fera un grand entretien avec elle, au moment de la publication de deux de ses pièces, *Maria Lusitania* et *Le Coup d'État*, chez P.J. Oswald. *Le Monde* publiera deux nouvelles inédites de Delbo et en « bonnes feuilles » le premier chapitre de *Mesure de nos jours*, juste avant sa parution. Au pied des chroniques de Delbo dans *Le Monde*, il y aura toujours la note « Écrivain, auteur de… ». Il fera partie des rares personnes à la considérer comme un écrivain. Quand Jacques Chancel invitera Charlotte Delbo en 1974 à son émission « Radioscopie » pour un entretien d'une heure à l'occasion des représentations de sa pièce *Qui rapportera ces paroles ?*, les trois volumes de la

1. « La mort de l'écrivain Charlotte Delbo », *Le Monde* du 5 mars 1985, p. 17.

trilogie d'*Auschwitz et après* sont parus. À la fin de l'entretien, il annonce le sujet du lendemain : « Et demain, nous recevons un écrivain, Claude Mauriac. » Charlotte Delbo ne l'était donc pas ?

Deux autres critiques souligneront sa qualité d'écrivain. C'est Max-Pol Fouchet, dans la première émission littéraire de la télévision, qu'il a créée avec Pierre Desgraupes et Pierre Dumayet, « Lectures pour tous », réputée pour son exigence, qui présente le livre avec émotion et beaucoup d'éloges. Un « Canto Jondo », Chant profond de la déportation, un poème en prose où « ses phrases sont des versets, des versets claudéliens[1] ». Il souligne son « énergie de la définition » quand elle sait évoquer tous ceux qui descendent du train à l'arrivée d'un convoi. Sa façon de décrire les appels, il ne l'a lue dans aucun autre livre, de faire sentir sans avoir besoin de le dire par des phrases, « cette peur de la mort », cette présence-là. Et c'est Claude Prévost, à l'intérieur du mensuel des intellectuels du parti communiste, *La Nouvelle Critique*, qui cite à plusieurs reprises Charlotte Delbo dans son article de vingt-sept pages sur les camps nazis dans la prose française et parle du « long poème en prose » d'*Aucun de nous ne reviendra*. Il met en valeur l'art et le style de l'œuvre qui veut « donner à voir » et y réussit grâce à « sa poésie déchirante[2] ». À la suite, il s'entretient longuement avec Delbo à propos du livre et sur les moyens de la littérature pour parler d'Auschwitz.

Pourtant ces critiques particulièrement élogieuses ne permettront pas au livre d'être lu au-delà d'un cercle restreint. C'est par le réseau des anciens déportés que *Aucun de nous ne reviendra* se vendra, atteindra les lecteurs c'est-à-dire les familles de déportés et les anciens déportés eux-mêmes. Parce qu'elle met des mots sur le vide dans l'imaginaire des familles de toutes celles, de tous ceux qui ne sont pas rentrés. Et la douleur, l'amour, la pitié, comme la vérité sans fard que Delbo choisit d'exprimer, donnent une représentation

1. « Lectures pour tous » du 21 avril 1965.
2. *La Nouvelle Critique*, n° 167, juin 1965, p. 7 à 34.

symbolique à tous ceux qui n'eurent rien pour vivre le non-retour de leurs proches. Comme pour ceux qui sont revenus de déportation et qui au retour n'ont pu faire entendre l'épreuve.

Mais dans la France de 1965 qui se relève de la guerre comme d'un cauchemar dont elle ne veut pas se souvenir, qui vit l'essor des années 45-75, les Trente Glorieuses, un livre qui fait voir les crimes inconcevables, il n'est pas possible de le prendre en main, de le lire. De prendre conscience de l'horreur et de l'épouvante d'Auschwitz, du martyre vécu dans l'oubli du monde, que « Rien n'entendait ces appels du bord de l'épouvante. Le monde s'arrêtait loin d'ici. Le monde qui dit : "Il ferait bon marcher[1]." » De Vichy, de la collaboration, d'un gouvernement, d'une police qui furent un déshonneur, on ne parle pas en 1965. Si l'extermination des juifs d'Europe est sue, si celle des juifs déportés depuis la France est sue, elle reste dans le silence, on n'en parle pas. Même au sein des familles juives dont certains ont été exterminés, l'absence, la disparition n'est pas expliquée.

Même sur le site du camp d'Auschwitz en Pologne, l'extermination des juifs n'est pas révélée dans son ampleur. Quand, en 1965, Serge Klarsfeld se rend à Auschwitz où son père, arrêté à Nice, déporté, est mort, il découvre avec stupéfaction que « le destin des juifs qui y ont été assassinés est absent[2] ».

Alors un livre qui commence par évoquer l'arrivée d'un convoi de juifs qui descendent du train… « Et tout le jour et toute la nuit / tous les jours et toutes les nuits les cheminées fument avec ce combustible de tous les pays d'Europe / des hommes passent leurs journées à passer les cendres pour retrouver l'or fondu des dents en or…

Et au printemps des hommes et des femmes répandent les cendres sur les marais asséchés pour la première fois labourés et fertilisent le sol avec le phosphate humain / Ils ont

---

1. *Aucun de nous ne reviendra*, *op. cit.*, p. 81.
2. Annette Wieviorka, *L'Heure d'exactitude,* Albin Michel, 2011, p. 100.

un sac attaché sur le ventre et ils plongent la main dans la poussière d'os humains qu'ils jettent à la volée en peinant sur les sillons avec le vent qui leur renvoie la poussière au visage et le soir ils sont tout blancs, des rides marquées par la sueur qui a coulé sur la poussière. / Et qu'on ne craigne pas d'en manquer il arrive des trains et des trains il en arrive tous les jours et toutes les nuits toutes les heures de tous les jours et de toutes les nuits ». Voilà ce qu'elle écrit après avoir évoqué la vie ordinaire, quand on accompagne à la gare des proches qui s'en vont. Ou lorsqu'on vient chercher ceux qui arrivent et qui nous cherchent des yeux sur le quai. Et qu'à côté de ces moments de nos vies ordinaires, « il est une gare (...) où ceux qui arrivent ne sont jamais arrivés, où ceux qui sont partis ne sont jamais revenus », comment lire cela, quand on préfère l'ignorer, ou l'oublier ? Comment entendre le ton de douceur avec lequel elle amène l'image du semeur au-dessus du sillon, l'image des jours et des labours, et entendre que ce sont des os humains qu'ils « jettent à la volée », les cendres de ceux qui descendaient du train, « qui tous regrettent de n'avoir pu passer à la maison mettre un costume moins fragile » ?

Qui parle ? Peut se demander le lecteur horrifié. Parce que rien n'est dit de celui ou celle qui a vu la descente du train, et qui sait...

C'est une voix qui parle.

C'est une voix douce, humaine, tendre, compatissante et qui regarde en toute connaissance du destin tragique.

Une voix douce qui sait.

Qui pouvait écouter ce que personne ou presque ne voulait qu'on dise, qu'on rappelle, dans ces années 60...

Écrit en 1946, le livre contient le traumatisme qu'elle a vécu, il a la puissance de la stupeur, la puissance de l'émotion qui n'a pas de passé, qui surnage au-dessus du temps, puissance de l'image qui ne peut pâlir, qui ne connaît pas l'érosion du temps. Les deux livres suivants, elle les écrira en y insufflant du temps, il y aura des descriptions, des précisions, des explications. Le premier ne ménageait pas le lecteur et ne le guidait pas, ne donnait pas de repères. Charlotte Delbo voulait rendre la perte de tous les repères à laquelle elles avaient été immédiatement confrontées. Il était le plus violent à pouvoir être entendu. Il apportait sans ménagement l'inconcevable. Sans haine, sans esprit de revanche, sans plainte non plus. Et disait, avec des tableaux stupéfiants pour le lecteur, le regard meurtri pour chaque corps martyrisé.

Le public n'est pas du tout prêt à recevoir une telle œuvre.

Or à la même date, ce mois de mars 1965, reparaît aux Éditions de Minuit *L'Univers concentrationnaire* de David Rousset, et Jérôme Lindon le présente comme un « des grands classiques de notre époque ». Le livre était paru en 1946 et parmi tous ceux des survivants des camps de concentration, il est l'ouvrage qui eut le plus d'impact sur le public. Il a reçu le prix Renaudot l'année de sa sortie.

C'est Merleau-Ponty qui avait demandé à David Rousset d'écrire sur ce qu'il venait de vivre. Rousset a été ramené en France dans un état de très grande faiblesse, il a perdu cinquante kilos. Il s'aperçoit qu'il a aussi perdu la mémoire, il se sent amnésique mais, au fur et à mesure de sa réalimentation, des pans entiers de souvenirs réapparaissent, il ne sent pourtant pas la nécessité d'écrire, « il y a tant de livres parus ». Aux documents, aux récits qui paraissent, il ne voit rien à ajouter. Mais devant l'insistance de Merleau-Ponty, il cède. Maurice Nadeau, Gilles Martinet, Pierre Naville, Charles Bettelheim et Merleau-Ponty venaient de créer une revue politique, économique et littéraire d'extrême gauche, *La Revue internationale*, ils attendent un article de lui. Leur attente éclaire le point de vue de David Rousset. Il va dicter à sa femme pendant trois semaines un long texte sur la violence subie par les hommes de Buchenwald, sur leurs croyances détruites, les dignités défaites dont émergent quelques personnalités comme Louis Martin-Chauffier ou Francis Crémieux, et ajouter une analyse politique et sociologique pour montrer le système d'oppression, de terreur et d'exploitation des « sous-hommes » par l'idéologie nazie.

La revue publiera ce texte en trois volets, de décembre 45 à février 46, il est remarqué, Maurice Nadeau décide alors de le publier en livre dans sa toute nouvelle collection « Le Chemin de la Vie », aux éditions du Pavois. Ce que des intellectuels ont attendu de David Rousset, qu'il écrive pour éclairer le système concentrationnaire nazi, a créé non seulement le point de vue du livre mais préparé son accueil, on est loin du contexte dans lequel Charlotte Delbo a écrit son livre en 1946, seule, à la demande de personne, ne sortant pas d'un camp où étaient envoyés les Résistants, en survivante de Birkenau.

David Rousset parle des camps de concentration où il était prisonnier, des camps de Neuengamme et d'Helmstadt, il évoque Dachau et Sachsenhausen, « qui participent au même plan ». Il parle de « camps de *représailles* contre les Juifs » (c'est moi qui souligne) et consacre une page à Birkenau, « la plus grande cité de la mort ». S'il évoque les chambres à gaz, il ne cite pas les juifs, et après cette page, ajoute ce commentaire : « Entre ces camps de destruction et les camps "normaux" il n'y a pas de différence de nature, mais seulement de degré. » Je cite cette phrase car elle signale l'ignorance à l'époque du génocide des juifs d'Europe et de la réalité d'Auschwitz-Birkenau. Pour ne pas parler de l'ignorance que presque tout le monde a encore de Treblinka, Belzec, Chelmno, Sobibor.

En France en 1965, le livre de Primo Levi, *Si c'est un homme*, était presque inconnu. Il était paru en Italie en 47 de façon très discrète, Levi avait eu de la peine à trouver un éditeur. Sa deuxième édition en Italie, qui date de 57, eut un peu plus de lecteurs. La première traduction en français était parue en 1961, mais dans une traduction que Primo Levi désapprouvera. *Les Temps Modernes* en publient des extraits en mai 1961 quand le procès Eichmann se tient à Jérusalem depuis le mois de mars, mais sans présenter le livre. L'extrait choisi n'évoque pas l'horreur d'Auschwitz, mais les conditions d'un camp de travail satellite, celui de Buna-Monowitz, où Primo Levi, faisant partie en 1944 des

« juifs économiquement utiles » comme il le précise, a été affecté. Ce même numéro des *Temps Modernes* présentait en tête de sommaire un long article de Frantz Fanon sur la violence de la colonisation. Les conditions très dures des camps de concentration nazis sont dans les extraits choisis, mais l'horreur d'Auschwitz y est absente.

La Nuit d'Elie Wiesel est paru en 1958 aux Éditions de Minuit avec une préface de François Mauriac. Bouleversé par ce qu'il entendait et que le monde ne voulait pas savoir, comme le lui disait Wiesel, Mauriac avait encouragé le jeune journaliste à écrire justement ce que personne ne voulait entendre. Mais le livre est peu lu. Dans sa préface écrite quarante-cinq ans plus tard, Wiesel souligne comme le livre ne se vendait pas malgré une critique favorable : « Le sujet n'intéressait personne. ». « Dans les années 50 et 60, les adultes nés avant ou pendant la guerre manifestaient à l'égard de ce que l'on nomme si pauvrement Holocauste une sorte d'indifférence ».

Et lorsque *L'Espèce humaine* est publié en 1947 à La Cité universelle, qui n'est autre que la toute petite maison d'édition – elle éditera trois ouvrages – créée à son retour de déportation par Robert Antelme, avec Marguerite Duras et Dionys Mascolo, l'œuvre n'est presque pas lue, contrairement à *L'Univers concentrationnaire* de David Rousset qui analyse le système du camp. Robert Antelme fait de son livre la narration d'une expérience intérieure. C'est le point de convergence entre la narration de l'expérience tout juste vécue et sa réflexion au moment de l'écrire sur le sens éthique des comportements. Une recréation de ce que fut la présence des uns pour les autres et une mise à distance de ce passé par la prise de conscience du sens moral des actes et des attitudes. La force de ce livre en fait une réflexion sur l'homme, et justement sur ce que désigne Antelme par « l'espèce humaine », plutôt que la description d'un camp de concentration. David Rousset avait été animé d'un désir d'analyse et de dénonciation d'un système, il proposait une position politique qui a pu rallier derrière ce livre un grand nombre d'intellectuels engagés. Alors qu'Antelme, lui, faisait retour sur une expérience humaine, celle d'une humiliation qui pouvait contenir une révélation sur la résistance de l'espèce humaine. Comment imaginer que la France de l'après-guerre soit prête à méditer sur l'humiliation. Et que pareille méditation trouve un écho auprès des lecteurs au milieu des Trente Glorieuses. Il faudra largement attendre les années 80 et un autre contexte économique et social, et une autre réflexion sur le passé, pour permettre la lecture ouverte de *L'Espèce humaine*. Il faut encore souligner, pour comparer la lecture possible du livre d'Antelme et celui de Delbo, que le camp de Gandersheim où se trouvait Antelme est un camp de petite taille, en marge de Buchenwald, où il avait passé deux semaines à son arrivée en 1944, et même si les conditions de Gandersheim ont été particulièrement dures, elles ne peuvent être rapprochées de celles de Birkenau.

Le livre de Micheline Maurel, *Un camp très ordinaire*, a eu du succès l'année de sa publication, en 57, a reçu le prix de la Critique et le prix de la Résistance, c'est le récit d'une femme résistante qui devra sa survie aux colis que partage avec elle une autre prisonnière qui aime les poèmes qu'elle écrit. Mais là aussi, dans ce camp dépendant de Ravensbrück, on est loin des conditions terrifiantes de Birkenau.

Ce prix de la Résistance, Charlotte ne l'obtiendra pas en 1965 alors qu'un des membres du jury lui demande d'envoyer son livre, il sera retenu dans une première liste de dix ouvrages. Mais il n'y a pas un mot sur la résistance politique dans le livre de Charlotte Delbo ! On ne le dit pas assez, encore aujourd'hui. Elle qui avait rejoint son mari et la France en novembre 1941, ne supportant plus d'être loin de son pays meurtri, des amis résistants, de son mari clandestin, et qui participera à cette Résistance, dans le premier livre qu'elle écrit au sortir du camp, il n'y a pas une phrase qui puisse se lire comme un manifeste de résistance politique. Elle écrit pour faire voir Auschwitz. Qui détruit et qui sépare de soi. Au camp de Birkenau, il faut agir sans même savoir ce qui fait agir. Dans le chapitre de « la course » que les SS font faire aux 15 000 femmes pour rentrer au camp après leur avoir fait subir un appel qui dure ce jour-là de l'aube au crépuscule, Charlotte Delbo écrit : « Je ne sais pas si j'avais compris qu'il fallait courir parce qu'il y allait de la vie. Je courais. Et il ne venait à aucune de ne pas se conformer à l'absurde. Nous courions. Nous courions.

Je ne sais pas si j'ai recomposé, après, toute la scène ou si j'en ai eu tout de suite moi-même une idée d'ensemble. J'avais pourtant l'impression d'être douée de facultés très aiguës et attentives pour tout voir, tout saisir, tout parer. Je courais.

C'était une course insensée qu'il eût fallu considérer d'un promontoire inhabituel pour en mesurer tout l'insensé. Il n'était à la portée d'aucune de s'imaginer qu'elle considérait cela de l'extérieur. Nous courions. Schneller. Schneller. Nous courions[1]. »

Même Charlotte Delbo qui connaît ses qualités aiguës d'attention et d'observation, ne peut avoir du recul. La distance, la conscience est impossible, il faut coller au réel sous peine de mourir immédiatement. Ce qu'elle fait sentir c'est la stupéfaction devant l'horreur, qu'elle rend souvent par le silence, après de brefs paragraphes ou de brefs chapitres.

Un soir en rentrant de leur travail dans les champs, elles doivent ramener jusqu'au camp le cadavre de deux de leurs compagnes battues à mort par les « furies », kapos et surveillantes. Le trajet du retour a été un martyre pour soutenir le poids de « Berthe et Anne-Marie », dont le corps pendait au bout de leurs bras épuisés, « leurs pieds raclent la route, la tête renversée presque au sol[2] ».

« Nous n'en pouvons plus de voir cette tête, avec les yeux en bas. Berthe. Anne-Marie. De la main qui ne porte pas, nous la soutenons un moment. Il faut y renoncer. Abandonner cette tête à qui nous n'avons pas eu le courage d'abaisser les paupières.

---

1. *Aucun de nous ne reviendra, op. cit.*, p. 61.
2. *Ibid.*, p. 133.

Nous ne regardons pas, parce que les larmes coulent sur nos visages, coulent sans que nous pleurions. Les larmes coulent de fatigue et d'impuissance. Et nous souffrons dans cette chair morte comme si elle était vivante. La planche sous les cuisses les écorche, les coupe. Berthe. Anne-Marie. (…)

Nous emportons nos camarades à l'appel. Cela fait deux rangées qui altèrent l'alignement : les quatre porteuses et leur morte couchée devant elle.

Les commandos de juives rentrent à leur tour. Elles en ont deux ce soir. Comme nous. Elles en ont tous les soirs. Elles les ont mises sur des portes enlevées aux maisons qu'elles démolissent, et ont hissé les portes sur leurs épaules. Elles sont défigurées par l'effort. Nous les plaignons jusqu'aux larmes. Nous les plaignons jusqu'aux sanglots. Les mortes sont allongées bien à plat, le visage à la face du ciel. Nous pensons : si nous avions eu des portes. (…)

L'appel a duré jusqu'à ce que les réflecteurs éclairent les barbelés, jusqu'à la nuit.

Pendant tout l'appel, nous ne les avons pas regardées[1] ».

Le regard sur les mortes est impossible, tant l'indignité qui leur a été infligée est au-delà de ce qui peut être supporté.

Alors que leur empathie voulait épargner aux cadavres la sensation des échardes comme si leurs compagnes vivaient encore, la réalité du camp les oblige à renoncer aux égards vis-à-vis des mortes. Seule la souffrance qu'elles voient sur d'autres visages, celle des juives qui rentrent, qui connaissent des conditions encore plus dures qu'elles, leur permet de ressentir leur propre douleur. Devant la souffrance des visages, la pitié s'ouvre, elles peuvent pleurer jusqu'aux sanglots. Il n'y a que le ciel qui assiste les mortes, et il a même un visage, les mortes ne sont pas face au ciel, mais « à la face du ciel »… Le ciel est là, témoin, immense, cosmique et mutique.

En recherchant qui sont les femmes derrière ces deux prénoms, j'apprends que Berthe avait été arrêtée pour faits de résistance, elle hébergeait des Résistants, Anne-Marie, elle, ne

1. *Aucun de nous ne reviendra*, *op. cit.*, p. 136.

participait pas à la Résistance. Elle avait été arrêtée à Vierzon, elle avait franchi la ligne de démarcation pour rejoindre son mari. Charlotte Delbo ne fait aucune distinction entre les deux femmes, entre les deux corps.

Quand les compagnes apparaissent dans le récit, ce n'est, pour presque toutes, que par le prénom. Rien à propos d'elles qui distinguerait un passé de Résistante, ni une appartenance aux fonctions dirigeantes du parti communiste, comme c'était le cas pour quelques-unes d'entre elles. Marie-Claude Vaillant-Couturier, membre du parti communiste, est la veuve du rédacteur en chef de *L'Humanité*, elle est entrée en Résistance dès 39, faisant le lien entre la direction du parti communiste et les différents réseaux, que ce soient les groupes armés ou les comités d'intellectuels. Elle est nommée dans *Aucun de nous ne reviendra* parce qu'elle traduit, elle sait l'allemand, la question d'un SS ou d'une chef de block, « Marie-Claude traduit... ». Rien n'est dit de ce qu'elle a fait, ni de ce qu'elle fait pour ses camarades prisonnières. De même que Delbo n'a pas écrit ce qu'elle avait critiqué de leur attitude au camp, ni ce dont elle eut connaissance plus tard, que les dirigeantes communistes de leur groupe ont su très vite dans quel camp elles étaient arrivées, et n'en ont pas informé les autres. Cent cinquante compagnes sont mortes sans savoir où elles étaient. De peur de les démoraliser ? Charlotte Delbo, qui a toujours prôné la conscience et la lucidité, n'a pas dû apprécier. Mais ce qu'elle écrivait n'était pas de l'ordre du règlement de compte.

De Raymonde Salez, et de Suzanne Roze qui toutes deux ont fait une résistance héroïque dès le début de la guerre, Charlotte ne dira rien. Raymonde apparaît sous son surnom de « Mounette », Charlotte n'écrit pas que c'est elle qui a entonné *La Marseillaise* que toutes ont reprise, au moment où elles entraient dans le camp de Birkenau. Événement qui frappa tant les SS qu'ils ont fait rentrer les commandos en partance pour le travail dans les blocks, et que les prisonnières du camp qui l'entendirent en gardèrent pour toujours le souvenir. Charlotte fait apparaître les deux femmes, avec leur nom, au moment où la mort se signale sur leur visage.

« C'est l'appel du matin. Le ciel se colore lentement à l'est. Une gerbe de flammes s'y répand, des flammes glacées, et l'ombre qui noie nos ombres se dissout peu à peu et de ces ombres se modèlent les visages. Tous ces visages sont violacés et livides, s'accentuent en violacé et en livide à proportion de la clarté qui gagne le ciel et on distingue maintenant ceux que la mort a touchés cette nuit, qu'elle enlèvera ce soir. Car la mort se peint sur le visage, s'y plaque implacablement et il n'est pas besoin que nos regards se rencontrent pour que nous comprenions toutes en regardant Suzanne Rose qu'elle va mourir, en regardant Mounette qu'elle va mourir. La mort est marquée à la peau collée aux pommettes, à la peau collée aux orbites, à la peau collée aux maxillaires. Et nous savons qu'il ne servirait de rien à présent d'évoquer leur maison ou leur mère. Il est trop tard. Nous ne pouvons plus rien pour elles[1] ».

C'est le ton tragique du tableau qui nous marque, les flammes glacées du ciel qui dissolvent l'ombre sur terre, révélant la marche inexorable de la mort. La peau, les orbites, les os apparaissent, repoussant dans le néant le passé de chacune. Seule l'évocation d'un univers affectif est citée, mais ce recours est justement signifié comme vain. Le camp d'Auschwitz-Birkenau dissout passé et ressorts personnels. Seules restent lumières et ombres, couleurs et carnation comme un théâtre de la mort.

Ce n'est pas une analyse du système concentrationnaire, ni sa description que donne Charlotte Delbo, mais la violence de la douleur physique et morale endurée dans l'au-delà du monde. Qui veut l'entendre en 1965 quand la France est en plein boom économique et qu'elle se resserre autour de cette idée qu'elle poursuit, le sursaut amorcé à la suite de la Résistance ? Paris a été libéré par de Gaulle en 44, c'est l'image qu'elle entretient. Comment faire entendre que plus

1. *Aucun de nous ne reviendra*, *op. cit.*, p. 107.

rien ne résistait à la machine de destruction d'Auschwitz ? Qu'il restait la douleur, une femme l'avait écrite avec des mots d'une violence à peine soutenable, et une langue travaillée capable de dire l'amour déchiré par tant de martyre, sans plainte, sans pathos, avec la lucidité comme conquête sur l'inconcevable…

La langue peut faire franchir la limite de ce qu'on n'a pas été capable de penser. La langue poétique est celle qui fait sortir les mots de leur limite, elle permet à l'expérience humaine d'être dite même quand elle a franchi tout ce qui pouvait être conçu jusque-là. C'est ce que Charlotte Delbo essayait. C'est ce qu'elle a fait avec ce livre. Bien peu pouvaient la suivre en 1965.

Le corps, dont elle fait l'aulne, la mesure de cette réception de la destruction, n'est encore que peu entré dans la littérature en 1965, du moins de façon reconnue. Les livres de Sade restent pour certains interdits, et ses œuvres illustrent une philosophie de la liberté individuelle aux antipodes de ce qui sous-tend l'écriture de Charlotte Delbo, mais je l'évoque car le corps y est lieu d'existence et sa destruction et sa douleur est objet d'écriture comme il a été rarement écrit. C'est sans doute l'écriture du corps qui gagne une place dans la littérature en France à partir de la fin des années 80, qui va aussi permettre de mieux lire Charlotte Delbo.

Chercher le genre littéraire d'*Aucun de nous ne reviendra*, c'est s'apercevoir qu'il se dérobe à être défini, qu'on ne trouve pas un genre qui puisse se l'approprier. Un récit ? Un long poème en prose, où s'intercalent des poèmes en vers irréguliers ? Un oratorio, où alternent la voix du récitant et celle d'un chœur ? Un requiem après un martyre ? Une Passion, où chaque tableau raconte une station du martyre ? Quant au « témoignage », comment vouloir garder un instant cette catégorie quand rien n'est écrit pour informer ? Le nom même du camp ne s'y trouve pas. Aucune date n'y figure. Ce n'est pas un état des lieux, c'est un chant. Le ciel, l'aube, la neige, la glace, c'est un combat des éléments dans un monde d'avant la création, qui font de l'appel interminable un fléau. Jusque dans leur mort, les prisonnières sont défaites de leur catégorie humaine.

Et l'écriture montre l'attaque subie. Delbo évide le sujet. Ce « je » qui pourrait mener le récit, est vidé de lui-même, agi par la violence des éléments, des coups, des menaces. Ce ne sont pas plus les bourreaux, SS, kapos ou surveillantes qui mènent l'action. Ils passent, dans les scènes. Eux aussi semblent « actés » par quelque chose d'une ampleur bien plus gigantesque que leur individualité, leur personnage.

On est comme en présence d'une « Geste », genre épique mais que Charlotte Delbo détourne de toute glorification qui était le propre du genre. Plus que « détourner ». Elle en épuise la gloire en écrivant la misère infinie. Celle de la diarrhée qui vide les corps, des mains qui saignent d'engelures, des pieds torturés qui vont nus dans le verglas ou la boue. Mais elle décrit ces corps souffrants sur un fond d'immensité et d'éternité. Les marais s'étendent à l'infini, la plaine est sans bord, à l'infini éblouissante, une journée est une éternité. Si l'infini et l'éternité disent l'oubli du monde, ils confèrent une dignité solennelle au récit.

« Depuis la nuit c'était l'appel et maintenant c'est le jour. La nuit était claire et froide, craquante de gel – cette coulée de glace qui coulait des étoiles. Le jour est clair et froid, clair et froid jusqu'à l'intolérable. Sifflet. Les colonnes bougent. Le mouvement ondule jusqu'à nous. Sans savoir, nous avons virevolté. Sans savoir, nous bougeons aussi. Nous avançons[1] ». La voix qui parle et qui écrit dit ce qui fait agir, les fait agir, dépossédées d'elles-mêmes. Le mouvement ondule, immense, il est comme sans origine. Le sifflet fait le son dans la plaine vide, difficile d'imaginer qu'il soit à la mesure du mouvement qui ondule comme une puissance hypnotisée, et la nuit, le jour, n'entretiennent pas plus de liens avec ces morceaux de bois qu'elles sont devenues.

Dans certaines pages, Delbo remplace l'évocation de ce qu'elles ont à vivre par des tableaux d'épouvante. Elle les

1. *Aucun de nous ne reviendra*, *op. cit.*, p. 51.

condense en quelques lignes au milieu de la page. « Un cadavre. L'œil gauche mangé par un rat. L'autre œil ouvert avec sa frange de cils ». « Une femme que deux tirent par les bras. (...) Le pantalon défait – un pantalon d'homme – traîne derrière elle, à l'envers, retenu aux chevilles. Une grenouille dépouillée. Les reins nus, les fesses avec des trous de maigreur sales de sang et de sanie ».

Devoir regarder ce qui est sous les yeux défait l'humanité de celles qui assistent. Pour le faire sentir, Delbo écrit le tableau pour que nous ayons à le lire, comme s'il se dressait devant nos yeux. Et elle ajoute l'injonction troublante, écrite au présent : « Essayez de regarder. Essayez pour voir. »

Où se trouve la marge où peut se retrancher le lecteur ? Elle l'a fait exploser.

Nous-mêmes, lecteurs, sommes menacés d'être défaits par cette lecture.

Il n'y a qu'elle qui nous tient, la suite des pages, cette voix qui dit. Même s'ils disent la destruction de l'humain, là où on perd le sens de l'humain, et qu'elle fait entendre le silence qui suit les mots qui ont dit la destruction.

Cette écriture blanche montre, plus fort qu'il n'a jamais été fait, un sujet vidé de lui-même. Pourtant, et paradoxalement, au sein de ce vide et de l'épouvante, Charlotte Delbo va faire entendre la tendresse, l'amour.

Une tendresse qui arrive comme un flot de douceur. La voix de Viva : « Elle dit et dit encore mon nom qui m'arrive du lointain du fond du vide – c'est la voix de ma mère que j'entends[1]. » Voix de l'origine. Avec la voix de Viva, la figure de mère remplace ce « fond du vide » par une origine retrouvée.

Lulu s'aperçoit du désespoir de Charlotte, plus profond qu'aucun autre jour. « Lulu me regarde. Elle me sourit. Sa main effleure la mienne pour me réconforter. Et je répète pour qu'elle sache bien que c'est inutile : "Je t'assure qu'aujourd'hui je n'en peux plus. Cette fois, c'est vrai." »

---

1. *Aucun de nous ne reviendra*, *op. cit.*, p. 106.

Et lorsque la compréhension, la douceur de l'amie aura permis à Charlotte de se laisser aller à pleurer, Delbo dit ce qui a été donné, et reçu.

« Je ne sais plus pourquoi je pleure lorsque Lulu me tire : “C'est tout maintenant. Viens travailler. La voilà.” Avec tant de bonté que je n'ai pas honte d'avoir pleuré. C'est comme si j'avais pleuré contre la poitrine de ma mère[1] ». Le geste ouvre à la figure de la mère, à la filiation, au fil de l'origine.

Ce qui place le sujet non pas dans sa volonté d'être, mais dans une nécessité bien plus archaïque. Et fait comprendre l'évocation du visage de sa mère lorsque Charlotte s'interrogeait au moment d'écrire sur ce qui lui avait permis de résister à sa souffrance pendant les appels interminables dans le froid glacial. Elle imagine qu'elle se disait : « Il faut que tu tiennes aujourd'hui encore. » Et se souvient en même temps que c'était faux ! « Je ne me disais rien. Je ne pensais rien. Je ne regardais rien. Je ne ressentais rien. J'étais un squelette de froid avec le froid qui souffle dans tous ces gouffres que font les côtes à un squelette.

Je suis debout au milieu de mes camarades. Je ne regarde pas les étoiles. Elles sont coupantes de froid. Je ne regarde pas les barbelés éclairés blanc dans la nuit. Ce sont des griffes de froid. Je ne regarde rien. Je vois ma mère avec ce masque de volonté durcie qu'est devenu son visage. Ma mère. Loin. Je ne regarde rien. Je ne pense rien[2] ».

Pouvoir de l'image chez Charlotte Delbo. Aussi bien chez la styliste, créer des images pour rendre la scène : ce qu'elle ne regarde pas est tout de même décrit pour nous lecteurs, étoiles coupantes de froid, barbelés blancs de givre, que pour Charlotte elle-même. La conscience de soi est remplacée par l'image de la mère, c'est son visage qui vient l'habiter. Les images remplacent le discours des sentiments, l'évocation de sentiments, elle leur substitue des scènes et des paysages. « Donner à voir », comme disait Charlotte

1. *Aucun de nous ne reviendra*, *op. cit.*, p. 167 et 168.
2. *Ibid.*, p. 104.

Delbo à Claude Prévost dans l'entretien après la publication de son livre. « Je voulais plus que rendre compte : donner à voir[1] ».

Elle poursuit, et nous fait toucher du doigt le paradoxe de son écriture. « Il me fallait l'écrire tout de suite dans la palpitation, dans le frémissement du présent ». Et quelques lignes plus loin : « Je ne voulais pas renseigner. (...) Ce à quoi je voulais atteindre, c'est à une information plus haute, inactuelle, c'est-à-dire plus durable, celle qui ferait sentir la vérité de la tragédie en restituant l'émotion et l'horreur. » Elle insiste sur le moyen qu'elle avait trouvé pour se détacher de l'actuel et rendre « un son différent », il lui fallait imaginer qu'elle serait lue « lorsque les sensibilités ne sont plus à vif ». Et arrive à ce paradoxe : « En l'écrivant, je me plaçais vingt ans après » après avoir dit au tout début de l'entretien : « J'ai écrit, écrit d'un jet. Portée. Et le livre est sorti de moi dans une inspiration profonde. Il me fallait l'écrire tout de suite dans la palpitation, dans le frémissement du présent. »

Associer le frémissement du présent *et* se placer vingt ans après, ces deux *temps* sont les deux strates d'état où puiser la force pour écrire et chercher la pertinence. À la fois rendre au lecteur ce qu'elle cherchait à imaginer, et à la fois en l'écrivant savoir que c'était faux, et se souvenir qu'il y avait une vérité de ses sensations autre. Le froid qui la traversait et ôtait toute pensée, toute conscience d'elle-même, « je ne pensais rien », et se souvenir du visage de sa mère, qui revient, au moment d'écrire, comme l'image qui l'habitait alors, inexpliquée. Ce va-et-vient entre deux temps différents, la superposition aussi de ces deux états, que son écriture mobile rend, est une façon d'instaurer le doute sur la conscience, et de mettre en valeur la force des sensations, dont l'image qui monte de l'inconscient est une forme.

Delbo insiste sur l'état paradoxal dans lequel Auschwitz les a obligées à vivre. « Quand nous étions là-bas, nous avions

1. *La Nouvelle Critique*, n° 167, juin 1965, p. 41.

l'impression d'être dans un état second, de ne pas être présentes à nous-mêmes, et cependant il nous était impossible d'échapper une seconde, oui une seconde à la réalité, impossible de nous réfugier dans le rêve ou de faire semblant, il nous fallait à tout instant une vigilance aiguë pour tenir, pour ne pas céder à la fatigue, à la souffrance, pour parer un coup – pour soi ou pour l'autre – ; c'était une tension qui n'avait jamais de relâche et pourtant cela ne semblait pas vrai. Le réel-irrél[1] ».

Oui, ce réel-irréel, comme elle le placera en exergue : « Je ne suis pas sûre que ce que j'ai écrit soit vrai. Je suis sûre que c'est véridique. »

C'est sa langue qui lui a donné la vérité de son expérience.

Mais pour donner à voir, il faut en trouver le moyen.

« Seul le langage de la poésie permet de donner à voir et à sentir[2] ».

Elle est catégorique quand elle dit à Claude Prévost que seule une forme poétique lui a permis d'écrire ce qu'elle voulait rendre. Et elle dit « le langage de la poésie » et non : la poésie. Par langage, elle veut insister sur tous les moyens du mode poétique. Les images, les rythmes, les cadences, les assonances, les répétitions, les ellipses, qui ont modelé l'écriture d'*Aucun de nous ne reviendra.*

« Il serait interdit d'avoir un style d'écrivain, d'écrire dans une forme poétique à propos d'Auschwitz. Mais seule cette forme, seul ce style encore une fois permettent de communiquer ce que j'avais à communiquer, de faire voir ce que je voulais faire voir[3] ». On se rappelle comme l'affirmation d'Adorno, « il est impossible d'écrire de la poésie après Auschwitz », a été brandie comme un interdit ou une malédiction, et que la nuance qu'il a apportée lui-même plus tard n'a pas eu la même fortune, qu'on n'a voulu se souvenir que de sa phrase-couperet. Qui permet

1. Même article, p. 44.
2. Même article, p. 42.
3. Même article, p. 43.

de manier à bon compte un jugement moral restrictif sur la littérature.

Charlotte Delbo a pris le contre-pied de cette conception. La littérature, elle l'a placée au-dessus de tous les autres arts. Qu'on se souvienne de ce qu'elle écrit dans ses notes personnelles en 40 au milieu des résumés des cours pour Jouvet, tout doit passer par le filtre de la littérature pour l'atteindre. « L'art, toujours au travers de la littérature – chez moi[1] ». La littérature doit sa force à sa capacité de tout dire, et grâce aux moyens qui sont les siens.

Elle y reviendra plus tard dans sa vie d'écrivain pour dire et redire ce credo. En 1965 dans son entretien, elle l'exprime avec simplicité comme une évidence et une certitude. « Je n'ai pas trouvé d'autre moyen de m'exprimer, de dire ce que j'avais à dire. Il m'a semblé que pour être entendue il fallait le dire comme cela », répond-elle à Claude Prévost qui lui disait, pour la relancer, « cela choque encore que l'on puisse dire que la littérature soit un moyen de connaissance à propos des camps ».

Si la poésie a une telle influence sur Charlotte Delbo, jusqu'à modeler cette écriture qui lui est venue « d'un jet » pour « dire au monde ce que c'était », c'est qu'elle en est imprégnée, bien avant de se trouver à Auschwitz.

Quand elle écrit, reviennent les poèmes de ceux qu'elle a lus avec amour et ferveur, ils reviennent en inspirant ses rythmes, la forme de ses phrases, de ses vers, ils reviennent dans les titres de ses ouvrages, ils reviennent dans les exergues. Guillaume Apollinaire, Paul Claudel, Blaise Cendrars, Pierre Reverdy.

La poésie contient un savoir à élucider.

« Aucun de nous ne reviendra », ce vers d'Apollinaire, elle le veut comme titre, avant même d'écrire le livre. Avant de savoir ce qu'elle y mettrait, comme elle disait.

Elle a raconté la scène où est lu le poème d'Apollinaire, il leur faut trouver un réconfort après le retour des compagnes

1. BNF, Fonds Jouvet, LJ-D 31-13.

qui ont dit adieu à leurs maris. Elle révèle dans le premier jet du texte que c'est « Danielle » qui prend cette initiative, Danielle Casanova. Il n'y a pas que Charlotte qui lit de la poésie. Qu'on se rappelle la présence de la poésie dans cette première partie du XXe siècle dans la vie des Français. L'école et ses « récitations » avaient familiarisé les Français à l'entendre, à la dire, même ânonnée. Et il faut se souvenir de l'importance qu'elle a eue pendant la guerre, écrite par de nombreux poètes, expression de leur résistance, imprimée et diffusée clandestinement.

Dans la nouvelle écrite en 46, Delbo fait dire à Danielle « Nous devrions lire *nos* poèmes ». Elle corrigera dans *Une connaissance inutile* pour « lire des poèmes ». Mais ce « nos poèmes » dit plusieurs choses. La familiarité avec ces poèmes, la poésie qui est dans leurs vies et surtout depuis l'incarcération. Et la fusion qui s'installe au moment de la lecture. « Quand la récitante dit "Car il n'y a rien qui vous élève / Comme d'avoir aimé un mort ou une morte / On est fortifié pour la vie / Et l'on n'a plus besoin de personne", chacune a su à l'atteinte de ces paroles que malgré le mensonge des hommes et l'hypocrisie du commandant avec le linge à rendre, chacune a su qu'elle avait eu tout de suite le sentiment de la mort et sa certitude[1] ». Voilà ce que la poésie permet, une connaissance réelle, et intime, profonde.

Et quelles surprises réserve la lecture qu'on peut faire du poème, « La Maison des morts », dans le recueil *Alcools* ! Des images résonnent singulièrement à ce qu'elles connaîtront à Auschwitz : « Le ciel se peupla d'une apocalypse », « Et la terre plate à l'infini », « Que bien malin qui aurait pu / Distinguer les morts des vivants ». Et le chiffre cité par le poète semble une étrange prémonition du nombre de celles qui sont revenues. « Alors je les dénombrai / Ils étaient quarante-neuf hommes / femmes et enfants ».

1. *Une connaissance inutile*, *op. cit.*, p. 17.

L'empreinte de Claudel est manifeste dans l'écriture de Delbo. Elle aime sa poésie et la forme du verset claudélien. Claudel allonge le rythme, semble adopter le langage de la prose, et garde en même temps la rime. Il a inventé un vers pour lui, ayant de la peine à se reconnaître dans les formes classiques. Cette invention plaît à Charlotte, elle l'adapte à sa propre inspiration, elle y trouve liberté et rythme.

Elle placera en exergue d'*Une connaissance inutile*, un vers de Claudel, « Nous arrivions de trop loin pour mériter votre croyance », qu'elle a extrait de « Ballade », écrit en 1906, un poème qui fait partie du recueil *Corona Begninatatis Anni Dei*. Le deuxième vers de « Ballade » frappe : « Adieu, vous tous à qui nous sommes chers, le train qui doit nous prendre n'attend pas. » Et surtout le refrain, qui fait une étrange résonance au thème de Charlotte :

Nous ne reviendrons plus vers vous.

À François Veilhan, le fils de son amie Denise Veilhan, jeune homme à qui elle conseillera tant de lectures à partir de la fin des années 70, elle parle souvent du recueil des *Cinq Grandes Odes*, qu'elle aimait lire. En février 1946, quand elle reçoit l'exemplaire du *Patriote résistant* où a paru sa nouvelle Les Hommes, figure juste à côté de son texte un encart qui propose « Au service de nos lecteurs » un bulletin d'ouvrages recommandés. Romans, nouvelles, essais, théâtre, proposés à la vente. Le seul ouvrage que Charlotte souligne, sans doute pour le commander, parmi les quarante livres proposés, est celui de Paul Claudel, *Les Sept Psaumes de la Pénitence*. Claudel était un compagnon de poésie.

C'est dans cette même « Ballade » de 1906 que se trouve ce vers : « Tu demeures avec nous, certaine *connaissance*, possession dévorante et *inutile* ! » Quand on sait que c'est pour *Une connaissance inutile* qu'elle a voulu que l'exergue soit de Claudel, il est difficile de ne pas voir comme elle garde la résonance des mots qui la frappent et qui donnent sens à ce qu'elle cherche à dire de singulier.

La sensibilité de Charlotte à la poésie a été modelée par ce qu'elle écoutait, et cela juste avant de partir dans l'enfer d'Auschwitz, dans les cours de Jouvet qu'elle notait et transcrivait. Il faisait répéter, mâcher les mots mêmes des vers à ses élèves, leur rappelant que leur prononciation, l'élocution des vers contenait tout, tout de la pensée de l'auteur, du sens, de l'émotion, du mouvement à entendre.

Son oreille aux mots eux-mêmes, on la retrouve si souvent dans son texte. Elle joue avec les différents sens d'un mot, ce qui lui permet de procéder à leur découplage. « On n'attend pas la mort. On s'y attend ». Elle fait entendre que l'attente elle-même peut se transformer en couperet juste en changeant la voix du verbe. Elle part de sa forme active, sa « voix » active comme on dit d'un verbe, cette forme transitive, qui fait passer, et se saisit soudain de sa forme pronominale intransitive, qui ne fait plus rien passer. Les mots portent des voix, qui nous parlent.

Charlotte reprendra le verset claudélien avec ses mots à elle, simples et nus, pour dire le dépouillement, la solitude glacée. Ce qu'elle a appris des poètes, de tous ces poètes qu'elle aime, qu'elle lit et relit, c'est le rythme, et dans sa prose le sens du mot, de chaque mot. Le travail poétique donne au mot sa force qui le fait sauter de la phrase et surgir. Dans l'enfer de la destruction, il faut comme recommencer avec le langage, chercher son pouvoir. Que ce soit pour raconter une scène tragique, ou le moment où elles échangent quelques phrases quand l'horrible a eu lieu et qu'il faut retrouver un lien, de l'humain, entre elles. Quand Cécile revient parmi elles, après avoir été appelée dehors par la chef du block parce qu'il « faut des volontaires » pour aller tirer les corps agonisants et les cadavres de quatorze d'entre elles tombées à « la course », « Nous l'interrogions comme on interroge un enfant, avec des mots bêtes », comme la nécessité de reprendre le langage après un drame, voilà ce que revendique Delbo. C'est l'humanité qui se cherche après avoir reçu ce qui la menace en soi.

Au moment d'écouter le poème que va réciter l'une d'entre elles, « les plus jeunes disposèrent les bancs, on s'installa. C'était comme le premier repas après l'enterrement quand quelqu'un s'essaie à nouveau aux mots familiers et réussit à parler aux autres du boire et du manger[1] ». Ces mots familiers, Delbo les veut dans la langue de ses livres, pour faire ressortir cet événement de la langue, qui est de ramener le souffle quand il y a eu destruction radicale. Écrire Auschwitz et se servir de la littérature pour le faire, c'est révéler la fonction de cœur, de vie, et d'âme de la langue.

1. « Les Hommes », *Le Patriote Résistant*, février 1946.

Au moment où elle veut remettre à Colette Audry le manuscrit d'*Aucun de nous ne reviendra*, Delbo s'aperçoit que les feuillets ont pâli avec le temps, il est à peine lisible. Elle doit taper à la machine une nouvelle copie. Charlotte redoute le retour des cauchemars, elle sait qu'elle a « rendu » Auschwitz. Au détour d'une conversation avec Claudine Riera-Collet, elle évoque ce qui lui fait peur et Claudine lui propose de le faire. C'est elle qui a eu les cauchemars.

Claudine atteste que Charlotte Delbo n'a rien corrigé de ce qu'elle a écrit dix-huit ans plus tôt. Au fur et à mesure que Claudine découvre le récit, elle pose des questions à Charlotte. Qui était Yvonne ? Qui étaient Hélène, Alice, Viva, ces prénoms qui surgissent. Et Carmen, Lulu, Mounette ? Qu'ont-elles fait pour être là ? Pourquoi ont-elles été arrêtées ?

Charlotte raconte ce qu'elle sait de ses compagnes. Elle découvre une histoire qui s'ouvre. Mais elle doute que cette histoire puisse intéresser. Tu trouves ça intéressant ? Claudine confirme ! « Pour Claudine qui m'a donné l'idée de ce livre, pour Claudine et André Collet en amitié, Charlotte 19 nov. 1965 ». La dédicace sur l'exemplaire du *Convoi du 24 janvier* qu'elle offrira à ses amis Collet un an et demi plus tard raconte comment l'idée du livre s'est imposée. « Sans elle, je n'aurais pas fait ce livre ! » dira Charlotte à Marie-Claude Vaillant-Couturier au moment de la parution. Elle n'avait invité chez elle que ses compagnes rescapées pour fêter l'événement, et Marie-Claude s'étonnait de la présence de Claudine.

Le livre qui lui tient tant à cœur, *Aucun de nous ne reviendra*, va paraître au printemps prochain. Le moment de le sortir du silence approche et donne à Charlotte une formidable énergie. Elle décide d'écrire l'histoire des 230 femmes du convoi. Près de vingt ans après le retour, elle va raconter leur vie avant l'arrestation, leur destin à Birkenau pour chacune des 181 femmes qui y furent exterminées, et pour les 49 survivantes, leur vie depuis qu'elles sont rentrées. Elle réalise qu'il y a un autre silence à briser, celui qui recouvre l'existence de ces 230 femmes. On peut imaginer la détermination qui l'a prise pour exhumer ces vies. Quelle que soit l'ampleur de la tâche.

« Qu'avaient-elles fait ? Dans la plupart des cas, nous ne le savions pas, et elles sont mortes avant de nous l'avoir dit[1] ». Deux faits expliquent cette ignorance. D'abord, l'hécatombe des premières semaines après l'arrivée à Auschwitz. Quatre-vingt-six femmes sont mortes les cinq premières semaines. Ensuite, il y a cette raison à laquelle on ne songe pas, les femmes au camp n'ont pas parlé de leur passé immédiat. Ni des maris, des compagnons, ni de la vie qui a précédé. Pour « tenir », il ne fallait pas parler des liens affectifs. Ils auraient ravivé des souvenirs doux, trop doux et mortels en cela. Il ne fallait pas non plus évoquer les conditions de l'arrestation, ni les causes ni les circonstances, elles auraient plongé chacune dans la volonté de refaire les journées précédentes et de s'imaginer un autre destin, qui les aurait fait vaciller sur le présent.

Leur passé avant l'arrestation a été englouti. Pour certaines, même leur nom n'était pas connu, elles avaient été arrêtées sous un faux nom et s'étaient bien gardées de donner le vrai. Seules deux sœurs sont revenues, Lulu et Carmen (Lucienne Thévenin, née Serre, et Jeanne Serre), pendant

1. Entretien de Charlotte Delbo avec Madeleine Chapsal, dans *L'Express*, 14-20 février 1966, trois mois après la sortie du *Convoi du 24 janvier*.

longtemps personne n'a su qu'elles étaient sœurs. C'est dire comme les vies personnelles restaient secrètes.

Ce que les conditions du camp les ont obligées à taire et que la mort pour la plupart a effacé, il fallait le reconstituer. Recommencer à lutter contre le silence et contre la mort, faire surgir une parole qui remplace la disparition, l'effacement. Cet effacement qui avait été tellement voulu et programmé par les nazis qu'ils firent brûler la plupart des archives des camps dans les crématoires. Les fours servirent non seulement à effacer les cadavres, ils servirent aussi à effacer les traces écrites.

Charlotte Delbo s'est mise au travail dès le contrat signé avec les éditions Gonthier en octobre 64 pour la publication d'*Aucun de nous ne reviendra*. Elle dresse des listes de noms qu'elle dénombre, pour avoir le chiffre exact dans chaque groupe qu'elle constitue selon la date d'arrestation, la région d'origine, le lieu d'emprisonnement, les dates d'arrivée à Romainville. Après Birkenau, selon les dates et les lieux des transferts. Ces listes sont toujours dans ses archives, écrites à la main, très vite, avec le prénom seul pour les amies. Et elle rédige les premières lettres pour obtenir des renseignements auprès de celles qui sont rentrées.

Pour écrire ce livre des 181 mortes et des 49 « revenantes », Charlotte a été prise d'une vie intense. Le ton des lettres qu'elle adresse régulièrement à Marie-Élisa Nordmann, compagne du convoi, présidente à l'époque de l'Amicale d'Auschwitz et véritable partenaire de son travail d'enquête, le rend bien. Des lettres précises, claires, elliptiques, non sans humour pour décrire les réticences qu'elle rencontre auprès de certaines camarades.

C'est une vague d'énergie qui déferle sur elle pour prendre à rebours le destin. Elle partait de la vie qui avait été, et qu'il fallait éclairer. Quel que fût le martyre qu'elle aurait à retracer. Pour le mettre au jour, en pleine lumière. Cette expression qui lui était chère pour parler de son écriture, était là en plein exercice.

Cela fait quatre ans qu'elle travaille au Centre d'études sociologiques, elle s'y est exercée à un autre regard sur la réalité, sur l'histoire, et connaît l'importance du travail d'enquête. « Il ne s'agit pas d'indiscrétions ; mais d'un travail scientifique qui doit montrer au lecteur d'où venaient ces 231 (sic) femmes, aussi bien l'horizon idéologique que le niveau social », écrit-elle à son amie Poupette (Simone Alizon), quand elle lui demande de donner plus de précisions au questionnaire. Elle veut le plus de détails possible sur les vies antérieures à l'arrestation, « pour obtenir un échantillon, comme disent les sociologues, de la Résistance ».

Sa méthode, elle l'expose à Marie-Élisa. « Peux-tu faire une fiche pour toi-même (remplir le cadre ci-joint) ; ça pourra servir de modèle. Naturellement, le plus de détails possible : sur le travail clandestin, sur les prisons, sur la libération, etc. Ce qui n'a pas d'intérêt dans la fiche personnelle c'est la vie à Birkenau parce que ça, je peux m'en charger. Mais il vaut mieux trop de détails, avoir à rogner qu'à broder. Je compte une fois toutes les fiches (toutes, c'est une sacrée ambition) remplies rédiger les biographies. On verra comment le livre prendra forme. Pour l'instant je ramasse. Ensuite il faudra sans doute éviter l'album "in memoriam" (les héros du régiment avec le ruban tricolore en travers), qui m'horripile. J'ai envoyé une pile de fiches à Hélène Allaire[1] sur qui on semble pouvoir compter. Au fur et à mesure de mon temps, j'en enverrai aux autres. Et c'est quand j'en aurai un certain nombre que j'envisagerai au besoin des enquêtes pour des conversations prolongées avec les rescapées afin de faire surgir de leur mémoire les détails oubliés. Pour réveiller la mémoire, il faut partir de quelque chose, c'est plus facile. Je t'embrasse, Charlotte[2] ».

1. Hélène Allaire, née Bolleau, compagne du Convoi, avec sa mère qui ne revint pas. Hélène, qui réchappa à son typhus, en juin 43 étalait les cendres des crématoires au fond du marais. Après son retour, elle aida l'Amicale d'Auschwitz.

2. Lettre du 2 novembre 1964. Correspondance Charlotte Delbo-Marie-Élisa Nordmann, Archives privées de la famille de Marie-Élisa Nordmann-Cohen.

Elle se met en quête des dates de naissance, du lieu où chacune a été élevée, du niveau d'instruction, de la profession des parents, la situation de famille, la profession du mari, le sort du mari, les activités détaillées dans la Résistance, les circonstances précises de l'arrestation, les lieux successifs de détention, leurs dates, puis les transferts, les autres kommandos, la libération et la suite. « Comment nous avons pu nous réadapter, nous remettre au travail, reprendre goût à la vie », et « les autres victimes du nazisme ou de Pétain dans la famille », le degré d'invalidité, les infirmités.

Une fiche est prévue pour chacune des 230 femmes, c'est-à-dire qu'il faudra aller voir bien des familles, quand on les connaît, quand on réussit à les retrouver, ou faire des recherches auprès des maires, des notaires des communes de naissance. La liste retrouvée des 222 « partantes » du fort de Romainville que lui donne l'historienne Olga Wormser, comporte la date de naissance des déportées. Charlotte sait que le ministère de la Santé publique peut avec la date donner le lieu de naissance, elle compte bien trouver le moyen d'obtenir ces renseignements, c'est-à-dire le code d'accès aux fichiers...

La liste de toutes celles qui étaient montées le 24 janvier 1943 dans les wagons à Compiègne[1], c'est Marie-Élisa Nordmann qui l'a reconstituée de mémoire une fois au camp de Raisko, où, ingénieur-chimiste, elle a été affectée dès le 23 mars 43 grâce à l'entraide de Claudette Bloch, une ancienne déportée française. Les conditions y sont moins dures, Marie-Élisa peut avoir papier et crayon. C'est elle qui avait organisé la distribution du pain à chacune pour un partage équitable, la veille du départ, le 23 janvier. S'il y en avait une qu'elle ne connaissait pas, elle lui avait demandé son nom. Militante communiste, Résistante depuis octobre 1940, elle avait gardé un sens strict de l'organisation. À Raisko, avec les compagnes du convoi présentes au laboratoire, elles

1. Aux 222 de Romainville s'ajoutèrent 6 arrivées de la prison de Fresnes, et 2 du Dépôt de la Préfecture de Paris.

ont reconstitué les chambrées du fort de Romainville pour retrouver le nom de toutes celles qui étaient parties du fort. Elle a gardé cette liste jusqu'à sa libération, à Raisko, puis à Ravensbrück où elle a été affectée au laboratoire de l'infirmerie.

Et Marie-Élisa collectera des renseignements auprès du musée d'Auschwitz. Elle les informe du travail en cours de Charlotte Delbo et obtient d'eux les photos anthropométriques prises à leur arrivée. Enterrées par les nazis avant leur fuite du camp en 45, elles furent retrouvées, déterrées pour 180 d'entre elles, évidemment abîmées. Sur ces photos figurait le numéro attribué à chacune à l'entrée du camp. Charlotte fera de ce matricule, *Auschwitz N° 31...*, le titre du paragraphe qu'elle consacre à l'épreuve au camp après la biographie de chacune jusqu'à son arrestation.

L'autre repère important qu'avait Charlotte fut le comptage des jours qu'elles se sont efforcées de faire et refaire à Auschwitz. Le comptage des jours, depuis l'arrivée du 27 janvier pour se maintenir dans l'ordre du Temps, et garder des dates. Les dates allaient contenir ce qui pouvait être sauvé de l'effacement total, permettre d'avoir un reste de sacré, le jour de la mort d'une compagne.

Les nazis voulaient abolir le temps à Auschwitz. La durée était remplacée par la menace constante de l'anéantissement, la négation de la condition humaine des prisonniers. Maintenir une date, c'était réveiller le temps, un temps humain, et attribuer une part humaine, une part de sacré au jour de la mort, au souvenir d'une morte. Le cadavre disparaissait, mélangé et consumé dans des cendres indistinctes. Il fallait symboliser le passage à trépas, garder le souvenir du jour. Il y en aurait bien une qui rapporterait la date pour la donner aux familles. Et au comptage absurde, grotesque, humiliant auquel les SS s'absorbaient continuellement, à l'appel du matin et à l'appel du soir, au passage des portes du camp en rangs par cinq le matin et le soir, au comptage qui avait fait graver un chiffre dans la peau des détenues pour les reconnaître quand elles seraient cadavres, il fallait opposer un autre comptage. Celui du passage des jours, qui ramène le Temps, cette mémoire du Temps, qui confère du sacré à une vie humaine.

Le nom de l'état civil que Charlotte Delbo a tenté de retrouver pour chacune, la date de sa naissance et dans la mesure du possible de sa mort, vraie bataille contre les actes perpétrés et subis, font de ce livre, une stèle. Chaque disparue y est inscrite. Et, dans la mesure du possible, sa vie, en partie reconstituée à force de recherches.

À la lecture du *Convoi du 24 janvier*, c'est l'origine sociale si modeste pour la plupart, leur absence d'études – dix femmes sur les 230 ont leur baccalauréat, la moitié juste le certificat d'études –, et l'action spontanée de la plupart pour aider la résistance à l'occupant qui frappent. À tel point que le nom en tête et la date de leur mort font un destin tragique à celles qui auraient eu tout pour rester anonymes sans la mémoire de leurs actes.

Le Livre des Morts dans la tradition égyptienne était l'écriture qui consignait les rites et les prières, et accompagnait le pharaon, un mort illustre dans son sarcophage, barque du corps et de l'âme. Le livre de Charlotte Delbo, en s'écrivant pour les nombreuses femmes d'origine si modeste, qui n'eurent ni rites ni prières, opère un renversement magistral.

Le souffle qui le traverse est celui de Delbo en 1964. Vingt ans après l'épreuve d'Auschwitz, elle se découvre la capacité de laisser de côté sa mémoire traumatique du camp et de travailler avec des documents pour faire l'histoire de ce qu'elles ont vécu.

Quand elle écrit à Poupette pour lui demander de nouvelles précisions, elle lui avoue « Je ne me rappelle pas si tu étais dans le même avion que moi, au départ de Stockholm, tu vois si je peux douter du succès de mon entreprise ! ». Dans l'avion qui les rapatriait de Suède, les liens se défaisaient, ses compagnes devenaient « spectres », Charlotte perdait la conscience de la réalité. Cet état où se perpétuait l'effet du traumatisme, elle le contrebalance vingt ans plus tard en recherchant les faits, avec ténacité, et une forme d'enthousiasme pour convaincre celles qui peuvent l'aider à écrire l'histoire. « Tu vois comme c'est difficile avec les vivantes, alors imagine comment je vais reconstituer la vie des mortes ! Je me demande au fur et à mesure si je vais mener l'entreprise à terme. Alors essaie de m'aider ![1] »

Charlotte va faire appel à l'énergie des survivantes, d'abord à celles dont elle est restée proche, Cécile, Lulu, Carmen, Gilberte qui vont aller comme elle trouver les familles avec le questionnaire, et Claudine Riera-Collet se souvenait des mots d'enquête sociologique que Charlotte utilisait pour expliquer son questionnaire à celles qui l'emportaient, les « questions fermées » et les « questions ouvertes », celles qui n'ont qu'une réponse possible (date et lieu de naissance, famille, scolarité, diplôme, mariage, enfants) et celles dont la réponse demande de raconter : les faits de résistance ou les activités qui ont entraîné l'arrestation, les conditions de l'arrestation, et la vie au retour. Charlotte ajoutera encore des questions supplémentaires pour obtenir des précisions qui lui paraissaient indispensables à la connaissance de l'Histoire. Il lui importe de révéler en 1965 *qui* a effectué les arrestations, notamment la participation de la police française dans la plupart des cas. Il ne faut pas oublier que, sept ans plus tôt, la censure de l'État avait fait ôter le képi français qui apparaissait dans le film d'Alain Resnais, *Nuit et Brouillard*. En 1965, on ne révélait pas encore le rôle de l'État français sous le régime de Vichy dans les arrestations et les déportations. La France, c'était quelques personnes à Londres, disait-on à l'époque, seule représentation reconnue de la Nation, selon la légende gaullienne, une conception qui lavait tout ce qu'un gouvernement « usurpé » avait pu faire. Les révélations du film *Le Chagrin et la Pitié* ne datent que de sa sortie en salles, en 1971.

---

1. Lettre à Poupette (Simone Alizon) du 18 novembre 1964. Archives de Yad Vashem O.9/272 et O.9/273, à Jérusalem, qui possède une copie de la documentation pour *Le Convoi du 24 janvier* et de la correspondance autour du livre. La plus grande partie se trouve aussi à la BNF, Fonds Delbo, 4-COL-208-105 et 106, Succession Delbo.

Charlotte Delbo demandera des précisions à certaines sur leur « date d'entrée dans la clandestinité ». Elle s'est aperçue qu'il faut battre en brèche des soupçons, des contre-vérités têtues. « Ce point parce qu'*on* nous reproche de n'avoir résisté qu'après 41 » écrit-elle à Raymonde Georges (la belle-sœur de Pierre Georges, alias colonel Fabien). « Après 41 », c'est-à-dire après l'entrée de l'armée allemande en Union soviétique et la rupture du pacte germano-soviétique. Or Charlotte veut montrer que des femmes avaient lutté avant 41, soit parmi les communistes – et ce fut le choix de son mari, Dudach, militant fidèle aux consignes, resté un antifasciste convaincu après la signature du pacte, comme les autres membres du réseau Politzer –, soit parmi celles qui par convictions personnelles étaient entrées tôt dans une clandestinité active.

Elle veut faire savoir la réalité des activités à la place du silence, ou des distorsions partisanes. Mais ce ne sera pas un livre « in memoriam », elle le précise, ni un livre « aux martyrs », elle le confirme. Elle ne veut pas donner à imaginer, mais une fois de plus donner à voir, et la réalité n'était pas belle. Deux délatrices furent emprisonnées et déportées avec elles à Auschwitz. Les nazis avaient préféré déporter que payer le prix promis à la délatrice. Un mari, communiste, n'a pas hésité à dénoncer l'activité de sa femme à la police pour être libre de convoler avec sa nouvelle compagne.

Les difficultés de vie de tant de femmes, l'isolement qu'impose la clandestinité, si dur à supporter pour certaines des jeunes Résistantes, les arrestations sans raison avérée, celles de très jeunes filles, cinq femmes du convoi ont 16-17 ans, les exemples de lâcheté d'amis ou de proches avant l'arrestation ou après, pendant l'absence, et pour celles qui survivront, après leur retour, Delbo ne les passe pas sous silence.

Des militantes du Parti reprochent à Charlotte de parler des vies réelles, et, méfiantes, renâclent à répondre au questionnaire. L'une d'entre elles, envoyant ses vœux à Marie-Élisa Nordmann et son mari Francis Cohen, parle de ses réticences. « J'ai rencontré Charlotte Dudac (sic) après quelques hésitations... mais Simone Loche m'a dit qu'elle s'était renseignée et qu'il n'y avait rien à craindre. Malgré tout, je reste très perplexe – quant à la valeur de ce qu'elle entreprend et du résultat. Du point de vue vente, j'ai l'impression que personne ne sera assez fou pour s'enfiler 230 biographies. Pour ma part, je préférerais une excellente histoire sur Auschwitz du genre "ceux qui vivent" ou "Nu parmi les loups" – et je n'achèterai pas un bouquin aussi ennuyeux. D'autre part, j'ai lu quelques biographies déjà faites et j'ai été horrifiée par le déballage public de maladies ou d'ennuis conjugaux... c'est bien dans un roman quand il n'y a pas de vrais noms... J'espère que les camarades édulcoreront elles-mêmes avant publication – sinon je doute que ce soit très prisé... J'ai fait ces réserves à Charlotte mais je me suis demandé si elle n'avait pas un peu envie de voir son nom lié à un chapitre d'histoire ?... Avec Simone, nous manquons vraiment d'enthousiasme[1]... »

Quand on sait comment Charlotte Delbo a rédigé sa propre notice, on peut être surpris de cette suspicion. Il suffit de lire sa discrétion sur ses propres activités, précisant qu'elle n'était pas recherchée par les Brigades spéciales contrairement à son mari. De remarquer qu'elle ne dit pas qu'elle a été dénoncée comme communiste dans une lettre envoyée à Vichy par un membre de la troupe de Jouvet, au moment de son retour en France, ce qui lui valut d'être interrogée en janvier 42, et que pour ses 12 mois passés à Auschwitz, elle n'en écrit que trois lignes et demie après mention de son matricule. « Un bon numéro, puisqu'on peut encore le lire sur mon bras gauche. Sauf que je ne suis pas allée au revier[2] de Birkenau quand j'ai eu le typhus, mon itinéraire est celui de Madeleine Doiret[3] ». Elle ne précise pas non plus la gravité du typhus qui l'a prise en mars, quand elle

1. Archives privées de la famille de Marie-Élisa Nordmann-Cohen.

2. Charlotte Delbo gardera presque toujours le mot allemand, et non sa traduction française d'infirmerie, qui ne faisait pas imaginer le lieu infâme que c'était.

3. *Le Convoi du 24 janvier*, *op. cit.*, p. 102.

devint aveugle, délirait à cause de la soif, n'insistant pas sur l'endurance dont elle avait fait preuve pour ne pas se rendre au revier, où plusieurs de celles qui sont revenues ont passé des semaines.

Les réticences des camarades communistes à remplir le questionnaire, à dire leur activité avant l'arrestation sont tenaces et Charlotte s'en agace, non sans humour. Elle écrit à Marie-Élisa le 25 janvier, « Avec la rétivité des "camarades" il va arriver que sans avoir la moindre mauvaise intention à l'endroit des communistes, elles me feront faire un livre à la gloire des gaullistes. Les gaullistes d'après les renseignements qu'on nous donne ont fait des "coups terribles", les communistes étaient de pâles comparses faisant "des activités avec tout ce que ce mot comporte à cette époque" (sic Loche) ou "organisations spéciales, secrétariat Seine maritime" (sic Odru), de pauvres idiotes arrêtées à cause de leurs maris fusillés ». Elle s'agace du peu de renseignements fournis par Simone Loche et Madeleine Odru, comme de la part de Marie-Claude Vaillant-Couturier encore en janvier 65.

« Marie-Claude ne m'aide pas ; elle a rempli sa fiche SAUF : activités. Donc je ne peux la montrer aux rétives pour leur faire abandonner leur méfiance. Je n'ose pas relancer Marie-Claude une fois de plus, car je lui ai écrit elle n'a pas répondu. Alors, qu'elles aillent au diable les "camarades". Je veux faire un travail honnête, elles n'en veulent pas, zut. Je ne vais pas me mettre à leurs pieds ». Marie-Claude Vaillant-Couturier était la responsable communiste la plus célèbre des déportées du convoi, hormis Danielle Casanova qui ne revint pas. Elle deviendra députée communiste après son retour et c'est elle aussi qui a témoigné au procès des dirigeants nazis en 46 à Nuremberg, elle fut la plus difficile à convaincre pour fournir des renseignements sur elle-même, et Charlotte s'agace de ce qu'elle la pousse à arranger la biographie de Danielle Casanova.

Ce n'est que toute fin juillet 65 que Marie-Claude lui enverra finalement sa biographie détaillée. « Si elle avait, comme toi, rédigé trois ou quatre pages avec détails, elle m'aurait facilité la tâche... Pour Danielle, j'ai arrondi les angles, mais sans concession. Si on croit que je ferais des concessions pour vendre un exemplaire de plus. Moi, que mes livres ne se vendent pas, je m'en fiche. Tout en étant très contente s'ils se vendent. Donc Danielle... Marie-Claude veut qu'elle ait pris part à la manifestation du 11 novembre 1940. J'ai donc demandé à ton mari[1], car pour moi, qui étais à Paris – et mon mari était à Paris, je sais que Danielle n'était pas rentrée en novembre 40[2]. Alors si maintenant on arrange l'histoire. Donc je ne mentionne pas ce 11 novembre 40 ».

Les biographies de chacune se mêlaient à des faits d'Histoire, Charlotte a voulu être le plus proche possible de faits attestés, et provenant de différentes sources. « Que Danielle ait "participé à la formation des FTP" selon la phrase d'une brochure, encore une fois je ne demande pas mieux. Mais cette phrase est trop vague, trop "phrase toute faite", étayée par aucun corollaire pour que ça me suffise. Le livre de Tillon (un peu tard pour me le signaler, il y a longtemps que je l'ai épluché – je dis épluché) ne cite pas le nom de Danielle. (...) D'après les biographies hagiographiques, Danielle était : haut responsable des intellectuels, des jeunesses, des étudiants, des jeunes filles, du PC, du Front national. L'homme orchestre. Qui veut trop prouver... Ma biographie de Danielle n'est pas un éreintement. C'était évidemment prétexte à montrer ce qu'était aussi Birkenau ». Cette dernière phrase révèle bien sûr une intention du livre, et recadre le problème qu'elle évoque, ces susceptibilités par rapport au fond du sujet. Et la représentation en martyre de Danielle Casanova par le Parti avait agacé Charlotte, comparée à ce qu'avaient souffert toutes celles qui étaient mortes, avaient agonisé sans soins et sans aucune reconnaissance ultérieure.

Ses difficultés avec Marie-Claude Vaillant-Couturier, qui deux jours après lui avoir enfin envoyé sa réponse viendra la voir chez elle pour être sûre que Delbo interprète exactement

1. Francis Cohen, qui avait participé à la manifestation du 11 novembre 1940.

2. Danielle Casanova était partie en Corse chez ses parents en juin 40.

les détails qu'elle lui a donnés – Charlotte n'est pas dupe de cette méfiance –, illustrent combien les camarades communistes se méfiaient de Charlotte Delbo, la tenaient à distance depuis la publication des *Belles Lettres* et sa critique des positions du Parti.

Charlotte, comme on le voit dans sa correspondance, ne travestira pas les faits pour plaire au Parti, même si elle sait qu'on le lui fera payer. Elle n'écrira pas non plus les reproches qu'elle pouvait faire aux communistes, ne voulant pas nuire au mouvement. Mais les communistes ne la soutiendront jamais. Elle n'a pas été plus soutenue par des politiques non communistes qui la considéraient comme sympathisante communiste ou même communiste. Elle n'a pas été aidée non plus pour faire connaître ses livres à leur sortie par les organisations juives, même si *Aucun de nous ne reviendra* avait commencé par la tragédie de l'extermination des juifs d'Europe, et que son introduction au *Convoi du 24 janvier* dira combien le sort des juives entrées dans le camp fut bien pire que le leur.

Son échange de lettres avec Marie-Élisa Nordmann révèle les écueils et les difficultés de toute sorte que Charlotte rencontra pour la préparation de son livre et dont elle pouvait parler ouvertement avec elle, mais il est frappant de remarquer, entre le ton de ses lettres et l'écriture du livre, une marge, un fossé. Il y a d'un côté celle qui met en place l'enquête avec sa méthode, qui bute contre bien des obstacles, s'agace, fait de l'humour ou se met en colère, et de l'autre côté, il y a celle qui écrit. Et qui donnera à son livre le ton d'une tragédie silencieuse. Qui lui confère une dignité dans l'évocation de la douleur.

Par exemple, lorsqu'elle écrit la notice de Sophie Brabander et de sa fille Hélène au-dessous de leur matricule d'Auschwitz. « Mme Brabander a été appelée la première pour passer à l'immatriculation, à la douche, à la tonte. Comme on le lui ordonnait, elle s'est mise nue, s'est assise sur un tabouret pour qu'on lui coupe les cheveux. C'était une détenue qui opérait. Hélène, debout, nue aussi, attendait son tour. Quand elle s'est assise à la place de sa mère, celle-ci a retiré les ciseaux des mains de la prisonnière et a coupé elle-même les cheveux de sa fille[1] ».

Si les nazis obligent les mères à se dénuder devant leurs propres enfants, si les personnes doivent être tatouées d'un numéro pour que leur cadavre soit encore reconnu, si les prisonnières doivent être tondues, une mère peut vouloir montrer son amour et s'occuper elle-même de la chevelure de sa fille. Écrire la scène sans commentaire, vouloir l'inscrire pour faire barrage sur quelques lignes au déferlement d'humiliations.

« Aucune mère n'est revenue ». Emma Bolleau, puisqu'il s'agit d'elle, n'avait pourtant que quarante-deux ans. Elle a tenu cinquante-deux jours et c'était beaucoup, relève Charlotte, à Birkenau. « Les mères souffraient doublement : en elles-mêmes, en leur fille pour qui elles ne pouvaient rien, qu'elles devaient laisser battre sans broncher, qu'elles ne pouvaient plus protéger, à qui elles avaient bientôt le sentiment d'être à charge[2] ».

Pour ces 230 biographies, il lui fallait choisir un ordre. Delbo a choisi celui qui ne privilégie aucun critère autre que l'existence de chacune. Ni le rôle dans la Résistance, ni le comportement au camp que chacune a pu avoir, ni sa date de naissance, ni celle de sa mort, ni la possibilité d'en avoir réchappé ne feront des regroupements, des catégories. Seule l'existence est le critère et le nom que donne l'état civil pour la reconnaître, et le fait d'avoir dû entrer dans le wagon pour Auschwitz le 24 janvier 1943 au matin. La place de chacune suivra l'ordre alphabétique.

Ce qu'un des lecteurs du *Convoi du 24 janvier*, Maurice Honel, déporté lui-même et poète, commente de façon originale dans une lettre à Charlotte Delbo du 26 novembre 1965. « Je vous félicite de l'ordre mis dans ce livre. *L'inexistence*

1. *Le Convoi du 24 janvier*, *op. cit.*, p. 53.
2. *Ibid.*, p. 46.

d'architecture dans l'ensemble des récits, réalise l'architecture voulue. L'ordre alphabétique contribue à laisser aux faits leur égale importance. C'est d'ailleurs dans l'ordre du dictionnaire que les mots conservent une égale importance[1] ». Ce parallèle qu'il a l'originalité de remarquer a dû plaire à Charlotte Delbo.

S'il est possible que Jérôme Lindon fût en 1961, au moment où il publiait son premier livre, parmi les éditeurs qui auraient refusé d'éditer *Aucun de nous ne reviendra* parce qu'ils jugeaient que ce n'était pas le moment, l'optique sociologique du projet fait penser à Charlotte Delbo qu'il peut s'intéresser à ce livre-ci. Elle va le voir, son catalogue ne peut que l'inciter à lui parler de son projet. En plus des livres qu'il s'attache à faire paraître sur l'univers concentrationnaire, Lindon publie les livres les plus importants du renouveau de la sociologie française. *Les Héritiers* de Pierre Bourdieu, en octobre 64, d'Henri Lefebvre son *Introduction à la Modernité* en avril 62, et *Métaphilosophie* en juin 65. Et c'est un historien, Pierre Vidal-Naquet, qui est un proche du travail de l'éditeur, le premier conseiller de tant de livres pour dénoncer les exactions de la guerre d'Algérie. Le lien des Éditions de Minuit avec la Résistance est plus qu'évident, elles en sont issues. Lindon fait part de son intérêt, elle lui remet les 20 premières notices qu'elle a rédigées. Son commentaire critique jouera un rôle déterminant dans l'écriture du livre, pour la « patte » que Charlotte va lui donner.

« Chère Charlotte Delbo,

Voici les vingt notices que vous avez bien voulu me communiquer. Vous avez eu là une idée très belle. Mais comme je vous l'ai dit au téléphone, un livre c'est d'abord une écriture. Ce ne sont ici que des fiches de police, glacées, inertes, mortes. Tout en se gardant absolument de romancer,

1. Archives de Yad Vashem, O.9/272 et O.9/273.

d'ajouter du pittoresque, du sentiment, de la morale ou seulement des "effets", il faudrait trouver un ton qui unifie tous ces cas séparés – et qui doivent sans doute rester traités séparément –, qui rende présents aussi bien l'"avant", que le camp, que l'"après" – s'il y a lieu. Il faut que ça respire, que ça existe vraiment. Pour le moment ce n'est encore qu'un cimetière.

Bien amicalement à vous,

Jérôme Lindon[1] ».

Ce qu'il y a d'étonnant dans cette lettre, c'est à la fois la violence de certains termes, qui ont dû affecter ou faire frémir Charlotte, comme « fiches de police », et « cimetière », et la préfiguration qu'a Lindon du livre. Il se fait l'écho de la conversation téléphonique qu'ils ont eue, car on croit entendre ce que Charlotte elle-même a dû préciser de tout ce qu'elle veut éviter, sentiment et morale, mais la lettre de Lindon aura joué un rôle décisif pour entraîner Charlotte Delbo à *écrire* les mini-récits des biographies.

Et elle réussira à trouver une diversité de tons et de formes pour raconter la vie des femmes jusqu'à leur arrestation. Les renseignements sont ceux donnés aux questions types, mais elle a la façon de les rendre. Elle donne une vivacité au rythme des récits, adoptant le présent ou des temps du passé selon les vies qu'elle raconte, en changeant à l'intérieur de la reconstitution, adoptant le présent lorsque approche le danger, passant de phrases longues qui mettent en place les liens, les lieux, la description des activités, à des phrases brèves qui martèlent la succession inévitable d'actions qui mènent à l'arrestation, à l'emprisonnement, aux transferts de prisons. Elle fait sentir la force d'un destin contre lequel il n'y a plus rien à faire, qui semble se passer sous nos yeux impuissants comme ils l'ont été pour ceux tombés dans le piège, et dont nous, nous *savons*, une fois

1. Lettre du 16 février 1965, Archives de Yad Vashem, O.9/272 et O.9/273.

de plus quand nous lisons Delbo, la suite tragique. Qu'elles n'ont pu imaginer.

Le travail d'écriture du *Convoi du 24 janvier* est en fait très important. Charlotte va insister sur tout ce qu'on ne disait pas en 1965, le rôle de la police française, l'incroyable ténacité des traques, des filatures, des pièges tendus par les Brigades spéciales, des dossiers établis sur les communistes et sur les syndicalistes avant 1936 pour arrêter ceux qui ont participé à la lutte clandestine dès 39, puis à la lutte contre l'occupant dès 40.

Elle dit le sort funeste qui s'est abattu sur celles qui avaient réussi par miracle à survivre à Auschwitz, aux transferts, à d'autres camps, d'autres commandos et qui, juste avant la libération, sont mortes dans le bombardement par les Alliés de l'usine où elles travaillaient. Elle va raconter l'incroyable odyssée de celles qui ont réussi à s'enfuir du camp au moment de l'avancée des Russes, qui prendront la route pour Odessa où on leur promettait un bateau, et finalement rentreront en train par d'interminables détours, passant même encore par Berlin à cause des aiguillages détruits.

Le récit qu'écrit Charlotte sur Marie-Jeanne Bauer est le plus long du livre, sans doute parce que Marie-Jeanne Bauer est la seule du convoi qui soit restée à Birkenau toute sa déportation, et qui le commentait avec humour à la rubrique « transferts et autres camps » du questionnaire : « Toujours Birkenau – une bonne place ! Pourquoi la quitter ! ». Charlotte y brosse la scène du soldat polonais appartenant à l'Armée Rouge entrée au camp, qui, ivre, tire sur Marie-Jeanne par vengeance d'une douleur personnelle qu'il ne maîtrise pas. Il vient d'apprendre que toute sa famille a été tuée. Marie-Jeanne réchappe de sa blessure qui a pourtant atteint l'aorte. Charlotte ajoute : « Marie-Jeanne plaidera la cause du soldat : il n'a pas été fusillé. Elle savait qu'on peut être fou de douleur[1]. » Charlotte insiste. Elle sait ce que pouvait ressentir Marie-Jeanne, son

1. *Le Convoi du 24 janvier*, *op. cit.*, p. 34.

mari Jean-Claude Bauer a été fusillé par les Allemands au Mont-Valérien le même jour que Georges Dudach. Elle, qui choisira en 82 comme titre au livre qu'elle compose « De toutes les Douleurs », tient à dire ce savoir sur la douleur. C'est Delbo qui l'a questionnée sur le sort du Polonais, pour en savoir plus. Dans la longue lettre que Marie-Jeanne lui avait écrite pour accompagner de plus de détails sa réponse au questionnaire, elle n'avait rien dit de la grâce qu'elle demandera pour le soldat. « Je suis blessée par un soldat ivre. Soignée par un docteur détenu, mort depuis, puis par les Russes ». C'est Delbo qui veut écrire ce que peut faire un cœur pour surmonter le chagrin. Pas de place pour la haine, ni la rancune. Les faits choisis parlent. Comme de préciser les conditions de son retour. Personne ne l'attend, maison bombardée, appartement pillé, Marie-Jeanne apprend que son frère a été fusillé en août 44, et son typhus est encore positif. « Tant de sacrifices ont été inutiles », lui a-t-elle écrit. Cette phrase que Charlotte reprend, et que tant de survivantes expriment, c'est à contresens de ce qui s'est bien sûr dit sur la Résistance, ce que de Gaulle a voulu créer comme légende. Charlotte s'est voulue l'écho du désabusement qui a pris la plupart des femmes à leur retour. Elles qui avaient lutté, elles ne rencontreront aucune reconnaissance au retour. « Quand elle voit autour d'elle s'agiter arrivistes et combattants de la onzième heure, elle doit se cramponner pour ne pas désespérer[1] ».

Comme l'écrit, dans une autre lettre qu'il adresse à Delbo, le poète Honel après sa lecture admirative du livre. « Il me semble que leur isolement provient du fait que le "corps" social dans son entier n'adhère pas à elles ». Isolement et incompréhension, c'est ce qui a caractérisé leur retour.

À ce corps organique qu'elles s'étaient efforcées de constituer pour tenir à Auschwitz, ce « nous » qu'elles cherchaient à tout prix à ressentir pour survivre, a succédé le manque, l'absence d'un corps social pour les recevoir.

1. *Le Convoi du 24 janvier*, *op. cit.*, p. 35.

Charlotte Delbo met en valeur les engagements ou l'enchaînement des circonstances dans la nudité des faits, comme le sort presque toujours tragique des proches actifs dans la Résistance, faits prisonniers et déportés par représailles, et pour le retour de celles qui reviennent, leurs difficultés physiques, morales, matérielles. Le lecteur est saisi par la décomposition qu'a effectuée Auschwitz chez chacune d'elles.

Nous avons en main aujourd'hui non seulement un document historique sur la France en guerre pendant les années 39-42, sur le rôle méconnu de femmes anonymes dans la lutte contre l'occupant, pour la plupart sans reconnaissance après la guerre, sans pension équivalant à leurs activités pour celles qui rentrèrent, pour leurs familles, pour leurs enfants quand elles moururent en déportation, et un document sur le sort des femmes à Auschwitz-Birkenau.

Delbo y ajoute un mélange de style entre faits nus et compassion réservée, et des précisions singulières qui signalent l'ampleur du drame intérieur. Charlotte peut noter une phrase dite à une compagne avant de mourir, un serment demandé, une malédiction invoquée, et faire voir quel fut le sort vain de ces phrases restées sans suite.

Elle décrit le cadavre mangé par les rats, comme la sécheresse de l'avis de décès qui parvient parfois aux proches depuis le camp d'Auschwitz, il y en eut quelques-uns, toujours mensongers sur les causes du décès, ou l'avis lapidaire d'une mairie française, ou l'information tardive et codée sur une carte postale autorisée depuis Ravensbrück écrite par une compagne.

Quant aux trahisons dont certaines ont été victimes, comme celle d'un mari qui a dénoncé pour un intérêt privé et sentimental sa femme, le cas d'Henriette Schmidt, Delbo précise qu'il était militant du parti communiste, Henriette l'avait connu à Moscou, il faisait l'école du Parti. Charlotte n'en a cure, et n'épargne pas plus un communiste qu'aucun autre. Son livre porte aussi la marque d'une langue froide, qui veut dessiller les points de vue idéologiques.

Elle défait les constructions mythiques et sans faille que le Parti avait fabriquées à des responsables militantes de leur convoi. Elle ne cachera pas les erreurs commises par certaines, fatales pour elles-mêmes et pour d'autres. Marie-Élisa Nordmann se fait arrêter par les Brigades spéciales après avoir aidé France Bloch-Sarrazin, une amie, mais qui n'appartient pas au même réseau qu'elle, et qu'*au mépris des consignes*, précise Charlotte, elle aide dans certaines missions des FTP. C'est après avoir filé pendant plusieurs jours France que les Brigades pourront arrêter Marie-Élisa le 16 mai 42, alors qu'elle avait réussi à ne pas se faire prendre en même temps que tous les camarades du réseau Politzer auquel elle appartenait, fin février-début mars.

La légende sur le martyre de Danielle Casanova à Auschwitz est sérieusement défaite par ce qu'écrit Charlotte Delbo des conditions tout à fait privilégiées qu'elle fut seule à obtenir à Birkenau. Déjà dans la description de son arrestation, Charlotte avait mentionné le manque de prudence, cette erreur fatale, de Danielle. Elle s'était rendue au domicile des Politzer pour leur apporter du charbon, cet hiver de grand froid. C'est là qu'elle se trouve nez à nez avec les inspecteurs des Brigades spéciales qui viennent d'arrêter les deux époux. Ce n'est que plus tard, par les Renseignements généraux, qu'ils réaliseront quelle figure importante du Parti ils ont arrêtée.

Et si Danielle Casanova travaillera toujours au chaud, portera lingerie, lainages, bas de soie, chaussures de ville dans son cabinet et bonnes grosses chaussures de ski pour sortir, tout cela Charlotte l'écrit, elle précise aussi que les nazis qui avaient cherché à instaurer de profondes rivalités parmi les détenues, échoueront avec Danielle Casanova qui portera secours tant qu'elle le pourra à ses camarades. Le vaccin contre le typhus qu'elle recevra du médecin-chef SS qui l'aimait bien et voulait garder son dentiste en vie, n'aura pas d'action, Danielle mourra très vite, huit jours après avoir été soignée dans une infirmerie où viendront la voir ses camarades. Et Charlotte de décrire, les lits individuels, les draps blancs, les couvertures piquées brillantes, le thé avec du citron, posé auprès du lit. « Ces rondelles de citron dans une petite assiette, elles m'ont fascinée quand je suis allée voir Danielle, qui ne me reconnaissait pas. J'ai été tentée de les voler. Je ne l'ai pas fait. Je ne sais pas ce qui m'a retenue ». Charlotte ne cache pas non plus ses propres pensées. C'est la vie comme elle est, qui l'intéresse. Elle écrira de Danielle Casanova, « le seul beau cadavre qu'on ait vu à Birkenau ». « Elle reposait, belle parce qu'elle n'était pas maigre, le visage encadré de tous ses cheveux noirs, le col d'une chemise de nuit blanche fermé sur son cou, les mains sur le drap blanc, deux petites branches de feuillage près de ses mains[1] ».

« Toutes les municipalités ouvrières de la banlieue parisienne ont donné son nom à une rue », mais le nom d'Auschwitz, comme sa réalité, ont été effacés. C'est ce que Delbo ne supporte pas. L'ignorance de ce que fut ce camp. Jusque dans les années 70, elle s'efforcera de rappeler le nom d'Auschwitz. Elle écrira au journal *Le Monde* pour faire rectifier dans l'article nécrologique de Laurent Casanova, qui avait été le mari de Danielle, la mention qui la concerne. Elle précise qu'elle est morte du typhus, déportée à Auschwitz, et non pas « assassinée après son arrestation ». Rétablir. Danielle Casanova a été à Auschwitz. L'hagiographie du Parti sur leurs martyrs l'horripile par tout ce qu'elle tait.

L'organisation au camp a permis aux responsables de trouver très vite après l'arrivée un poste qui leur a épargné les plus terribles conditions, Delbo n'insiste pas, c'est par les recoupements qu'on peut faire à la lecture qu'on le réalise. Et si elle-même a pu être affectée au camp de Raisko en juillet, c'est grâce à l'organisation des communistes, mais maquiller la réalité pour faire des héroïnes immaculées comme l'a fait le Parti au sortir de la guerre, elle en prendra le contre-pied pour dire Auschwitz et les agonies des mourantes.

Elle termine la notice de Jacqueline Quatremaire qui reçut à titre posthume, en 1960, la médaille militaire, la croix de

1. *Le Convoi du 24 janvier*, *op. cit.*, p. 62-63.

guerre avec palme et la médaille de la Résistance en rapportant la mention qui accompagnait les décorations : « Magnifique patriote, membre de la Résistance intérieure française. Arrêtée pour faits de Résistance le 17 juin 1942, a été internée jusqu'au 21 janvier 1943. Déportée le 23 janvier 1943 dans un camp de concentration, est morte glorieusement pour la France le 15 juin 1943. » Si Delbo corrige en note de bas de page les dates de son emprisonnement et du départ de Compiègne, elle laisse le lecteur apprécier ce « morte glorieusement ». Elle venait de préciser les conditions de sa mort au revier de Birkenau. « Un énorme abcès, sous l'omoplate gauche, semblait ronger sa maigreur. Mourante, elle était couverte, absolument couverte, de poux, rapporte Betty[1] ».

Et ne cache pas ce que signifiait dans la réalité la vie d'une jeune Résistante comme celle que Jacqueline avait eue depuis 1940. « Vivre dans la clandestinité n'est pas ce qu'imaginent les lecteurs de romans d'espionnage. Des jeunes filles de vingt ans, qui jusqu'alors avaient vécu dans leur famille, se sont trouvées tout à coup dans un petit logement à peine meublé où elles passaient leurs soirées dans une solitude totale, ne voyant personne, ne parlant à personne, n'ayant pour tout échange que des conversations de travail avec ceux qu'on rencontre pour quelques minutes, le temps de passer les papiers, les consignes ». Elles ignorent le sort de leurs parents et amis qu'elles ne doivent plus rencontrer. « Ajoutez à cela que ces clandestins avaient fort peu d'argent, étaient mal ravitaillés, recevaient souvent leurs tickets d'alimentation avec retard[2] ».

Jacqueline avait perdu son travail de secrétaire au Syndicat des produits pharmaceutiques, dès que les syndicats avaient été dissous, en 1939 déjà. Syndicats dissous, communistes pourchassés, Delbo reconstitue par touches un tableau de la vie politique et sociale en France dans les années 30 et 40. Les parents de Jacqueline Quatremaire ont été arrêtés

1. *Le Convoi du 24 janvier*, *op. cit.*, p. 243.
2. *Ibid.*, p. 242.

comme communistes « par les autorités françaises en 1940 et internés dans des camps en zone sud », précise-t-elle. C'est un des rares endroits dans son œuvre, où Charlotte Delbo évoque les camps d'internement sur le territoire français, en dehors de ceux de Drancy et de Compiègne, alors qu'ils furent nombreux.

Quand elle arrive à Charlotte Dudach, son nom d'état civil, elle évoque le secret et l'isolement de la clandestinité dans ce studio qu'ils ont loué sous un faux nom, Georges et elle. « Nous avons vécu *dans le brouillard.* Je restais à la maison, il sortait plusieurs fois par jour. Chaque fois, il me disait : "Je serai de retour à telle heure." Je ne savais pas où il allait ». Le militant qui respectait les consignes ne disait rien, même à sa femme. Georges suivait les règles du Parti.

« Une demi-heure avant l'heure dite, l'angoisse me prenait. C'est long, l'angoisse. J'entendais son pas. Il rentre encore cette fois ». Charlotte, elle, avait affaire à son cœur.

Pour retracer la vie avant l'arrestation de celles qui sont mortes, Charlotte Delbo est allée chercher des informations, ce sont leurs enfants qu'elle rencontre. Cinquante-trois femmes qui ne sont pas revenues avaient laissé des enfants à la maison, sur les soixante-neuf qui ont été déportées. Et si vingt-deux enfants ont retrouvé leur mère, il est resté soixante-quinze orphelins de moins de seize ans.

« Beaucoup sont venus à ma première lettre, et dans un état d'émotion ! » raconte Charlotte Delbo à Madeleine Chapsal[1]. Elle a été surprise de ce qu'ils attendaient d'elle, alors que vingt ans s'étaient écoulés. « Ils voulaient des précisions sur la vie là-bas, celle de leur mère, et comment elle était morte. C'était comme si je leur racontais la mort de leur mère survenue la veille, comme si ça s'était passé hier. Je sortais de là vidée, pendant plusieurs mois j'en ai perdu le boire et le manger... »

1. *L'Express* du 14-20 février 1966.

Elle gardera gravée dans sa mémoire l'émotion de ces enfants. Longtemps, Charlotte Delbo a eu le projet de faire un livre sur les enfants des déportés, sur les enfants de ceux partis à Auschwitz, comme me l'ont appris plusieurs de ses amis. Elle aurait été la première à aborder ce sujet qui restera très tard dans le silence, comme s'il n'existait pas.

« J'ai découvert qu'il y a une différence entre les enfants qui avaient moins de quatre ans et les plus grands. Ceux qui avaient moins de quatre ans sont plus profondément marqués, mutilés. (...) Ils n'ont aucun souvenir de leur mère ; quand ils pensent à elle, ils n'ont que des images atroces, squelettes en vêtements rayés, femmes tondues, couvertes de poux... Ceux qui étaient plus âgés étaient déjà mieux organisés dans la vie ; à côté des images d'horreur, ils ont aussi celles de maman faisant joyeusement la vaisselle ; leur donnant une gifle, les embrassant, ils savent ce qu'elle aurait voulu qu'ils fassent dans la vie... Mais il n'y a pas que les images, il y a les mots ». Ce que ces enfants lui apprennent, c'est la force réconciliatrice des mots qu'ils entendent pour accepter la mort tragique. « Nous ne pensions qu'à ça, mais nous ne parlions jamais d'elle, ni des camps, nous ne pouvions pas en parler parce que nous ne savions pas comment faire, nous n'avions pas les mots. Mais vous en parlez si naturellement que, depuis que nous vous avons vue, vous nous avez montré que l'on pouvait employer les mots de la vie ordinaire, pour ce qui nous paraissait extraordinaire ».

Ces mots qui racontent des faits, Charlotte va les employer pour écrire l'introduction au *Convoi du 24 janvier* : quatorze pages qui disent les faits depuis le dimanche 24 janvier 1943 au petit matin, quand les 230 femmes traversent en camion Compiègne pour rejoindre la gare, jusqu'au retour des quarante-neuf survivantes échelonné dans le temps entre le 30 avril et le 15 juillet 1945. Un texte qu'elle titre « Le Départ et le Retour », choix paradoxal puisqu'elle écrit le départ en une demi-page et consacre au retour une demi-page. Le titre fait le silence, volontairement, sur l'essentiel. Rester dans une présentation qui souligne l'ordinaire pour dire la tragédie. Après un titre « neutre » pour le livre, le convoi, donner à la préface un titre « logique », le départ et le retour.

Les conditions du camp, l'hécatombe des deux premiers mois, le nombre des compagnes concernées, le sort bien pire des juives entrées au camp, les conjectures historiques pour tenter d'expliquer les décisions des SS, les transferts, les commandos, les quarantaines, font l'histoire et la géographie de ces deux ans et demi de déportation. Elle explique ce qui peut être expliqué mais de l'inexplicable résiste. « Ceux à qui nous racontons cela maintenant ne comprennent pas que tant de nous soient mortes si vite. Nos explications ne le leur font pas comprendre[1] ». Comme elle l'a écrit à l'intérieur d'une des biographies, « Ceux qui étaient dans d'autres camps ne voient jamais tout à fait ce qu'était Auschwitz[2] ».

Elle précise les faits objectifs. Elle se sert de précisions historiques pour décrire ce qui peut être raconté. Elle laisse de côté, à quelques exceptions près, l'émotion, les sensations. « J'ai écrit tout ce que j'avais à dire dans *Aucun de nous ne reviendra*, toute la réalité d'Auschwitz, telle que je l'ai ressentie[3] ». Vingt ans plus tard, elle veut un point de vue historique, elle réussit cependant à y introduire une part de silence, en retenant justement l'émotion. Elle donne au texte une densité faite de cette retenue, et la clarté de ses descriptions fait voir l'évidence des faits.

Ce qui frappe, c'est le ton. Aucune accusation, aucune haine, j'ajouterais aucune violence dans le ton. Elle décrit ce qui était si dur, qui a fait mourir tant de femmes parmi elles, en mettant à distance ce qu'elles ont eu à affronter, il y a une dignité qui se dégage de sa façon de l'écrire. La réalité n'est pas rejetée comme atroce ou comme une épouvante cette fois. Elle est. Elle fut la leur. Elle la décrit dans l'esprit

1. *Le Convoi du 24 janvier*, *op. cit.*, p. 15.
2. *Ibid.*, p. 70.
3. *L'Express* du 14-20 février 1966.

d'une possibilité de restitution. Faire le récit, mettre à plat les conditions, nommer, éloigner le pathos.

Elles traversèrent Compiègne sur des camions, « Nous chantions et criions pour les faire au moins tressaillir. "Nous sommes des Françaises. Des prisonnières politiques. Nous sommes déportées en Allemagne". Ils s'arrêtaient un instant au bord du trottoir, levaient les yeux, vite les baissaient, continuaient leur chemin. Nous continuions le nôtre et les perdions de vue ». Si Delbo écrit de ceux qui se hâtaient, « Peut-être allaient-ils à la première messe », relève ce qui pouvait paraître une forme d'hypocrisie, il n'y a dans le ton qu'elle emploie aucune amertume. S'ils continuaient leur chemin, « Nous continuions le nôtre… ». Aucune condamnation, plutôt la conscience d'un destin. Au milieu des vies ordinaires, il y a des destins. Jamais Delbo ne s'est sentie victime. Mais le sentiment d'un destin ne fait pas se sentir supérieur. Ce qui est à vivre est décrit avec des détails choisis racontés dans leur présence ordinaire. « Dans le wagon il y avait une demi-botte de paille. Éparpillée, elle n'a pas formé une litière, plutôt une salissure qui donnait envie de balayer. Un baril de goudron au milieu[1] ».

Charlotte Delbo ne cache pas qu'elle était dans le quatrième et dernier wagon, celui où il y eut le plus de place, les Allemands les ayant fait monter dans la précipitation, sans répartir le nombre. « Au fur et à mesure que nous sautions à terre [des camions], des soldats allemands nous y faisaient monter. Soixante à soixante-dix dans chacun des trois premiers, vingt-sept dans le dernier, où j'étais[2] ». J'ai appris que c'est aussi dans ce dernier wagon que sont montées les femmes qui occupaient des responsabilités au parti communiste. Veuve de Georges Dudach, elle a pu s'y intégrer, et surtout ses amies, Viva, veuve de l'imprimeur des communistes, Yvonne Picard et Yvonne Blech s'y trouvaient, et il est certain que Charlotte aura voulu le plus possible

1. « Le Départ et le Retour » in *Le Convoi du 24 janvier*, *op. cit.*, p. 9.
2. *Ibid.*

comprendre ce qu'il se passait, ce qui pouvait être discuté entre les responsables du Parti. Elles avaient fermé le cortège du regroupement le matin même et veillé à l'organisation, comme Marie-Élisa Nordmann qui avait distribué le pain du voyage.

Delbo restitue la scène. « Nous nous sommes installées comme pour un long voyage, les amies côte à côte. J'étais avec Yvonne Blech, Yvonne Picard, Viva, Mme Van der Lee qui posait soigneusement son chapeau noir sur sa valise, dépliait sa couverture, roulait autour de ses jambes son manteau de loutre démodé ». Elle précise les gestes, jusqu'aux détails sur les accessoires, pour faire sentir, légèrement mais qu'elle soit là, l'ironie dramatique. Et une pitié poignante pour ce qu'elles ne savaient pas, qui les attendait au bout du voyage.

Ce non-savoir, Charlotte Delbo le pointe souvent dans cette introduction.

« Si elles avaient lu l'avenir… » écrit-elle quand certaines se refusent à s'évader pour ne pas faire risquer des représailles. Ou, « Les survivantes l'ont appris en 1945 », pour la destination des wagons de tête où se trouvaient 1200 hommes, qui les emmenaient à Orianenbourg. « Cent cinquante sont mortes sans savoir qu'elles étaient à Auschwitz ». « Qui soupçonnait qu'il n'y avait pas d'eau dans le camp ? » Quand elle écrit que le camp de Birkenau s'était ouvert l'été précédent sur un charnier de prisonniers russes, « Cela aussi, nous ne l'avons appris que beaucoup plus tard ». « Notre courage était fait d'une grande ignorance ». « Nos soupiraux donnaient sur la cour du 25. Nous avons su bientôt ce qu'était le block 25 ».

Elle insiste sur cette absence de savoir. Elles ne savent pas. Elles ne savent pas ce qu'est Auschwitz, elles agissent sans savoir, pour beaucoup c'est de là que vient leur courage. Delbo, même quand elle fait de l'histoire, adopte un mode narratif qui rend la dignité d'un théâtre tragique. Les personnages ne savent pas ce qui se trame, nous qui lisons, oui.

Ce qui a mis en péril l'identité humaine de chacune à l'arrivée, Charlotte Delbo s'efforce de le tenir en respect avec ce que les mots peuvent décrire. « Au fur et à mesure qu'on nous appelait, nous nous déshabillions, mettions nos vêtements dans notre valise que nous avions marquée à notre nom. Une fois nues, nous entrions dans une pièce où une prisonnière nous coupait les cheveux aux ciseaux. Court. Au ras du crâne. Une autre nous tondait le pubis. Une troisième nous badigeonnait la tête et le pubis avec un chiffon trempé dans un seau de pétrole. La désinfection. Après, à la douche. Il n'y avait pas d'eau. D'ailleurs nous avions laissé nos affaires de toilette dans les valises. Après, à l'étuve. Sur des gradins de bois, dans la vapeur, les premières étaient déjà assises. Je cherchais mes amies et ne reconnaissais personne. Nue et tondue, aucune n'était plus elle. Moi aussi j'étais nue et tondue. Viva m'a reconnue : "Viens ici. Viens t'asseoir près de nous", d'une voix joyeuse, comme on hèle dans la foule un jour de kermesse. J'entends encore sa voix[1] ».

La dernière phrase, cette voix joyeuse qu'elle entend encore, est la seule marque d'émotion personnelle dans ce récit. Viva était parmi toutes les compagnes du convoi la plus chère amie de Delbo, elle mourra au revier en juillet 43. Charlotte trouvera le courage de retourner à Birkenau, elle est à Raisko à cette date, pour dire adieu à une Viva déjà inconsciente. La voix joyeuse, l'image de la kermesse... dans l'étuve de Birkenau ! Charlotte Delbo rend l'ironie dramatique, et glisse dans l'oreille du lecteur la voix ressuscitée de Viva.

Et quand elle veut faire sentir le choc à la sortie du train, la brutalité inouïe de l'arrivée, elle choisit des phrases brèves, un rythme haché, une forme lapidaire. Et pour dire tout de suite la mort des cent cinquante qui moururent sans savoir où elles étaient, elle adopte une cadence longue comme si elle pouvait faire entendre le glas qui résonne, un hommage fait d'une seule phrase. L'écrivain ne lâche pas. Ce n'est pas

1. « Le Départ et le Retour » in *Le Convoi du 24 janvier, op. cit.*, p. 13.

parce qu'il faut déplier les faits que l'écriture s'oublierait. Elle fait entendre sa voix, comme si la main qui écrit pouvait rattraper tout ce qui a été défait, détruit, jeté.

Odette Meyrat, une amie de Genève, lui adresse une lettre le 27 novembre 1965, après sa lecture.

« Chère Charlotte.

Votre livre est arrivé samedi. Au café de mes parents. J'ai lu d'une traite et à haute voix : Le départ et le retour. Tout de suite nous avons retrouvé ce ton qui n'est qu'à vous, cette pure sobriété, ce pathétique si contenu. Nous écoutions tous les trois s'élever votre voix, et la mienne s'étranglait. Je n'ai lu ensuite que ce qui concernait les quelques femmes dont le nom m'était familier. Je lirai les autres petit à petit.

Je ne peux que vous redire mon admiration pour cette nouvelle réussite. Vous voilà sortie d'un travail long et qui dut bien souvent être accablant, mais il fallait bien que quelqu'un fasse ce travail, et je suis heureuse et fière que ce soit vous qui ayez entrepris cette fraternelle recherche du souvenir de vos compagnes. Aucune voix ne pouvait mieux que la vôtre apporter cet hommage à ces martyres.

J'admire aussi que vous ayez, avec le même ton pourtant, renouvelé la manière de présenter ce récit. (...)[1] »

Garder le même ton et renouveler la manière, oui, c'est ce que Delbo a fait. Quand elle énumère les raisons qui les ont fait mourir, il ne s'agit pas de les faire sentir, il faut dresser la liste avec une objectivité scientifique, de médecin pourrais-je dire, et prendre à partie ceux qui ne peuvent pas comprendre cette hécatombe. « Ne savez-vous pas qu'une néphrite aiguë (...), qu'une pneumonie (...) que la dysenterie... » reprenant l'adresse qui revenait souvent dans son premier livre dès les premiers chapitres, « Vous qui... », « Ô vous qui saviez... », « Le saviez-vous / Vous qui savez ». Pas

1. Archives de Yad Vashem, O.9/272 et O.9/273.

pour en appeler à l'émotion cette fois, ni à la pitié, mais pour réveiller les consciences et faire comprendre la situation objective, le concevable.

Et si elle énumère les conditions mortelles qui furent les leurs, c'est pour écrire à la suite que les conditions des juives étaient bien pires. « Nous n'étions pas, de loin, les seules Françaises à Birkenau, mais nous étions les seules qui y fussent sous l'étiquette "politique". Les autres y étaient sous l'étiquette "juif". Qu'un juif soit pris au combat, les armes à la main, ou dans une rafle, n'importe. Pour la Gestapo, c'était un juif, jamais un politique. Les juifs n'avaient plus de nationalité. Puisque juifs et non-juifs se retrouvaient à Auschwitz, où était la différence ? La différence était grande dès l'arrivée. À la descente du train, pour les convois de juifs, il y avait le tri. Seuls les sujets jeunes et aptes au travail entraient dans le camp. Les autres étaient gazés tout de suite. Souvent il n'y avait pas de tri : tout le convoi passait à la chambre à gaz.

Certes à Birkenau, les conditions étaient à peu près semblables. À peu près, mais à ce degré la moindre aggravation entraînait aussitôt une mortalité plus grande. Les blocks de juives étaient plus surpeuplés que les autres. Toutes ne pouvaient s'allonger pour la nuit. Celles qui ne trouvaient pas place sur les planches des cases passaient la nuit debout, dans les couloirs. Les juives avaient plus souvent que nous des punitions générales : faire l'appel à genoux, en tenant les bras en l'air, par exemple, ce que nous n'avons jamais fait[1] ». Et Charlotte Delbo poursuit en insistant sur le fait que les rafles, comme la composition hétéroclite des convois avant le départ, n'avaient pas favorisé l'organisation d'une entraide, soudé les groupes, et que la diversité des langues de celles qui réchappaient à la sélection et se retrouvaient dans les blocks « mêlées à des juives d'autres pays » n'avait pas permis de trouver ce qu'elles ont reçu dans la parole échangée : « défense, réconfort, espoir ».

---

1. « Le Départ et le Retour » in *Le Convoi du 24 janvier*, *op. cit.*, p. 16-17.

En 1965, ce n'est pas courant d'entendre une voix qui dise le génocide des juifs, l'extermination dans les chambres à gaz de convois entiers, la sélection à l'arrivée. Le discours dominant, et qui domine au point de jeter dans le silence ce qu'il s'est passé, est pour célébrer les combattants qui voulaient libérer la France du joug ennemi, le souvenir des souffrances dans les camps de concentration des politiques, Dachau, Buchenwald, Ravensbrück. La réalité d'Auschwitz est absente de ces évocations, quant aux camps qui ont été uniquement des camps d'extermination comme Chelmno, Belzec, Sobibor et Treblinka, c'est le silence. Et que Charlotte Delbo dise la participation de juifs au combat de la Résistance, les mentionne pris « les armes à la main », c'était une remarque bien rare à l'époque, comme de l'écrire dans la préface d'un livre qui retrace les activités dans la Résistance communiste de plus de la moitié des femmes du convoi.

Garder présent le sort terrible des juives et des juifs est aussi ce qu'elle veut mettre en valeur dans la présentation du livre. Sur un feuillet, elle écrit un « Avant-Propos » et ajoute entre parenthèses : « ou prière d'insérer ». Puis elle le barre, écrit : « 4e page couverture Convoi du 24 JAN », le signe de ses initiales et l'envoie à Jérôme Lindon.

« De 1942 à la fin de 1944, des trains sont partis vers l'Allemagne, chargés d'hommes, de femmes, d'enfants : les déportés. Qui étaient-ils les déportés ? Des résistants, combattants armés ou combattants sans armes, *des juifs qui n'avaient rien fait et d'autres qui avaient fait beaucoup* (c'est moi qui souligne), des gens pris par malheur, le malheur d'une rafle ou d'une parole. Qu'étaient-ils précisément tous ceux qui étaient serrés dans les wagons à bestiaux, qui voyageaient pendant des jours et des nuits pour atteindre un lieu situé au-delà de l'épouvante : le camp de concentration ?

Prenant pour échantillon le train qui a quitté Compiègne au matin du 24 janvier 1943 et qui est arrivé le 27 à Auschwitz – mais elles ne savaient pas que c'était à Auschwitz qu'elles arrivaient, les deux cent trente femmes de ce convoi, et, l'eussent-elles su, quelle différence ? En janvier 1943, pour qui venait de France, Auschwitz était un mot qui n'avait pas encore sa résonance –, le prenant en exemple, on dit ici qui était dans ce train, un train parmi tous les autres[1] ».

Mais Jérôme Lindon ne gardera pas ce texte de Charlotte.

La référence à tous les trains de déportés qui partirent de France vers les camps de concentration et d'extermination, la mention qu'il s'agissait d'hommes, de femmes et d'enfants, et bien sûr de juifs, « qui n'avaient rien fait » et l'expression de Charlotte invoquent l'innocence d'un mot d'enfant, soulignent l'absence de toutes raisons de guerre et la volonté d'extermination, « et d'autres qui avaient fait beaucoup », c'est-à-dire la participation de juifs aux combats contre l'occupant, toutes ces mentions, comme celles de wagons à bestiaux ou de « l'au-delà de l'épouvante », disparaîtront du texte de couverture que rédigera finalement Lindon. La volonté de Charlotte de dire que dans son livre elle évoque toute la déportation vers Auschwitz est mise de côté.

Elle insistait dans le deuxième paragraphe sur leur destin tragique, « elles ne savaient pas que c'était à Auschwitz qu'elles arrivaient », cette insistance lui est chère, ce ressort de la tragédie. Mais elle ajoutait en cinq mots, avec sa langue lapidaire et dans un style classique du XVIIe, « l'eussent-elles su, quelle différence ? », qui prolonge leur propre ignorance en janvier 1943 à celle de toute la France pour agrandir la tragédie.

Les mots de « nazis », ou de « SS », d'« Allemands » sont absents. Ici, dans la présentation, ne pas parler d'ennemis ni de bourreaux pour qu'il n'y ait pas de figures de victimes. La force de l'écriture, l'esprit du livre se trouve dans ces mots « on dit ici qui était dans ce train ». De quoi faire entendre de façon stridente, quatre fois de suite un « i », cette volonté, sa volonté urgente, impérieuse, de sortir de la nuit, de l'oubli, les portraits, les figures des deux cent trente femmes.

En faisant le récit de la déportation de deux cent trente femmes, elle renouvelle l'écriture du genre. Elle veut créer

---

1. BNF, Fonds Delbo, 4-COL-208-101, Succession Delbo.

une représentation qui doit frapper le lecteur. Avec un lever de rideau qui plante le décor et présente la situation. Que le lecteur « voie », et prenne distance. Il n'est pas dans la scène, mais la force de ce qui est montré doit servir sa conscience, l'agrandir. Cette arme du langage, de la littérature, c'est le dispositif qu'elle sait créer pour faire résonner une représentation du monde. Le paroxysme de l'Histoire, elle l'avait rencontré à Auschwitz, il lui fallait trouver une forme inédite pour l'écrire, et une autre fois encore. Il est certain qu'elle se mesurait, consciemment et inconsciemment, aux tragiques grecs.

Elle choisit de placer en tête de son livre un exergue emprunté à *Électre* de Giraudoux, « Voici comment tout s'est passé, et jamais je n'invente. »

S'inspirer de la tragédie, et la commencer avec le ton de la vie ordinaire. Elle ouvrait *Aucun de nous ne reviendra* par l'arrivée et le départ dans une gare ordinaire. Pour *Le Convoi du 24 janvier*, elle commence par le froid humide et le ciel bas d'un dimanche matin de janvier 1943. Et les récits de la vie des femmes du convoi débute par la naissance, le milieu familial, le travail des parents, la vie scolaire, la formation… la vie ordinaire de chacune. Ce qui la distingue profondément de ce que faisait Giraudoux dans son théâtre, qui se servait des personnages de la tragédie classique pour les placer dans des situations prosaïques, et en tirer un effet poétique. La conscience du tragique de Charlotte Delbo, et la force avec laquelle elle veut l'écrire, lui font commencer par souligner ce qui est partageable par le plus grand nombre, ce qui est commun au plus grand nombre. La violence du destin est de faire irruption dans l'ordinaire. De là, elle peut en dessiner la tragédie.

Jérôme Lindon, dans la présentation qu'il choisit pour le dos du livre, insiste sur la Résistance. « Elles étaient deux cent trente dans le train qui partit de Compiègne le 24 janvier 1943 en direction d'Auschwitz. Quarante-neuf sont revenues, après vingt-sept mois de déportation.

Deux cent trente venant de toutes les régions de France, issues de toutes les classes sociales : des ouvrières et des paysannes, des employées et des commerçantes, des intellectuelles et des bourgeoises. Certaines étaient des combattantes armées, d'autres sans armes, d'autres encore avaient été dénoncées sans savoir pourquoi. Il y avait même des dénonciatrices.

L'auteur fait revivre l'une après l'autre ces inconnues : leur origine, leur enfance, les circonstances de leur engagement, de leur arrestation, leur martyre au camp, leur mort... ou leur retour et leur réadaptation. Cette succession de destins rapportés sans effusion inutile rappelle que la résistance c'était d'abord ces milliers de Français et Françaises qui avaient fait simplement et sans grandiloquence le sacrifice de leur vie ». L'évocation de tous « les déportés », des trains « chargés d'hommes, de femmes, d'enfants » est effacée, comme celle « des juifs ».

Son œuvre d'écrivain était de faire bouger les cloisons, bousculer les limites intérieures du lecteur pour faire résonner une tragédie encore inconnue, élargir le propos à celui de tous les trains. Elle avait terminé sa proposition de présentation par « un train parmi tous les autres », comme elle voulut écrire plus tard la tragédie des déportés grecs sous les colonels, des disparus d'Argentine, des politiques emprisonnés et assassinés par Franco en Espagne, des hommes de l'autre côté du grillage du fort de Romainville, des otages assassinés de la Santé, faire résonner le drame de l'autre, de tous les autres, parce que la profondeur de sa douleur lui fait sentir la douleur de tous les martyrisés. Ce travail dans sa langue pour faire entendre le drame, que ce soit par la poésie des mots ou l'analyse historique, sociologique, l'éditeur ne s'en fait pas l'écho. C'est l'œuvre de la Résistance que met en avant Lindon, comme le sigle de sa maison d'édition le signifiait à l'époque au dos de ses livres : « LES ÉDITIONS DE MINUIT fondées en 1942 dans la clandestinité. » Il ôte les mots qui évoquent le génocide des juifs, la déportation raciale, la présence dans les trains des « juifs qui n'avaient rien fait » que soulignait Delbo.

Si l'éditeur a corrigé lui-même la présentation pour donner sa lecture de l'ouvrage, c'est aussi parce qu'il s'est enthousiasmé pour ce livre.

Charlotte n'était assurée de rien quand elle le lui apporte le 23 juillet 65. Elle le raconte avec humour à Marie-Élisa. « J'ai porté mon manuscrit à Lindon ce matin. J'avais lu dans mon horoscope hier, chez le coiffeur où je lis fidèlement *Elle*, que le jour était favorable aux ambitions littéraires ». Et quelques jours après, « Je parie que tu ne croyais pas aux horoscopes. Eh bien Lindon trouve mon livre "bien et même très bien – ça m'a étonné. Votre formule... Je me demandais comment vous vous en sortiriez. Mais c'est bien." » Une semaine plus tard, « J'ai vu Lindon hier. Enthousiaste de mon livre, qu'il trouve extraordinaire, le seul du genre, aucun livre sur les camps aussi ample, aussi pourvu de prolongements, etc. j'en passe. (...) J'ai passé la nuit – sans m'en apercevoir – à faire les notes et à préciser des points marqués par Lindon parce que, il faut l'avouer, nous disons comme si tout le monde savait ce que c'est. Donc j'ai travaillé toute la nuit sans sentir le sommeil du tout parce que Lindon veut sortir ce livre pour le 15 octobre. Parfaitement. Il le met à l'imprimerie tout de suite[1] ».

L'enthousiasme de Lindon, qu'elle sait réservé dans ses compliments, est une joie. En une nuit, elle rédige les paragraphes explicatifs qui prendront place à la fin de quelques biographies et qui portent des titres : « Déporté politique, déporté résistant », pour expliquer la différence des statuts dont dépend la pension accordée, « Le Canada », pour préciser ce « Pérou », en français, où étaient entassés les effets personnels des juifs emmenés à la chambre à gaz, et le trafic des kapos qui les triaient, « La Course », cette course forcée en février sous les coups pour rentrer après un appel qui

1. Lettres à Marie-Élisa Nordmann du 23 juillet, du 28, et du 3 septembre 1965, Archives privées de la famille de Marie-Élisa Nordmann-Cohen.

a duré de l'aube à la nuit, où 14 d'entre elles moururent, « Les Photographies », celles anthropométriques faites à leur arrivée au camp, « Les Avis de décès », etc. Les remarques de l'éditeur pour qu'elle fournisse des précisions, elle les trouve justes et bienvenues.

Elle ajoute des notes en bas de page pour faire savoir par exemple qui était Berthe Falk, une scientifique, arrêtée comme juive durant la nuit du 16 juillet 42, la rafle du Vel'd'Hiv, déportée parmi les 20000 personnes à Auschwitz le 30 juillet. Une survivante miracle après huit mois de Birkenau. « Notre groupe l'avait adoptée ; plus d'une de nous lui doit la vie. (...) Elle avait un courage, une énergie toujours renaissants. Jamais on ne l'a vue abattue, même au commando disciplinaire où elle avait été envoyée pour avoir écrit un article sur le 14 Juillet à Paris, après la libération. Écrit comme cela, pour se dérouiller l'esprit[1] ». Et pour une autre femme qui ne faisait pas non plus partie de leur convoi, Claudette Bloch, déportée en juin 42 à Auschwitz pour avoir cherché à avoir des nouvelles de son mari qui faisait partie des mille savants, artistes, intellectuels juifs arrêtés le 12 décembre 41, mort à Auschwitz avant qu'elle n'y arrive. Collaboratrice au CNRS, elle avait été affectée en mars 1943 au laboratoire de Raisko qui se montait, elle y fit venir les premières Françaises de leur convoi. Delbo écrit d'elle qui portait le numéro 7963, « sans doute la seule rescapée d'Auschwitz qui ait un tatouage à quatre chiffres ». Ce petit chiffre signifiait une arrivée qui remontait loin. Charlotte Delbo avait précisé à l'intérieur du livre que la moyenne d'existence à Birkenau était de 20 jours.

Elle avait réussi le tout dernier mois de travail à convaincre les camarades réticentes à préciser leurs activités. Et l'Histoire, une part de l'histoire de la Résistance se dégageait. « L'articulation entre PC créant OS[2] d'où surgissent FTP[3] est très claire et elle apparaît à divers endroits (Bolleau, Douillot,

1. *Le Convoi du 24 janvier*, *op. cit.*, p. 84.

2. Les Organisations spéciales, créées par le parti communiste (PC), qui protégeaient les actions contre l'occupant.

3. Francs Tireurs Partisans, créés aussi par le PC.

Madeleine Dechavassine – qui a, après longue persuasion, consenti à donner son nom, sur mon argument : “si tout le monde en avait fait autant il n’y aurait pas de livre.”) Lindon dit que c’est le meilleur panégyrique qu’on puisse faire du PC. Comme je ne l’ai pas fait exprès mais que ça découle des faits tels qu’ils étaient, ce n’est pas mal[1] ».

Charlotte Delbo va encore au cours du mois d’août établir des tableaux précisant la composition du convoi selon l’âge des femmes, leur situation de famille, leur lieu d’origine, leur formation, leurs appartenance politique et activités dans la Résistance, ajoutant pour chaque liste, le nombre de mortes et de survivantes.

Il restait la question des photographies. Leur reproduction à l’intérieur du livre fait l’objet d’échanges avec son éditeur et de plusieurs projets. D’abord celui de reproduire toutes les photos anthropométriques retrouvées, elles sont au nombre de 180, les insérer au milieu du livre mettrait le livre à 60 francs ! Les publier dans un livre vendu à part, mais qui l’achèterait ? Finalement, c’est Charlotte qui propose la solution retenue. « Pour les photos, voici ce que j’ai arrêté et ça plaît à Lindon : mettre les 6 ou 7 non identifiées : “ces visages que nous n’avons pas reconnus”. Comme les 4 demoiselles[2] et les 2 délatrices sont identifiées, on ne risque rien. On risque de tomber sur Marguerite Lermite, institutrice communiste, dont le mari est aussi mort à Auschwitz ». Aucune n’avait pu l’identifier sur une photo, elle resta sans numéro d’Auschwitz dans le livre. Delbo ne voulait pas risquer d’avoir dans les rares photos reproduites une des 6 femmes, délatrices ou prostituées – même si elle précisera plus tard, au cours de l’entretien avec Jacques Chancel, qu’elle et ses compagnes n’ont pas eu avec elles au camp un comportement différent, « elles faisaient partie du groupe ». Les deux délatrices mourront à Birkenau. Une des 4 prostituées survivra, « la quatrième

1. Lettre du 9 septembre 1965 à Marie-Élisa Nordmann. Archives privées de la famille de Marie-Élisa Nordmann-Cohen.

2. Les prostituées, arrêtées par la Gestapo, qui se trouvaient dans le convoi.

des “filles” » à être identifiée au cours des recherches. Les délatrices et les prostituées ont leur nom et leur notice dans le livre.

Montrer des visages sans nom parmi celles qui ne sont pas revenues d'Auschwitz, est bien un choix de Charlotte Delbo. Ne pas montrer des héroïnes. Montrer des personnes. Dont il ne reste que des traces, et abîmées, les photos sont tachées ou piquées de noir.

Les photographies figurent à la fin des documents, après la reproduction d'un avis de décès, qui mentionne la date et l'heure (le 4 mars à 14 h 10 !) de la mort à Auschwitz, rue de la Caserne (!), sa cause, « un catarrhe stomacal et intestinal aigu », et que « le corps a été inhumé dans un cimetière en Allemagne ». Elle voulait montrer la mascarade, le langage mensonger, l'effacement de la réalité.

La traduction de l'avis de décès est faite par la mairie de Bordeaux le 14 mai 43 pour la famille. « Objet : détenue décédée en Allemagne ». Le mot de déporté n'est pas employé, et on ne savait pas à Bordeaux où était Auschwitz. Ce camp en Pologne annexée, ce camp inconnu en mai 43.

L'autre document reproduit le billet lancé du train à Compiègne par Madeleine Doiret, à l'égal de ces billets que les cheminots retrouvaient sur le ballast et acheminaient au destinataire mentionné. Document très détérioré, bien sûr, mais on peut réussir à le déchiffrer. « Dimanche 24 janvier 1943. Mes chers amis, Je suis à Compiègne depuis hier. Je pars en Allemagne, déportée. Vous serez bien gentils de prévenir ma famille de mon départ. Dites-leur de prévenir les familles dont les noms suivent que leur parente de passage à Compiègne part pour l'Allemagne. Le moral est épatant. *Marseillaise*, *Chant du départ* et *Internationale* ne cessent de retentir, nous partons avec l'espoir que ce n'est pas pour longtemps ». Suivent 16 noms et leur adresse.

Un dernier document reproduisait les règles de la correspondance édictées par Auschwitz quand le droit leur en fut attribué pour une raison incompréhensible pour elles en juillet 43. Ces règles mentionnaient entre autres que les envois d'argent étaient autorisés puisque les prisonniers pouvaient acheter de tout. Cette autorisation assurait encore aux nazis un butin, et surtout faisait croire à un camp modèle.

Une fois de plus, pour Delbo, montrer ce qui était « faux ». Crier la vérité. Elle la rappelait dans son paragraphe qui explique les « Avis de décès ». Les infirmières descendaient les cadavres des châlits pour les poser sur le tas près de la porte « en une pile qui ne s'effondre pas », ce qui constituait « le plus clair du travail » des infirmières, et la secrétaire relevait le numéro tatoué. Ce « livre des morts » comme le nomme Charlotte n'était jamais à jour. Pour un cadavre au milieu du tas, difficile à atteindre, on ne notait rien. Ni pour un cadavre dont le bras avait été mangé par un rat. N'importe quelles date et heure étaient notées, comme le lieu était laissé au gré de la secrétaire, « à l'hôpital d'Auschwitz », « à la Kasernenstrasse », ou « enterré dans un cimetière d'Allemagne » et la cause, choisie dans cinq maladies admises.

Dire comment c'était, ce que c'était pour chacune partie là-bas, lui a donné une énergie sans faille pendant cette année de travail qu'elle accomplit en plus de son emploi au CNRS. « Je suis quand même fatiguée », écrit-elle une seule fois fin juillet à Marie-Élisa, tout en affirmant que d'ici à septembre il lui faut revoir son texte, compléter plusieurs biographies, établir les tableaux statistiques.

Fin août, elle va voir son patron, Henri Lefebvre, dans les Basses-Pyrénées, elle n'était pas loin, près de Bordeaux chez Gilberte Tamisé, sa compagne de déportation, qui l'a aidée dans ses recherches et avec qui elle vient d'établir tableaux et statistiques. Aller voir Lefebvre, c'est pour raffermir sa collaboration qu'elle a assurée avec moins de constance ces derniers temps... Puis elle remonte à Paris, toujours en voiture. Rouler, rouler vite la détend. Charlotte se recharge à voir les paysages défiler, le ruban de la route glisser sous la voiture comme si c'était elle qui avalait les kilomètres et s'en trouvait revitalisée.

Il lui restait 14 femmes dont le questionnaire est resté presque vide. Aucune parenté retrouvée, ou une mère qui préfère garder l'espoir encore, vingt ans après, l'espoir d'un retour, et qui ne veut surtout pas rencontrer celles qui voudraient en savoir plus sur une fille morte… Avec des bribes de mémoire de l'une ou de l'autre survivante, Charlotte réussit à rendre une personne qui passe comme une silhouette. Sa façon d'écrire la fragilité du témoignage pour reconstituer une existence, renforce le caractère poignant du livre, sans se départir de l'absence de sentimentalité. C'est l'objectivité qui fait le rendu poignant, ce si peu de traces…

Elle a remis le livre complété à Lindon, et part le 12 septembre à Quiberon pour une cure, incitée par une compagne du convoi, mais c'est en face d'un trop-plein d'énergie qu'elle se trouve… « Il y en a des que ça éteint et moi ça me donne un tonus terrible bien inutile ici parce que passé 8 heures du soir rien à faire dans ce bled et moi, me coucher avant minuit ça me déprime. (…) Il n'y a qu'un cinéma et qu'un programme, jusqu'ici toujours stupide. Depuis le début de la semaine il fait un temps splendide, mer et ciel bleus, soleil. Et dire que j'ai pris ma machine pour taper le dernier chef-d'œuvre de mon patron (je l'ai tellement négligé depuis un an celui-là qu'il faut bien que je fasse acte de bonne volonté)[1] ».

Elle parle dans sa lettre de son souci que chacun soit payé de ses frais avec l'avance que Lindon lui a remise, et s'inquiète de ne pas recevoir de lettre de Gilberte Tamisé qui doit lui donner encore un renseignement pour le livre, elle a peur qu'elle retombe malade « maintenant qu'elle n'a plus à se mettre en route à la poursuite des fantômes ».

Elle part à la gymnastique « laquelle sera suivie de rôtissage dans un four ad hoc (thermothérapie), puis de grande douche, avec un jet qui débite de l'eau de mer à 35° à la pression de 3 kilos ; après quoi j'irai me boire un viski ». Ce n'est pas une cure qui lui ferait mettre de côté son whisky.

1. Lettre du 22 septembre 1965 à Marie-Élisa Nordmann, Archives privées de la famille de Marie-Élisa Nordmann-Cohen.

Jérôme Lindon lance une souscription pour publier *Le Convoi du 24 janvier*. Comme il le fait pour beaucoup de ses livres, Les Éditions de Minuit ont peu de marge de trésorerie, c'est un gestionnaire prudent, qui ne perd pas de vue la viabilité de sa maison d'édition. Charlotte le sait depuis le commencement de son travail, elle a noté au fur et à mesure de ses recherches dans un petit carnet à spirales[1] les coordonnées des proches qu'elle est allée voir, pour que leur soit adressé un bulletin de souscription. Lindon décidera de l'envoyer très près de la date de sortie pour que les souscripteurs envoient en même temps leur commande et le mandat.

Il arrive à Charlotte de préciser pour certaines dont le parent retrouvé est si pauvre, comme la mère de Germaine Cantelaube, « pauvre, 86 ans. Pas envoyer le Bulletin de souscription. Laisser G. Tamisé faire suivre le service du Bulletin de l'Amicale ».

Hélène Fournier, une ancienne du convoi, la seule des vingt Tourangelles du convoi à avoir survécu, lui envoie, même après la sortie du livre, une liste de noms à qui adresser le bulletin de souscription.

Lindon joignait au bulletin une présentation du livre, celle qui figure au dos, à laquelle il a ajouté, « Parmi ces deux cent trente, des noms célèbres, Danielle Casanova ou Marie-Claude Vaillant-Couturier... » Le formulaire précisait la sortie pour octobre 1965. Le livre sortira finalement le 15 novembre. Delbo, fin août, cherchait encore des renseignements pour celles dont on ne savait presque rien. Elle écrivait encore à des maires de communes où la naissance était supposée, ou au maire du dernier domicile dont se souvenait l'une des survivantes, ou à un notaire, demandant réponse par télégramme ou sur la lettre même, précisant qu'elle attendait le renseignement pour donner son livre à l'éditeur !

Elle a reçu son contrat le 9 septembre, avec la carte-réponse insérée dans le livre de Micheline Maurel publié

---

1. BNF, Fonds Delbo, 4-COL 208-102, Succession Delbo.

en avril, *La Passion selon Ravensbrück*. « Nous avons l'habitude de poser dans ces cartes 1 ou 2 questions relatives au livre (je vous joins celle qui avait été faite pour Micheline Maurel). Auriez-vous quelque idée en ce qui concerne Le Convoi du 24 avril ? » On peut imaginer comment Charlotte a dû recevoir l'erreur sur le titre de son livre de la part de son éditeur ! Erreur que Jérôme Lindon avait déjà faite dans un courrier précédent, le 6 septembre 1965, quand il lui adressait la première proposition du contrat, « ci-joint le contrat de publication du Convoi du 24 juillet ». Charlotte a entouré à l'encre ces titres erronés sur ces lettres[1] qu'elle a gardées. Elle lui aura fait certainement remarquer l'erreur avec ironie dans sa réponse, à la date qu'elle annote sur la lettre reçue.

Charlotte garde toutes les lettres qu'elle reçoit, et y mentionne la date de sa réponse. Elle est rigoureuse, précise, c'est ce qu'elle avait appris en étant la secrétaire de Jouvet, et c'est un trait de son caractère, précise jusqu'à reprendre ses amis pour un mot inadéquat. Sa vie lui avait appris à ne plus supporter les approximations du langage.

Face aux questions posées sur la carte-réponse qui accompagnait le livre de Micheline Maurel, « Avez-vous été déporté pendant la guerre ? », « Pour vous, ce livre est-il une œuvre littéraire ou un document ? », Charlotte va suggérer des questions qui portent bien sa marque : « Quelle résonance a pour vous le mot d'Auschwitz ? » et « Pensez-vous qu'il soit utile d'en parler vingt ans après ? ». Cette dernière rappelle sa propre question, angoissée, à ses amis Belleval en 56, après leur avait lu quelques pages d'*Aucun de nous ne reviendra* qu'elle tenait encore secret. Est-ce que ça peut intéresser ? Est-ce utile ? C'étaient ses doutes, toutes les années qui avaient suivi l'écriture, elle qui voulait écrire pour les générations futures.

---

1. Une copie de ces lettres se trouve dans les Archives de Yad Vashem, O.9/272 et O.9/273.

L'Amicale d'Auschwitz organisera à La Rochelle une signature dans une librairie et un repas, les 19 et 20 mai 1966. Marie-Élisa, présidente de l'Amicale, se déplace. Les anciennes déportées depuis le mois de février préparent la signature chez le libraire – elles ont demandé du matériel de « propagande » (sic) aux Éditions de Minuit et des coupures de presse à Charlotte concernant *Aucun de nous ne reviendra* –, prévoient le logement de Charlotte et organisent « un repas fraternel » le lendemain avec les anciennes déportées, leurs familles, à l'issue duquel elle dédicacera encore ses livres.

Le libraire n'est pas convaincu du futur succès, ne veut pas engager de frais, Hélène Allaire relaie l'action de l'Amicale depuis Royan où elle habite, écrit à Charlotte que le libraire va voir Lindon à Paris pour avoir des invitations, dont Hélène chiffre le prix de fabrication et celui des timbres... Et assure que le pot offert, elle réussira certainement à le faire financer par Pernod Ricard. Et ce sera finalement une lettre ronéotypée de l'Amicale qui présentera l'ouvrage et la rencontre. « *Le Convoi du 24 janvier*, paru aux Éditions de Minuit dans la série Grands Documents, c'est l'histoire, la vie de 200 Femmes, les premières résistantes à avoir quitté le sol de France pour Auschwitz. Parmi elles, 4 Rochelaises... 12 de Charente-Maritime, 9 de Charente... Charlotte DELBO a aussi écrit ses impressions d'arrivée au camp, (car c'est une rescapée du convoi, une de celles qui portent tatoué sur le bras le N° 31.000 d'Auschwitz-Birkenau) dans *Aucun de nous ne reviendra* collection Femme Éditions Gonthier ; les critiques de presse l'ont défini comme une œuvre littéraire ». On voit les efforts et les moyens modestes des femmes de l'Amicale d'Auschwitz pour faire connaître le livre publié depuis plusieurs mois.

Aucun de nous ne reviendra était paru chez Gonthier dans une édition de poche à un prix modique, 3,85 francs, il se vendra beaucoup mieux que *Le Convoi du 24 janvier*, proposé avant sa sortie en souscription à 17 francs, puis au prix de 20 francs. La plupart des familles des déportées du convoi vivaient chichement. Comme le frère d'Éric Schwab l'écrit dans une longue lettre à Charlotte, il est effondré d'apprendre que la plupart des Résistantes qui furent déportées dans ce convoi appartenaient à des familles très modestes. Où sont les enfants des grandes familles bourgeoises ? s'exclame-t-il dans sa lettre. La diffusion du deuxième livre va surtout profiter à la vente d'*Aucun de nous ne reviendra*.

La presse rendra peu à peu compte du *Convoi du 24 janvier*, mais sans effets sur les ventes. Un grand entretien avec Madeleine Chapsal paraît dans *L'Express* en février 1966 et un article de Josane Duranteau dans *Combat* (où elle avait déjà fait une belle critique *d'Aucun de nous ne reviendra* tout de suite à la sortie du livre). Dans *France Nouvelle*, l'hebdomadaire du parti communiste, Gilette Ziegler, trois semaines après la sortie, présente *Le Convoi* dans un article sur deux colonnes consacré à trois livres de femmes sur les femmes qui ont participé à la Résistance et furent déportées, et dans *L'Humanité* en février elle écrit un article sur trois colonnes. Dans *Le Monde*, Nicole Bernheim, en mars, chronique trois livres de femmes sur les femmes au sein de la Résistance. Décidément, seules des femmes écrivent des livres sur le sort des femmes dans la Résistance, que chroniquent uniquement des femmes journalistes ! Nicole Bernheim dans son article rappelle que son auteur est aussi celui d'*Aucun de nous ne reviendra*, « un des ouvrages les plus bouleversants qu'on ait écrit sur la déportation ». *France-Soir* dans une brève signale la parution, comme *Le Monde* l'avait fait deux mois avant l'article de Nicole Bernheim, comme *Paris-Normandie*, *Témoignage Chrétien*, *La Presse de Tunisie* qui le signalent en brève.

Pierre Vidal-Naquet cite, dans *Le Monde* en juillet 1966, *Le Convoi du 24 janvier*. Un « livre tout récent », ajoute-t-il – le livre était sorti le 15 novembre ! – « passé, hélas, à peu près inaperçu ». Il en loue la méthode suivie, la sobriété, en opposition avec le livre romancé de Jean-François Steiner, *Treblinka*, qui a suscité une polémique. Le paradoxe, c'est qu'il écrit cela à l'intérieur d'un long article consacré à

Treblinka dont il défend à cette époque la justesse historique, il changera d'avis plus tard, et ne consacre que ces quelques mots de regrets à l'ouvrage de Charlotte Delbo. Et la voix des trois femmes journalistes qui parlent avec force et conviction du livre n'élargit guère le cercle des lecteurs. La déportation, la tragédie des camps de concentration, quand elle n'est pas romancée, n'intéresse pas.

Le boom économique, à la suite de l'argent insufflé par le plan Marshall dans l'économie des pays d'Europe, entraîne les esprits à se détourner du passé récent, des atrocités nazies, de la mort organisée et de son ombre mortifère. Les études et les analyses des historiens, des philosophes, des intellectuels ne se feront entendre ou n'existeront que bien plus tard.

Dans un entretien en 1964 aux États-Unis, Hannah Arendt dit au moment où la vérité sur les camps commence à être connue dans les détails : « Je ne parle pas seulement du nombre de victimes. Je parle de la méthode, la fabrication de cadavres... Cela ne devait pas arriver. Il est arrivé là quelque chose avec quoi nous ne pouvons nous réconcilier. » Cet entretien ne sera publié aux États-Unis qu'en 1993. Et qui en France dans les années 60 connaît la réflexion d'Hannah Arendt ? Giorgio Agamben cite le passage de cet entretien dans un livre, *Ce qui reste d'Auschwitz*, qui paraît en 1998 en Italie et ne sera traduit en France qu'en 2003.

Robert Antelme revient souvent dans *L'Espèce humaine* sur le scandale de la mort organisée, de l'indifférence à la mort. « La mort n'avait même pas la solennité du crime ni son secret ». Quand le livre paraît ou quand il est réédité dix ans plus tard chez Gallimard dans sa collection blanche, il ne trouve que peu de lecteurs. Il faudra attendre encore vingt ans, la fin des années 70, sa réédition dans une collection de poche (« Tel ») pour qu'il soit lu et prenne sa place. Maurice Blanchot, le premier à vouloir penser l'importance du livre, s'y exerce dans *L'Entretien infini*, un livre qui sort en 1969. Sarah Kofman fait une large place au livre d'Antelme en 1987, quand elle écrit *Paroles suffoquées*.

Je rappelle ce long temps de la prise de conscience sur le crime des camps pour donner un contexte à la forme d'indifférence qui accueillit le livre de Charlotte Delbo. Mais il faut encore souligner ce que son livre apportait comme information irrecevable.

Robert Antelme, au fur et à mesure qu'avance son récit, dégage cette pensée qu'il y a de l'indestructible dans l'homme et que la volonté des SS de casser l'espèce humaine a été un échec, « le SS peut tuer, il ne peut changer l'homme en autre chose ». Manger des épluchures comme toutes les déchéances auxquelles est acculé le déporté ne peut entamer son intégrité, d'être homme. Et la volonté des SS de séparer en tant qu'hommes les prisonniers des SS sera un échec que Robert Antelme met en valeur dans les situations qu'il décrit. Il n'y a pas séparation, ni possibilité de muter le genre humain, ni de l'exterminer si la mutation est trop longue. Il n'y a que diversité humaine, et le SS aussi ne peut être autre chose qu'un homme. Il n'y a rien d'inhumain ni de surhumain chez l'homme. Antelme rend compte d'une vision humaniste de l'expérience d'un camp. Charlotte Delbo dans *Le Convoi du 24 janvier* écrit le calvaire à Auschwitz de 230 femmes, et le retour très difficile de 49 survivantes. Sans commentaire.

Ce qu'elle raconte, c'est l'évocation lapidaire du combat désespéré pour survivre aux coups et au typhus, la mort avec une date plus ou moins précise selon les mémoires, les cadavres entassés que les rats ont commencé à dévorer, ou l'envoi par la sélection à la chambre à gaz. Pour la majorité d'entre elles, l'annonce du décès aux familles l'été 45 au moment du retour des survivantes, pour quelques-unes à la réception d'un avis de décès mentionnant des raisons mensongères. Et des enfants élevés sans leur mère et sans pension, faute de preuves de leurs activités dans la Résistance.

Pour les quelques retours, elle dit les énormes difficultés de santé, mentales et physiques, à quoi s'ajoute pour la plupart la non-reconnaissance du martyre subi, et la non-reconnaissance des raisons de leur déportation par la société. Un faible grade accordé dans la Résistance, ou une reconnaissance tardive, après 1965, que Delbo mentionnera dans la réédition en 1978 du livre.

Les déportés qui n'ont pu recueillir une preuve officielle de leur activité dans la Résistance – un certificat d'appartenance à un réseau, ou une attestation délivrée par un chef de la Résistance – n'ont pas obtenu de carte de déporté résistant. Or, tant de femmes participèrent à la lutte contre l'occupant de façon anonyme, soutenant l'activité d'amis, de voisins, de parents, qu'une reconnaissance officielle n'a pu être acquise. Et ce n'est qu'en 1970 que les pensions des déportés politiques ont égalisé celles des déportés résistants. Jusque-là le déporté politique était assimilé à une victime civile, dont la pension était de soixante pour cent inférieure à celle d'un déporté résistant, assimilée à la pension des militaires.

Ce livre, qui rend hommage à la mémoire de ces femmes et qui décrit pour la plupart leurs activités dans la Résistance, en insistant sur leur détermination et la traque acharnée de la police française, montre quel lieu de mort était Auschwitz, ce livre arrive à contre-courant. Seuls ceux qui sont concernés pour des raisons familiales ou pour avoir été eux-mêmes déportés veulent le lire parce qu'ils trouvent là l'inscription de la vie et de la mort de leurs proches, ou de leurs semblables. La société française de 1965 n'est prête à accepter ni un travail d'histoire ni une œuvre littéraire qui fassent savoir ce qui a eu lieu à Auschwitz.

Quelques faits montrent le silence sur Auschwitz, l'ignorance. Quand Charles Picard, le père d'Yvonne Picard, présente dans le convoi, Résistante par conviction, amie de Charlotte, morte à Birkenau le 9 mars 43 après une horrible agonie, quand son père, grand helléniste, membre de l'Académie, meurt en décembre 1965, un long article lui est consacré dans *Le Monde*, écrit par un autre membre de l'Institut. Charlotte le découpe et le garde. Sur les quatre colonnes de l'article et dans l'ample notice biographique rédigée à la suite par la rédaction du journal, nulle part il n'est écrit que sa fille a été dans la Résistance, qu'elle a été arrêtée par la police française le 16 mai 1942, que son jeune fiancé, Etiévant, arrêté en même temps qu'elle pour ses activités de Résistant, a été fusillé au Mont-Valérien le 11 août 42 – Charlotte Delbo le précise dans *Le Convoi* –, ni que sa fille Yvonne est morte à Auschwitz. Silence sur tout cela.

Sur les faire-part que Charlotte garde de ses compagnes survivantes, ce n'est qu'à partir du milieu des années 70, dans les années 80 et 90, que figurera la mention « déportée à Auschwitz ». Auparavant, ça ne se mentionne pas.

En 1960, personne ne s'est étonné que Simone de Beauvoir dans *La Force de l'âge* écrive, à la page 514 de l'édition originale, « L'ami de jeunesse de Sartre avait été déporté, et aussi, dans un groupe voisin du nôtre, une brillante étudiante en philosophie que j'avais eue pour stagiaire, Yvonne Picard. Reviendraient-ils ? ». Une note de Beauvoir en bas de la page dit seulement : « Ils ne revinrent pas. » Auschwitz n'existe pas dans beaucoup de consciences d'intellectuels. Pas encore.

La revue des *Temps Modernes* publie un bref texte de Charlotte Delbo, trois mois après la parution d'*Aucun de nous ne reviendra* et trois mois avant la parution du *Convoi du 24 janvier*, mais sans mentionner ses livres parus ou à paraître. Sans doute est-ce par l'intermédiaire d'Andrée Michel que son texte est publié, elle collabore à la revue, et, dans ce numéro, avec un long article sur les Françaises et la politique. C'est elle qui avait proposé à Charlotte Delbo de donner un manuscrit à la collection de Colette Audry. L'année 1965 célèbre le vingtième anniversaire de la fin de la guerre. Le souvenir des déportés y a été associé. Dans « Le vingtième anniversaire », titre de son texte, Charlotte Delbo crée un dialogue fictif pour expliquer pourquoi elle ne va pas aux cérémonies commémoratives. Parce qu'il n'y en a pas *pour elle*, démontre-t-elle. Il y en a pour les catholiques, ce qu'elle trouve naturel, mais elle s'insurge que ce soit le président de la République qui l'ait demandé, et que les gardes républicains fassent la haie d'honneur à Notre-Dame et que les républicains ne protestent pas, ne faisant pas respecter la séparation de l'Église et de l'État. Les juifs ont fait une cérémonie religieuse au mémorial juif, elle le comprend et défend la liberté de conscience, mais elle n'est pas juive. Ni catholique, ni protestante, ni musulmane. À la Nuit des Invalides, Maurice Druon s'est adressé aux hommes et femmes de toute croyance... Elle s'insurge encore. « N'y a-t-il personne qui soit incroyant ? Je reste seule de l'espèce sans doute. À cette cérémonie des Invalides, un chœur de garçons a chanté. Les choristes portaient l'aube. À croire encore qu'il n'y a pas d'autre tenue pour un petit chanteur que celle d'enfant de chœur. » Où peut-on aller, quand on n'est ni catholique ni protestant ni juif ni musulman ? demande-t-elle. « Eh bien ! À la clairière du Mont-Valérien.

— Là ce ne sont plus les églises ce sont les généraux. Les cérémonies qui ne sont pas religieuses sont militaires. Comme je suis contre le sabre autant que le goupillon, il n'y a pas de cérémonie pour moi[1] ». Charlotte Delbo ne se reconnaît dans aucun groupe, une singularité qu'elle a revendiquée, mais une place particulièrement isolée.

Quand on ajoute qu'elle s'est mise au début des années 60 en marge du parti communiste, très critique vis-à-vis des positions du Parti pendant la guerre d'Algérie, qu'elle est tenue à distance par la plupart des camarades du convoi, et, si on se rappelle la position dominante de la pensée communiste dans le monde intellectuel de ces années, on saisit la difficulté qu'elle aura rencontrée pour se faire reconnaître comme écrivain, comme intellectuelle. Quand on ajoute le fait qu'elle est une femme, et au début des années 60 la place faite aux femmes est parcimonieuse dans le monde des Lettres, il lui reste peu de tremplins pour se faire connaître.

Elle puisera dans son énergie, son amour de la littérature, son désir de poursuivre, son ambition personnelle, celle d'écrire pour les générations futures, une indéfectible confiance. L'évolution du travail de l'Histoire qui va faire connaître l'ampleur de la catastrophe d'Auschwitz, le lent travail des consciences, et la force évidente de son écriture

---

1. *Les Temps Modernes*, juillet 1965, n° 230.

vont un jour, bien tard, se rejoindre. En attendant elle se tient sur une ligne de crête. Elle avait écrit ce poème en 1946.

« AUX AUTRES MERCI

Un fantôme danseur de corde
Qui s'exerçait la nuit
Sur les fils du télégraphe
Il ne savait pas que je le voyais
Il dansait
Il s'était habillé en fantôme
Et cependant personne ne le voyait.

Moi je n'aurais pas tenu
Si personne ne m'avait vue,
Si vous n'aviez pas été là[1]. »

La force qu'elle avait gardée de l'aide de ses compagnes, ce qu'elle avait reçu pour tenir, et celle qu'elle avait la nuit pour écrire à Paris ou à Breteau quand les amis dormaient, à écrire pour être lue d'une communauté de lecteurs à laquelle elle a toujours pensé et cru, aussi lointaine qu'elle serait dans le temps, cette force elle l'avait inscrite dans ce poème. Elle, sur une ligne de crête, comme on le sent dans son empathie pour le danseur de corde. Isolement et force. Conscience de son isolement, et conscience d'une force reçue au camp, et qu'elle voulait garder.

Il y a chez Delbo une forte conscience de ces deux états, conscience paradoxale, situation aporétique, sensation aiguë qui se retrouvent dans son écriture, faite de pointes acérées, à l'image de l'acuité de sa vision, et faite de la douceur diffuse de l'amour qui lui vient d'un sentiment propre à elle, sa tendresse pour les signes de l'amour qu'elle relève en décrivant un geste, une pensée qu'elle sait voir et interpréter chez l'autre.

1. *Une connaissance inutile*, *op. cit.*, p. 35.

Le sentiment qu'elle avait de sa solitude, on peut le retrouver d'une façon émouvante raconté avec des mots simples par une ancienne de ses compagnes de Birkenau. Christiane Borras, « Cécile » au camp, lisait un livre de Charlotte après sa mort, elle s'en souvient, le raconte, elle ne sait plus si c'était *Mesure de nos jours* ou *Une connaissance inutile*, alors qu'elle était en séjour chez Lulu à Marseille. Soudain, après sa lecture, elle se met à pleurer, ne peut plus s'arrêter. Lulu qui était dans une autre pièce la rejoint. « "Qu'est-ce que tu as Cécile ? Mais qu'est-ce que tu as, explique-moi ! Pourquoi pleures-tu ?" Je sanglotais, c'était terrible. "Charlotte on ne l'a pas assez aimée. On n'a pas assez aimé Charlotte. On n'aimait pas assez Charlotte" ». C'est soudain une amie qui se retourne et voit Charlotte sur sa ligne de crête, seule. « Elle méritait vraiment un amour immense. De voir ce qu'elle avait pu faire de notre vie. Comment elle avait pu dépeindre notre vie, notre douleur... Il y a beaucoup d'elle dans tout cela. Il y a beaucoup de son chagrin à elle[1] ». Charlotte Delbo, seule, comme un danseur de corde.

Elle se tenait à distance, Charlotte. Fière. Réservée. Meurtrie et écorchée, personne ne devait le voir, le deviner. Seule sur sa corde, comme celui qui s'exerce dans la nuit et que personne ne voit.

Le Convoi du 24 janvier a été tiré à 2000 exemplaires en novembre 65, il est réédité en mars 66 à 1000 exemplaires. Le réseau des anciennes déportées est actif, le livre touchera les lecteurs directement concernés. 3000 exemplaires seront vendus entre 1965 et 1969, puis le livre sera oublié.

La lettre d'un correspondant de Charlotte nous apprend qu'il est épuisé en 1969 et « pas encore réédité » comme l'atteste un courrier que lui envoie un certain Gérard Gable, le 9 août 1969[2]. Il écrit une thèse sur « Nazisme et Génocide »

1. *Cécile, une 31000, communiste, déportée à Auschwitz-Birkenau*, de Christiane Borras (alias Cécile), Textes & Prétextes, 2006, p. 54.
2. Archives de Yad Vashem O.9/272 et O.9/273.

et veut se procurer le livre. Charlotte lui fera envoyer un ouvrage par Les Éditions de Minuit qui en gardent quelques exemplaires. Lawrence Langer, universitaire américain, spécialiste de la littérature de l'Holocauste comme on l'appelle là-bas et qui écrit aux États-Unis sur les livres de Charlotte Delbo, chercha désespérément en 1977 *Le Convoi du 24 janvier* dans plusieurs librairies de Paris et de province, il le lui écrit, durant l'année sabbatique qu'il passait en France.

Ce livre, qui est un document sur la sociologie et l'histoire de la Résistance, sur la France des années 30, sur la déportation, sur Birkenau, n'a jamais été réédité dans une collection de poche, il reste méconnu. En raison du constat terrible qu'il porte sur une part de la Résistance et sur le sort des femmes qui sont mortes pour la plupart sans reconnaissance aucune ? Le livre ne chante pas la douleur en poèmes, saisit les faits au scalpel. Il montre la taille au couteau de l'Histoire sur des vies et des corps de femmes.

Peu de temps avant qu'il ne paraisse, Charlotte a eu un sentiment d'euphorie. Elle a terminé son travail, elle a été capable de prendre le recul de l'histoire pour raconter sa déportation et celle des femmes qui avaient dû monter dans les wagons le 24 janvier 1943. Et elle avait donné une vie symbolique à toutes celles qui n'étaient pas rentrées. Écrit vingt ans après les faits, c'était le signe de sa métamorphose. Celle de sa personne, et celle de son œuvre d'écrivain. Mais elle reçoit une nouvelle qui est un coup de couteau au cœur. C'est à une autre part de son passé qu'elle est confrontée, un passé qu'on lui sert travesti, déformé. Elle reçoit de Jean-Paul Jouvet un ouvrage édité chez Gallimard et signé de son père, mort depuis quatorze ans, *Molière et la comédie classique*. Elle découvre qu'il s'agit des cours donnés au Conservatoire de septembre 39 à décembre 40. La présentation du livre passe sous silence la transcription de Charlotte Delbo, alors qu'un Avertissement présente l'origine du livre, « ces cours étaient sténographiés ».

Elle écrit le jour même au fils de Jouvet. « Je n'attendais de vous ni autant de mépris ni autant d'ignorance[1] ». Une fois de plus, Charlotte ne mâche pas ses mots. Et développe dans sa lettre des arguments précis. « Un cours de Jouvet remplissait un bloc de sténo entier (un livre en somme). Le rendu que j'en tirais : une vingtaine de pages. La phrase de Jouvet, dans la spontanéité, était pleine de digressions, de parenthèses, d'incidentes, de relatives, elle n'était jamais achevée. Mise sur papier telle quelle, reproduite "brute", elle s'effiloche, s'égare – surtout chez Jouvet. Pourtant à qui l'écoutait "à chaud" ce qu'il disait était clair. Pourquoi ? Parce qu'il y avait le ton, le geste – ne sait-on la valeur de ces deux éléments au théâtre ? Parce qu'il y avait les répétitions de mots qui précisent et soulignent. Mais, une fois écrit, le ton disparu, la pensée en aurait été perdue si, dans la transcription, je n'avais saisi, suivi, retenu le sens, en élaguant tout en gardant le rythme du parler, alors que ce n'était pas parlé ainsi. *Autrement dit, la phrase transcrite n'est pas exacte, mais elle est vraie.* Dans la transcription intervient l'écriture. Si vous aviez eu un enregistrement sur bande magnétique, il vous aurait fallu faire le travail que j'ai fait ». En revendiquant sa part du travail, Delbo dit cet essentiel qu'elle a appris, la transposition qui quitte l'exactitude pour rendre ce qui fut. Avec ses transcriptions, elle a fait ses gammes d'écrivain. Comme Proust les a faites avec ses pastiches. La voix qu'elle écoute, qui fut le médium de l'apprentissage, signe la vocalité de son style.

Quatre mois plus tard, en mars 66, n'ayant reçu aucune réponse de Jean-Paul Jouvet, elle écrit à Marthe Herlin qui avait préparé l'édition du livre avec l'autorisation des enfants de Jouvet. Dans l'Avertissement « je me demande pourquoi vous avez forgé l'expression de *dactylographie originale* qui ne veut absolument rien dire au lieu de dire tout simplement comment les choses se sont passées, ce qui intéressse

1. Lettre du 7 novembre 1965 de Charlotte Delbo à Jean-Paul Jouvet, BNF, Fonds Delbo, 4-COL-208-42, Succession Delbo.

le lecteur et qu'il est bien en droit de savoir. Pour moi je suis assez fière de ces années où j'ai travaillé avec Jouvet et si j'avais démérité depuis on pourrait admettre qu'on me passe sous silence. Mais je ne crois pas que ce soit le cas et en plus je n'en tire pas vanité ». Ce qui doit l'atteindre intérieurement, c'est qu'au moment où paraissent ses deux livres à elle, essentiels, au moment où son œuvre est publiée, elle sait où est l'origine de son travail d'écrivain, comment elle a trouvé sa voix. Gommer l'histoire lui ôte une part de son trajet, l'ampute de ce qu'elle a reçu. Or ce qui est dit dans l'Avertissement omet la vérité, comment ça s'est passé. Pour Charlotte, la vérité doit être dite. Elle inscrit le trajet des choses, des histoires, des évolutions. Elle ne s'efface pas. Elle est ce qui fonde l'existence.

Charlotte Delbo est déconcertée en lisant la réponse de Marthe Herlin qui l'accuse de vouloir son nom à la place de Jouvet. « Quelle idée ! J'ai trouvé, je trouve que l'avertissement devrait dire comment a été fait ce livre – ç'aurait été honnête vis-à-vis du lecteur, et courtois vis-à-vis de moi[1] ». Il était si peu naturel qu'une femme revendique sa part originale dans un travail. La secrétaire, exécutante, discrète, était l'image dominante. Quand paraîtra le second livre de cours de Jouvet chez Gallimard en mars 1968, *Tragédie classique et Théâtre du XIXe siècle*, l'Avertissement sera exactement le même que pour le précédent ouvrage, effaçant la transcription de Charlotte Delbo.

Beaucoup plus tard, Dominique Blanchar protestera dans une table ronde, publiée dans une revue théâtrale, de cette absence de mention du nom de Charlotte Delbo alors qu'elle a permis qu'on puisse lire des cours de Jouvet, et regrette pour la même raison que la pièce créée en 1986, après la mort de Charlotte Delbo, par Brigitte Jaques-Wajeman et François Regnault, « Elvire Jouvet 40 », faite à partir des cours donnés en 1940, ne mentionne pas plus sa transcription.

1. Lettres à Marthe Herlin des 12 et 24 mars 1966, BNF, Fonds Delbo, 4-COL-208-42, Succession Delbo.

Charlotte était meurtrie de voir son travail effacé dans un livre qui paraît. Comme Jouvet lui-même avait voulu effacer ce qu'elle avait écrit, le premier chapitre d'*Aucun de nous ne reviendra*, pour l'inciter à écrire autre chose, mieux. Elle l'avait quitté peu après. En 1966, elle est devenue une femme plus forte. Puisqu'elle réalise que ce qu'elle a écrit dans deux livres, le public en France n'a guère envie de l'entendre, elle veut enfoncer le clou.

Elle va le porter à la scène.

Elle veut transcrire pour le théâtre ce qu'elle a écrit dans *Aucun de nous ne reviendra*. Que les voix de 23 femmes fassent entendre ce que les 230 femmes ont vécu. Elle est à Breteau ce mois de juillet 1966. C'est la chaleur de l'été dans l'Yonne, les amis vont et viennent, parmi eux, toujours les fidèles, André et Claudine Collet, et le soir quand les amis sont montés se coucher, Charlotte écrit. Elle conçoit *Qui rapportera ces paroles ?*, « une tragédie en trois actes ». Elle crée 23 personnages, leur donne dialogues et monologues qui transposent en paroles ce qu'elle avait écrit. Cette première pièce ne constitue pas une petite incursion de Charlotte Delbo dans le théâtre. Elle va écrire onze pièces de 1966 à 1978. Mais de toutes ses pièces, c'est la seule qu'elle définit comme tragédie.

Quand la pièce sera montée quelques années plus tard, elle dira que les mots proférés sur une scène de théâtre ont plus d'importance que les mots qu'on lit. C'est au cours de l'entretien avec Jacques Chancel dans sa fameuse émission « Radioscopie », qu'elle déclare « C'est à la scène qu'on entend les paroles proférées. Dans la lecture on est seul, on relit, on peut être touché par les mots… », il lui coupe la parole pour ponctuer, « on est moins atteint » (aux mots lus, donc), elle reprend. « … On est moins atteint me semble-t-il. Dans la lecture, on a des mots, à la scène, on a des paroles. » Elle ne s'explique pas plus. Comme dans la conférence qu'elle donnera en 1972 à des étudiants américains à

New York, où elle affirmait à plusieurs reprises, « je ne sais pas », elle dit ses intuitions, elle ne théorise pas.

Si elle n'en dit pas plus, on saisit ce qu'elle veut mettre en valeur : l'oreille du spectateur « entend » la parole proférée. Mais nous, nous avons aussi l'expérience des paroles qui s'envolent, alors qu'à la lecture on lit avec un temps à soi, on relit, ce qu'elle précise d'ailleurs. Il est difficile d'être convaincu de l'ancrage de paroles entendues. Charlotte Delbo, elle, a une sensibilité à ce qu'elle « entend » hors du commun. À ce qu'elle entend elle résonne intérieurement, et le mot qu'elle utilise pour dire comment lui parviennent les paroles, « proférées », marque, détermine son écriture, comme elle l'a modelée dans *Aucun de nous ne reviendra*. Elle travaille sur le souffle des mots, leur place dans la phrase, leur mise en valeur, sans ajout d'adjectif. Pour le souffle de chaque mot. Choisir des phrases brèves, elliptiques souvent. Des répétitions. Un mode qui n'est pas narratif mais qui se présente comme un absolu, atemporel, mis au présent ou raconté avec un imparfait épique qui traverse le temps, un tableau net, aigu, violent. Chaque mot sert une profération, même dans l'oreille intime du lecteur. Elle le souligne, la lecture se fait « seul », or ce qu'elle veut maintenant c'est une réception collective, que le spectateur vive l'événement d'une représentation théâtrale.

Vingt-trois personnages font le récit des scènes qu'elle avait écrites. Elle va ajouter d'autres scènes, elle en a raconté certaines dans ses entretiens, comme son désir d'en finir tout de suite, pour éviter de devenir un cadavre « horrible à voir ». La pièce contient plus d'éléments informatifs. Mais ce qui frappe à la lecture de la pièce ou en la voyant jouer, c'est le décalage entre les phrases entendues au théâtre et l'effet que produisaient celles qu'elle avait écrites dans son livre. Les répliques sont souvent pesantes et sentencieuses alors qu'on lisait une émotion poignante mêlée à des descriptions faites au burin, aux traits aigus. Sur scène, les prisonnières du camp en savent plus que nous spectateurs. Ce sont elles qui racontent ce qu'elles vivent ou ont vécu quelques heures plus tôt. Elles exposent les événements, leurs conditions au camp. Dans la tragédie, ce qui produit le ressort tragique, c'est tout ce que sait le spectateur et que le personnage ignore sur lui-même ou sur la situation. C'est cette ironie dramatique qui nous étreint. Lorsque Hamlet poignarde la tenture croyant frapper le vide, nous savons que son oncle s'y est caché, qu'Hamlet est en train de le poignarder. Pour Œdipe, nous savons que Jocaste qu'il épouse est sa mère, et Laïos qu'il tue, son père. Ici, les femmes en savent plus que nous, ce sont elles qui nous apprennent la terreur, la mort qui menace, ce qu'elles endurent. Leurs vérités qu'elles exposent sont indubitables, ce qu'elles avancent, inéluctable. Nous ne pouvons que nous sentir immobiles à les entendre.

Dans la tragédie, il y a une faute, une défaillance, une faille qui est à l'origine d'une situation complexe que les personnages ne peuvent démêler sans intervention extérieure, celle des dieux, de héros, de l'action dramatique, meurtres, conspirations... Ici la situation est d'horreur et sans issue. Comme le dit Françoise, qui incarne Charlotte. « Ici aux confins du monde habité, oui, c'est mourir pour rien. C'est déjà comme si nous étions mortes[1]. » La situation, le personnage la connaît, l'assène dans une rhétorique un peu grandiloquente, « Ici, aux confins du monde habité... », peu à même d'entraîner l'empathie du spectateur.

Delbo donne la parole à Josée Alonso à travers le personnage de Claire. « Il y en aura une qui rentrera et qui parlera, et qui dira, et qui fera savoir, parce que ce n'est pas nous qui sommes en cause, c'est l'histoire, et les hommes veulent connaître leur histoire. Ne les as-tu pas entendues, les mourantes, qui toutes nous disent : “Si tu rentres, toi, tu diras ?” Pourquoi disent-elles cela ? Elles disent cela parce qu'aucun de nous n'est seul et que chacun doit des comptes à

1. *Qui rapportera ces paroles ?* Acte I, scène 1. *Qui rapportera ces paroles ?* (Recueil qui contient presque toutes les pièces de Charlotte Delbo), Fayard, 2013, p. 16.

tous les autres[1] ». Ce raisonnement qui appellerait un devoir, Charlotte Delbo ne le tient dans aucun de ses livres. Le rappel de l'histoire, le devoir de connaissance ne sont jamais mis en avant dans ses trois livres d'*Auschwitz et après*, dans *Spectres, mes compagnons*, dans *Kalavrita des mille Antigone*, ce récit qu'elle écrira en 1977 en Grèce. C'est de l'intérieur de ce qu'elle raconte, c'est à partir de l'émotion d'une situation qu'elle rend avec des registres différents, aussi bien par la terreur, la compassion, la surprise ou la joie même, c'est depuis la scène décrite, des émotions ressenties à la lecture qu'émerge à nos yeux la nécessité d'entendre, d'apprendre. C'est bien comme cela qu'elle a réussi à nous rendre ce travail de « raccordement » de nos consciences, cœur, entendement et raison, à la catastrophe d'Auschwitz.

Dans *Qui rapportera ces paroles ?* l'appel direct au devoir de la conscience, au devoir de la solidarité – que Delbo n'évoque jamais comme un devoir dans ses récits – ces appels au devoir sont lourds à entendre. Évidemment on ne peut que rappeler l'époque à laquelle Charlotte écrit la pièce pour saisir le parti pris de l'écriture. En 1966, le public ne sait pas ce qu'a été Auschwitz, et vingt ans après l'événement, après la fin de cette horreur-là, vingt ans après avoir écrit *Aucun de nous ne reviendra*, elle veut que les faits entrent dans les consciences, raconter des scènes qui restaient inimaginables.

Françoise raconte au milieu des prisonnières, au cours du premier acte, ce qu'est le block 25, ce qui paraît étrange, toutes le savaient qui ont vu les cadavres empilés, les agonisantes dans la cour, et « le commando du ciel » qui les charge dans les camions pour le crématoire. Dans *Aucun de nous ne reviendra*, Delbo écrit la stupeur, l'effroi de leur regard qui glisse vers la cour par le carreau grillagé, découvre l'horreur, et nous lecteurs, avec notre émotion et nos consciences nous suivons le trajet de leur regard, depuis le choc reçu (« D'abord, on doute de ce qu'on voit ») jusqu'à la nécessité

1. *Ibid.*, p. 16-17.

d'y survivre moralement et physiquement (« Mange ta soupe, dit Cécile, Elles, elles n'ont plus besoin de rien »). Même dans l'économie de mots de Charlotte Delbo, nous avons du temps, nous lecteurs, pour ces mouvements intérieurs qui deviennent les nôtres, pour saisir la scène, pour « essayer de voir ». Sa lucidité décrit et son cœur parle pour faire entendre la compassion. Avec les deux nous avançons, progressivement. Sur la scène les paroles sont devenues didactiques.

Lorsque la pièce sera représentée en 1974, et par sa volonté puisque c'est elle qui la finance, il est évident que la culpabilité du public qui *entend* enfin, fera le relatif succès de la pièce. Et, ce sont des femmes sur le plateau. Vingt-trois personnages de femmes faisaient réaliser le sort poignant infligé à des femmes. Les esprits avaient préféré ignorer qu'elles furent touchées et de façon plus terrible encore, à Auschwitz-Birkenau.

« Je suis peut-être un peu démodée, mais je ne crois pas à l'incommunicable », explique-t-elle à Jacques Chancel. Elle se sent à contre-courant de son époque, quand le cinéma, la littérature explorent « l'incommunicable », comme dans les films d'Antonioni, de Bergman, avec le Nouveau Roman. L'horreur des camps et de l'extermination y était sans doute pour quelque chose. Mais le sens de cet « incommunicable », son rapport avec la catastrophe, nous ne le saisirons que plus tard. Pour le moment, le poids de ce qui ne peut être dit, communiqué, se manifeste et Charlotte Delbo était bien placée pour le refuser, et vouloir dire, dire... Aujourd'hui ses intentions ne peuvent plus convaincre de la même façon. Sur une scène de théâtre, c'est plutôt l'incertitude de nos existences que nous cherchons à entendre.

Huit mois plus tard, en février et mars 67, elle écrit une autre pièce, *Ceux qui avaient choisi*. Un dialogue à la terrasse d'un café d'Athènes entre un personnage, Françoise qui l'incarne, et un Allemand, spécialiste de la Grèce antique. Ce dialogue s'inspire d'une rencontre qui a réellement eu lieu, comme me l'a confirmé un ami de Charlotte, Jean-Marcel Lèbre.

Werner, qui a vu le numéro d'Auschwitz sur son bras, lui parle de sa culpabilité d'être allemand, et elle, de son amour assassiné, de la déportation, de l'aveuglement du peuple allemand. Le dialogue fait ressurgir les blessures des deux personnages, « Nous sommes deux écorchés », dit Françoise. Chacun évoque avec dignité les drames traversés, Werner s'éprend de Françoise, elle se mure derrière la nécessité de se souvenir. Il lui confie qu'il fait partie des dix pour cent des Allemands qui restèrent silencieux pendant la montée du nazisme. Il se le reproche, la culpabilité, des deux côtés, imprègne ce dialogue. Françoise raconte la honte qu'elle a ressentie au retour devant les mères de ses compagnes qui ne rentraient pas. « Je voyais qu'elles pensaient : pourquoi celle-ci et non ma fille ?[1] »

Werner lui raconte le stratagème des nazis pour disculper les soldats de toute responsabilité. Lorsqu'ils devaient exécuter un otage, il y avait une balle blanche parmi celles distribuées au peloton d'exécution, afin qu'aucun soldat ne pense avoir tué, ne se sente responsable de l'assassinat. L'image du peloton d'exécution produit un choc sur Françoise, impose l'autre image que Charlotte Delbo a toujours tenté de refouler, le peloton qui a fusillé Georges au Mont-Valérien. Survient le dernier moment ensemble, comme une balle en plein cœur, dans le sien cette fois.

Vingt-cinq ans après l'avoir vécue, la scène de l'adieu s'écrit. Une scène jouée dans sa mémoire tant de fois. Les mots, les phrases reviennent au moment où elle écrit une pièce de théâtre, quand elle met en scène des personnages. Elle ose la juxtaposition de ces tableaux à vingt ans d'écart, la scène entre Françoise et Paul, « c'est ce que Françoise raconte à Werner ». Elle l'installe en flash-back dans la pièce, en attribuant à Georges le prénom de Paul, son deuxième prénom à l'état civil, quand le sien, celui de son personnage,

1. *Ceux qui avaient choisi*, édition Les Provinciales, 2011, p. 53.

présent dans toutes ses pièces, elle l'a pris sans doute du deuxième prénom de son père, François.

La scène revient avec la douleur déchirante qui l'avait foudroyée, elle l'écrit d'un jet, presque sans ratures[1], tant elle a gardé intactes leurs paroles. La scène qu'elle écrit pour la première fois va ouvrir son écriture. Et lui confirme le droit d'inscrire dorénavant cet amour déchiré dans son œuvre. Elle en fera deux ans plus tard un des thèmes essentiels du deuxième livre d'*Auschwitz et après*.

Mais de cette pièce sur ceux qui avaient choisi de mourir, de sacrifier leur vie pour être fidèles à leur idéal, elle ne voudra plus parler. Elle en garde un seul tableau, une pièce courte en soi, la scène de l'adieu. *Une scène jouée dans la mémoire*, le titre s'impose.

Le manuscrit de *Ceux qui avaient choisi* montre beaucoup de ratures, de reprises, elle écrit des morceaux de dialogues, les barre pour reprendre autrement le fil de l'échange. Quand survient l'image du peloton d'exécution dans leur dialogue, elle écrit : « Tableau de la scène d'adieu », et poursuit l'écriture du dialogue, elle sait la scène écrite déjà dans sa mémoire. Elle se trouve en fin de cahier, à part, hors temps. Françoise dit la souffrance que lui coûte le retour de la scène, elle se défend d'entendre cette histoire de peloton d'exécution, proteste auprès de Werner au moment où il la raconte. « Pourquoi dites-vous cela ? Pourquoi me dites-vous cela à moi ?[2] » On croit entendre un cri derrière ces questions qui n'attendent pas de réponse. Il y a aussi une révolte contre la douleur, chez Charlotte Delbo.

« Au metteur en scène de se débrouiller pour cette scène et son insertion dans la pièce », note-t-elle en didascalie. Plongée dans le noir sur le plateau, transformation du personnage de Françoise en une jeune fille de vingt-cinq ans, lumière sur elle et sur un jeune comédien qui va interpréter

---

1. Manuscrit de *Ceux qui avaient choisi*, BNF, Fonds Delbo, 4-COL-208-218, Succession Delbo.

2. *Ibid.*, p. 25.

un personnage de vingt-huit ans, Paul, puis retour au noir, le temps de revenir à la terrasse du café entre Werner et Françoise... Voilà le dispositif qui fait entrer Georges dans l'œuvre de Charlotte Delbo.

« Je lui ai dit / que tu es beau / (...) / Lui était beau de sa mort / à chaque seconde plus beau », dira Françoise, revenue au temps présent de la pièce, à côté de Werner qu'elle ne semble pas voir mais qui l'écoute. Ce poème, Delbo l'avait écrit dans un cahier sans aucune ponctuation en 1946, pour dire la force de son amour, ces minutes où elle regardait son visage. Il était « à chaque seconde plus beau » de cette mort qui « allait se poser sur lui », sur son sourire... « D'autant plus horrible », et l'expression est répétée deux fois pour dire la cruauté de ce qu'elle a vécu. Elle avait écrit à son retour des poèmes dans un cahier sur Georges, sur son amour assassiné, sur le sacrifice de sa vie auquel, elle, n'a pas consenti. Elle les avait gardés au secret. Delbo veut maintenant les publier. Les inscrire dans un livre.

« J'avais des poèmes dont je ne savais pas quoi faire ». C'est juste ce que répond Charlotte Delbo à une journaliste qui lui demande comment elle a écrit *Une connaissance inutile*[1]. Rester sobre, réservée, discrète. Il ne faut pas s'attendre à une Charlotte Debo qui parlerait d'elle. Des deux cahiers manuscrits de récits et de poèmes écrits en 46, poèmes d'amour et poèmes sur l'enfer du camp, elle n'avait choisi que quatre poèmes pour les insérer dans *Aucun de nous ne reviendra*, quatre poèmes qui disaient la désolation de Birkenau.

Les poèmes dont elle veut faire quelque chose, à l'origine du prochain livre, une autre source le confirme. À Cynthia Haft en séjour chez elle, Delbo parle de ses poèmes et lui confie sa perplexité. « Que faire de ces poèmes ? » Pour Cynthia, il semble évident que Charlotte peut écrire des chapitres entre lesquels ils s'inséreraient, c'est en tout cas ce qu'elle répond à la question que Charlotte pose, ou se pose à haute voix.

1. À Hélène Rénal, *Le Patriote Résistant*, n° 381, juillet 1971.

« Je les ai insérés dans un ensemble », raconte-t-elle dans l'entretien avec son économie de mots pour ne rien expliquer. Elle ajoute : « Toujours de la même manière, par hasard. » Le hasard, c'est son intuition, cette « voix » qu'elle écoute, sa voix qui laisse les images revenir, les associations se faire.

Dans un premier temps, elle va composer un livre avec ses poèmes et des textes déjà écrits. Elle lui donne un titre, *Les Hommes*, du nom du premier chapitre qu'elle met en place. C'était la nouvelle envoyée au journal *Les Étoiles*, qui évoquait les maris et compagnons enfermés comme elles au fort de Romainville et qu'elles voyaient de l'autre côté de la grille dans la cour de la promenade. Elle mettait en scène un ensemble collectif plutôt que son propre drame, comme elle le préfère, mais cette fois elle y avait glissé sa différence. Contrairement au « nous », les femmes qui éprouvaient une grande tendresse pour les hommes prisonniers, exprimé dans la première phrase qui ouvre le livre, elle, elle éprouve un tout autre sentiment. « Il y avait au secret de moi une terrible indifférence, l'indifférence qui vient d'un cœur en cendre » et « je fuyais leur visage », sans écrire pourquoi. Ce n'est que plus loin, lorsque les compagnes ont dû dire adieu à leurs conjoints et reviennent dans le dortoir, qu'elle écrivait, « Moi je n'avais pas de mari de l'autre côté. C'est à la Santé qu'on m'avait appelée, quatre mois plus tôt. C'était le matin. » Et elle laisse une ligne de blanc.

Silence. Silence au lieu d'en écrire plus sur son cœur meurtri. Silence que ponctue juste le rappel du moment, « C'était le matin », pour faire sentir la douleur muette. Très longtemps muette. Elle avait écrit Les Hommes en 1946. Et n'écrira plus rien sur cette douleur jusqu'en 1967.

À la suite de ce début, la nouvelle Les Hommes qui devient le premier chapitre, elle va placer treize poèmes écrits sur Georges. Comme elle l'exprimera dans la présentation du livre, « On y lira plus encore le secret d'un être qui se dévoile à travers les déchirures et les déchirements », et plus loin,

« Ici elle parle d'elle, elle se raconte. L'amour et le désespoir de l'amour… ».

Au livre qu'elle compose, elle intègre d'autres textes déjà rédigés comme celui écrit pour *Annabelle*, Lily, la jeune femme du camp de Raisko, qui se découvre un amour pour un prisonnier juste à travers leurs regards, et qui seront assassinés de s'être risqués à un échange de billets doux. Ou comme Le Matin de la liberté, écrit pour *Le Journal de Genève*, qui commence ainsi : « L'homme qui apparaissait à nos yeux était le plus beau que nous ayons vu de notre vie » pour l'officier qui attend les Françaises à la porte de Ravensbrück, « si parfaitement beau de la beauté humaine ». Le thème apparent, les hommes, s'affirme, le thème sous-jacent, l'amour meurtri, en forme la structure.

Elle donnera ce manuscrit, *Les Hommes*, à lire en novembre 1969 à Jérôme Lindon. « Non seulement le premier, mais tous les textes contenus dans *Les Hommes* m'ont paru fort beaux. Je me demande cependant si le dernier, par son caractère théâtral, s'harmonisera tout à fait avec l'ensemble. Surtout cela ferait un livre bien court, il me semble. N'y aurait-il pas moyen de remédier à cela ? Pensez-y et appelez-moi, je vous prie, pour que nous puissions en parler[1] ».

L'avis de Lindon est plus que favorable et encourageant pour Charlotte. Le manuscrit n'est pas loin d'être retenu, Lindon l'incite à réfléchir pour l'étoffer, et à revenir sur le dernier texte à « caractère théâtral ». Il y a tout lieu de croire qu'il s'agissait de la scène de l'adieu, extrait de *Ceux qui avaient choisi*.

Le manuscrit de ce livre, *Les Hommes*, ne se trouve plus. Ni aux Éditions de Minuit – Irène Lindon, quand je lui pose la question, me précise que tous les manuscrits sont rendus à leur auteur –, ni dans les archives de Charlotte. Le remaniement de la composition a sans doute incité Delbo

1. Lettre de Lindon du 2 décembre 1969, BNF, Fonds Delbo, 4-COL-208-215, Succession Delbo.

à ne pas garder la première forme. Mais elle restera marquée par la « genèse » singulière de ce qui deviendra *Une connaissance inutile*. D'autant que ce livre sera celui que préféreront plusieurs de ses amis. « J'aime aussi ce livre mais je suis comme étonnée de sa réussite (à cause de sa genèse) », écrira Charlotte Delbo le 17 octobre 1972 à la jeune Anouchka de Belleval qui lui avait dit qu'elle l'aimait plus que les autres, comme le lui avait aussi confié Jean Picart Le Doux.

Des hommes détenus au camp d'Auschwitz, Charlotte Delbo les avait évoqués dans deux chapitres d'*Aucun de nous ne reviendra*. Elle avait écrit la scène des cinquante coups de bâton assenés à un prisonnier par un kapo, leur douleur à l'entendre, leur stupeur à regarder, médusées, le corps disloqué de l'homme, forcé de compter lui-même sans s'interrompre, sinon le comptage repartait à zéro. « C'est interminable, le bruit de cinquante coups de bâton sur le dos d'un homme ». Ce mot générique d'homme résonnait dans le chapitre. L'homme battu et souffrant est un motif de douleur pour Delbo. L'homme est l'altérité aimée. Et cette altérité est constitutive de sa propre conscience d'elle-même en tant que femme. Dans son regard sur l'homme, dans la compassion qu'elle éprouve, elle se sent dans la fonction coutumière qu'elle attribue à la femme d'apporter un soin, un soutien à l'homme. Une forme maternante de l'amour qu'elle conçoit comme le propre de la femme, et autant dans l'amitié, comme le prouvent les passages lumineux où elle écrit ce soutien de tendresse, de compréhension, que les compagnes de son groupe ont pu se porter.

Dans un autre chapitre d'*Aucun de nous ne reviendra*, elle avait évoqué sa détresse à voir les hommes attendre devant le bâtiment de la stérilisation. Elle a écrit la scène de telle sorte qu'on ne comprenne que progressivement et vraiment qu'au terme du court chapitre, ce qui attend les hommes, debout devant la baraque. Ce n'est qu'à leurs regards fuyants, quand ils sortent, que les compagnes comprennent ce qu'ils ont subi. « Comment dire la détresse dans leurs gestes. L'humiliation dans leurs yeux. / Les femmes, c'est à la chirurgie qu'on les stérilise ». Delbo ne prononce pas le mot de stérilisation pour les hommes, ils sont à épargner jusque dans le vocabulaire. Ce souci de l'homme, fait de protection et d'attendrissement, habite Charlotte Delbo. Elle l'aura pour Serge Samarine... Elle a même pu l'avoir pour Jouvet, prenant constamment soin de sa santé.

Quand elle se remet à écrire pour étoffer *Les Hommes*, le manuscrit en cours, c'est un autre thème qui va émerger et donner au livre son mouvement, et une liberté nouvelle. Alors qu'*Aucun de nous ne reviendra* se terminait sur les corps flétris des femmes, qu'on distinguait avec peine de la poussière du sol, cette boue séchée du mois d'avril, qu'il fallait faire effort pour voir encore des femmes... Delbo s'attache à faire revivre son corps de femme. L'eau d'un ruisseau que le printemps a dégelé, va lui redonner existence. Après soixante-sept jours sans pouvoir se laver, elle se plonge dans l'eau, se dé-couvre, se redécouvre.

Et l'écrivain en train d'écrire ce chapitre ouvre le cours du récit à des questions qu'elle pose à sa mémoire, elle voudrait retrouver toutes les images de ce jour-là. Delbo laisse ouvertes les questions, ses interrogations montrent le dégel de l'esprit, plus rien n'est figé, les questions à soi-même affluent comme l'eau a dégelé. En même temps, elle s'ouvre à l'impudeur pour dire son sexe de femme. Son pubis a repris son aspect, le temps du rasage infligé à l'arrivée est loin, et elle retrouve les attributs de son sexe.

Ses pieds, ses jambes sont plongés dans l'eau, l'eau que le printemps fait ruisseler coule pour la première fois dans les pages de Charlotte Delbo. Après le gel et la glace qui dominaient les paysages du premier livre, et la terre poussiéreuse d'avril dans ses dernières pages, après le feu des crématoires, les mains qui se tordaient comme des flammes, après la bouche qui avait tellement soif à ne plus pouvoir parler, une soif qui rend fou le regard, l'eau coule dans ce deuxième livre. Et quand il s'agit de la soif, de la quête éperdue pour étancher la soif, le chapitre ne s'appelle plus « La Soif » mais « Boire ». Et boire fait reprendre vie. « Tout à coup, j'ai senti la vie revenir en moi[1] ». À la suite de ce chapitre, avant de commencer « Le Ruisseau », elle a inséré un poème, une ode à des compagnes mortes au camp, ode à ce qui les faisait femmes.

« Yvonne Picard est morte / qui avait de si jolis seins. Yvonne Blech est morte / qui avait les yeux en amande / et des mains qui disaient si bien. / Mounette est morte qui avait un si joli teint / une bouche gourmande / et un rire si argentin. / Aurore est morte / qui avait des yeux couleur de mauve ». Delbo n'en fait pas pour autant des femmes sans vertu virile. « Toutes un courage des temps romains ».

D'autres images apparaissent pour nourrir le récit, où se discernent des symboles féminins. Le chapitre qu'elle va écrire pour évoquer la dernière nuit au camp avant leur libération, raconte le moment où elle s'ouvre à son identité individuelle, démêlée de la communauté des femmes qui elles se sont toutes endormies. Comment elle se découvre seule avec la nuit, en face de la nuit, parce qu'elle doit s'appuyer au cadre de la porte, la robe ouverte pour ne pas étouffer de ce trop de café bu après l'avoir trouvé dans son colis. La nuit est alors miroir de ce qu'elle découvre pour elle, une profondeur féconde de vie. Au moment où tout semble s'étrangler sur le seuil de la liberté, à la veille de quitter le camp et que son cœur risque d'exploser, qu'elle peut finir de vivre, elle s'ouvre à la nuit, à la lune, pleine. C'est la nuit qui lui donne le rythme, la capacité de retrouver sa respiration, en osmose avec quelque chose de grand qui se joue devant elle, la nuit, immense, la lune, « très grande, très proche[2] » au sommet de son cycle.

Ces trois récits, « Le Ruisseau », « La Dernière Nuit », « Le Départ », qu'elle écrit en 1969 pour compléter la première

1. *Une connaissance inutile*, *op. cit.*, p. 48.
2. *Ibid.*, p. 170.

forme du manuscrit, sont tous les trois de longs chapitres, nettement plus longs que les autres, comme si l'écriture coulait plus fluide. Le nœud s'est desserré, vingt-cinq ans plus tard, il lui est possible de se mouvoir dans le souvenir du passé, entrer dans la souplesse, le flot des images passées. Même pour écrire la mort de Viva au revier de Birkenau. Charlotte est remontée de Raisko à Birkenau pour la voir une dernière fois, et la douceur du texte tranche tellement avec les conditions de son agonie. Cette écriture exempte d'effroi raconte comment Charlotte Delbo revisite l'adieu à cette amie, quand la tendresse a surmonté la douleur, sans laisser de côté la lucidité.

Delbo sait dire les registres opposés des sentiments, des capacités de voir et de s'émouvoir qui suivent des lois singulières. Le ressenti qui permet de traverser l'humiliation, les conditions les plus terribles infligées à un être humain et ressentir de l'amour. Aimer encore et voir l'insoutenable dureté de la vie.

Dans le chapitre qu'elle nomme « Le Départ », ce départ tant attendu du camp, elle évoque Georges et justement la première rencontre, leur première rencontre alors qu'il faut partir, quitter le camp. Elle prend le temps de la raconter avec ce temps d'approche entre eux et d'hésitation, la timidité de Georges et Charlotte qui s'en amuse. Elle a vingt et un ans, c'est la sortie d'un cours un soir de printemps, depuis quelque temps elle observait le jeune homme qui s'asseyait près d'elle. Elle veut écrire ce qui s'ouvrait ce jour-là, l'émotion du jeune homme, son jeu à elle pour découvrir les mouvements intérieurs de celui qui s'enhardit, elle veut dire ce doux souvenir, alors que le temps s'ouvre, qu'elles vont quitter le camp. Arrive sans crier gare la douleur de retrouver la vie sans lui.

« Ce n'était pas encore l'heure de se laisser aller[1] », écrit-elle quand elle évoque les derniers jours à Ravensbrück. Il faudra des décennies après la sortie du camp, après le retour,

1. *Une connaissance inutile*, *op. cit.*, p. 154.

pour laisser surgir dans un livre l'amour, l'amour de Georges, l'amour dans sa beauté, et l'amour assassiné.

Le théâtre est peut-être la forme qui lui a permis de « se laisser aller ». Comme si la profération sur la scène pouvait lui faire croire que ce sont des personnages, des autres, qui peuvent dire ce qu'elle pense et la dédouanent de parler d'elle. En écrivant une pièce, a surgi la scène. Et les poèmes, qu'elle relit vingt ans plus tard, réveillent l'autre femme qu'elle est devenue, celle qui a retrouvé du temps, le temps de vivre, d'aimer, de souffrir aussi, et qui comprend que l'écriture c'est aussi une exploration, qu'elle n'est pas que remémoration. Qu'il y a découverte et surprise, des métamorphoses à saisir, du jeu à découvrir, et que la transposition littéraire en est une.

Nous ne savons rien de la conversation téléphonique que Lindon lui proposait pour parler du manuscrit des *Hommes*. Sans doute s'est-elle sentie interrogée sur ce qu'elle avait à écrire de ce qui revenait à sa mémoire. Toujours est-il que la suite de chapitres qui vient s'écrit tout différemment. Quand elle veut évoquer le jour du ruisseau, « ce jour-là », la première chose qui la surprend c'est de s'étonner de sa mémoire partielle. Rien ne revient sinon l'image de l'eau. Ni ses camarades, à qui elle donnait toujours le bras, ni l'appel du matin, la formation des rangs, le travail à effectuer ce jour-là. Seule une voix lui reste – la voix, chez Charlotte, domine l'oubli, franchit le temps. Une voix revient, les cris articulés de la politique allemande qui les gardait. Et ce n'est pas l'effroi, non, mais la compréhension pour cette prisonnière, « une ancienne socialiste » enfermée depuis l'avènement d'Hitler, rendue folle par tant de prisons successives et qui s'arrange, quand elle menace de ses coups les déportées, de frapper toujours à côté. Aucune terreur n'accompagne le souvenir du ruisseau. C'est sans doute cette absence d'angoisse qui ouvre la sensibilité de l'écrivain qui se met à questionner en toute liberté son souvenir. Elle prend son temps, plusieurs pages, pour débusquer ce qui pourrait lui revenir de cette journée.

Qui lui donnait le bras pour marcher comme chaque jour ? Elle ne s'en souvient plus. Y avait-il de l'herbe autour du ruisseau ? Elle ne s'en souvient plus. Elle ne cessera dans ce chapitre du « Ruisseau » de parler de la défection de sa mémoire, de cette mémoire prodigieuse qui était pourtant la sienne. Pour mettre en valeur l'image de l'eau, où elle trempait son corps dénudé jusqu'à la taille. Et sa peau qu'elle frotte avec de la terre jusqu'au sang pour laver son corps au-dessus de l'eau, baptême de vie, image inouïe dont elle fait sentir l'effraction soudaine et heureuse dans la mémoire.

Il y a une jubilation de ce souvenir, au point de dire son étonnement « curieux » quand elle découvre les ongles de ses orteils restés collés à ses bas qu'elle ôte pour la première fois depuis soixante-sept jours... Que de rapports différents au temps et à la mémoire trouve Charlotte Delbo quand elle écrit en 1969 ! En prenant le temps d'interroger ses souvenirs, elle insuffle du temps dans le récit. Pour la première fois dans un chapitre sur Birkenau. Alors que jusque-là le temps était remplacé par la menace de la mort. La menace ôtait le temps, l'instant était toujours la possibilité de la mort. Maintenant c'est le temps de l'écriture qui prend sa place, l'écriture qui s'interroge sur sa capacité à retrouver les images, à dire. Une écriture qui joue avec son pouvoir et montre sa liberté, et cela au moment où Delbo évoque la renaissance de son corps de femme. L'impudeur de ses mots met au jour, dans la lumière des mots, le corps. Que tant de menaces de mort avaient replié dans la souffrance et l'obscurité.

Ce pouvoir de l'écriture, que Charlotte Delbo découvre, elle s'en sert pour transposer. Quitter la vérité et rendre son sentiment. Au moment d'entrer sous le filet d'eau d'une douche où toutes passent à l'arrivée, elle s'arrange pour garder de sa valise confisquée un flacon de parfum qu'elle avait reçu, précise-t-elle, dans un dernier colis au fort de Romainville, avant le départ.

« Toute nue au milieu des autres, j'avais regardé tendrement le flacon – Orgueil, de Lelong ; quel beau nom pour un flacon, ce jour-là – et j'avais versé lentement tout l'Orgueil entre mes seins[1] ». Charlotte Delbo crée cette image de l'orgueil qui coule entre ses seins, car littéralement elle n'a jamais existé. *Orgueil*, ce parfum, n'a été créé qu'en 1946. Elle avait sans doute reçu un colis avec un parfum de Lelong, un des couturiers les plus en vogue à l'époque et sur qui, coïncidence, Marie-Claude Vaillant-Couturier à ses débuts de reporter avait réalisé son premier reportage photographique. Ce n'était pas *Orgueil* qu'elle reçut, peut-être *Indiscret*, qui fut le plus célèbre, créé en 36. Mais évidemment, le nom du parfum lui permet de dire d'elle quelque chose d'important, et avec provocation, à l'arrivée à Auschwitz.

« Il y a aussi que j'ai de l'orgueil ». Voilà ce qu'a répondu Charlotte Delbo quand Madeleine Chapsal lui a demandé pourquoi elle ne s'était pas laissée mourir au camp, quand tout l'y poussait.

Delbo a préféré tordre le cou à la réalité pour rendre cet orgueil, son orgueil, sans explication. Rendre une ténacité à vivre, à survivre à l'effroyable, sans l'expliquer, avec une image de beauté. Un corps qui dans sa nudité fait preuve de sa liberté, d'une sensualité intime, pour soi. « J'avais pris garde de ne pas savonner la coulée du parfum pour en conserver la trace ». L'odeur garde le souvenir de ce qui est le plus archaïque, elle se tapit au plus profond de la mémoire, et la porte peut s'ouvrir en libérant les émotions les plus secrètes, les plus difficiles à venir aux mots.

Le parfum, ses camarades qui l'attendent à l'étuve veulent le sentir. « Laisse-moi m'asseoir près de toi un instant, lui dit l'une d'entre elles, "de bonnes odeurs, nous n'en humerons plus". Ce devait être une Tourangelle, elle s'exprimait très bien. "Humerons" le mot est resté dans ma mémoire, avec la voix qui l'a prononcé, mais je ne sais plus qui c'était et je ne revois plus son visage[2] ». En Touraine, c'est là qu'est resté le plus longtemps le français le plus classique, et le

1. *Une connaissance inutile*, *op. cit.*, p. 62.
2. *Ibid.*

détail n'échappe pas à Delbo. La langue lumineuse traverse la mémoire, comme le souvenir de toutes celles assassinées, puisque c'est dans le groupe des Tourangelles que les mortes furent les plus nombreuses. Mêler lumière et ténèbres quand elle évoque le corps et la langue, c'est là que se trouve l'écrivain Charlotte Delbo.

Charlotte intitule de façon surprenante ce nouveau livre qu'elle vient de terminer, *Une connaissance inutile*. Une provocation ? Celle de dire au lecteur, je vous livre une connaissance inutile. Difficile de ne pas sentir la violence de la proposition. Ou du défi. Bien sûr, il faut nuancer. La provocation n'est pas sans mélange, sans complexité, quand on est chez Delbo.

Le mot de « connaissance » promet des richesses, et qu'on ne peut effacer après avoir entendu qu'elles sont inutiles. « Connaissance », un coffre à trésors. Il promet de trouver du sens, découvrir le sens de vivre, le sens du monde qui nous entoure, c'est la promesse d'une compréhension nouvelle. Surtout, le mot de connaissance fait entendre « naissance ». Connaître, l'étymologie latine lui donne le sens de « naître avec ». De là, la fortune du mot que Claudel a célébré, l'homme naît en lien avec le monde qui l'entoure et dont il prend connaissance. « Nous ne naissons pas seuls. Naître pour tout, c'est co-naître. Toute naissance est une connaissance », écrivait-il en Chine en 1904 dans son *Traité de la co-naissance au monde et de soi-même*. La co-naissance nourrit et légitime la connaissance.

Charlotte aimait Claudel. « Nous étions ivres d'Apollinaire / et de Claudel » écrivait-elle en 1946, et c'est le premier vers du premier poème écrit au retour. Elle l'avait dédicacé à Yvonne Blech, déportée avec elle, qui avait partagé sa case sur les châlits du block. Yvonne Blech, au moment de son arrestation, corrigeait pour Gallimard les épreuves du Paul Valéry en Pléiade. De sa dédicace, Charlotte Delbo fera le titre du poème, « À Yvonne Blech », quand elle l'insère dans *Une connaissance inutile.* Quelques mois plus tard, au printemps 46, elle avait ajouté deux vers à la fin du poème, « Apollinaire et Claudel / meurent ici avec nous ».

Si elle sent que la poésie meurt avec elles toutes à Auschwitz, si Yvonne Blech mourra au revier de Birkenau en mars, Charlotte reviendra, et reviendra à la poésie. Et du mot de *connaissance* si essentiel à Claudel, elle s'inspire pour trouver son titre, et choisit un vers de Claudel comme exergue à son livre, « Nous arrivions de trop loin pour mériter votre croyance ». Elle l'extrait d'un poème dont les vers et le refrain résonnent à ce qui l'habitait au retour.

« Il faut garder notre connaissance pour nous, comprenant, comme une chose donnée dont l'on a d'un coup jouissance,

L'inutilité de l'homme et le mort en celui qui se croit vivant.

Tu demeures avec nous, certaine connaissance, possession dévorante et inutile !/ (...)

Nous ne reviendrons plus vers vous[1] ».

Mais quelle est cette connaissance inutile ?

« Alors vous saurez / qu'il ne faut pas parler avec la mort / c'est une connaissance inutile[2] ». Delbo poursuit, « toute connaissance devient inutile / à qui possède l'autre », celle de la mort qui régnait à Auschwitz, celle du prix de la vie pour un jeune homme qui va mourir. La connaissance de la mort rend inutile toute autre connaissance.

Le désespoir aurait tout ravagé ? Il lui faut le dire, oui, le faire sentir, et à la fois dans le même poème écrire : « et rien de moi ne peut fuir / et je me possède toute ». Ce « je me possède toute » qui résonne comme une co-naissance. La co-naissance est comme un mouvement perpétuel. Face

1. « Ballade », *Poésies* de Paul Claudel, Poésie/Gallimard, 1970, p. 42-44.

2. *Une connaissance inutile*, *op. cit.*, p. 185.

à la douleur, il faut oublier la connaissance acquise au fond du désespoir et vivre. Puisque « rien de moi ne peut fuir », il s'agit d'être au monde, de revenir. « Je reviens / d'au-delà de la connaissance / il faut maintenant désapprendre / je vois bien qu'autrement / je ne pourrais plus vivre[1] ». « Désapprendre » résonne comme « se déprendre ». Se déprendre de l'étreinte de la mort, de la connaissance de la mort.

Son premier jet fut d'écrire : « Revenue d'entre les morts / il me faut désapprendre / tout ce que j'ai appris / parce qu'alors / je ne pourrais plus vivre[2]. » Elle a corrigé ce « Revenue d'entre les morts », qui traduisait en 1946 ces mâchoires de la mort refermées sur elle, pour « Je reviens ». Et pour rendre la lente et la progressive remontée à la renaissance, il lui faut ce petit mot, « maintenant », qui dit l'acceptation. Prendre possession du présent, et oublier la contrainte, le « il me faut ». Amener la sensation de la vie qui renaît faiblement et apprend à lâcher.

Combien de temps s'est écoulé entre ces corrections ? Nous ne pouvons le savoir, mais le sens de ses corrections témoigne d'une métamorphose, de l'élaboration de l'écriture qui conduit à la possession de soi, murmurée, dite sans fanfaronnade, juste de quoi l'entendre, « je vois bien que... » écrit-elle, voilà, « je vois ». Comme un « j'accepte ». Qui est la voix, et la voie du deuil.

Quand elle écrivait *Aucun de nous ne reviendra*, les rares fois où elle parlait d'elle, toujours entourée des autres, ce « je » est décrit comme sans conscience. Elle ôte même son prénom, et le remplace par l'initiale, « C. ». Quand la soif la torture, ses compagnes disent d'elle : « "Il faut veiller sur C., elle est folle. Elle ne voit pas les kapos, ni les SS, ni les chiens. Elle reste plantée, le regard vague, au lieu de travailler. Elle ne comprend pas quand ils crient, elle va n'importe

1. *Une connaissance inutile*, *op. cit.*, p. 191.
2. BNF, Fonds Delbo, 4-COL-208-110, Succession Delbo.

où. Ils la tueront." Elles avaient peur pour moi, elles avaient peur de me regarder avec ces yeux fous que j'avais. Elles me croyaient folle et sans doute l'étais-je. Je ne me suis rien rappelé de ces semaines-là qui étaient les plus dures, tant et tant sont mortes que j'aimais et je ne me suis pas rappelé que j'avais appris leur mort[1] ». Le « je » du premier livre est celui de la dépossession de soi, de celle qui est folle de n'avoir plus de salive, de ne plus pouvoir parler, d'avoir perdu son lien aux autres. Pendant les appels interminables, « je suis debout au milieu de mes camarades », un « je » qui ne sent que le froid, qui ne pense à rien, ne regarde rien, un je qui va s'abandonner à l'inconscience, à l'évanouissement. C'est la puissante gifle de Viva qui la ramène. « Je reprends place (...) Je ne savais plus si c'était le matin ou le soir[2] ».

Le « je » est encore un abîme.

Dans un de ses cahiers de poèmes, il y a sur une nouvelle page ces quatre lignes écrites en 46, qui resteront en suspens, sans prolongement. « Savez-vous ce qui se passe sous les paupières abaissées ? Savez-vous ce qui se passe dans le noir de la solitude d'un être ? Savez-vous ce qui se passe dans le néant d'un être ?[3] »

Vingt-cinq ans plus tard, elle peut reconnaître ses déchirements personnels, l'amour meurtri, et écrire sa renaissance, par brèches dans « Le Ruisseau », ou dans « La Dernière Nuit » faire le récit d'une saisissante et affolante réappropriation de soi au moment de quitter le camp. Il y a un balancier dans ce deuxième livre de sa trilogie. Qui apporte une palpitation à l'ouvrage. Un balancier qui oscille entre une connaissance de la mort et une connaissance qui est réappropriation de soi.

La mort se manifeste de façon indirecte dans *Une connaissance inutile*, il n'y a plus de tableaux de cadavres entassés. Ce sont les voix qui chantent *La Marseillaise* dans la cour de la Santé et s'interrompent l'une après l'autre, qui font réaliser

1. *Aucun de nous ne reviendra*, *op. cit.*, p. 119.
2. *Ibid.*, p. 104 et 106.
3. Cahier manuscrit, BNF, Fonds Delbo, 4-COL-208-109, Succession Delbo.

la mort, les têtes qui tombent de ceux qu'on guillotine. Viva est déjà inconsciente quand Delbo monte une dernière fois à Birkenau pour la voir au revier. « Je dis doucement : "Viva." Viva ne m'entend plus, ne me voit plus. Je prends sa main sans qu'en elle rien réponde, le plus petit tressaillement. Sa main est froide. La mort a déjà saisi sa main. Son pouls est loin, loin. La mort montera de sa main à ses yeux. D'ici demain matin[1] ». Le soir de Noël au réfectoire de Raisko, c'est un ours en peluche qui fait penser au « terrible », fait revoir la petite fille à la descente du train donnant la main à sa mère en serrant sa poupée contre elle, avant de monter dans le camion. C'est un objet qui dit l'extermination.

Quant à la connaissance de soi, la mesure de soi qui revient, une scène le révèle. Au moment de quitter définitivement le camp, chacune a reçu un colis. Le paquet de cigarettes américaines est le premier que Charlotte a ouvert, contrairement à ses camarades qui attaquent les boîtes de conserve. Le manque de tabac a été pour Charlotte Delbo pire que la faim. Delbo n'a d'ailleurs jamais évoqué la faim, son œuvre par là aussi est singulière. La soif, oui ! Elle prend une cigarette, la tient entre ses doigts, elle se sent gauche tant le geste était devenu inhabituel. « Et je pensais : ils auraient pu mettre des allumettes. Évidemment, on n'y avait pas pensé. Les colis étaient des colis de soldats et les soldats ont toujours du feu[2] ». Réfléchir, comprendre le contexte qui explique la situation, c'est tout à fait Charlotte Delbo. Son audace, autre trait de son caractère, fait le reste. Elle va d'un pas tranquille demander du feu à une SS, qui lui tend son briquet sans étonnement, et lui dit merci en allemand quand Charlotte le lui rend. « Décidément, c'était la fin ». Une scène minuscule pour faire sentir la débâcle nazie. Elles ne partiront finalement pas ce jour-là et devront passer encore une nuit dans un block au fond du camp, une partie

1. *Une connaissance inutile*, *op. cit.*, p. 67.
2. *Ibid.*, p. 165, et pages suivantes jusqu'à 171, pour les citations suivantes.

déserte, mais où chacune eut un lit. Il fallait en profiter, enfin pouvoir dormir, chacune s'allonge aussitôt en serrant son colis dans les bras. Toutes se couchent, sauf Charlotte.

« Il y avait dans le colis une boîte de café soluble. Le mode d'emploi disait qu'on pouvait l'utiliser à l'eau froide. Un café, une cigarette ! tout ce dont j'avais le plus envie ». La dose prévue lui paraît bien peu, elle en rajoute dans le gobelet dont elle ne se séparait jamais. Au robinet elle fait attention de verser goutte à goutte l'eau, et ne pas risquer de « gâcher la poudre et obtenir un vrai bon café bien fort », les adjectifs et adverbes ne manquent pas, il faut tout cela pour le premier café, mais le plaisir escompté n'est pas là. Le goût est amer, malgré le sucre qu'elle avait laissé patiemment fondre dans l'eau froide, et cette fois elle n'a pas de feu pour s'allumer une cigarette.

Elle part se coucher auprès des autres, mais à peine allongée, elle se sent si mal qu'elle doit se relever. Une sensation bizarre, une angoisse à la gorge, son cœur qui bat violemment. « Mes oreilles bourdonnaient à faire mal, mon cœur sautait dans ma poitrine à faire mal, et tout en dilatant mes narines, en ouvrant grand la bouche pour respirer, j'étouffais ». Elle réussit à marcher jusqu'à l'entrée, à ouvrir la porte, elle suffoque, défaille. « Debout contre le chambranle de la porte, le visage tourné vers la nuit, je tenais mon cœur à deux mains pour en comprimer les déchirures ».

Elle déboutonne sa robe, pour mieux respirer. « J'essayais d'aspirer de l'air et à chaque inspiration je croyais mourir. La dernière nuit à Ravensbrück. Ma dernière nuit à moi. (...) J'allais mourir aussi stupidement que ceux qui font des paris stupides ».

La douleur tord sa bouche, martèle ses tempes, la sueur couvre son front, sueur de l'angoisse, sueur de la souffrance, le cœur cogne, elle pense qu'elle va mourir. Là sur le seuil, au moment où la liberté arrive. Face au paysage de la nuit, à cette lumière de la lune qu'elle regarde, parce qu'une fois encore à l'instant crucial, quand il s'agit de lutter pour survivre comme pendant les appels interminables, c'est le ciel, les étoiles, la lune, l'immensité, la nuit et son ciel, qui lui permettent d'être, de chercher à vivre, au milieu de tant d'éléments hostiles, de trouver une forme de dialogue avec le ciel, le vaste ciel, avec la nuit profonde dans sa dimension infinie, non connaissable et pourtant enveloppante, commune à tous les hommes sur terre. Dialogue, présence et regard. La nuit est un partenaire, une présence, une raison d'émerveillement, l'assurance qu'il y a de l'infini, à côté de l'être humain, et peut-être pour lui. Comme ce qu'elle trouve dans les textes antiques, la tragédie des Grecs, ou dans les textes du XVIIe, ils sont le souvenir d'un autre ordre. Celui des dieux, du dialogue avec les dieux qui se mêlent aux humains, ou le souvenir d'une langue qui maîtrise les passions.

Au moment où elle sent ce cœur qui l'étreint à mourir, c'est la nuit qu'elle regarde. « Mourir sur le seuil de cette baraque, au seuil de la liberté (...). La nuit était claire et froide. La lune s'était élevée au-dessus des baraques (...). Sa lumière bleuissait les toits, les rendait luisants. Je regardais la nuit tout en haletant et je crispais ma volonté pour tenir mon cœur jusqu'au matin. (...)

Peu à peu, les battements se sont espacés, ma respiration s'est rythmée. Mais la nuit était finie. J'étais restée debout toute la nuit. J'étais si contente d'avoir tenu jusqu'à la fin de la nuit que je n'éprouvais aucune fatigue. La nuit était finie pour dormir, mais ce n'était pas encore le matin. Les étoiles étaient froides au ciel de la nuit, la lune était montée haute dans le ciel sombre. Deux kapos arrivaient, sifflaient, et en un clin d'œil tout le monde était debout. Mes camarades me cherchaient : "Où étais-tu ? Tu as été malade ?" Elles me rapportaient mon colis que j'avais laissé sur le lit. "Rien, ce n'est rien. C'est fini." » Cette solitude à l'écart des compagnes qui dorment, au seuil de la liberté à retrouver, me paraît une expérience déterminante pour Charlotte Delbo. À combattre la mort qui semblait vouloir la prendre à cause d'un excès de café pour son corps affaibli, elle se trouve et se rencontre seule et singulière. Comme le mouvement à venir que sera l'écriture après le retour. Cette nuit, « La Dernière Nuit » est le noyau de sa vie future d'écrivain.

Elle qui a écrit avec son cœur – Comment dire autrement et simplement cet amour qu'elle prodigue à toutes celles qu'elle a vues disparaître, martyres, et qu'elle va reprendre à la nuit de la mort et de l'oubli pour les redonner à la lumière ? – elle qui crispe sa volonté pour tenir son cœur jusqu'au matin, elle qui tant de fois au camp avait dialogué avec lui, plutôt pour le forcer à battre, cette fois elle fait une expérience séparée des autres, à l'écart, seule. Ni pour les rejoindre physiquement ni s'en rapprocher, mais pour rester vivante alors que la guerre est finie, et qu'il faut commencer une autre vie, sa vie, dont écrire sera le fil tendu, et où la nuit infinie est la seule partenaire.

Dix-huit chapitres, des récits en prose, s'insèrent entre trente-quatre poèmes pour faire ce nouveau livre, *Une connaissance inutile*. De sept de ces chapitres, elle avait écrit le premier jet en 1946. Onze ont été écrits en 1969. L'eau, le corps retrouvé, le temps de l'écriture, la nuit de l'expérience intime, l'hommage à l'amie qui agonise au revier, l'adieu à Georges. Vingt-trois ans après avoir rendu le martyre collectif, le paroxysme de l'Histoire, le crime contre l'humanité, elle ouvre son récit à l'expérience solitaire. Qui fait écho dans la profondeur du noyau intime aux massacre et déchirements collectifs.

Il est frappant de s'apercevoir que Charlotte Delbo introduit dans ces récits intimes de la lumière, de la vie, du mouvement. L'air était « léger, clair » au bord du ruisseau, la sensation de l'eau « si nouvelle, si merveilleuse », elle parle de la « transparence de l'eau », et même à propos de Viva qui meurt, elle écrit sa peau « fine et tendue, et d'une étrange transparence ».

Au moment de l'adieu à Georges dans sa cellule, au moment où « il a fallu partir », la mort va prendre son amour, Charlotte Delbo invoque Ondine, le personnage de la pièce de Giraudoux. Ondine va quitter le Chevalier, son amour, qui doit mourir. Trois fois appelée, Ondine, comme Charlotte que le soldat allemand doit appeler trois fois pour qu'elle s'arrache à Georges, « Ondine à la troisième fois oublierait et retournerait au fond des eaux, et comme Ondine je savais que j'oublierai puisque c'est oublier que continuer à respirer, puisque c'est oublier que continuer à se souvenir[1] ».

Charlotte dit la douleur au cœur du souvenir, puisque le souvenir appartient à la vie après. Après la séparation. Et après avoir évoqué l'eau, l'eau où retourne Ondine pour oublier, l'eau qui est l'image de la vie, la vie mouvante, éternellement changeante, et filé la comparaison entre le destin d'Ondine et le sien, elle affirmera qu'il y a moins de distance entre la terre et l'eau où va plonger Ondine pour oublier, qu'entre ce qui sépare sa vie avec Georges de la vie sans Georges. Entre le bonheur de le serrer dans ses bras et le malheur de vivre quand il a été enlevé par la mort.

Delbo emmêle dans *Une connaissance inutile*, son terrible séjour chez les morts à Auschwitz et la mort qui a enlevé son amour. La cause, la barbarie nazie, est la même. Le souvenir de son amour est douloureux, le souvenir du séjour chez les morts et du martyre de toutes celles qui sont parties ou de celles qui furent martyrisées est une douleur. Pourtant il faut écrire la douleur, la livrer au langage et tenir à distance ce qui pourrait faire sortir des mots et nous laisser dans l'indicible. Et introduire du mouvement, de la vie, de la lumière en écrivant ce qu'elle a vécu aux camps parce que l'étreinte de la mort s'est desserrée, et dire la distance indispensable entre le souvenir du séjour « d'entre les morts » et le retour à la vie qui peut suivre.

Distance radicale, séparation ? On peut en douter en lisant Charlotte Delbo, parce que son œuvre montre le travail pour faire accéder à une langue littéraire ce qu'il y a à savoir. Une existence qui resterait inconsciente de la catastrophe

---

1. *Une connaissance inutile*, *op. cit.*, p. 156.

porterait une sorte de trou, un abîme intérieur. Sa langue raccommode, et elle est passée par le séjour d'entre les morts.

Delbo a transformé ce qui paraissait indicible en une œuvre que nous pouvons garder. Elle a trouvé une langue qui nous permet l'émotion, la capacité d'être, nous, humains en lisant ce qui avait dépassé la possibilité de croire que l'humanité avait un socle, fait voler en éclats ce qu'est un homme,

Il y a alors un étrange projet à nous faire croire qu'il faut à la fois l'écouter et nous en écarter, que c'est une connaissance inutile.

C'est une mise en garde pour nous protéger, nous lecteurs, et un avertissement du danger. La connaissance réelle, celle qui a été vécue, elle est désespoir.

Il y a chez Delbo un étrange mélange pour nous prévenir du danger de la connaissance, du terrible des mots, du sens terrible qu'ils portent, et dire aussi qu'il faut l'amour, la tendresse pour prononcer les mots qui se souviennent et qui peuvent rendre ce qui n'est plus accessible, qui a disparu et que nous pourrions ne pas savoir, ou oublier. Le désir d'écrire contient cet amour, ce sentiment, comme il contient ce savoir que l'arme du langage peut être terrible, parce que le langage peut dire l'horreur.

Elle fait peur, cette connaissance, et de quelle utilité estelle ?

Les connaissances qu'elle a rapportées, « ne peuvent pas servir, parce que c'est une expérience hors de la vie. Savoir que telle personne partagerait ou non son pain avec moi, à quoi ça me sert maintenant ? Du pain, j'en ai. Savoir que telle personne m'aidera à marcher, à quoi ça me sert ? Je n'ai pas besoin qu'on m'aide à marcher, et puis il y a des taxis, des hôpitaux. Voir les êtres dans leur vérité aiguë, ça ne sert à rien dans la vie courante. Qu'ils soient moyennement sincères, qu'ils tiennent leur promesse une fois sur deux, ça suffit. Oui, si je m'en donnais la peine, je pourrais deviner ce que vaudraient les gens dans des circonstances exceptionnelles, mais puisqu'on n'y est pas... Voir qu'une personne porte la mort sur elle… On prend comme ça toutes sortes de connaissances qui n'ont pas leur utilité dans la vie normale[1] ».

On reconnaît la Charlotte Delbo réaliste, pragmatique, celle qui fut une secrétaire efficace distinguant l'essentiel, à discuter avec son patron, et les solutions qu'elle pouvait résoudre seule, celle qui a toujours cherché à aller de l'avant, celle qui savait être expéditive pour les choses courantes. Et qui avait de l'ironie pour distinguer ce qui était adéquat et ne l'était plus, celle qui savait trier l'utile, connaître la nature humaine et mesurer l'état de la société à leur retour, elles qui revenaient d'un monde d'une férocité inconcevable pour leurs contemporains. Ce fossé n'est pas une source de douleurs pour elle, parce qu'elle ne se voulait pas victime, mais une source d'ironie, comme on le sent dans ce qu'elle dit à Madeleine Chapsal.

Si ces connaissances n'ont pas leur utilité dans « la vie normale », ajoute-t-elle, « dans une œuvre, (…) elles peuvent servir, pas dans la vie courante ». Il faut écrire sur le paroxysme de l'Histoire. La justesse de l'expression, qui fait la force d'une œuvre, n'appartient pas au même ordre que les nécessités de la vie courante.

En 1974, elle parlera tout autrement de ce qu'elle a appris au camp. « Ce que j'ai appris là, personne ne l'apprendra. J'ai payé cher mais c'est quelque chose qui n'a pas de prix. J'ai appris, j'ai vu le courage, j'ai vu la volonté, j'ai vu la générosité, j'ai vu ce que les autres ont fait pour moi, celles qui m'ont portée, celles qui m'ont aidée, celles qui m'ont donné à boire quand j'avais soif, celles qui se sont privées de leur pain pour obtenir un verre de boisson pour moi alors que je mourais de soif, alors vous savez ça donne en même temps une très grande confiance dans son semblable[2] ».

---

1. Entretien avec Madeleine Chapsal dans *L'Express*, 14-20 février 1966.
2. « Radioscopie », entretien radiophonique avec Jacques Chancel, 1974.

« Il faut maintenant désapprendre / je vois bien qu'autrement / je ne pourrais plus vivre ». Charlotte Delbo ne peut pas vivre en se souvenant de ce qu'elle a vu et vécu. Mais écrire pour l'auteur, lire pour le lecteur, donne une autre vie qui ne comporte pas les mêmes règles. Une œuvre littéraire n'est pas la vie. Et c'est en cela qu'elle peut permettre de vivre. Nous, lecteurs, comprenons la distance qui apparaît soudain à Delbo entre la vie et la mort, au moment où Georges part vers la mort, puis au moment où elle écrit la scène et que le personnage d'Ondine livre la clé de cette distance.

Ondine apparaît et avec elle l'image de l'eau, symbole de l'oubli, et grande aussi est la distance entre l'œuvre et la vie. Les images chez Delbo sont toujours amenées de façon serrée, sans transition, profondément liées à ce qu'elle compare, et nous amènent à associer des proximités fécondes. Comme l'eau qui coule et contient la vie, l'écriture coule et contient la vie à vivre. Elle semble en écrire les multiples ruisseaux, qu'elle transforme en autant de récits, de chapitres, de poèmes. Cours de l'eau, toujours repris et suivi. Recommencés et qui coulent.

Une connaissance inutile contient et réunit plus de contraires et de contrastes qu'*Aucun de nous ne reviendra*. Le ton est différent d'un chapitre à l'autre jouant des strates différentes de la conscience. Au moment de vivre le camp, au moment de s'en souvenir.

Le livre contient le temps étiré de son retour, il porte un regard éloigné sur l'emprisonnement à la Santé et à Romainville, sur le camp de Birkenau, de Raisko et de Ravensbrück, sur le présent dans les années 60, les passants, les amoureux aux terrasses des cafés. « Nous avions pour les hommes une grande tendresse » est la première phrase du livre. Presque tous les chapitres commencent par une phrase à un temps du passé. La distance est là, son regard se fait sur un passé.

Si elle raconte au présent l'expérience du Ruisseau, c'est pour ouvrir le temps de l'écriture qui joue avec la mémoire, et au présent la visite au revier de Birkenau pour revoir Viva, inconsciente déjà, c'est la tendresse qui parle, et elle qui doit avoir le pouvoir d'abolir la distance du temps. Delbo écrit quatre fois la phrase, « C'est la dernière fois que je verrai Viva » dans ce très court chapitre, pour graver l'instant. Sinon, ce livre d'*Une connaissance inutile* dit le passé, met en valeur la distance, qui lui donne un ton plus apaisé, celui de la douleur assimilée. « Nous avions pour les hommes une grande tendresse ».

Ce temps du passé, nouveau, donne un ton plus personnel. On est soudain loin du ton épique et solennel des pages du premier livre, pages terribles, d'une terreur solennelle. Elle révèle comment beaucoup de choses se sont déroulées, au fort de Romainville, à Raisko, pendant le « voyage » d'Auschwitz à Ravensbrück, sa dernière nuit et au moment de la sortie du camp, mais elle garde des choses secrètes. Elle n'écrira jamais ni ne racontera qu'elle avait entendu ce vers, « aucun de nous ne reviendra », au fort de Romainville. Alors qu'elle garde le vers en mémoire toute sa déportation, le choisit comme titre de son livre encore à Ravensbrück, avant même de savoir ce qu'elle y écrira. Ne jamais dire où elle l'a entendu alors qu'elle fait de ce moment une scène émouvante. Est-ce un oubli inconscient, ou ce fait devait-il rejoindre le secret de son cœur, la forteresse bien gardée de cette femme si pudique sur ses sentiments personnels ?

Ou bien elle a voulu garder et préserver leur origine secrète aux mots dont elle entendait la puissance, comme une déflagration. Celle de leur vérité.

Le départ d'Auschwitz en janvier 44 du petit groupe de huit Françaises auquel appartenait Charlotte Delbo, a un air surnaturel, comme elle le raconte. Elles quittent Raisko pour une destination inconnue dans une carriole. Une carriole, précise-t-elle, jamais elles ne seraient montées dans un camion, « nous nous serions laissées tuer plutôt[1] », les camions mènent à la chambre à gaz. Elles roulent à travers les champs de neige vers le camp principal et chantent pour se donner courage dans l'air glacé, accompagnées du SS monté avec elles et d'une surveillante. La carriole s'arrête devant la baraque de la quarantaine. Elles devront se mettre nues, être inspectées par le médecin, et par Taube, le terrifiant SS de Birkenau. On leur donne d'autres vêtements, aussi sales et peu adéquats, puis, quelle surprise, on leur remet certaines de leurs affaires, sorties d'un amoncellement indescriptible de vêtements et de valises. « On en est au numéro 75 000, aujourd'hui à Birkenau », à l'arrivée elles avaient été tatouées parmi les 31 000.

Au fur et à mesure qu'elles réalisent qu'elles vont vraiment quitter Auschwitz, elles assistent à des scènes irréelles. Des effets personnels leur sont restitués, une alliance, une montre même, elles voient Taube s'agenouiller pour aider Carmen à passer ses lacets, on leur fait signer des papiers pour certifier qu'elles n'ont pas été maltraitées ni malades, qu'on

1. *Une connaissance inutile*, *op. cit.*, p. 99 et suivantes pour les citations.

leur a rendu bijoux et effets personnels… « Nous entrons dans un état second où tout est naturel et transfiguré ». Le sentiment est si étrange que Charlotte Delbo va dire de ce départ d'Auschwitz qu'il « était incroyable et incroyablement bizarre », qu'elles ont « le sentiment du rêve et la certitude que c'était vrai, avec le rêve qui persistait ». Le voyage en train, assises dans un wagon de troisième classe alors qu'elles s'attendaient à des wagons à bestiaux « comme l'année précédente, à l'aller », le paysage qui défile derrière la vitre, leurs valises rangées au-dessus d'elles, les paquets dans les filets, les toilettes au bout du couloir avec un verrou qui dit « occupé »…

Des voix françaises de l'autre côté de la paroi dans la baraque de la quarantaine leur ont appris qu'elles partaient pour le camp de Ravensbrück. Le transfert d'une gare à l'autre dans la ville de Berlin, le métro, dont Delbo fait un autre chapitre, n'est pas moins incroyable. Elles seront autorisées à descendre dans les toilettes publiques, seules, avec leurs valises, pouvant y prendre de quoi faire un peu de toilette, les SS qui les attendent en haut de l'escalier leur semblent des paysans perdus en ville. Elles ont rejeté l'idée de se changer et de s'évader, ne croyant pas au succès possible de l'entreprise, comme si l'irréel de la situation empêchait aussi toute prise décisive sur le réel.

Il ne paraît alors pas étonnant que le théâtre prenne sa place autour de ce départ et de ce voyage « irréels » et que Charlotte Delbo ait écrit et placé ses deux chapitres qui évoquent le théâtre, avant le départ irréel d'Auschwitz et après l'étrange voyage vers Ravensbrück.

Le premier raconte la préparation et la représentation du *Malade imaginaire* de Molière au réfectoire de Raisko par le petit groupe des déportées françaises. L'autre met en scène son acquisition du fascicule du *Misanthrope* de Molière à Ravensbrück. Elle l'a acheté à une tzigane en échange de sa ration de pain. « Qui a jamais payé un livre aussi cher ? » La remarque dit aussi son orgueil de cet « achat » au camp. Elle avait essayé de faire baisser le prix. « Rien à faire. Elle avait vu mon regard briller ». La vivacité de l'échange est rendu en quelques mots, les regards plus décisifs que les paroles.

Charlotte, déportée, retrouvait Molière. Elle, qui l'avait tant fréquenté, le retrouvait non pas de son fait mais par des circonstances qu'on n'ose appeler hasards, tant Delbo croit à son destin. À Raisko, c'est une pièce de Molière dont se souvient le mieux l'une d'entre elles, qui est choisie pour monter un spectacle au moment de Noël. À Ravensbrück, c'est une tzigane qui l'a en main. Ce qui plonge Charlotte dans une pensée insondable : quelqu'un était arrivé à Auschwitz ayant emporté *Le Misanthrope*...

C'est Claudette Bloch à Raisko, qui reconstitue avec l'aide des autres presque toute la pièce de Molière. Le choix de la pièce peut étonner, *Le Malade imaginaire* ! Pour ces femmes qui avaient survécu à tant de maladies, mortelles pour la plupart d'entre elles, et qui avaient vu l'agonie de tant de leurs camarades, représenter un malade imaginaire ! Charlotte ne dit rien de ce choix, ne fait aucun commentaire sur la pièce dont Claudette Bloch se souvenait le mieux, et beaucoup peuvent l'aider, c'était, à l'époque, la plus connue de Molière. Et après tout, le théâtre, le travail de la représentation, c'est bien la mise à distance d'une situation... Jouer un homme qui croit et fait croire qu'il est malade et que personne ne croit, alors qu'elles sont tout juste sorties du martyre, c'est un tel renversement de la réalité qu'elles ne pouvaient que désirer la folie de ce projet, le mener jusqu'au bout dans ses moindres détails pratiques pour conjurer la réalité qui les entoure.

Trouver un morceau de verre qui fera mieux sonner la boîte de conserve et ne pas se satisfaire d'un caillou, que le tintement de la cloche d'Argan soit si parfait qu'il faille accourir, c'est faire oublier les conditions de la représentation, le camp, leur sort, et qu'on entende bien une cloche, qu'on entende l'appel compulsif de celui qui se croit à l'agonie, enfermé en lui-même... Et qu'il fasse rire de tant vouloir faire tinter sa cloche ! Le travail pour servir Molière rejoignait l'effort pour échapper au camp.

Elles étaient dix-sept Françaises et quatre-vingt-dix Polonaises – Charlotte précise le nombre dans le manuscrit – qui travaillaient à ce camp d'expérimentation agricole de Raisko. La plupart des Polonaises, ce sont des déportées politiques comme les Françaises, comprenaient le français. Elles « chantaient si bien », ces Polonaises, elles leur avaient chanté des airs quelques jours plus tôt un soir au réfectoire, alors c'est un défi, une « fierté » de leur montrer ce dont les Françaises sont capables, une représentation théâtrale !

Toutes travaillent à imaginer et fabriquer les accessoires, trouver des tissus, coudre ce qu'il faut, pour faire croire aux personnages et aux situations. À la fin de la journée, la nuit tombe vite, c'est le mois de décembre, décembre 43, la baraque est froide et sombre mais l'émulation les tient. Charlotte est responsable de la mise en scène, Cécile des costumes, Carmen des accessoires.

Créer pourpoints et hauts-de-chausses à partir de vêtements d'hommes qu'elles ont pu se procurer, faire des jabots avec le tulle des cages du laboratoire, une robe somptueuse pour Bélise à partir d'une robe de chambre matelassée, les astuces les stimulent, comme les artifices de Carmen pour fabriquer un rideau de scène, transformer une baladeuse électrique en projecteur. Une affiche est dessinée, épinglée sur la porte intérieure de la baraque, alors qu'elles savent toutes… L'illusion se nourrit des détails, chaque accessoire s'avère essentiel pour faire oublier le réel.

« Le rideau se lève. C'est magnifique. C'est magnifique parce que Lulu est une comédienne-née. Ce n'est pas seulement par son accent marseillais qui fait penser à Raimu, mais par son visage bouleversant de naïveté vraie. Cette nature d'humanité, cette générosité.

C'est magnifique parce que quelques répliques de Molière, ressurgies intactes de notre mémoire, revivent inaltérées, chargées de leur pouvoir magique et inexplicable.

C'est magnifique parce que chacune, avec humilité, joue la pièce sans songer à se mettre en valeur dans son rôle.

Miracle des comédiens sans vanité. Miracle du public qui retrouve soudain l'enfance et la pureté, qui *ressuscite à l'imaginaire* ». L'expression, Charlotte Delbo ne l'avait pas employée dans son premier jet quand elle avait écrit, dès qu'il lui avait été possible à son retour, la plus grande partie du texte sur leur représentation du *Malade imaginaire*. Elle la trouvera bien plus tard, quand elle voit si nettement ce que Auschwitz a fait d'elles et de toutes celles qui sont mortes. À ceux qui pensent « qu'on peut tout enlever à un être humain sauf sa faculté de penser et d'imaginer », elle explique qu'ils ne savent pas. « Vous ne savez pas ». Une fois encore ! « On peut faire d'un être humain un squelette où gargouille la diarrhée, lui ôter le temps de penser, la force de penser ». Ce n'est que lorsqu'elles purent dormir et se laver que la soif d'imaginaire est revenue, et le désir de l'abreuver. Elles logent depuis début juillet dans la baraque enfin terminée à côté du laboratoire. Des lits à étage avec des paillasses, des douches avec de l'eau chaude, des toilettes individuelles. « L'imaginaire est le premier luxe du corps qui reçoit assez de nourriture, jouit d'une frange de temps libre, dispose de rudiments pour façonner ses rêves[1] ».

Elles sont pour la plupart encore très faibles, se relèvent du typhus. Charlotte qui n'a jamais voulu aller au revier de Birkenau même rendue aveugle par le typhus, de peur d'y mourir, quelques jours après être arrivée à Raisko, elle ose aller à l'infirmerie. Elle y reste quatre jours du 4 au 8 juillet pour soigner ce que le registre a inscrit comme « une grippe intestinale[2] ».

Le travail dans les serres leur était pénible au début, elles étaient si épuisées encore, mais « après quelque temps » les forces sont revenues, et avec elles, le désir de lecture, de musique, de théâtre. Alors, tout en bêchant, sarclant, elles

1. *Une connaissance inutile*, *op. cit.*, p. 90.
2. Registre de l'infirmerie de Raisko, Archives du musée d'Auschwitz.

s'approchaient de Charlotte qui raconte des pièces entières à un petit groupe, cinq, six, elles ne pouvaient être plus nombreuses sans risquer d'attirer l'attention, et Charlotte recommençait pour d'autres. Elle ne précise pas que c'est elle qui raconte, et préfère dire « L'une de nous racontait des pièces[1]... » Son livre n'est pas fait pour se mettre en valeur. Elle l'écrit pour dire Auschwitz, et ici, dans quelles conditions revient le besoin d'imaginaire qui fait dire à ses camarades qui se pressent autour d'elle, « Qu'est-ce qu'on va voir aujourd'hui ? »

Le répertoire est bientôt épuisé, c'est alors qu'est venu le désir de monter une pièce entière.

Qu'elle ait écrit en 46 déjà la plus grande partie du chapitre sur cette représentation prouve l'importance et le caractère extraordinaire de cette expérience, à deux kilomètres de Birkenau. Elle commençait différemment son texte, elle l'amorçait par l'évocation des prisonniers de guerre qui, rentrés, racontaient ce qu'ils avaient fait pendant leur captivité. Ce qu'ils avaient pu lire, faire, monter des spectacles... « Ils ont pu vivre dans l'imaginaire ».

Et elle ajoutait, « Ils ont à raconter, nous avions *à en dire*[2]... » Tout de suite, il lui faut exprimer que les déportés en ont à dire ! Ce besoin irrépressible de dire ce qu'ils avaient vu et vécu, qu'ont si peu ressenti les soldats prisonniers. Avoir à en dire, l'expression familière le fait entendre, c'est qu'il y avait tant de douleurs, de plaintes, de reproches, de rancœurs à exprimer, si étouffées, empêchées... Charlotte corrigera l'expression, elle ne voulait pas de plainte. Mais ce qui s'entend là est précieux, qui a coulé spontanément de sa plume, de l'écriture déliée qui courait sur son cahier... Quand elle a écouté parler des soldats prisonniers de guerre, quand elle a entendu ce qu'ils disent, elle n'a pu que penser, comme ce fut différent, pour nous !

---

1. *Une connaissance inutile*, *op. cit.*, p. 89.
2. Cahier manuscrit, BNF, Fonds Delbo, 4-COL-208-109, Succession Delbo.

Ce qui est beau, c'est l'opposition trouvée entre « dire », ce qu'elles voudraient pouvoir faire, et « raconter », ce qu'ils ont pu faire. Raconter évoque le temps qui se déroule, propre au récit. Ce temps n'existait pas à Auschwitz. Remplacé par la menace de la mort. Dire parle de l'urgence.

Elle les opposera, en choisissant pour le texte définitif deux phrases brèves et symétriques qui soulignent la différence entre les paroles des prisonniers de guerre et celles des déportés à leur retour. Si on les avait laissé parler !

« Ils ont à raconter. Nous aurions à dire ».

Delbo, si attentive aux mots, se sert du plus petit nombre possible et de mots simples, dont le sens est si clair à discerner qu'il évite tout doute, par contre dont l'écoute provoque du temps, a besoin de temps, le temps à prendre chez le lecteur pour que s'entendent ce qui s'y trouve dit, toujours voilé par la réserve. Ici, cette logorrhée, qui a pris tant de déportés au retour – que ni les proches ni les autres ne souhaitaient entendre –, et qui ont fini par se taire.

Au début nous voulions chanter... C'est le titre qu'elle veut à son chapitre sur le théâtre. Quoi de plus évident que d'imaginer cette forme collective pour résister, tenter de se réchauffer le cœur, retrouver du courage et chanter ensemble... Mais ces chants très vite ne furent plus que des voix « déchirantes, ces voix qui se brisaient, voilées par les marais et la faiblesse, répétant des mots qui ne faisaient plus se lever aucune image[1] ». « Les trépassés ne chantent pas... Mais à peine ont-ils ressuscité qu'ils font du théâtre ». Nécessité vitale parce que le théâtre redonne la possibilité de « croire ». Il possède le pouvoir de l'illusion, de l'art qui fait voir, entendre et « croire » à sa vérité. Pour terminer le chapitre, elle écrit « C'était magnifique parce que, pendant deux heures, sans que les cheminées aient cessé de fumer leur fumée de chair humaine, pendant deux heures, nous y avons cru.

1. *Une connaissance inutile*, *op. cit.*, p. 88.

Nous y avons cru plus qu'à notre seule croyance d'alors, la liberté, pour laquelle il nous faudrait lutter cinq cents jours encore[1]. »

Le Misanthrope qu'elle a acheté à Ravensbrück en échange de son pain, elle le gardera contre elle, entre sa peau et sa robe, jusqu'au dernier jour au camp. Elle ne s'en séparera jamais. C'est en arrivant au Danemark, en transit pour la Suède, le soir en se couchant qu'elle s'aperçoit qu'elle ne l'a plus. La nuit précédente, « la dernière nuit » quand elle a déboutonné le haut de sa robe parce qu'elle suffoquait, dans son affolement elle n'a pas vu qu'il était tombé à terre.

Elle a appris le texte fragment par fragment, le soir dans la baraque de Ravensbrück, elle se le récitait le matin pendant l'appel. Elle a appris la pièce par cœur et pouvait la dire presque en entier pendant l'appel du matin tant il était long. Étrange théâtre intérieur. Dramaturgie et écoute interne. Elle est à la fois tous les personnages, la salle où résonnent les voix, et la spectatrice. Les personnages agissent, ressentent, parlent dans sa tête. Charlotte, tant qu'elle se récite la pièce, remplace ses pensées, ses sentiments par ceux de Célimène, d'Alceste, de Philinte, d'Arsinoé... Alors que son corps a froid, a faim, manque de sommeil, qu'elle est moralement à bout, qu'elle lutte contre le désespoir... N'est-ce pas elle-même qui devient spectre ?

Or ce sont les personnages de théâtre, ou de fiction en général, qu'elle appellera « spectres » parce qu'ils ne sont pas des créatures charnelles. Mais je ne peux m'empêcher de penser qu'il y eut osmose, passage entre ces personnages de fiction sans chair et elle, qui ne pouvait agir. Elle, qui devait rester immobile, vacante, en état de leur faire la place, elle, qui luttait pour se donner vie quand les forces l'abandonnaient.

Elle définira le personnage de théâtre comme celui qui n'existe pas en dehors de l'action, qui n'existe pas immobile sans penser et sans agir. Et elle, privée d'action, survit à

1. *Une connaissance inutile*, *op. cit.*, p. 96.

prendre leurs répliques, leurs sentiments... Ils lui insufflent une vie, et en même temps sont désincarnés, miroir de son impuissance à elle. Elle se nourrissait du texte de la pièce, sentait une vie lui revenir en donnant à ses personnages ce qui lui restait de souffle intérieur, et elle savait que les créatures de la fiction ne pouvaient la prendre par la main.

Sa proximité avec la mort, sa familiarité, son séjour parmi les morts, « je reviens d'entre les morts », le désir qu'elle a eu de se laisser glisser elle-même dans la mort comme dans une légèreté qui la prendrait entre ses bras, tout montre son empathie pour les êtres désincarnés, la connaissance qu'elle a d'eux. Cette constance avec laquelle elle utilisera le mot de spectres, pour parler des personnages auxquels elle pense, qui la visitent, elle qui a eu une telle énergie à vivre, à aimer la vie, à la savourer, est un signe poignant de la sensibilité de Charlotte Delbo. Sensible à la mort, sensible à la vie, capacité à sentir la menace de la mort, plaisir de vivre la vie. Sa terreur de la mort et son amour de l'intensité de vivre.

Ses spectres, elle les a interpellés dans un poème, resté inédit.

« Spectres mes compagnons / vous qui m'avez abandonnée / Si vous saviez comme je vous ai cherchés / si vous saviez comme au moindre son / au moindre bruissement qui me rappelait votre voix / j'ai essayé de vous entendre / Si vous saviez quelle peine je me suis donnée / pour vous faire affleurer à fleur de mémoire / pour vous ressusciter / *pour vous prendre une ombre d'existence* / (...)

et j'étais si loin de vous / si loin de votre apparence / que je vous en demande pardon / Pardon de vous avoir soumis à l'épreuve / de la brume glacée du matin / (...) / pardon de vous avoir invoqués / appelés / suppliés / pardon de vous avoir enchaînés malgré vous / dans un voyage d'où nul ne devait revenir / d'où pourtant je suis revenue / Si défaite / que vous ne m'avez pas reconnue / Si peu vivante / que vous m'avez crue perdue[1] ».

1. BNF, Fonds Delbo, 4-COL-208-110, Succession Delbo.

Qui, d'elle ou d'eux, est spectre ? Spectres, les personnages, ou spectre elle-même luttant pour survivre ?

Mais il y en a un qui n'est pas spectre, c'est Molière. Molière, le point d'ancrage de sa vie. Voilà qu'elle le retrouve, ou c'est lui qui vient à sa rencontre. Avec Charlotte, on ne sait jamais, est-ce elle qui se dirige vers les personnages ? Ou eux qui la choisissent ? Elle joue avec le destin, elle refait et réécrit le sien, souvent…

Le Misanthrope, elle l'acquiert et peut dire ses vers, le jouer intérieurement pour tenir, et de tous les personnages, se sentir âme commune avec Alceste. « Ainsi Alceste m'a suivie. Lui seul a eu ce courage[1] ». Pendant les appels interminables, il est là, présence intérieure, palpitation intérieure, celui qui voulait « fuir dans le désert[2] ».

La « répétition » intime, infinie, de la pièce au camp l'a marquée, rapprochée d'Alceste. Lorsqu'elle revient à la vie après des mois d'effondrement chez sa mère, qu'elle ne sait expliquer grâce à quel événement elle retrouve la vie, elle dira, c'est Alceste qui revient ! « Alceste s'est assis au pied de mon lit et il m'a tendu un livre. Il m'a tendu un livre et il m'a rendu tous les livres[3] ».

Le miracle c'est aussi qu'un misanthrope ramène à la vie ! Et à ce paradoxe, Delbo donne fraîcheur et naturel. Le théâtre, la fiction, créer une scène, c'est l'artifice pour donner à voir l'inexplicable.

---

1. *Spectres, mes compagnons*, *op. cit.*, p. 30.
2. *Le Misanthrope*, acte I, scène 1.
3. *Spectres, mes compagnons*, *op. cit.*, p. 49.

Si elle veut faire entendre sa voix d'Auschwitz, comme elle l'appelait, elle a besoin de dire aussi le présent qui surgit. Et aller le voir de près. Avec son ami le photographe Éric Schwab, en mai et juin 68 Charlotte a parcouru les rues de Paris. Ils s'étaient rencontrés à Genève du temps où ils travaillaient tous deux à l'ONU, lui comme photographe. Leur amitié s'était scellée rapidement. En 1945 Schwab avait accompagné le journaliste et écrivain américain Meyer Lewin en Jeep à travers l'Allemagne dévastée, il avait rapporté de l'ouverture des camps des photos fortes de vérité. Schwab viendra s'installer à Paris après avoir rencontré sa seconde femme. Durant les deux mois, Charlotte Delbo a suivi de près la révolte des étudiants, leur volonté radicale d'une autre société. Son patron, Henri Lefebvre, est depuis trois ans professeur de sociologie à l'Université de Nanterre, il était aux premières loges pour voir naître la contestation. Après l'explosion, après la remise au pas de la nation fin juin, Delbo, elle, ne veut pas lâcher prise. Elle veut rendre ce qui s'est joué, donner une forme aux idées qui étaient derrière la contestation et à ce qui s'est crié dans la rue.

Pendant son été à Breteau, elle crée une rencontre fictive entre Herbert Marcuse et Henri Lefebvre. Ce qu'ils ont à dire, l'un et l'autre, qui fleurissait dans les prises de paroles dans les assemblées, dans les manifestations. Sur la société industrielle avancée, son idéologie, son besoin de répression pour favoriser la production capitaliste. Sa pièce, car c'est du théâtre qu'elle conçoit pour rendre les idées et la révolte, fait une place aux mots et aux slogans de la rue qui disaient l'exigence immédiate, parfois à l'encontre des analyses sans fin des idéologues. Il y a des échanges, des ripostes, des rires et des sarcasmes qui ont eu leur vérité. Elle intitule la pièce, *La Théorie et la Pratique*.

L'Homme unidimensionnel de Marcuse venait de sortir, le 22 avril 68, ses analyses de la société, et de ce qu'elle réprime, en font la bible de la contestation et de ses suites. Et Lefebvre avait mis en lumière la nécessité de se saisir d'une conjecture favorable, quand les forces en présence permettent de déboucher sur une autre réalité. Delbo développe les thèses des deux et ajoute dans la marge de quoi les ponctuer d'une subversion plus radicale. Ces slogans, elle les imagine défiler sur des panneaux à l'arrière de la scène, investie par les philosophes qui dialoguent sur la révolution nécessaire de la société.

Le moins qu'on puisse dire, c'est qu'après avoir écrit une scène intime et déchirante au cœur de *Ceux qui avaient choisi*, l'année précédente, elle prend le contre-pied, un sujet politique, pour dire ce qui vient de secouer la France. Elle rappelle ce qui s'est exprimé, la rue et les idées, et se retrouve ici ce qu'elle avait voulu pour *Les Belles Lettres*. Se faire l'écho des voix qui se sont exprimées, qu'elle recadre, encadre, développe, ici en jouant de l'espace scénique et de la dramaturgie. Elle imagine un dispositif pour projeter sur le fond de la scène, derrière les philosophes, les slogans de la rue ou ceux qu'elle a créés en laissant libre cours à sa propre indignation politique. Elle semble jubiler de se saisir des leçons d'un théâtre de l'Agit Prop' que les artistes révolutionnaires russes avaient les premiers mis sur pied. Elle entre de plain-pied dans une forme de théâtre engagé.

La politique était entrée dans le théâtre, celui de Sartre, celui de Genet, dont Charlotte aimait le sens du cérémonial et la beauté de la langue, et avait vu deux ans plus tôt la forme qu'il avait donnée à la guerre d'Algérie dans *Les Paravents.* Adamov venait d'abandonner l'expression sensible et poétique qui avait été la sienne dans ses pièces, pour laisser sur scène, de façon aiguë, acérée, surgir l'actualité politique. Le théâtre de Brecht était joué en France depuis plus de dix ans et Jean Vilar avait monté au Festival d'Avignon une *Antigone* de Sophocle en la plaçant au cœur de la guerre d'Algérie. Charlotte avait adoré ce spectacle et gardé le souvenir d'une Catherine Sellers bouleversante dans le personnage d'Antigone.

Delbo entre dans cette veine politique et écrit des pièces qui disent la volonté et les difficultés de subvertir l'ordre établi. Par toutes sortes de formes théâtrales, les dialogues de comédie qu'elle écrit dans *Le Coup d'État*, les scènes burlesques avec des personnages comme le Fou-Grelots, le Fou-Casquette, le Fou-Gibus et des danseurs pour *La Ligne de démarcation*, la pantomime, des masques et des marionnettes comme elle le propose pour la mise en scène de *La Sentence.* Besoin de fantaisie de la part de Charlotte Delbo, nécessité de s'emparer de la scène pour bousculer avec sa parole théâtrale.

Évidemment, à la lecture de ses pièces, on est étonné de la voir développer sur des pages des analyses politiques, sociologiques, philosophiques, comme dans *La Théorie et la Pratique*, ou dans *La Capitulation*, écrite la même année que *La Théorie et la Pratique*, en octobre 68, deux mois après l'envahissement des chars russes à Prague qui l'a révoltée, lorsqu'elle place dans de longues répliques ses propres analyses. Au moment du suicide du personnage qui s'oppose au pouvoir, elle fait parler celui qui se sacrifie pour défendre son idéal, qui est tendrement aimé et soutenu par une femme, ses paroles auraient pu être celles des Résistants, celles de Georges Dudach. Le potentat qui défend avec une discipline d'airain la nécessité du développement industriel de son pays, semble avoir été construit avec en mémoire son voyage en URSS. Elle fait dire à la femme qui comprend combien ils ont été abusés par leur espoir, « Tout était faux, alors ? » qui résonnait à la fin d'*Un métro nommé Lénine.* Charlotte Delbo écrit son théâtre avec ses convictions et se sert des dialogues pour dire espoirs et échecs, passions et douleurs.

C'est aussi à ce moment qu'elle se décide à donner de nouveau le récit de son voyage en URSS à lire à des éditeurs. Dix ans après l'avoir écrit, sa colère, sa déception devant ce socialisme qui n'en est pas un, n'ont pas diminué. Elle rédige un nouvel Avant-Propos pour légitimer la nécessité de publier aujourd'hui sa révolte. Sans mentionner ses tentatives de 1960. Elle se saisit de l'arrivée des écrits des contestataires du régime soviétique pour montrer qu'elle ne fait pas le jeu d'une opposition anticommuniste, mais appuie ceux qui dénoncent de l'intérieur l'inacceptable.

Après la chute du régime d'Allende au Chili, elle écrit une pièce sur un pouvoir élu de justesse pour instaurer la démocratie, mais qui n'a pas le pouvoir législatif. Elle ne nomme pas l'expérience chilienne dans *La Ligne de démarcation*, elle veut que ses pièces accèdent à l'universel. Cela ne l'empêche pas de développer à l'intérieur du ressort dramatique une analyse pragmatique d'une situation politique concrète. Un personnage féminin exprime ses idées politiques avec une conviction de pasionaria, au milieu d'hommes de pouvoir qui réfléchissent à la crise à laquelle ils doivent trouver une issue… Le personnage s'appelle Ira, du nom de la colère, alors que les hommes ont pour nom leur fonction politique, « Président », « Vice-Président », « Premier ministre », etc.

Elle en appelle à la seule issue pour sortir le pays de la paralysie et de la confiscation du pouvoir qui le menacent : la prise en main du pouvoir par les paysans sur leurs terres pour assurer la subsistance du pays, la fermeture des frontières aux pilleurs étrangers des matières premières, la fermeture des mines, le pays doit se passer de leur exploitation quelque temps. « Si tous les pays du monde se mettent à produire au même rythme que les Américains ou les Japonais, il n'y aura plus sur la terre un seul arbre, une seule feuille, une seule goutte d'eau naturelle[1] ». Ces phrases, dites par Ira, expriment les convictions de Charlotte Delbo, s'autogérer et se préoccuper de l'environnement, les questions émergeaient.

« Pour sauver la situation, je ne vois qu'une solution : confier le pouvoir au peuple, tout le pouvoir... Dans les campagnes, les paysans s'arrangent très bien. Ils ont mis en commun les semences, les machines ; ils ont réparti les récoltes. (...) Confiez la ville aux ouvriers, vous verrez. Ils sauront briser l'opposition et trouver des vivres. Qu'ils quittent les usines et prennent leurs affaires en main. — LE PRÉSIDENT : C'est la guerre civile en bonne et due forme. Et vous croyez que l'armée, que l'aviation, que la marine vont assister sagement à l'affaire ? — IRA : Si l'armée de terre n'est pas d'accord, supprimez-la. Que les ouvriers fassent sauter les réservoirs d'essence. Que feront vos rebelles, leurs avions cloués au sol ? Que les marins quittent les navires et viennent se joindre aux ouvriers, comme les soldats. On verra comment les officiers se débrouilleront sans équipages. (...) Si vous reculez devant la guerre civile, il ne vous reste qu'à capituler. Et pour ne pas mourir debout, les armes à la main, vous mourrez le dos au mur sous les balles fascistes ».

La violence radicale qu'a Charlotte dans ses prises de position, beaucoup de ses amis ne la comprennent pas.

Comme celle qu'elle aura en face des actions en 1977 de ceux qu'on appelait les « Baader-Meinhof », Andreas Baader et Ulrike Meinhof, activistes allemands de la fraction de gauche, accusés d'assassinat et trouvés suicidés dans leurs cellules. Elle pouvait comprendre pourquoi ils agissaient, qu'il pouvait être « légitime », selon une autre morale, non consensuelle, d'être terroriste.

1. *La Ligne de démarcation* in *Qui rapportera ces paroles ?*, *op. cit.*, p. 477.

Les arguments qu'elle met en scène, rappelant ce que des terroristes auraient peut-être dû faire, quand Hitler et Mussolini paradaient ensemble dans les rues de Rome, pour faire sauter leurs voitures, dans une tribune pour *Le Monde* en novembre 77, choqueront, et le courrier des lecteurs sera abondant comme s'en souvient François Bott, mais Charlotte Delbo avait besoin d'être radicale dans ses analyses. Trancher, affirmer sa pensée personnelle, la construire d'arguments, c'est ce qu'elle fait dans la plupart de ses pièces de théâtre. Et si ses pièces ne sont pas jouées, ne sont pas retenues par des metteurs en scène, et « qu'elle laisse passer », comme elle l'explique à Antoine Vitez, et qu'elle écrit d'autres pièces encore, c'est qu'il lui faut dire et redire sa révolte contre toutes les formes d'oppression qui recouvrent les manifestations d'indépendance et de liberté, et que si elle est revenue d'Auschwitz et peut passer au-dessus de l'épreuve du retour, par-dessus les douleurs infligées, et par-dessus les déceptions politiques de l'après-Libération, c'est en écrivant ce qu'elle a à dire, « à en dire ».

Si Charlotte Delbo, avec le personnage d'Ira, conseille de ses propos enflammés le personnage du Président, qui incarne Salvador Allende, deux ans après sa mort, c'est bien pour penser, écrire que les choses pourraient tourner d'une autre manière que celle qu'elle a tant vue. C'était sa façon de continuer.

« Quand j'ai été conduite vers lui, quand j'ai traversé la prison aux longs couloirs sonores pour lui dire adieu, j'ai su que mon cœur ne battrait plus que parce que je lui commanderai de battre, que mon cœur n'aurait de mouvement qu'autant que je lui en ordonnerai et autant que j'aurai la force de continuer la lutte où nous nous étions engagés, Paul et moi. Et lutter, maintenant… maintenant que nous savons, maintenant que le scandale a éclaté, maintenant que le mensonge s'est dévoilé. Mon cœur ne bat plus que forcé. Il ne retrouvera jamais le battement de l'amour, le battement vivant de l'amour[1] ».

1. *Mesure de nos jours*, *op. cit.*, p. 206.

Le mensonge s'est dévoilé, c'est ce qu'elle a vu l'été 59 en URSS. Ce cœur qui bat, image essentielle dans son œuvre, et qui ne battra plus pour l'amour, comme elle l'écrit à la fin de *Mesure de nos jours*, le troisième livre d'*Auschwitz et après*, ce qui le fera battre encore, elle ne peut l'imaginer que pour désirer abattre tout pouvoir autocratique. « Ceux qui aspirent au pouvoir parce qu'ils sont mus par l'ambition deviennent des tyrans, des despotes ; pour eux il n'y a de pouvoir qu'absolu. (...) Exercer le pouvoir au nom d'un peuple n'exige pas d'ambition. Cela n'exige que de la passion. Vous êtes logique, raisonnable. Vous n'êtes pas passionné[1] », dit le personnage d'Ira au Président.

Le cœur qui bat, la passion qui anime, c'est ce qu'elle aurait voulu insuffler à la politique. Remplacer l'ambition du pouvoir par l'exercice du pouvoir, une passion de l'exercice, de l'exercice de vivre, de l'exercice de travailler, de créer. La passion, l'énergie de vivre, c'était vital pour Charlotte Delbo. C'était sa passion de l'amitié, son besoin de la présence des autres, de la conversation, quelque chose de l'énergie transformée en chaleur amicale et en débats d'idées.

Elle est galvanisée par une nouvelle inattendue. *Aucun de nous ne reviendra* va être traduit aux États-Unis. Elle l'a appris en janvier 1967 par une lettre des éditions Denoël qui viennent de racheter les éditions Gonthier.

Leur agent à New York, Georges Borchardt, avait donné à lire à Grove Press son livre, et voilà qu'il est retenu. Barney Rosset, le directeur des éditions, a fondé sa maison en rentrant de deux ans et demi passés en France entre 48 et 51 avec sa femme, Joan Mitchell, un des grands peintres de l'expressionnisme américain du XXe siècle. Barney Rosset publiait Beckett depuis 1954, dans sa maison d'édition indépendante tournée vers les nouveaux courants de la littérature, américaine et française. Robbe-Grillet et Duras seront à son catalogue, comme très tôt Henry Miller et les livres de Sade.

1. *La Ligne de démarcation*, *op. cit.*, p. 521-522.

Il deviendra l'éditeur et l'ami de Samuel Beckett et de Jean Genet. Qu'il se décide à éditer le livre de Charlotte Delbo est dans sa ligne éditoriale littéraire, c'est néanmoins pour Charlotte une distinction significative.

C'est avec Richard Seaver, le bras droit de Barney Rosset, qui s'occupait de la littérature française, que Charlotte correspondra, notamment lorsque des problèmes de traduction surviendront. John Githens, professeur au département de russe à Vassar, une des excellentes universités de la côte Est, est le traducteur. Charlotte lit couramment l'anglais. Elle avait obtenu de pouvoir lire la traduction avant publication, elle n'en est pas satisfaite. Elle fait appel à Norbert Guterman pour trouver quelqu'un qui reverrait la traduction. Guterman est l'ami de toujours d'Henri Lefebvre, ils avaient fait ensemble leurs études de philosophie, fondé une revue, et traduit les écrits de jeunesse de Marx, puis Guterman était parti s'installer aux États-Unis. Charlotte l'avait rencontré lors de son premier voyage en 61. Elle trouve la traduction « plate, littérale souvent » et l'écrit à Richard Seaver le 8 novembre 1967. « D'évidence, le traducteur n'a pas trouvé en anglais le rythme, la poésie, l'ampleur du texte français. De plus il y a quelques contresens, quelques phrases omises[1] ». Quand on sait avec quelle économie de mots Charlotte écrit, quelle précision, quelle valeur elle donne au rythme de la phrase, on comprend qu'il ne lui était pas possible d'accepter cette version. Elle l'écrit en termes très aimables à Richard Seaver. « Je vous serai infiniment reconnaissante de votre aide, en m'excusant de vous importuner ». Elle n'aura pas toujours cette façon aimable d'écrire à son éditeur en France.

Norbert Guterman va lui proposer le nom de quelqu'un qui peut revoir la traduction, elle l'écrit à Richard Seaver. Quand il lui demande comment elle a écrit ce livre, pour préparer sa sortie, elle le précise. « La difficulté était de faire sentir aux lecteurs que les jours étaient sans fin, les nuits

---

1. Correspondance avec Richard Seaver, BNF, Fonds Delbo, 4-Col-208-112, Succession Delbo.

étaient sans fin, que souffrir était sans fin, la même souffrance intolérable. (...) Six semaines plus tard, le livre était terminé. Je l'ai mis de côté. Je l'ai relu près de vingt ans plus tard pour vérifier s'il était ce que j'avais voulu qu'il fût. Pas dépassé, écrit pour l'éternité, pour durer ». L'accord de Charlotte avec son livre, la force de cet accord est exprimé avec éclat. Il était vraiment le sien, et le restera toute sa vie. Elle termine, « Donc je décidai de le publier, ce que je fis en février 65 », arrangeant l'histoire de l'édition du livre, comme si la force de sa décision avait eu tout pouvoir, et passe sous silence ses tentatives en 1961. Son livre va être édité par un très bon éditeur des États-Unis, elle a pris de l'assurance, elle inscrit la légende : elle a attendu vingt ans pour se décider à le publier.

Elle avait tant tremblé intérieurement, eu tant de doutes sur la qualité de son livre. Sa sortie, et maintenant l'édition outre-Atlantique, lui donnent enfin la confirmation de tout ce qu'elle attendait pour ce livre.

Dans la notice biographique qu'elle envoie à l'éditeur, Delbo ne mentionne pas ses années auprès de Jouvet. « Engagée dans la lutte clandestine contre les nazis dès le début de l'occupation, Charlotte DELBO a été arrêtée le 2 mars 1942 à Paris en même temps que son mari, Georges DUDACH, combattant de l'ombre lui aussi. (*le "lui aussi" est assez remarquable !*) Georges DUDACH a été fusillé – sans jugement – au Mont-Valérien le 23 mai 1942. Il avait 28 ans. D'abord emprisonnée à la Santé puis au fort de Romainville, Charlotte DELBO a été déportée à Auschwitz le 24 janvier 1943, dans un convoi de 230 femmes. Seules 49 d'entre elles sont revenues.

Aujourd'hui elle dit : "Je ne suis plus sûre que ce que j'ai écrit soit vrai. Je suis sûre que c'est véridique." »

Il est frappant de voir comme Georges Dudach est présent dans sa notice. C'est vrai qu'elle vient d'écrire *Ceux qui avaient choisi*, et la scène de l'adieu au cœur de la pièce. Et c'est en Résistante, combattante de l'ombre qu'elle se présente, « dès le début de l'occupation », ce qui n'est, au sens strict, pas exact, et comme veuve d'un fusillé. Elle a ôté toute référence au communisme, banni aux États-Unis depuis la campagne du sénateur McCarthy. Passe sous silence son adhésion aux Jeunesses communistes en 34 comme son mari militant du Parti, ce que disait la première phrase de sa présentation dans l'édition française.

La bibliographie qu'elle adresse fin décembre 67, mentionne à la suite des *Belles Lettres* et du *Convoi du 24 janvier* chez Minuit, deux pièces de théâtre. *Qui rapportera ces paroles ?*, « a tragedy about Auschwitz », sera donnée, précise-t-elle, à Paris en 68, et bientôt « a drama about Greece », donc *Ceux qui avaient choisi*, les deux pièces qu'elle a écrites à cette date. Y avait-il des projets de représentations ? Sans doute.

Elle sera « très satisfaite » de la traduction retravaillée par John Githens, et *None of us will return* paraît à New York en avril 68. Un mois plus tard, elle s'inquiète des échos dans la presse et demande à Grove Press copie des articles. « Le livre est bien reçu de la côte Est à Ouest », lui répond l'éditeur. Le *New York Times* en parle, le *Literary Journal*, le *Saturday Review*.

Avant que l'agent de Denoël ne trouve un éditeur pour *Aucun de nous ne reviendra*, Charlotte avait envoyé *Le Convoi du 24 janvier* à Norbert Guterman, espérant qu'il lui trouve un éditeur aux États-Unis. Il l'a adressé à une lectrice de Pantheon Books, Paula McGuire, et il fait suivre à Charlotte sa réponse le 18 avril 1966 après lecture de l'ouvrage. Le livre est intéressant, un bon travail de recherche, un document émouvant, la façon de traiter le sujet et le ton sont justes, écrit-elle, mais pour des lecteurs américains, tout ce qui concerne la vie avant le camp des femmes arrêtées et déportées comporte trop de modes de vie qui sont tout à fait inconnus des lecteurs américains. Par contre, la vie au retour pour celles qui sont rentrées, cela fait ou pourrait faire le plus intéressant des sujets.

Et Norbert Guterman a souligné cette dernière remarque qu'il trouve importante. Il confirme à Charlotte qu'en l'état, le livre, malgré la bonne impression qu'il fait aux éditeurs, « il n'y a pas trop d'espoir qu'on le trouvera "vendable" ». Il semble évident que la remarque de la lectrice de Pantheon Books sur l'intérêt du retour des survivantes va germer dans l'esprit de Charlotte. Comment ont-elles vécu au retour ? Elle sait le silence qui a recouvert le sujet, la nécessité d'écrire sur le retour des déportés se dessine.

Henri Lefebvre, de son côté et poussé par Charlotte, va tenter de faire lire *Le Convoi du 24 janvier* aux États-Unis en vue d'une traduction. Il le fera auprès de son éditeur, André Schiffrin. Ils s'étaient vus à New York un mois plus tôt et Schiffrin lui avait demandé de lui indiquer des ouvrages sociologiques récents qui puissent intéresser sa maison d'édition, Pantheon Books. Lefebvre lui en avait signalé quelques-uns. « J'aurais dû aussi vous signaler le dernier livre de ma collaboratrice, Charlotte Delbo, qui est à ce jour la seule analyse sociologique de la déportation », lui écrit Lefebvre. Il n'y avait pas pensé, Charlotte le lui aura rappelé ! Par son intermédiaire, le livre n'aboutira pas plus à une traduction américaine.

En décembre 1969, Rosette Lamont vient séjourner à Paris quelques semaines, comme elle a l'habitude de le faire. Elle est professeur de Littérature française et comparée au Queens College de la City University de New York, et au Graduate Center de la même université pour les étudiants en thèse. Son étudiante, Cynthia Haft, qui fait sa thèse sur les camps nazis dans la littérature française, lui fait rencontrer Charlotte Delbo.

La rencontre pour Rosette est saisissante. Vingt-cinq ans plus tard, elle la raconte en avant-propos de sa traduction intégrale de la trilogie, « Quand je vis cette femme grande, fière, belle, j'ai pensé "c'est ainsi que je me suis toujours imaginé Électre"[1]. » Elle ajoute, « Ce n'est que plus tard que j'appris l'importance qu'avait eue pour elle, *Électre*, la pièce

1. *Auschwitz and After*, Yale University Press, 1997, traduit par Rosette Lamont, Prix de la traduction par l'Association des traducteurs littéraires américains. Avec une introduction de Lawrence L. Langer.

de Giraudoux montée par Jouvet ». Elle avait lu avec admiration *Aucun de nous ne reviendra*. Sa rencontre de l'auteur scelle l'indéfectible admiration qu'elle portera toute sa vie à l'écrivain. « Les moments les plus importants et les plus beaux de mon séjour à Paris ont été ceux que j'ai passés avec vous, et que je suis profondément reconnaissante à Cynthia ![1] » écrit-elle à Charlotte en janvier 70 après son retour à New York.

Rosette Lamont avait en préparation un manuel de textes du XXe siècle pour les étudiants de français, elle veut inclure un texte de Charlotte Delbo, elle en demande les droits à Jérôme Lindon dès la fin janvier. Elle a choisi « Dimanche », chapitre d'*Aucun de nous ne reviendra*, qui évoque la course folle des détenues avec des pelletées de terre dans leur tablier, à transporter à l'extérieur du camp sous les coups de cravache, de lanière et de canne. Une course folle de milliers de femmes en file indienne. Les juives sont plus battues encore, essaient de se disperser au milieu des autres avec leur accoutrement misérable, elles qui n'ont pas droit aux vêtements rayés mais seulement aux hardes récupérées. N'ayant pas de tablier à relever pour contenir la terre, elles relèvent des pans de manteau qu'on leur a fait boutonner derrière, et leur allure tenant de l'épouvantail et du pingouin, est d'« un comique terrifiant », Delbo en fait sentir l'intolérable cruauté. Le texte sera inclus dans l'anthologie à paraître chez Harcourt, Brace au printemps 71, avec des extraits de Prévert, Colette, Daninos, Beckett, Obaldia.

C'est durant ce séjour où elles se voient plusieurs fois, que Charlotte donne à Rosette le texte qu'elle vient de retrouver. Le cahier oublié au fond d'un tiroir, où elle avait écrit le premier jet de *Spectres, mes compagnons*. Elle l'a tapé et le lui confie pour lecture.

---

1. Lettre de Rosette Lamont du 27 janvier 1970, BNF, Fonds Delbo, 4-COL-208-112, Succession Delbo.

Rosette est emballée par le manuscrit qu'elle lit à son retour à New York. Il est certain que le récit de cette « hantise » par des personnages de fiction pendant les heures tragiques à la Santé, dans le voyage vers Auschwitz, bouleverse Rosette Lamont, qui enseigne avec passion la littérature française, et qui, juive, avait dû fuir la France pour les États-Unis au moment de la guerre. Avec sa mère elle avait quitté Paris, où elle était élève au lycée Molière, pour New York.

Rosette Lamont était aussi une spécialiste du théâtre du XXe siècle, elle publiera un ouvrage de référence aux États-Unis sur Ionesco, et venait chaque année à Paris, et ce jusqu'au début des années 2000, pour suivre l'actualité des scènes françaises dont elle rendait compte dans une revue de théâtre américaine. Cet essai qui cherche à comprendre pourquoi le personnage de théâtre mieux que le personnage de roman accompagne Charlotte jusqu'au seuil de l'enfer, ne pouvait que l'intéresser, et plus que cela.

« Je viens de lire "Spectres, mes amis" et j'ai été émue jusqu'aux larmes. Je vais envoyer ce texte à des amis qui publient ici une excellente revue littéraire. J'ai bon espoir de la faire publier en traduction[1] ». Effectivement, la *Massachusetts Review*, la prestigieuse revue de la côte Est est intéressée. Rosette traduit le texte qui paraîtra dans le numéro de janvier 71 et recevra un prix littéraire décerné par la revue, le Quill Award for fiction. Ce que la lettre nous apprend, c'est le titre que Charlotte a d'abord donné à cet essai très personnel, « Spectres, mes amis ».

En août 1971, Cynthia Haft vient voir Rosette dans sa maison d'été à Nantuckett, et lui remet de la part de Charlotte la deuxième partie de *Spectres* qu'elle vient d'écrire en octobre 70, elle ajoute la date au stylo. Le début est un long passage qui constitue aussi le premier chapitre de *Mesure*

1. En P.S. au bas de sa lettre du 27 janvier 1970.

de nos jours, son livre sur le retour, auquel elle travaille à la même période.

Il est toujours difficile de savoir comment Charlotte écrit ses livres, dans quel ordre elle les compose. Elle écrit avec intuition, sans plan, des textes courts, qu'elle monte ensuite, en y mêlant des poèmes pour scander le rythme du livre. Il lui faut trouver la juste disposition des pièces dans cette « suite » que compose un livre, mot que l'on peut prendre au registre musical. « Rendre » comme elle le désire, c'est faire entendre.

Je pense que le texte du « Retour » est écrit dans son intégralité d'abord pour le livre qu'elle commence à travailler l'été 70 à Breteau, après la publication chez Minuit des deux premiers en mars. Travailler à Breteau, c'est la possibilité de rester des heures penchée au-dessus de ces mauvaises herbes qu'elle arrache à l'endroit où passait le train, silencieuse, sachant ses amis non loin. L'activité machinale et solitaire lui permettait de laisser monter images et phrases, qu'elle attend d'écrire le soir tard une fois restée seule en bas, dans la salle d'attente de l'ancienne gare où se trouve la longue table. Au bout, c'était la place, toujours inoccupée le jour, où le soir elle écrivait.

Le chapitre qui commence le récit des retours, il s'agit de son retour, est imprégné de ce qu'elle vient de lire dans le cahier de *Spectres*. Delbo raconte les liens qui se défont dans l'avion, ses compagnes qui perdent leur réalité, et si elle les nomme « spectres », ce mot elle l'a retrouvé en lisant les pages du cahier. Elle intitule d'ailleurs le premier jet de son livre sur le retour des déportés, « Spectres II ». Charlotte pense écrire la suite de *Spectres, mes amis*. Rosette Lamont est en train de traduire « Spectres, mes amis », il va paraître aux États-Unis. Forte de cette nouvelle, elle écrit la suite. Fabrice, Alceste, et tant d'autres de ces compagnons invisibles, qui étaient près d'elle en prison, qui l'avaient accompagnée jusqu'au seuil d'Auschwitz, sont-ils revenus, eux ? Sont-ils de retour auprès d'elle ? C'est ainsi qu'elle commence son livre sur le retour, elle l'écrit directement à la machine tant elle est sûre de son souffle, sûre du sujet sur lequel elle veut écrire depuis plusieurs années, comment sont revenus les déportés.

« Au voyage de retour, mes spectres n'étaient pas là. L'étonnant est que je n'ai pas remarqué leur absence. Rechercher Alceste ou Bérénice était si loin de moi... Et eux, craignaient-ils de m'effrayer ou avaient-ils peur de moi ? Je ne songeais pas du tout à eux et ce n'est que bien longtemps après que je me suis demandé pourquoi ils n'étaient pas là. Ils m'avaient laissée à l'entrée du camp, pourquoi ne m'attendaient-ils pas à sa sortie ? Ce n'est que bien plus tard que leur présence m'a manqué. J'étais avec mes camarades, les survivantes d'entre mes camarades, qui devenaient spectres à mesure que nous approchions. Elles étaient assises près de moi dans l'avion et à mesure que le temps s'accélérait, elles devenaient diaphanes, de plus en plus diaphanes, perdaient couleur et forme. Tous les liens, toutes les lianes qui nous reliaient les unes aux autres se détendaient déjà. Seules leurs voix demeuraient et encore s'éloignaient-elles à mesure que Paris se rapprochait. Je les regardais se transformer sous mes yeux, devenir transparentes, devenir floues, devenir spectres[1] ».

De ce début elle gardera ce qui commence par « Au voyage de retour, j'étais avec mes camarades... » mais c'est en écrivant sur l'absence de ses amis, les spectres, qu'elle découvre une autre sorte de réalité spectrale, plus douloureuse, celle de ses compagnes qui s'effacent, puis la sienne, ce « je » qui se défait après leur disparition.

Elle poursuit sur son effondrement, cette perte d'elle-même, puis un jour, la voix d'Alceste au bord de son lit. « Je le retrouvais tout entier, avec sa voix, ses gestes, sa timidité, son amitié pour moi. Quel bonheur ! Tout me revenait, les mots et la faculté de les dire, les gestes et la force de les faire. » Phrases emplies de jubilation, phrases derrière

1. Tapuscrit de *Mesure de nos jours*, BNF, Fonds Delbo, 4-COL-208-114, Succession Delbo.

lesquelles on entend la voix de Charlotte Delbo en 1970 plutôt que la voix de celle qui reprenait vie en 45. En 70 c'est l'écrivain, heureuse de ses parutions, en pleine maîtrise de son écriture, portée par la fantasmagorie du récit de *Spectres*, qui s'exprime.

Quand elle termine son nouveau livre à l'automne, elle s'aperçoit que le ton de son début avec ses compagnons-spectres se détache de la suite, des voix douloureuses des survivants dont elle vient de restituer les différents récits, il ne convient plus.

Elle l'ôte du livre et va le reprendre pour raconter le retour près d'elle des interlocuteurs invisibles, la suite des pages de *Spectres, mes amis*, données à Rosette. Elle poursuit avec une énergie nouvelle. « Ce matin j'ai été réveillée par quelqu'un qui était entré dans ma chambre et qui m'appelait ». Et ce sera l'extraordinaire apparition d'Alceste, qu'elle décrit venir au bord de son lit alors qu'elle avait perdu toute capacité à revivre. Lui, qui l'avait quittée après l'arrivée à Auschwitz. Et quand elle s'étonne de ce prodige, de son retour près d'elle, elle lui fait répondre : « Je ne t'avais pas quittée. C'est toi qui ne voulais pas revenir. J'étais au royaume des ombres tout le temps que tu y étais toi-même. Je n'en reviens que parce que tu reviens. »

Ce « tu reviens » est son retour à elle-même.

De ce mouvement intérieur, Charlotte Delbo fait un dialogue, qui est un croisement entre une scène de théâtre un peu solennelle, le personnage d'Alceste n'est pas n'importe qui, avec sa dignité, son exigence, même quand il se trompe lui-même, et une scène émouvante d'amitié, entre elle et cet ami retrouvé, un émoi tout intérieur de cette chaleur revenue. Dialogue d'un peu plus d'une page, d'une vivacité empreinte de surprise, de grâce, un cadeau de la vie, du temps qui a passé, d'une ouverture qui s'est faite.

Delbo a traversé un miroir.

La jubilation qui est dans ce court passage, tranche avec les pages précédentes de *Spectres* écrites il y a si longtemps, à propos de ce « climat inhumain, lumière dissolvante », là où « meurent et se dissolvent les personnages, parce que la lumière de l'atroce les boit ». L'écriture est devenue soudain mouvante, jeu mobile, chaleur et effusion, et n'en garde pas moins son économie de mots, sa précision. Delbo ne s'attarde pas, il faut vite saisir, les mouvements du cœur sont aussi vite à venir qu'à s'évanouir. Elle veut rendre aussi cet afflux et reflux.

Charlotte Delbo vient d'écrire tout autrement son retour. Recomposant son raccordement à la vie à travers sa vie rêvée, rêvée auprès de ceux qui furent des compagnons de vie, de toute sa vie, les personnages de fiction et, parmi eux, celui dont elle se souvenait de chaque phrase prononcée puisqu'elle avait appris par cœur *Le Misanthrope* pendant les appels de Ravensbrück. Quand l'espoir de rentrer et le désespoir de ne jamais rentrer l'habitaient, qu'ils étaient remplacés pendant les appels, pour tenir encore quelques minutes, par la vie d'Alceste, les tourments d'Alceste, son intransigeance et sa folie amoureuse, la lucidité et l'amour humain de Molière. Alceste revenu près d'elle, elle fait accourir Sganarelle, veut ce ton de comédie, puis tout de suite l'infléchir, le mêler au rappel de la tragédie, et c'est Électre qui arrive, intercède pour que Sganarelle ne réclame pas à Charlotte les gages que Don Juan a oubliés. « Ne lui réclame rien, à elle. Elle a assez payé ».

Elle avait donné au texte du cahier le titre de « Spectres, mes amis ». Quand elle reçoit la traduction de Rosette, elle propose le nouveau titre de *Spectres, mes compagnons* (Phantoms, my companions), qui reflète ce qu'elle écrit au même moment, le retour des compagnes survivantes. Le retour de Charlotte, qui se fera sur une longue durée, est la réappropriation de sa captivité, de la terreur, par l'écriture. La transposition littéraire fut le moyen de se retrouver. De se défaire de la vie de là-bas. De se défaire du nous organique qu'elles avaient créé pour survivre. Il n'est pas étonnant qu'après avoir écrit sur ses compagnes, elle écrive une suite à « Spectres, mes amis » pour créer une vie à ces personnages autour d'elle qui revient.

Il y a un chemin imaginaire sur lequel marche Delbo dans sa vie, qui est la constitution d'une vie où la littérature est à la fois une nourriture, un décor, une grille d'interprétation, c'est-à-dire la constitution d'une conscience. Conscience de soi, et conscience à transmettre, à donner au lecteur pour lui permettre de s'approcher d'une expérience inconcevable, de lui en donner une transposition qu'il peut s'approprier pour concevoir ce qui dépassait l'inimaginable.

Delbo le disait, elle n'en voulait pas à ceux qui ne pouvaient concevoir Auschwitz, « Auschwitz était inimaginable ». Pour écrire, elle va chercher des formes pour nos images, notre sensibilité, notre émotion, notre conscience, notre besoin d'accéder au symbolique. Celui qui nous permet de nous sentir pleinement humains. Lire une langue qui peut dire l'épouvante permet de remplacer le vide que crée en nous l'inconcevable inhumanité.

Rosette recevra ces dix nouvelles pages. Elle écrit à Charlotte le 10 août 1971 de Nantucket : « Cynthia m'a fait le beau don de deux textes merveilleux. La suite de *Spectres* s'impose tout naturellement. Les quelques pages sont parfaites. La vie revient, afflue, rapportée par ceux qui sont plus vastes qu'elle et qui la contiennent. »

Delbo avait écrit une nouvelle pièce, *La Sentence*, fin décembre 70, et l'avait remise aussi à Cynthia pour Rosette. « *La Sentence* est admirable d'écriture. Elle se prête à être orchestrée, chantée. Permettriez-vous à la *Massachusetts Review* d'en publier une version un peu abrégée dont je ferais la traduction ? Je ne peux encore m'engager pour cette revue mais hier soir nous avons dîné Cynthia et moi avec une des rédactrices. Un des directeurs de la *Revue*, celui qui a fait publier *Spectres* arrive à Nantucket dans une semaine. J'aimerais lui montrer les deux textes car leur Numéro d'Hiver est sur “On Women” (Sur les femmes) et votre chœur de Femmes me semble parfait pour ce numéro spécial[1] ».

Et lorsque l'écrivain Saul Bellow, qui fut un ami proche de Rosette, a le projet de créer une revue littéraire, Rosette compte bien y faire publier des traductions de Charlotte Delbo. Elle continue auprès de ses amis de faire connaître et lire Charlotte. « La revue de Bellow ne sera publiée que dans 6 mois, s'il trouve acheteur pour son manuscrit de *La planète de M. Sammler.* En attendant son camarade Botsford va publier indépendamment une revue littéraire, et il a déjà traduit "Les Hommes" [le premier chapitre d'*Une connaissance inutile.*] Il compte publier sa traduction dans le deuxième Numéro. La mienne dans *Massachusetts Review* va paraître très prochainement et je vous l'enverrai aussitôt. Lorsque celle de Saul va démarrer nous pourrions peut-être faire passer un chapitre du dernier livre[2] ». Rosette évoque ici *Mesure de nos jours.*

Elle n'aura de cesse de travailler à faire connaître l'œuvre de Delbo. Le 30 novembre 1971 elle donnera une conférence dans son université sur « la Littérature, comme agent de survie ». Sa conférence se veut une réponse à ceux qui clament la fin de la littérature, et Rosette se concentre sur deux écrivains, Charlotte Delbo et Alexandre Soljenitsyne. Elle parle de la trilogie de Charlotte même si à l'époque seul le premier livre est traduit.

Elle fait connaître ses livres à son ami Henri Peyre, professeur de Littérature française à la prestigieuse Université de Yale. Il lui confiera combien il admire l'art de Charlotte Delbo, qu'il trouve courageux et authentique comme son auteur. Rosette l'écrit à Charlotte sur une carte postale en 1971, et ajoute : « Vous nous rendez à tous foi en la littérature à une époque où elle semble bien menacée. » L'enthousiasme de Rosette Lamont, sa personnalité

1. Lettre de R. Lamont du 10 août 1971, BNF, Fonds Delbo, 4-COL-208-288, Succession Delbo.
2. Lettre de R. Lamont, datée de décembre 1970, BNF, Fonds Delbo, 4-COL-208-288, Succession Delbo.

chaleureuse, l'activité qu'elle déploie pour faire connaître son œuvre, son invitation à venir parler à ses étudiants pour ouvrir son cours en octobre 72, seront des baumes pour Charlotte, ces années où il sera si difficile de se faire connaître en France.

Rosette traduit la suite de *Spectres* avec beaucoup d'émotion, elle l'écrit à Charlotte après avoir terminé le premier jet. « J'ai fait cette traduction dans un état second qui ne correspond nullement à ma vie intellectuelle de tous les jours, à présent j'ai peur de me relire mais dans quelque temps je pourrai aborder le texte[1] ».

Rosette Lamont était effectivement quelqu'un qui exerçait un grand contrôle sur elle-même, une personnalité posée, très précise dans sa façon de parler des œuvres. Ce qu'elle révèle ici est bien la résonance intime, émotionnelle, que l'œuvre de Charlotte avait sur elle, et fait comprendre sa persévérance à la faire connaître.

Quand il s'agira de traduire le titre que Charlotte a donné à cette deuxième partie, « Spectres, mes fidèles revenants », la traduction fera l'objet d'un échange de lettres. Charlotte avait adopté ce mot de « revenants », avec lequel elle terminait *Une connaissance inutile*. Rosette lui fait remarquer : « Presque intraduisible, hélas !, cette idée de "revenants". "Phantoms, my faithful spirits" suggère au moins le côté esprit du personnage littéraire. En anglais, le choix est limité à : ghost, shades, apparition, phantasm, spirit. Préférez-vous "my faithful shades" ? (qui évoque l'ombre de la personne). »

Puisque *Phantoms* avait été arrêté pour la traduction de *Spectres*, lors de la parution de la première partie, Charlotte choisira le plus simple, de ne pas traduire le mot de revenants qui en français insistait, en plus du retour de celui qui revient, sur celui qui hante. « Phantom » le rendait déjà. Ce

1. Lettre de R. Lamont du 21 mars 1971, BNF, Fonds Delbo, 4-COL-208-288, Succession Delbo.

sera *Phantoms, my faithful ones*, *Spectres, mes fidèles*. Le titre met l'accent sur la fidélité des personnages et Delbo met en scène celle d'Alceste. Revenants ou revenantes, est le triste apanage des survivants du camp, ce qui n'est pas le sujet de la suite de son essai.

Au semestre suivant, Rosette Lamont donnera un cours sur les femmes écrivains françaises. Louise Labé tout d'abord, puis des écrivains du XXe siècle, Colette, Simone de Beauvoir, Nathalie Sarraute, Marguerite Duras et Monique Wittig, romancière à la forme novatrice, publiée aux Éditions de Minuit et qui était partie vivre et enseigner aux États-Unis. Rosette ajoute Charlotte Delbo.

Cherchant quelques exemplaires d'*Aucun de nous ne reviendra* en traduction pour ses étudiants, elle découvre que Random House, qui a racheté Grove Press, n'assure plus la diffusion de *None of us will return*. Le livre n'est plus disponible, Charlotte Delbo n'a pas été avertie, ni Denoël. Grove Press a vendu 2 145 exemplaires du livre à la date de juin 1970, les exemplaires qui restaient ont été soldés, les invendus pilonnés.

Rosette donne à lire l'œuvre de Charlotte à Lawrence Langer, un ami de longue date, professeur à Columbia, la fameuse université privée de New York. Langer sera un des grands professeurs dont les ouvrages compteront pour les Holocaust Studies, les études universitaires qui se développent dans la deuxième moitié des années 70 sur ce que les Américains nomment l'Holocauste, la destruction des juifs d'Europe. L'œuvre littéraire de Charlotte Delbo y trouvera une place, et Lawrence Langer y apportera un éclairage décisif. Tout d'abord, à l'intérieur de son livre *The Age of Atrocity : Images of Death in Modern literature* dont il annonce dans une lettre à Rosette que le dernier chapitre est entièrement consacré à Charlotte Delbo et qu'il espère bien que cela lui apportera des lecteurs. C'est

Beacon Press, maison d'édition de Boston, qui éditera son livre. Lawrence Langer veut les inciter à publier la trilogie. Mais l'éditeur avancera à pas prudents, rééditera en 1978 la traduction de Githens, qu'avait publiée Grove Press, et si le livre se vend bien, fera traduire les deux suivants.

Sans doute, 1970-1971 sont-elles les plus grandes années dans la vie d'écrivain de Charlotte Delbo. Ce sont les années où la trilogie d'*Auschwitz et après* est publiée aux Éditions de Minuit, et aux États-Unis, après la parution d'*Aucun de nous ne reviendra*, c'est la première partie de *Spectres, mes compagnons* qui est traduite.

La décision de Jérôme Lindon d'éditer *Une connaissance inutile* et de rééditer en même temps *Aucun de nous ne reviendra* qui n'était plus disponible est une grande chose pour elle. Elle le convainc d'un surtitre pour ses livres, *Auschwitz et après*. En le choisissant, elle place le mot d'Auschwitz en titre d'une œuvre littéraire. Une façon de répondre à la pensée d'Adorno qui estimait toute poésie interdite après Auschwitz, ou qui du moins avait lancé le débat puisqu'il avait corrigé son affirmation, l'avait par la suite nuancée. C'est aussi une façon de se placer elle comme écrivain d'Auschwitz. Avec ces deux livres qui paraissent en même temps, elle peut s'affirmer, et affirmer ce qu'elle a cherché, écrire sur Auschwitz.

Mais quand elle reçoit les épreuves d'*Aucun de nous ne reviendra* avec les corrections de l'éditeur, elle est « blessée » par ses interventions « autoritaires et souvent mal fondées ». Elle écrit une longue lettre à Lindon et n'a pas de mots assez durs pour dire la violence de ce qu'elle ressent. « Je ne comprends encore pas pourquoi vous me marquez un tel mépris, ni comment vous l'osez. N'est-ce pas mépris que traiter un texte comme chose inerte, comme chose à vous, que le traiter comme chose ?[1] »

Corriger la langue qu'elle a trouvée pour rendre ce qui a été vécu et vu, et la corriger à tort, comme elle le démontre, ôte à la langue sa vie. On sent que l'expression « chose inerte » traduit son sentiment d'être devant son texte corrigé comme devant une dépouille. Quelque chose de vivant à quoi on a ôté la vie. Et dont elle se sent dépouillée. C'est l'osmose entre sa langue et elle, qu'elle exprime. La vie de sa langue, la vie qu'elle a réussi à lui donner, c'est sa vie retrouvée.

Suit une liste d'exemples de ses corrections, qu'elle contrecarre en énonçant des règles de syntaxe, le sens des mots, ses choix littéraires, la référence à un poète, Villon, ou à des critiques qui avaient justement apprécié l'extrait qu'il veut corriger. La longueur de sa lettre en fait une complainte qui exprime sa douleur. L'estime qu'elle a pour Lindon, pour ce qu'il édite, rend plus cruelles les corrections qu'elle trouve. « Je ne parviens pas à m'en remettre » sont les derniers mots qu'elle tape de cette lettre. Avant de l'envoyer, elle ajoute à la main : « Je vous garde une très grande reconnaissance d'avoir réédité ce livre : Pourquoi le faire payer si cher ? J'en suis réellement malade. » Il n'y a plus de mesure chez elle. C'est son corps qui est attaqué, elle fait corps avec sa langue et avec la langue française, et ce livre est celui auquel elle tient le plus. La lettre fait un portrait d'elle, la blessure si profonde, la défense radicale et argumentée malgré la douleur.

Chaque correction apportée à son texte la blesse parce que Charlotte porte la langue française comme son corps. L'identité adoptée. Ce n'était pas la langue maternelle de sa mère, c'est la langue que sa mère a apprise, avec laquelle elle lui a appris à parler. C'est une langue aimée, c'est la langue indispensable pour s'ancrer dans le monde. Elle n'a jamais supporté, de personne et nulle part, l'emploi incorrect de la

1. Lettre à Jérôme Lindon du 10 février 1970, BNF, Fonds Delbo, 4-COL-208-111, Succession Delbo.

langue française. Et les corrections sur ses phrases sont des meurtrissures parce que son livre est sa voix.

La violence avec laquelle Charlotte écrit sa lettre montre aussi sa vulnérabilité qu'elle cachait. Que Charlotte réfute les corrections de l'éditeur, c'est légitime de la part d'un écrivain, mais autre chose se joue là. Celui qui doit porter au jour le texte, touche à ses mots, s'autorise à les modifier ou les ôter en ne tenant pas compte de la vie qui les habite. C'est attaquer la vie qu'elle-même a donnée, c'est faire du texte une « chose ». « Chose à vous », « chose inerte », ou « chose » tout seul, elle ôte l'article parce que son reproche est absolu, elle le nomme son « crime ». Ôter la vie à ce qui lui a rendu la vie au retour : les mots, la phrase.

Sa radicalité lui fait prendre pour une marque de mépris chaque correction infligée. Comme si elle ne connaissait pas l'emploi des mots… Comme si elle pouvait ne pas être maître de sa langue, elle qui voulait être maître de sa vie. Et l'ironie, qui est d'habitude son mode pour se tirer des situations pénibles, n'est plus là. Sa fierté, légendaire, est blessée. Sa fierté qui l'avait tant aidée, et qui lui permettait de cacher sa sensibilité, et sa vulnérabilité. Elle pouvait pleurer, Charlotte Delbo. Pas sur son sort, mais pour des événements qui pouvaient la bouleverser. Quand elle apprit la prise de pouvoir des colonels en Grèce, la liberté écrasée dans ce pays et pour ce peuple qu'elle aimait tant, l'émotion la submergea, un ami qui arrivait chez elle la trouva en pleurs. Pour la première fois, il la voyait pleurer.

Sa sensibilité est reliée à la violence intérieure qui a toujours été la sienne. « Charlotte c'est un volcan ! Heureusement le camp l'a un peu calmée ! », disait affectueusement Jean Picart Le Doux, un ami de toujours, qui avait été l'ami de Dudach.

Son énergie, sa fougue, sa sensibilité, sa soif de vivre, sa violence intérieure, difficile de démêler ces mouvements dans son tempérament. Cyril Lèbre, le fils d'un ami de Charlotte, est resté souvent avec elle à Breteau pendant son enfance, il se souvient comme il a pu se sentir inquiet de son énergie, malgré la gentillesse attentive, maternelle que Charlotte avait pour lui. Il percevait une intensité qui l'inquiétait.

« Elle n'avait pas la langue dans sa poche ! » dit Irène Lindon pour expliquer peut-être le silence qui a entouré son œuvre. Plusieurs de ses amis racontent sa façon de quitter le théâtre au milieu d'une représentation, même si elle y était invitée par le metteur en scène ou les comédiens, même si elle se trouvait assise au milieu d'une rangée (les souvenirs sont restés vifs !), parce qu'elle ne supportait pas ce qu'elle voyait. Sa sensibilité se défendait à sa manière, violente, pointue, des atteintes qu'elle ressentait.

L'intransigeance, la rigueur, la recherche de la perfection dans le travail artistique, ce n'est pas pour rien qu'elle avait tant aimé l'observer chez Jouvet. Il est certain qu'elle a voulu l'adopter dans son travail. Elle savait qu'elle avait créé une œuvre qui était petite en taille. Elle l'a dit plusieurs fois à Jean-Marcel Lèbre, mon œuvre est petite, elle pensait à la trilogie, mais elle estimait qu'elle était aboutie, qu'elle était forte, et qu'on n'avait pas y toucher. Lindon n'était pas un mentor comme le furent quand elle était jeune fille Jouvet et Lefebvre, mais il était un interlocuteur déterminant. Et traiter frontalement avec un homme qu'elle estime fait partie de sa manière d'être.

Pour le moment l'heure est à la victoire. Lindon respecte ses choix, ne tient pas compte des corrections qui avaient été apposées. Surtout, cette année 70 est une victoire sur elle, parce qu'elle a réussi à écrire ce qui lui semblait si difficile puisque personne ne l'avait encore fait, écrire sur le retour des survivants. Elle écrit *Mesure de nos jours* qui fera le troisième livre d'*Auschwitz et après* en octobre 70. Cette fois, elle a osé commencer par ce qu'*elle* a ressenti, ce qu'*elle* a vécu. « Je », dès la première phrase pour se décrire à peine présente au milieu de ses camarades survivantes dans l'avion qui les ramène en France. La vie et la mort semblent encore mêlées, démêlées avec peine, puis confondues au point de lui faire perdre sa réalité à elle et devenir « transparente », « irréelle ».

Elle entreprend le récit avec cette écriture fluide qu'elle a trouvée pour les nouveaux chapitres d'*Une connaissance inutile*. Elle a laissé de côté mots et rythmes aux arêtes coupantes, pour dire l'emmêlement et la disparition qui prend leurs silhouettes et elle au milieu des autres, à l'arrivée au Lutetia. « Seules leurs voix demeuraient (...). Je les entendais encore, je commençais à ne plus comprendre ce qu'elles disaient. À l'arrivée je ne les reconnaissais plus. Dans la foule des gens qui nous attendaient, elles glissaient, disparaissaient, reprenaient apparence un instant, si impalpables, si irréelles, si fuyantes, que je doutais de mon existence propre. Elles ont joué ce jeu de feu follet pendant tout le temps où nous piétinions d'un bureau à l'autre, se perdaient, se retrouvaient, me retrouvaient, disaient des mots que je ne saisissais pas, s'évanouissaient encore et se fondaient enfin dans la foule des gens qui nous attendaient, englouties pour toujours dans cette foule[1] ».

Les voix, une fois de plus, sont celles qui demeurent quand les compagnes ont disparu, englouties.

Elle va alors reprendre le fil de chacune des voix, consacrer à chacune un récit faisant de son prénom le titre du chapitre. En commençant par ce qu'elle-même a traversé, pages auxquelles elle donne un titre impersonnel, « Le Retour ». « Je flottais au milieu de cette foule qui glissait autour de moi. Et soudain, je me suis sentie seule, seule au creux d'un vide où l'oxygène manquait, où je cherchais ma respiration, où je suffoquais. (...) Je ne sentais rien, je ne me sentais pas exister, je n'existais pas. Combien de temps suis-je restée ainsi en suspension d'existence ? (J'ai retrouvé mes mots depuis, vous voyez.)[2] »

Elle décrit cet état extrême quand elle a perdu la nécessité de vivre, perdu le temps, son propre corps, les autres, les objets, le langage lui-même. Beaucoup de phrases interrogatives dans ce premier chapitre. Les questions sans réponse et

1. *Mesure de nos jours*, Éditions de Minuit, 1971, p. 9-10.
2. *Ibid.*, p. 12.

de désespoir qu'elle s'est posées en revenant, « À quoi sert de savoir quand on ne sait plus comment vivre ?[1] », que de questions au moment d'écrire ce retour, où elle s'interroge. Comment a-t-elle pu sortir un jour de cet état ? « C'est si difficile que j'y renonce pour le moment[2] ».

Sa voix doit naître de son expérience, de l'expérience d'alors et de celle présente quand l'écriture cherche l'expression juste. Elle part à la rencontre de son état, le souvenir qu'elle en a gardé et trouve les mots, et se souvient de leur cruelle absence à l'époque. Elle sait rendre le mouvement, les deux époques, et le fossé entre l'une et l'autre, l'inexplicable, comment la vie est revenue. « Avec beaucoup d'effort, je crois me souvenir que j'étais couchée, que des gens venaient me voir. Ils m'embrassaient, ils me parlaient, ils me racontaient des choses, ils me posaient des questions. Pour les questions, ils ont vite cessé, je ne répondais à aucune. J'entendais leurs voix de très loin. Quand ils entraient dans ma chambre, mon regard se voilait. Leur épaisseur interceptait la lumière. Au travers de ce voile, je les voyais sourire d'un sourire encourageant, et je ne comprenais rien à leur sourire, rien à leur attitude, rien à leur gentillesse – enfin, j'ai supposé plus tard que c'était de la gentillesse. C'est presque impossible, plus tard, d'expliquer avec des mots ce qui est arrivé à l'époque où il n'y avait pas de mots[3] ».

Elle choisit plutôt les mots qui disent, que les mots qui expliquent, Charlotte Delbo.

La traversée de cet état qu'elle décrit avec sa voix douce, longuement, pour assister elle-même en écrivant à ce moment inexpliqué et inexplicable où la vie s'est remise à vibrer, à peine, après des mois, donne le ton de ce nouveau livre. Une voix douce qui lui permet d'écrire les choses graves, les choses si difficiles, impossibles, dont chacune parle pour dire son retour.

---

1. *Mesure de nos jours*, *op. cit.*, p. 17.
2. *Ibid.*, p. 18.
3. *Ibid.*, p. 13.

Il y eut pour elle cette expérience d'être passée par la dépossession de son existence au retour, expérience radicale, d'une tout autre nature que celle de l'arrivée à Auschwitz et du camp. Delbo ne fait pas l'économie dans son livre de ce passage à travers le vide. Traverser ce « parcours souterrain », « avant d'arriver à une flaque de lumière », c'est avoir vécu, sensation après sensation, que « tout était à côté », sans lien avec elle, qu'un livre pris dans la main est « à côté ». « À côté des choses, à côté de la vie, à côté de l'essentiel, à côté de la vérité[1] ». Les livres ne disent rien d'essentiel à cause d'une connaissance nouvelle du monde, qu'elle sent à l'intérieur d'elle-même, qui a pris toute la place derrière la torpeur. Ce qu'elle lirait dans un livre, elle le sait autrement, « d'une connaissance plus sûre et plus profonde, évidente, irréfutable ». En face de ceux qui viennent la voir, puis de ceux qu'elle rencontre quand elle recommence à vivre, elle baisse les yeux pour ne plus regarder ce qu'elle voit « parce que les visages se dénudaient sous mes yeux, parce que je voyais tout des gens au travers de leur visage dès que j'arrêtais mon regard sur eux[2] ».

Elle dit ici une autre sorte de connaissance qui l'encombre, et l'empêche de revenir, une connaissance à la fois plus vague et plus absolue que celle inutile de la mort quand il faut revivre, que celle inutile de l'amour fauché trop tôt quand il faut recommencer, qu'elle écrivait quelques mois auparavant en terminant de composer *Une connaissance inutile*.

Elle découvre ce qui d'elle-même est mort à Auschwitz. Et contrairement à tout ce qu'elle avait raconté au passé, à l'imparfait, de cette traversée du vide à son retour, soudain elle passe au présent après avoir écrit qu'elle a perdu sa capacité à l'illusionner. « Voilà ce qui de moi est mort à Auschwitz. » La « perméabilité à l'imagination[3] ».

1. *Mesure de nos jours*, *op. cit.*, p. 15.
2. *Ibid.*, p. 16.
3. *Ibid.*, p. 17.

Ce qu'elle dira à des amis de son travail d'écrivain. L'imagination lui était territoire interdit, territoire impossible.

Le monde aveuglant de terreur d'Auschwitz a ôté la possibilité de voir le clair-obscur, de croire au mystère des choses, d'attendre que les choses se dévoilent, puisque la terreur avait ôté le temps, le travail du temps, les métamorphoses, la profondeur du monde.

« Comment vivre dans un monde sans mystère ? », ce sentiment habite son inquiétante suspension d'existence… Et justement c'est en tentant d'écrire ce qu'est cet état, qu'elle lui rend une profondeur, son mystère, et que ce sentiment d'existence évanoui puis lentement reconquis trouve son épaisseur d'existence aussi opaque, inintelligible qu'il soit.

« Comment cela s'est-il passé ? » Comment est-elle repartie vers la vie, elle pose la question et la laisse ouverte à la fin de ce premier chapitre. Elle n'en dira pas plus, c'est un non-savoir, elle l'accepte pour sa propre expérience, elle en fait même le seuil du livre, pour que nous désirions entendre les voix qui racontent leur retour.

Ces paroles qu'elle rapporte.

Elle écrit tous les récits à la première personne. Elle avait suffisamment travaillé sur la parole de Jouvet pour savoir comment rendre le cœur, le souffle, le *sentiment* d'une voix dans une langue écrite. La voix est privilégiée pour rendre le retour parce qu'elle permet de dire du passé ce qui hante le présent. Elle offre la possibilité de tous les enchevêtrements, de temps, de sensations, de souvenirs désordonnés pour confier l'intime et, pour l'écrivain, de rapporter des paroles que personne ne voulait écouter.

Quand elle avait composé son propre récit, elle avait écrit le vide qui l'a habitée au retour, vide qu'elle a fait sentir en n'évoquant pas l'essentiel : le camp, l'expérience terrible. C'est un blanc. Elle nomme ce qui l'encadre : « ma vie d'avant » et « ma vie d'après ». « Avais-je une vie avant ? », « avoir un après », « savoir ce que c'est qu'après ». Sa propre identité est indéfinie, flotte entre ces mots d'avant et d'après, ce sont de petits mots, menus et modestes, parce que la déflagration centrale a tout atteint. Il ne reste rien de visible, reconnaissable. Et pas de noms, pas d'images, pas de phrases pour désigner ce centre qui a tout atteint et rendu incertain l'avant, et improbable l'après. Ce n'est qu'à la neuvième page qu'était survenu le mot, Auschwitz, dans une phrase qu'elle met soudain au présent, « Voilà ce qui de moi est mort à Auschwitz ». Le passé n'est plus possible. La phrase a acté la déflagration, la violence hors de toute proportion. Dans le chapitre qui la concernait, Charlotte n'a pas cité de repères concrets, d'événements, de lieux, contrairement à ce qu'elle écrira pour toutes les voix suivantes. On a juste pu lire « un avion », « Paris s'approchait », ou « un lit », « une chaise », « des gens qui viennent me voir », des « livres ». Le flottement du « je » et une voix douce qui surmonte la faiblesse physique, c'est comme ça que Delbo écrit son retour, qu'elle rend ses meurtrissures personnelles. Elle fera autre chose pour rendre les voix des autres qui racontent leur retour. Elles seront précises, les camarades, précises, pour raconter le calvaire.

La voix de « Gilberte » raconte toutes les étapes depuis l'arrivée à Paris, le premier centre, « des préaux transformés en bureaux, avec des tables improvisées, des gens qui s'affairaient. Oui, il me semble que c'était une école[1] ». Et nous assistons aux mouvements de sa mémoire qui cherche le souvenir des lieux. Ce sera ensuite l'hôtel, et nous pouvons imaginer, nous lecteurs, le Lutetia, ses couloirs, la chambre où elle se réveille, « une chambre d'hôtel, bien meublée, en style d'imitation comme dans les hôtels assez chics ». Et tout de suite le pêle-mêle des images qui rendent le tohu-bohu des impressions au retour. « Je ne voyais ni n'entendais plus rien. Une impression de naufrage. Tout avait coulé. Il n'y avait plus un bout d'épave où me cramponner ».

L'effroi de se retrouver seule, qui lui rappelle la terreur éprouvée un jour au camp où elle fut attrapée dans un

1. *Mesure de nos jours*, *op. cit.*, p. 21 et suivantes pour les citations de « Gilberte ».

kommando où il n'y avait que des Russes ou des Polonaises dont elle ne comprenait pas la langue, qui se parlaient sans lui prêter attention, et sur le point de quitter le camp. Le souvenir, quand elle réussit à s'échapper et courir à perdre haleine jusqu'à la baraque de ses camarades « où je vous ai retrouvées, où vous m'attendiez, dévorées d'inquiétude. Dès que j'ai été réconfortée, rassurée, réchauffée. C'est une des plus fortes joies que j'ai eues dans ma vie. » Cet amour maternant qui a existé par éclats, instants fulgurants au milieu de l'horreur, revient. Elle avait écrit dans *Une connaissance inutile* cet événement vécu de l'intérieur pour rendre hommage à la leçon de Jouvet entendue un jour au Conservatoire : « Mets-toi en place, installe-toi », retenant que l'attitude du corps permet de connaître les intentions. Ici, prendre le temps de se placer avant de se mettre à parler. Les trois SS, d'après leur posture, le dos tourné, vont lui laisser le temps de sortir du rang et de courir rejoindre ses camarades. Les échos entre ses trois ouvrages font aussi la profondeur de chacun de ses livres.

« D'où es-tu, toi ? », interroge un rescapé dans l'hôtel qui est comme Gilberte en attente d'un train pour rentrer jusque chez lui. Il veut aider celle qu'il sent perdue, à poursuivre son rapatriement. Et Gilberte, de lui répondre : « D'Auschwitz.

— Moi, je reviens de Mauthausen, mais ce n'est pas ce que je te demandais. D'où es-tu ? ». Ressentir qu'on n'est plus que « d'Auschwitz ». L'avant et l'après explosé, dissous. Il n'y a plus que cette origine. Être de là. « D'Auschwitz ».

Le dialogue entre Gilberte et le rescapé de Mauthausen qui l'aide, même à monter les escaliers (« "Tu es comme moi ; tu ne peux plus voir les escaliers". Il disait cela avec une espèce de sourire. Je n'ai pas compris pourquoi il disait cela. Il avait dû tailler l'escalier de Mauthausen, mais, à ce moment-là je ne savais pas qu'il y avait un escalier à Mauthausen »), les difficultés de ce dialogue sont rendues par une voix qui tâtonne, cherche des souvenirs précis, des mots, et Delbo rend l'épuisement, l'entendement brouillé et cotonneux, évoque à trois reprises, et chaque fois de façon différente, le souvenir de la sœur, Dédée, jusqu'à ce que le mot finisse par être dit, « elle est morte à Auschwitz » et que vienne ce « Je comprends, a dit le camarade, ça va te faire un coup de rentrer » qui avec son peu de mots, dit la difficulté, pour ne pas dire l'impossibilité de rentrer. Ce « je comprends » se lit comme un contrepoint cruel à ce que Gilberte ne peut plus comprendre de sa situation.

« Pourquoi pendant ces trois années de captivité, avoir tendu ma volonté vers le retour ? Y avais-je cru ? À cause de vous, sans doute. Il fallait rentrer. Rentrer… (…) Toutes vous disiez : "Il faut rentrer." Et vous faisiez des projets. Moi, je ne faisais pas de projets, mais j'étais prise dans la détermination commune : rentrer. Il fallait rentrer. Pourquoi ? (…) J'étais épouvantée. Rentrer, et après ? Je ne voyais pas l'après. Je ne voyais plus du tout quelle raison m'obligeait à rentrer ». Il lui est impossible de se sentir de retour. La mort de sa sœur a vidé son être de toute possibilité de revenir, de retrouver la vie. Dans sa maison chaque détail de la chambre de sa sœur est une meurtrissure, et en même temps « tout était irréel, comme dépourvu de consistance ».

La dernière image évoque la Terre qui tourne, cette rotation qui est un savoir depuis Galilée « parce qu'on l'a appris », cette énergie initiale de la Terre. Elle est en violent contraste avec le vide en elle. Le retour qui devrait être comme une nouvelle rotation ne peut être. « Il y a vingt-cinq ans que nous sommes rentrés », mais « il faut y penser pour le savoir ». Ce savoir, comme elle sait que la Terre tourne, n'est plus un recours. Rentrés ? Non. Les mots, le sens des mots est défait par le vécu d'Auschwitz.

Le récit de « Mado » se termine par un même absolu. « Je ne suis pas vivante », reprend-elle une dernière fois, et elle ajoute : « Je suis morte à Auschwitz et personne ne le voit. » Mado s'était mariée à son retour, a eu un fils qui l'a « baignée de joie ». La joie ne résiste pas à la violence des souvenirs. « L'eau soyeuse de ma joie s'est changée en boue gluante, en neige souillée, en marécage fétide ». La vision d'un nouveau-né mort, gelé entre les cuisses d'une femme morte, a remplacé son propre fils. L'horreur du passé dépossède du présent. « Comment être vivantes au milieu de ce peuple de mortes ? »

Après avoir choisi un vers d'Apollinaire, « Aucun de nous ne reviendra » entendu le 21 septembre 1942 au fort de Romainville, et décidé de le prendre pour titre du livre qu'elle a l'intention d'écrire pour dire le terrible d'Auschwitz, vingt-cinq ans plus tard Delbo écrit que les survivants ne reviennent pas.

Les vivants, autour des survivants, sont « futiles, ignorants », eux ne pourront jamais l'être. « S'ils avaient cette connaissance que j'ai, ils seraient comme moi. Ils ne seraient pas vivants. Je te dis tout cela parce qu'il n'y a qu'à une pareille que je puisse le dire, parce que toi tu le comprends. Je n'aurais même pas besoin de te le dire. Tu le sais[1] ». Non seulement avoir connu Auschwitz empêche de revivre, mais cela ne peut être compris par ceux qui ne l'ont pas vécu. Cet enfermement dans un autre monde, loin de la vie, est un autre camp. Ne plus sortir d'une déportation qui ne peut finir. La connaissance, l'expérience, ce savoir est aussi un enfermement. Ce fait irréductible est un noyau au centre de l'œuvre de Charlotte Delbo.

C'est cela qui la mène à écrire, écrire encore le camp, Auschwitz et ses suites, Auschwitz et après, de tant de formes différentes, et qui lui fait entendre toujours cette voix qui revient. C'est un monde, c'est un territoire, c'est une connaissance, cette voix qu'elle a à écrire pour faire entendre ce que personne ne peut savoir.

« Je ne peux pas aller vers eux à visage nu. » Les « vivants » croiraient qu'elle les méprise, « avec leur petit traintrain et leurs petits tracas et leurs petits projets », Mado sait quels espoirs elle avait d'un retour dans un monde différent de celui des années 40. Or tout est pareil, mais les mots tels que nous les connaissions là-bas, nos mots de faim, froid, le mot d'amie, celle à qui on devait la vie là-bas, ces mots

---

1. *Mesure de nos jours*, *op. cit.*, p. 58.

n'ont plus le même sens ici. Le raccord est impossible, et Charlotte Delbo qui revient encore sur le thème des mots qui ont perdu leur sens, fait entendre ce qu'elle a à faire. Prendre les mots, les prendre et leur donner le sens de là-bas pour qu'ils puissent devenir des mots à entendre ici.

Le langage impossible à retrouver au retour, le problème de la langue impossible à reprendre, fut essentiellement le débat d'écrivains de langue allemande. Charlotte Delbo s'en saisit pour faire sentir qu'il n'est pas réservé aux responsables du conflit, aux Allemands, mais que la langue qui avait été partagée pouvait être perdue par l'expérience de la mort de masse, déshumanisée. Une œuvre littéraire doit faire entendre ce que la langue peut porter et contenir d'inexplicable, ce qui la hante et qui attaque le sens des mots, et qui fait qu'au retour ils semblent faux. Ce que la langue porte et qui la hante, c'est « cette montagne de cadavres » entre ceux qui ont été là-bas et ceux qui sont ici.

L'expression est saisissante. Et Mado, Charlotte Delbo à travers elle, en déplie les conséquences au travers des douleurs et d'infranchissables incompréhensions. La déshumanisation qu'elles ont vue et vécue, a attaqué le sens des mots.

Des poèmes suivent le récit de Mado. « Ne dis pas qu'ils ne nous entendent pas / ils nous entendent / ils veulent comprendre / obstinément / méticuleusement / une frange d'eux veut comprendre / une lisière sensible à la frange d'eux-mêmes ». Charlotte Delbo a placé, à deux reprises entre les récits de son livre, des poèmes qui évoquent un autre point de vue, cherchent une autre place pour dire ce qui se joue dans l'opacité entre paroles et incompréhension.

« C'est leur eux du fond / leur vérité / qui reste loin / qui fuit quand nous croyons l'atteindre / qui se rétracte et se contracte et échappe / n'est-ce pas parce qu'ils ont mal / là où nous n'avons plus mal / qu'ils se retirent et se replient… ». Quand on lit ces mouvements intérieurs, infimes et tourmentés que son empathie discerne chez ceux qui voudraient savoir et pourtant ne peuvent, on rencontre celle qui aimait lire Nathalie Sarraute. Delbo plaçait *Tropismes* et *Enfance* dans son panthéon personnel, où les romanciers français du XXe siècle avaient pourtant peu de place.

Charlotte veut des voix différentes et des récits divers. Elle restitue le récit de survivants qui n'étaient pas de leur convoi, comme celui de « Loulou » qui n'a pu trouver pendant vingt ans d'autre solution que de se faire accepter dans un hôpital psychiatrique, ou le récit de « Jacques » qui dut, en plus du désarroi au retour, affronter le fait d'être pris pour un traître par ses camarades du maquis, se voir faussement accusé de les avoir fait arrêter.

Charlotte Delbo fait une place aux drames qui se sont noués au retour, comme dans *Le Convoi du 24 janvier* elle avait raconté les trahisons dans les couples, les règlements de comptes entre boutiquiers concurrents, les naissances illégitimes. La vie ordinaire était faite de tragédies, et la tragédie naît dans la vie ordinaire. Mais sortir de l'Histoire et revenir aux tracas du quotidien quand on a eu le sentiment par son courage et par son destin tragique d'être inscrit dans l'Histoire, comment le supporter ? Avoir vu la mort en face, celle que Delbo appelle « la mort à prunelle nue », revenir pour regarder des vivants qui détournent les yeux, « les vivants à prunelle opaque », qui n'ont que faire d'une vérité qui les empêcherait de vivre, comment le supporter ? Et comment supporter de revenir vivante alors que l'amie la plus proche et plus forte comme Viva est morte, et qu'il n'est pas possible de l'expliquer.

Ne rien expliquer, mettre dans l'écriture les éléments qui donnent au lecteur de quoi se faire sa propre réflexion.

Charlotte raconte sa visite à un couple, Marie-Louise qui a été déportée avec elle, et son mari, Pierre, dans leur maison à la campagne. Delbo montre leur bonheur feutré, mais une ironie douloureuse émerge. Elle fait sentir la violence contenue dans ce qu'ils s'efforcent d'effacer sous couvert de « se souvenir ». Les questions de Pierre sur des survivantes, les commémorations où ils les revoient, la visite à Birkenau où le mari sait mieux que sa femme où se trouvait son châlit dans le block... Delbo laisse apparaître ce que c'est que croire « qu'on sait ».

« Comment va Mado ? a demandé Pierre. Qu'est-elle devenue ? — Elle s'est mariée... — Oui, nous le savons, et elle n'a eu qu'un fils ? Quel âge a-t-il aujourd'hui ? — Dix-sept ans. — Comme je suis content pour elle ». Il suffit de lire ces répliques de Pierre pour que nous, lecteurs, entendions le fossé entre ceux qui croient savoir ce qui a eu lieu et ceux qui reviennent, puisque nous venons de lire « Mado », le chapitre de celle qui est « morte à Auschwitz, et personne ne le voit ». Celle qui dans son enfant a vu « les yeux de Jackie, le vert-bleu des yeux de Jackie, une moue d'Yvonne, une inflexion de Mounette ».

Ces récits de *Mesure de nos jours* créent à la lecture une nouvelle fois un espace, une immense scène, des voix se font écho ou s'opposent pour incarner ceux qui sont revenus, hantés par un passé douloureux indépassable, qui ne peut se résorber.

« Nos Jours », c'est ce qui a été leur part là-bas et c'est ce qui leur appartient aujourd'hui. « Mesure de nos jours », le titre dit la difficile réconciliation avec la douleur passée et présente. Il y a aussi dans ce mot de *mesure* une sorte de douceur à entendre, une acceptation, on cherche à mesurer, on voudrait prendre la mesure.

Mado rappelle à Charlotte le poème qu'elle récitait là-bas et qui contenait ce vers, « Le temps que l'on mesure n'est point mesure de nos jours. » Ces lignes, Delbo les a rajoutées dans le chapitre. Parce qu'elle voulait que le titre émerge d'une voix du texte ?

Le vers viendrait d'un poème de Saint-John Perse à une transformation près. Dans le poème original, il s'agit, à la place de « l'on ne mesure pas », de « l'an » qui ne mesure pas. L'année et ses 365 jours ne représentent pas une mesure sensible du temps... Coquille, peut-être. Le sens n'en est guère changé. Mais le poème de Saint-John Perse n'est publié que bien après la guerre, en 1959. Charlotte n'a pu le réciter au camp. La mesure de nos jours est une expression qui se trouve dans la Bible et Charlotte aimait les expressions d'usage immémorial. Ils sont de la même famille que le ton de la Passion, comme elle l'a dit elle-même, qu'elle voulait rendre à leur martyre.

Faire de son livre un oratorio, certainement Charlotte Delbo l'a cherché, un oratorio profane sur la dureté de la vie pour ceux qui reviennent et un oratorio sacré parce que la douleur infligée à un être humain est sacrilège, et l'amour pour l'être humain, comme la compassion, il faut le chanter.

Charlotte Delbo aime recevoir ses amis chez elle. Il lui faut cette chaleur autour d'elle, chez elle, la cérémonie festive d'un dîner préparé pour jouir de sa ferveur à vivre. Écrire la dureté de la douleur, ou l'accablement de celles qui ne peuvent revenir, mais le contrebalancer par ce qui la fait vivre, elle. Arranger une jolie table, choisir les amis à convier, les fidèles, les connaissances de passage à Paris pour qu'ils gardent de la soirée le souvenir d'un instant de vie célébré. Sa lucidité sur l'horreur, elle l'a nourrie de son amour de la vie, de sa vertu à goûter le plaisir. Elle aimait cuisiner pour ceux qu'elle recevait. Choisir des légumes de saison, une jardinière de légumes de printemps pour accompagner un gigot, les vins qui conviendraient aux plats, évidemment boire du champagne pour fêter le moment et attendre beaucoup de plaisir de la conversation. De sa déportation, du camp, elle ne parlait jamais. Elle parlait du présent, elle parlait de tout ce qui l'intéressait et c'est la conversation variée, argumentée, drôle avec ses amis qui l'enchantait. La scène décrite dans « Marie-Louise » où Pierre raconte comment ils ont hésité en préparant pour elle ce repas, entre le pâté de Marie-Louise, une des recettes qu'elle a dû donner à Charlotte au camp, précise-t-il, ou le cou farci, qu'ils ont choisi « plus exceptionnel pour une Parisienne », est comme l'envers de ce que recherchait Charlotte dans sa vie. Lier les bonnes choses à la remémoration de l'horrible épreuve… Non. Il fallait une coupure nette.

Recevoir dans la pièce toute la lumière du ciel les soirs de juin, qui entrait par des deux baies vitrées et faisait voir loin au-dessus des toits, la tour Eiffel et au-delà. Laisser les fenêtres ouvertes sur les deux balcons, les fleurs et les plantes, rester là ensemble pour un long apéritif pendant que la lumière du jour s'évanouissait. Charlotte ne voulait dîner qu'une fois la nuit venue. Dîner quand il faisait encore jour, c'était pour elle ne pas savoir vivre.

Elle soupait après le spectacle, le théâtre commençait la soirée. Elle proposait parfois à ses amis, pour se réveiller à la campagne, de partir à Breteau le soir même. Surtout ne pas penser à aller se coucher, repousser le moment d'être seule quand les paupières se fermeraient sur le néant, que reviendraient les horribles images ou se ferait sentir une solitude abyssale. En arrivant à Breteau, il y avait toujours de quoi faire le déjeuner au réveil. Dans la porte du placard, il y avait la liste des provisions qu'il fallait laisser avant de quitter la maison pour que n'importe quelle arrivée impromptue permette un début de séjour agréable. Si elle trouvait à son arrivée la réserve de café épuisée, Charlotte montait en colère.

Chez elle, à Paris, il y avait dans la grande pièce une large tapisserie de Jean Picart Le Doux qui couvrait le mur du fond. Sur un meuble, la photo de Jouvet dans son costume de Don Juan, le regard sombre. Un choix surprenant, elle lui avait écrit qu'elle ne l'aimait pas dans ce costume qui lui donnait « quelque chose de cruel ». Le visage sévère montrait l'intransigeance de son caractère et, au fil des années, je pense que Charlotte Delbo a eu besoin de se rappeler ce trait de caractère qu'elle avait aimé aussi, et qu'elle adoptait de plus en plus pour elle.

Pour ne plus entendre les bruits de l'appartement au-dessus d'elle, elle avait fait lambrisser le plafond. Elle n'aimait pas être dérangée par ce qu'elle n'avait pas choisi. Quand c'était imparable, elle disait que c'était son destin, mais au quotidien, il fallait pouvoir choisir, choisir les amis, choisir l'heure, choisir les plats, choisir les vins. Choisir sa vie.

Si elle avait pu écrire la douleur d'Auschwitz, si elle avait pu oser ouvrir sa mémoire pour rendre ce qu'elle avait vu et vécu, il fallait dans sa vie fermer de parois étanches la violence, la douleur qui l'avaient traversée, les laisser revenir quand elle écrivait mais dans des moments circonscrits. Autrement, habiller le présent de chaleur amicale, célébrer la vie pour tenir à distance l'horreur, se créer une solitude aménagée, comme d'ôter des mauvaises herbes sur les plates-bandes de Breteau alors que des amis n'étaient pas loin, et qu'elle voulait trouver la voix, les phrases pour dire ce qui avait eu lieu. Et vite. Il ne fallait pas que ça dure. Écrire, rendre, faire voir et fermer le cahier. Parfois même, oublier tout à fait le cahier.

Dans un court texte de *Mesure de nos jours*, elle dit le dépouillement de celui qui arrive au camp avec le poids de son passé, et à qui on ôte tout. Elle n'évoque pas les vêtements, les biens, la chevelure, l'intimité physique, mais beaucoup plus profond. « Sa mémoire s'en va par lambeaux, comme des lambeaux de peau brûlée ».

Auschwitz attaquait la mémoire. Le feu, la douleur des grands brûlés, les peaux brûlées sous le napalm des bombes, les peaux brûlées des survivants d'Hiroshima, le feu des crématoires pour effacer les cadavres, la peau qui garde la mémoire la plus archaïque de l'individu, sa métaphore de la mémoire, qui brûle comme une peau peut brûler, l'association de tant d'images est saisissante par ce qu'elle emmêle d'épreuves personnelles, de conscience collective et de sensations intimes. Du souvenir de l'impuissance face à une tragédie. Charlotte pouvait se sentir possédée par la violence des images. Et sa façon d'écrire, la forme brève souvent, a quelque chose du lambeau qu'elle arrache à l'horreur. Donner à la voix de ceux qui rentrent un ton brisé, une vie entière s'est consumée là-bas.

« Celui qui a survécu, il faut qu'il entreprenne de reconquérir sa mémoire, qu'il reconquière ce qu'il possédait avant : son savoir, son expérience, ses souvenirs d'enfance, son habileté manuelle et ses facultés intellectuelles, sa sensibilité, son aptitude à rêver, à imaginer, à rire[1] ». Échapper au lambeau, se retrouver, demandait tout un programme. La part occupée à vivre intensément était au programme, comme celle de pouvoir remettre de la chaleur dans ce qui était chez elle. Pour Charlotte, « chez soi » recouvre une douleur qu'elle surmonte difficilement.

« Je n'ai jamais réussi à dire : chez moi ». Delbo place dans la bouche de son personnage, Françoise, ces mots intimes. « Je rentre chez nous pour dormir. Je dis : chez nous[2] ». Dans le dernier chapitre de *Mesure de nos jours*, elle reprend le personnage de Françoise qui l'incarne pour dire combien l'expression « refaire sa vie » lui est insupportable à entendre et impossible à imaginer. Comme si on pouvait « Sur un cœur exsangue, greffer un autre cœur[3] ». « Mon cœur ne bat plus que forcé. Il ne retrouvera jamais le battement de l'amour, le battement vivant de l'amour[4] ».

Le moment de l'adieu à Paul traverse tout ce dernier chapitre. Six fois, elle commence un paragraphe par cette phrase, « Quand j'ai été appelée ce matin-là... », pour dire le couperet tombé sur l'amour au moment où Dudach allait être fusillé et le lui annonçait. Elle a su que son cœur ne battrait plus, quelque chose en elle s'était arrêté. Elle devait choisir entre mourir et vivre, et si elle a choisi de vivre c'est parce qu'il fallait tenir, elle le lui avait promis, même si pour elle ce serait « vivre à en mourir ». L'expression dit la douleur déchirante de Delbo.

Elle évoque ces pensées quand elle imagine la torture qu'on a certainement infligée au corps de Georges, à son visage, quand elle est seule, prisonnière dans une cellule, à ne penser qu'à lui, à avoir mal là où on lui meurtrissait le corps, les gencives, la tête, les membres, les jointures des membres, ses lèvres... Ses lèvres, dont elle se souvient comme elle ne pouvait s'empêcher de les effleurer « si doucement » la nuit, alors qu'il dormait,

1. *Mesure de nos jours*, *op. cit.*, p. 44.
2. *Ibid.*, p. 210.
3. *Ibid.*, p. 205.
4. *Ibid.*, p. 206.

oui, si doucement tant elle avait peur de le réveiller, lui qui avait besoin de dormir après des trajets sans fin pour rejoindre les camarades et déjouer les filatures.

Survivre à la mort de Dudach fut beaucoup plus difficile qu'elle ne l'avait pensé. « Auschwitz, c'était long. J'ai tenu parce qu'il fallait tenir, c'était dur et c'était long. Mais alors que c'était si long et si dur, je ne voulais pas que cela finît ». Ne pas penser à ce moment où il faudrait vivre sans lui.

Terminer ce troisième livre d'*Auschwitz et après* par un chapitre où Charlotte Delbo confie « je ne voulais pas que cela finît » en parlant de l'épreuve d'Auschwitz, la place radicalement ailleurs, loin de toutes ses compagnes revenues, loin de tous les récits des survivants.

« Après tant d'années, il m'arrive parfois de faire comme si Paul était en voyage, comme s'il allait revenir. C'est une feinte si éprouvante que je me retiens d'y recourir. Paul est mort. Je me le répète pour faire comme on doit faire quand on n'a plus l'être pour qui on vivait. Je vis en somnambule que rien ne réveillera[1] ». C'est ce que Charlotte Delbo écrit à la fin de 1970, vingt-cinq ans après être rentrée. Rentrée sans pouvoir vivre avec Georges. Somnambule. Mais personne ne le voit. Comme l'exprimait Mado. Je suis morte à Auschwitz et personne ne le voit. Somnambule, absente à elle-même, ou dédoublée, celle qui vit n'est plus celle qui vivait avec lui. Et il vaut mieux dire « on » que dire « je », quand on parle de celui « pour qui on vivait ». La douleur a évidé le sujet, il n'y a plus de « je » mais une somnambule, et somnambule à jamais.

Mesure de nos jours est empreint d'un désespoir très grand pour dire le retour. Elle y ajoute la difficulté en revenant de retrouver un monde décevant où l'espoir politique d'un monde meilleur a disparu. « Maintenant que le mensonge s'est dévoilé[2] ». Elle l'affirme deux fois dans le dernier chapitre. « Et maintenant que le mensonge a été démasqué[3] ». Ce

1. *Mesure de nos jours*, *op. cit.*, p. 211.
2. *Ibid.*, p. 206.
3. *Ibid.*, p. 210.

qu'elle sait du socialisme a révélé que tout ce qu'ils croyaient était faux. Et les camarades qui revenaient, qui avaient pris part à la lutte contre l'occupant pour faire changer le cours de l'Histoire, « Tout de nous était tendu / vers ce que nous attendions[1] », c'est un quotidien terne et petit qui les attend.

Dans la dernière page de *Mesure de nos jours*, elle s'adresse violemment à un personnage que jouait Jouvet. C'est un poème, dédié d'abord à Jouvet, puis elle effacera la dédicace. Le sujet est une réplique prononcée par le Mendiant, le personnage d'*Électre* de Giraudoux qu'il interprétait. « Ne dis plus cela Mendiant », elle apostrophe le Mendiant ou Jouvet, elle ne supporte plus la phrase prononcée, *Un homme qui meurt pour un autre homme cela se cherche.* Elle répond par le sacrifice de Georges et de tous les jeunes gens fusillés au Mont-Valérien. « Ils sont des milliers / qui se sont avancés pour tous les autres / pour toi aussi / Mendiant / pour que tu salues l'aurore[2] ». Le prix de la liberté, le prix de sa liberté, Jouvet, c'est à Georges et à tous les autres qui se sont avancés, qu'il la doit. Elle dit pour la première fois ce lien entre la vie sauve de Jouvet et le sacrifice de Georges.

Que reste-t-il d'autre maintenant à Charlotte que de pouvoir corriger les phrases et les répliques ? Au mot poétique d'« aurore », Charlotte Delbo préfère dire les mots justes, « l'aube était livide / aux matins des mont-valérien », et à tout jamais, et elle l'apostrophe pour qu'il comprenne, et adopte le présent, « c'est l'aube avec leur sang ». L'aube, la mesure de chaque jour, c'est à la lumière de leur sang qu'elle se lève dorénavant.

---

1. *Mesure de nos jours*, *op. cit.*, p. 67.
2. *Ibid.*, p. 214.

À peine a-t-elle terminé *Mesure de nos jours* sur la douleur du sacrifice de Georges, qu'elle se tourne vers ce qu'il se passe à Burgos ce mois de décembre 1970. Elle se sent requise par le sort de seize militants basques accusés d'avoir assassiné un commissaire de la police politique, alors qu'aucune preuve matérielle n'est fournie. Un procès les sort de leurs geôles et derrière ce procès, c'est le procès du régime franquiste, que toute l'Europe démocratique suit et commente. Les journaux, les magazines ont dépêché des journalistes. Depuis le début du mois, Charlotte lit la presse et découpe les articles qui l'intéressent. « Trente ans après Guernica, les seize martyrs de Burgos font chanceler la dictature », titre Katia D. Kaupp, l'envoyée spéciale du *Nouvel Observateur*[1].

Avant même que ne se termine le procès, Charlotte Delbo écrit une pièce de théâtre pour donner leur voix à celles qui assistent aux procès, les femmes, les sœurs, les mères des accusés. Celle qui vient de terminer un livre sur sa douleur d'épouse après l'assassinat de son mari, suit le procès et veut écrire sur celles à qui personne n'a donné la parole.

Elle a raconté plus tard au jeune François Veilhan qu'elle avait écrit sa pièce à partir d'un rythme obsédant qui l'habita un matin au réveil, un rythme à sept pieds. Elle n'en comprenait pas l'origine. Puis les mots sont venus qui ont adopté le rythme. Quelque chose dans sa tête martelait la protestation

1. *Le Nouvel Observateur*, n° 318, 14-20 décembre 1970.

des femmes, et d'abord celle des épouses. « Nous ne sommes pas des nonnes », ce sera le premier vers. Elle écrira la pièce en vers, presque entièrement, c'est-à-dire toutes les paroles des femmes.

Des seize accusés du procès, elle ne va en garder que huit, les six condamnés à mort et les deux prêtres condamnés à 70 ans de prison qui affirment qu'« Il n'y a pas d'Évangile sans engagement politique ». Elle ne précise ni que ce sont des militants séparatistes basques, ni le chef d'accusation. Ce qu'elle retient, c'est ce qu'ils revendiquent : d'être des combattants révolutionnaires en guerre contre le gouvernement de Franco, d'être donc des prisonniers de guerre, qui doivent être protégés par la convention de Genève. Ce qui la requiert, c'est ce qui les rapproche du souvenir des Résistants et ce qui fut leur terrible sort, au mépris des conventions, arrêtés pour faits de guerre contre l'occupant allemand, emprisonnés et mis à mort sans avoir été jugés. Elle ne parle pas de ce qu'elle compare, mais le souvenir de Georges Dudach se tient derrière eux.

Il y avait trois femmes parmi les militants arrêtés, elle ne les garde pas dans sa pièce. Elle n'écrit pas sur des femmes combattantes, une fois de plus, l'héroïsme ne l'intéresse pas particulièrement. Elle écrit sur le courage de celles qui souffrent, tiennent et résistent par amour pour l'homme injustement accusé, par amour de la justice et pour avoir le courage de poursuivre leur vie, et de tout faire pour obtenir justice. Ce sont celles-ci auxquelles elle donne des paroles, justement celles dont on n'entend pas les voix, qu'on n'écoute pas, les anonymes, celles qui assistent au procès, celles dont les journaux ne parlent pas.

La Sentence fait entendre trois groupes de femmes. Les épouses des prisonniers, leurs sœurs, leurs mères. Delbo choisit deux générations pour faire dialoguer le présent et le passé, la force du souvenir et le présent de la lutte, le poids des morts, des révoltes écrasées, et l'espoir de la lutte.

Le procès de Burgos réveillait l'indignation qui avait été la sienne, la leur, pendant la guerre d'Espagne. Elle avait partagé avec Georges l'espoir, puis la révolte après l'écrasement des forces républicaines, la voie laissée libre au fascisme en Europe, et Dudach lui-même était allé à Madrid pendant la guerre d'Espagne, « J'aurais pu mourir à Madrid il y a cinq ans[1] ». Charlotte Delbo avait traversé l'Espagne en 41, avec la troupe de Jouvet, elle était souvent à la fenêtre dans le couloir du train pour regarder les paysages de l'Espagne dont elle avait suivi le soulèvement, et dont elle voyait la misère. Le procès réveille ses sentiments de compassion et de révolte de la part de la femme seule en 1970, et de la part de celle qui traversait une Espagne en ruines sans Georges, alors que Jouvet et Karsenty, l'administrateur de la tournée, venaient de lui arracher son accord pour les accompagner. Quitter Georges qui risquait sa vie dans la clandestinité, quitter sa mère veuve depuis quatre mois, quitter son pays en guerre. L'Espagne retourne bien des couteaux dans les plaies de Charlotte.

Elle écrit la pièce d'une écriture si rapide qu'elle forme à peine les lettres de ses mots. Les premiers jours elle ne donne pas de prénom aux femmes, c'est « une femme », puis « une autre », c'est un ton qu'elle saisit, des phrases à dire. Ce n'est qu'ensuite qu'elle distribuera des prénoms. Ce sont les paroles qui sont venues en premier, pas les personnages. Et elle en fait d'ailleurs à peine des personnages, plutôt des voix.

Les prisonniers politiques avaient réussi à faire connaître leurs déclarations dans les capitales de toute l'Europe, et l'homme de la rue espagnol les connaît. Au Tribunal, ils ont crié les slogans basques de la guerre civile de 36 qu'ont repris dans la salle les frères, les sœurs, les épouses, les proches des accusés. De ce courage, dans son article du *Nouvel Observateur*, Katia. D. Kaupp avait noté le rapprochement qui venait alors, « Autant, pendant la guerre de 1939-1945, chanter *La Marseillaise* à Paris au nez des nazis. »

1. *Une scène jouée dans la mémoire*, Éditions HB, 2001, p. 34.

Pour le Tableau du IIe acte qui a lieu au Tribunal, pour les phrases sèches et lourdes des peines requises par le Procureur, pas de prosodie, ce rythme qui lui était venu et lui servait à dire quelque chose de sourd, que personne n'entendait ou ne donnait encore à entendre, la vie, l'amour, la douleur et la force des compagnes. Elle propose pour la présentation de la scène de remplacer les hommes de loi par des marionnettes, de faire entendre des voix enregistrées, et qu'un seul comédien incarne les différents accusés, décline leur identité et récuse chaque fois l'acte d'accusation. Elle efface l'individualité, subtilise les voix chaudes et vivantes pour faire entendre la rigidité mortifère de l'injustice et la défense impuissante des prisonniers. Elle précise les costumes, pour le président du Tribunal, un képi militaire et un squelette dessiné sur son uniforme, pour le Procureur, un masque brillant et un costume de bourreau, pour les assesseurs un masque fait d'un carton blanc, que la justice soit sans visage. Sa volonté de stylisation s'inspire de ce qu'elle avait vu de la compagnie théâtrale Bread and Puppet au Festival d'Avignon où elle allait régulièrement, et de la liberté formelle du théâtre politique.

Aux femmes, elle donne ce qu'elle anime de sa vie personnelle, « Nous sommes les femmes des hommes-là / nous sommes les femmes de ceux qui combattent pour la liberté / de ceux qui combattent pour la justice / (...) / que nous aimons de notre chair / de notre sang / les hommes-là qui nous ont faites femmes », leur souvenir vivant, « le bruit de leur pas dans l'écho de la chambre / la place de leurs mains à notre taille / et la soif de leurs lèvres sur les nôtres, la tendre exploration de leurs mains / sur notre corps attentif / que leur caresse rend sensible[1] ». Les mots et les vers courent sur ses pages avec tout ce qu'elle a à dire de l'amour arrêté net par la répression politique qui emprisonne, menace.

1. *La Sentence*, in *Qui rapportera ces paroles ?*, *op. cit.*, p. 195-197.

Résonnent l'amour, le chagrin, l'espoir, la résignation, la colère de celles qui ont gardé la maison, élevé les enfants, cultivé les champs, travaillé en usine quand le mari était à la guerre, de celles qui ont lutté pendant la guerre d'Espagne, sauvé les enfants de la ville de Bilbao assiégée, évacués jusqu'en URSS. Charlotte Delbo avait connu à Ravensbrück une de ces institutrices qui avaient sorti les enfants de l'enfer de Bilbao pour les accompagner jusqu'en URSS. « Et les enfants qu'on avait réussi à faire sortir / du cercle de métal de Bilbao / ont été pris ensuite dans le cercle de feu de Leningrad… ».

À cette évocation, Charlotte Delbo en vient à une autre image qui mêle la répression sous Staline et ce qu'elle avait pu lire en 1966 dans le recueil d'Anna Akhmatova, *Requiem*, qui vient de paraître aux Éditons de Minuit, ce poète qui a tant compté pour elle. « Aujourd'hui dans cette ville / des femmes comme nous / se serrent frileusement devant des portes / aussi aveugles, aussi écrasantes que ces portes-ci… », et suivent quinze vers où Charlotte Delbo file la comparaison entre les femmes des accusés basques de Burgos et les femmes de Leningrad. *Requiem*, Jérôme Lindon, l'avait publié en 1966, six mois après *Le Convoi du 24 janvier*. Cette édition bilingue, qui sort l'année de la mort d'Akhmatova, traduite par Paul Valet, constitue la première édition traduite de *Requiem* qui n'avait pas été encore publié en URSS. Il n'existait qu'une édition russe publiée en 1963 sans nom d'auteur à Munich. Jusqu'à la fin de sa vie, Charlotte Delbo eut des livres d'Akhmatova dans sa chambre sur une étagère près de son lit.

Requiem, écrit entre 1930 et 1957, est dédié à toutes les femmes qui, comme Akhmatova pendant dix-sept mois, attendaient au pied des murs de la prison stalinienne à Leningrad des nouvelles de leurs fils, époux, frères condamnés… « Où sont à présent les compagnes d'infortune / De mes deux années d'épouvante ?[1] » Tant de vers et de poèmes du

1. « Dédicace », *Requiem*, Éditions de Minuit, 1966, p. 17.

recueil faisaient écho à ce que Delbo avait vécu, comme dans « Le Verdict » (dans d'autres traductions, « La Sentence ») : « Et la parole de pierre tomba / Sur mon sein encore vivant. (...) Aujourd'hui j'ai beaucoup à faire : / Il faut que je tue ma mémoire jusqu'au bout. / Il faut que l'âme devienne comme de la pierre. / Revivre, il faut que je l'apprenne. / Sinon... Le chaud bruissement d'été / Est comme une fête derrière ma fenêtre. / Depuis longtemps je pressentais / Ce jour si clair et la maison déserte[1] ».

Et Delbo a dû lire avec émotion les vers de l'« Épilogue » : « Je voudrais toutes les appeler par leur nom, / Mais on m'a pris la liste – et où la demander ? / Pour elles j'ai tissé un grand drap mortuaire / Avec les pauvres mots que j'ai entendus d'elles. » Comme ce que Akhmatova écrit « en guise de préface » à *Requiem :* « Au cours des années terribles du règne de Iéjov (chef de la police secrète de Staline), j'ai passé dix-sept mois à faire la queue devant les prisons de Leningrad. Un jour, quelqu'un m'a reconnue. Alors la femme aux lèvres bleuâtres qui était derrière moi et qui n'avait certainement jamais entendu prononcer mon nom sortit de la torpeur dans laquelle nous étions tous plongés et me demanda à l'oreille (là-bas on ne parlait qu'en chuchotant) : "Et ça, vous pouvez le décrire ?" J'ai dit "Je le peux." Alors une espèce de sourire glissa sur ce qui jadis avait été son visage[2]. »

« Je le peux », c'est sans doute ce que Delbo a ressenti en 1946, quand elle écrivait *Aucun de nous ne reviendra.*

Ces femmes de Leningrad et les femmes de Bilbao qui ont évacué les enfants, sont évoquées par une des « épouses » de la pièce. Les tirades ont souvent la beauté d'une expression chorale qui n'individualise pas le récit, le rythme des vers psalmodie une douleur retenue, faite de

---

1. « Le Verdict », *Requiem*, *op. cit.*, p. 33.
2. Ces deux dernières citations de *Requiem* proviennent de l'ouvrage publié par les éditions Maspero, *Poème sans héros et autres œuvres* d'Anna Akhmatova, 1982, traduction de Jeanne et Fernand Rude, que Charlotte a eue près d'elle les trois dernières années de sa vie.

dignité, parfois, des affirmations solennelles, sentencieuses, figent le lyrisme. Mais son originalité pour traiter le sujet, un procès politique dans une dictature, reste jusqu'au bout, son choix des mères, des sœurs, des épouses des condamnés pour dire l'injustice, et de personnages peu caractérisés, des archétypes. Chez Delbo si on n'est pas du côté du mythe, on n'est pas loin de l'allégorie. Elle cherche cette ligne qui dégage de l'individuel pour toucher plus largement le cœur et l'imaginaire, qui donne une autre dimension aux drames.

En huit jours, du 16 au 23 décembre, la pièce est écrite. Elle l'a commencée avant que soient connues les sentences du tribunal, pendant le procès, comme une action, et en même temps qu'avait lieu en Union soviétique le procès de sept citoyens soviétiques juifs. Elle le précisera au dos de l'édition de *La Sentence*. Agir, réagir, et faire sauter les frontières. Burgos, Moscou, ce qu'il s'y passe, à sa table à Paris, rue Lacépède, trouver la voix, le rythme, les mots qui traversent le cœur.

Au printemps de cette même année, elle était allée à New York. Les deux livres d'*Auschwitz et après* étaient sortis en mars chez Minuit, elle part en avril, c'est son premier séjour depuis son voyage initial en 1961. Ses deux semaines lui apportent de grandes satisfactions, contacts, amis, visites, elle s'y trouve alors que *None of us will return* a été publié et que *Phantoms, my companions* le sera bientôt. À la fin de l'automne, après avoir terminé *Mesure de nos jours*, elle a donné à lire la courte pièce qu'elle a extraite de *Ceux qui avaient choisi*, *Une scène jouée dans la mémoire*, à une comédienne, Claude Nollier, qui s'y intéresse, et a convaincu un autre comédien, Daniel Sarki, de jouer Paul.

Delbo place un premier Tableau pour étoffer la pièce. C'est Françoise, seule en scène, qui dit les poèmes que Delbo avait écrits sur Georges et le dernier chapitre de *Mesure de nos jours*, « Refaire sa vie, quelle expression… ». Elle ajoute, après la scène de l'adieu, le retour de Françoise seule dans sa cellule. Cette version d'*Une scène jouée dans la mémoire* elle la sous-titre, « Version II, oratorio[1] ». Elle y introduit un nouveau poème écrit en 70 : « Nous étions mari et femme / unis / pour toujours / où es-tu maintenant ? / Où es-tu / séparé de moi par tant de murailles / Entends-tu ma voix / au travers de toutes ces murailles / entends-tu battre mon cœur / entends-tu la peur / qui fait battre précipitamment mon cœur / entends-tu ce que je te crie / séparée de toi par tant de murailles / entends-tu ce que je te dis / au long de mes jours / au long de mes nuits. » Elle semble faire écho au refrain, « Ami, entends-tu… » du *Chant des Partisans*, créé pendant la guerre, à partir des paroles de Maurice Druon et Joseph Kessel, en 43 quand Delbo était à Auschwitz. Le chant sera repris par tant d'interpètes, dont Yves Montand et Jean Ferrat. « Ami, entends-tu… », Charlotte écoutait la radio et ne cessait d'entendre aussi ce qui se criait dans le secret de son cœur.

Elle modifiera plusieurs fois les poèmes et les textes qui entourent la scène de l'adieu pour essayer, jusqu'à la fin de sa vie, de faire représenter une version d'*Une scène jouée dans la mémoire* dans un théâtre. C'est dire si elle tenait à cette pièce, ces dernières paroles échangées avec Georges, un drame intime au sein d'un assassinat politique.

Son effervescence pendant l'année 70 va se poursuivre en 1971. Mais elle devra rameuter bien de l'énergie après un « coup » reçu en janvier qu'elle n'attendait pas. D'après une lettre de Charlottte à une amie, il s'agirait d'une condition que pose soudain Lindon à la publication de *Mesure de nos jours*, ou d'une remise en question de sa publication. Elle est bouleversée, au point de se tromper d'un mois sur la date de la lettre qu'elle adresse à Cynthia Haft à New York pour dire ses soucis, écrivant en tête le 29 février 71, alors que le cachet de la poste est du 29 janvier.

1. BNF, Fonds Delbo, 4-COL-208-226, Succession Delbo.

« Chère Cindy,

La meilleure parade à la félonie de Lindon serait évidemment que les droits de traduction pour *Mesure de nos jours* soient achetés aux États-Unis. As-tu quelque nouvelle de ce côté ? Et les *Spectres* ?[1] Et *les Hommes* ?[2]. Me voilà en train de rassembler toutes mes forces mais en même temps je suis tentée de tout laisser tomber. Céder au chantage est contraire à mes principes.

Il fait beau et doux à Paris, on se croirait déjà au printemps. Et moi je suis de plus en plus malade avec cette affaire qui est bien la dernière à laquelle je devais m'attendre.

Je t'embrasse,

Charlotte[3] »

Elle retrouvera énergie et confiance, comme toujours jusqu'ici. *Spectres, mes compagnons*, la première livraison dans la revue américaine, paraîtra en fait ce mois de janvier. Et le problème avec Lindon s'apaise puisque *Mesure de nos jours* paraît fin mars. *Le Monde* publie le premier chapitre en « bonnes feuilles », l'annonce en première page, et fait une critique élogieuse de « ce très beau livre » sous la signature de François Bott.

L'été à Breteau, elle transpose *Mesure de nos jours* pour en faire une adaptation théâtrale, *Et toi, comment as-tu fait ?* Elle rédige une présentation de la pièce. « Et toi, comment as-tu fait ? C'est la question que Françoise, survivante d'Auschwitz, se pose à elle-même. Comment a-t-elle fait pour se réhabituer à la vie, quand elle se retrouve seule ? Son mari a été fusillé par les Allemands en mai 42. Et toi, comment as-tu fait ? va-t-elle demander successivement à Gilberte (...), à Poupette[4]... » et Charlotte présente les sept personnages en

---

1. Il s'agit de la parution à venir dans la *Massachusetts Review*.
2. Le projet de traduction par un ami de Saul Bellow du premier chapitre d'*Une connaissance inutile* pour une publication en revue.
3. Correspondance de Cynthia Haft, remise à l'auteur.
4. In *Qui rapportera ces paroles ?*, *op. cit.*, p. 247.

plus de Françoise qui vont raconter leur retour. Elle termine en ajoutant, « Françoise ponctue ces interrogations de ses propres méditations et, au travers des autres, c'est son histoire qu'elle raconte ». Elle ne précisait dans cette présentation rien pour elle. Elle préfère dire que la voix qu'elle est capable de leur donner, c'est là *son* histoire. Un bref Manifeste sur ce que signifie pour elle écrire, faire entendre sa voix en faisant résonner celle des autres à partir de ce qu'elle peut leur donner de chair et d'esprit, de corps et d'âme dans ses mots, ses phrases.

L'écriture du texte de la pièce diffère du livre de *Mesure de nos jours*, elle est plus factuelle et sur le mode d'une parole qui raconte. On réalise mieux encore ce qu'elle avait travaillé dans son livre pour dire la voix des survivants, la profondeur d'une voix intérieure qui se confie, la transparence qu'elle leur avait trouvée. Une fois encore, sur la scène, Charlotte veut convaincre. Le théâtre lui fait choisir une parole de raison et de discours, comme si le plateau la poussait à écrire une parole qui se désincarne de sa résonance intime, alors que dans ses récits c'est une voix qui raconte ce qui a profondément pénétré en elle, une voix qu'elle fait intime, sans être autobiographique.

Mais elle veut rapporter sur scène ce qu'on ne veut pas entendre, elle veut faire passer la rampe à ce qu'elle avait posé dans le silence des pages, et elle n'a toujours pas réussi à faire jouer ses pièces, c'est la septième qu'elle écrit ! Alors il faut vigoureusement interpeller le public. Son titre pose une question, comme elle l'avait fait pour sa première pièce, *Qui rapportera ces paroles ?* Une question pour prendre à partie. *Et toi, comment as-tu fait ?* Pour les deux pièces adaptées de ses livres, elle a choisi des titres qui interrogent. Quand elle reprend un sujet, elle veut qu'on entende le caractère impérieux d'une adresse, qui ne peut laisser tranquille.

La question, elle l'a extraite du début de la quatrième de couverture qu'elle avait écrite pour *Mesure de nos jours* : « Et toi, comment as-tu fait ? pourrait être le titre de ce troisième volume de *Auschwitz et après*. Comment as-tu fait en revenant ? Comment ont-ils fait, les rescapés des camps, pour se remettre à vivre, pour reprendre la vie dans ses plis ? C'est la question qu'on se pose, qu'on n'ose pas leur poser. (...) Dans *Mesure de nos jours* Charlotte Delbo essaie de répondre, pour elle-même et pour d'autres, hommes et femmes, à qui elle prête sa voix. »

Elle donnait à lire son théâtre à Jérôme Lindon, il lui conseille de prendre contact avec l'éditeur Pierre-Jean Oswald. Elle lui écrit le 3 mai 1971. « Jérôme Lindon qui a déjà publié cinq ouvrages de moi mais qui n'édite pas de théâtre – me dit qu'il vous a parlé de mes pièces et que vous pourriez les éditer. Voici donc les manuscrits : *Qui rapportera ces paroles ?* tragédie en 3 actes ; *Une scène jouée dans la mémoire*, pièce en un acte ; *La Capitulation*, pièce en deux actes, et *La Sentence*, pièce en trois actes. J'espère que vous les lirez vite et qu'elles vous intéresseront[1] ».

Quatre pièces d'un coup, Charlotte n'hésite pas, et qu'il les lise vite ! Lindon a publié cinq livres « déjà », on comprend que pour elle, il y en aura d'autres. Lorsqu'elle éprouve le besoin de préciser qu'il ne publie pas de théâtre, il est manifeste qu'elle préfère oublier que Lindon édite le théâtre de Samuel Beckett et celui de Robert Pinget.

Après *Et toi, comment as-tu fait ?*, ce même été 1971, elle écrit en août, toujours à Breteau, *Le Coup d'État*, une pièce qui dénonce le régime autocratique d'Hassan Ier, roi du Maroc. Pièce en cinq actes, pour vingt comédiens, cinq bateleurs et de nombreux figurants !

Cette même année, elle fait lire *La Sentence* à Pablo Casals, grâce à Simone Alizon, sa compagne de déportation. Charlotte pensait que Casals ne pouvait qu'être sensible à une pièce sur le procès de Burgos, et qu'il l'aiderait à la faire monter. Elle a fait lire *La Capitulation*, la pièce écrite en 68 après l'entrée des chars russes en

1. BNF, Fonds Delbo, 4-COL-208-164, Succession Delbo.

Tchécoslovaquie, à André Steiger, metteur en scène suisse très engagé à gauche et qui enseigne au TNS de Strasbourg. Elle a donné à lire *La Sentence* à André Barsacq, et à Jean Vilar qui s'y intéresse et veut la monter. « Il y travaillait, comme Charlotte l'écrit dans une lettre du 12 février 72, juste avant de mourir ». Elle l'enverra aussi à Antoine Vitez. Elle avait lu son entretien avec Colette Godard, titré de ce qui deviendra un slogan, « Un spectacle élitaire pour tous ». Charlotte a découpé la page. Vitez, qui vient de fonder le Théâtre de Quartier d'Ivry, affirme que « pour lui, le seul théâtre populaire direct est l'agit-prop' (spectacles courts dramatisant sur l'instant un événement d'actualité) ». L'article est paru dans *Le Monde* daté du 18 mai 72, qui sort la veille à Paris, le lendemain elle lui écrit à l'adresse du théâtre.

« Monsieur,

Vos déclarations à Colette Godard – dans *Le Monde* d'hier – m'ont frappée, parce que... la pièce que je vous envoie ici a été écrite alors même que le procès de Burgos n'était pas terminé. Encore que je tâche à transcender l'événement et son immédiat, j'écris assez facilement sur le coup de cet événement. C'est ainsi que j'ai écrit une pièce inspirée par le 21 août 68 à Prague dans les semaines suivantes, une pièce sur les "événements" du Maroc l'an dernier tout aussitôt. Les occasions et les raisons ne manquent pas mais faute d'un théâtre qui s'intéresse à ce que je fais, je laisse passer. Je vous avais fait remettre une pièce – une tragédie sur Auschwitz – il y a quelques années déjà par François Meyluels. Peut-être l'avez-vous encore.

Je serais heureuse que vous lisiez *La Sentence* et plus encore de savoir ce que vous en pensez.

Croyez, Monsieur, à mes sentiments d'amitié pour ce que vous faites[1] ».

---

1. Lettre du 18 mai 1972 à Antoine Vitez, BNF, Fonds Delbo, 4-COL-208-166, Succession Delbo.

Antoine Vitez lui écrira le 29 juillet, s'excusant de tant de retard à lui répondre, pour dire combien *La Sentence* l'a ému mais qu'il a préféré sa première pièce, pour son écriture comme il le lui précise. Il lui propose de la rencontrer à la rentrée, en septembre ou en octobre, parce qu'il aimerait parler de vive voix avec elle de son œuvre.

Après cette effervescence personnelle, la joie de ses trois livres publiés, il y aura bien des désappointements. Le public ne suit pas. Les esprits ne sont pas prêts à recevoir ce que dit son œuvre. Il faudra dix ans pour que se vendent les trois mille exemplaires d'*Aucun de nous ne reviendra* édités en 70 par Minuit, et vingt-cinq ans pour *Une connaissance inutile*. Vingt-quatre ans pour *Mesure de nos jours*. Quant au *Convoi du 24 janvier*, édité en 1965, épuisé à partir de 1969, il ne sera réédité qu'en 1978, à 2600 exemplaires, qui mettront quinze ans à se vendre.

Et elle est excédée de voir au même moment des publications racoleuses paraître, qui prennent le sujet de la déportation et qui flattent les « penchants les plus vils : sadisme, viol et violence, meurtre et torture », à l'aide de publicité tapageuse « d'un goût douteux ». Il y a tous ces livres romancés du journaliste Christian Bernadac sur les différents camps de concentration, et elle a « vu dans les couloirs du métro, des affiches à croix gammée pour "vendre" *Treblinka* », ce livre préfacé par Simone de Beauvoir, et soutenu dans *Le Monde* par Pierre Vidal-Naquet parce qu'il y voyait une défense de l'honneur des juifs. Il dira plus tard, en 1987, qu'il a été piégé par cette publication, cette sous-littérature ambiguë, mais dans ce même article il a cité *Le Convoi du 24 janvier*, « hélas passé inaperçu » !

Delbo est révoltée par le plagiat, que font certains, de livres déjà parus pour en faire des ouvrages à sensation, ou par le style de fait divers utilisé, qui laisse les camps sur le bas-côté de l'Histoire. Chaque preuve de la méconnaissance de la déportation, de la volonté de ne pas savoir, la blesse.

Elle en parle à François Bott et rédige pour *Le Monde* une tribune. Son titre, « Écrire la déportation ». Écrire est un autre engagement d'écrivain que de faire paraître des ouvrages « sur le marché de la chose imprimée » – voici que revient sous sa plume ce mot de « chose » qui annonce toujours chez elle la mort de la littérature –, des ouvrages qui font du sensationnel avec cette « mine inépuisable » des camps de concentration. « Seul le langage de la poésie *donne à voir*. Transformer le tragique en sensationnel, avilir le tragique au niveau du sensationnel, c'est faire disparaître le tragique[1] ». Elle a terminé par ces mots qui constituent son credo, mais ne veut pas signer l'article de son nom. Elle a demandé à Cynthia Haft qui vient de soutenir sa thèse aux États-Unis sur les camps de concentration nazis dans la littérature française, de le signer. Elle voulait que soit affirmé dans ce journal où fut vanté un livre de Jean-François Steiner, qu'on peut « écrire la déportation », et que « cette re-création poétique est possible – puisque des écrivains y ont réussi – Jorge Semprun, Elie Wiesel, Charlotte Delbo, André Schwartz-Bart, entre autres ». Le combat est âpre pour Charlotte Delbo, elle n'hésite pas à faire publier ce qu'elle veut qu'on entende. Et ce n'est pas pour décerner des médailles aux écrivains cités, elle n'a jamais parlé de leurs livres à quiconque autour d'elle. C'est par son œuvre qu'elle était habitée, une tentative qui, pour elle, n'avait jamais été faite, « d'écrire Auschwitz ». François Bott se souvient, quand je lui parle de cet article, combien elle était consciente de ce qu'elle avait écrit, « c'était sa réponse au rejet d'Adorno d'une poésie possible après Auschwitz ». Et elle vient d'apprendre que les exemplaires de *None of us will return*, la traduction d'*Aucun de nous ne reviendra*, ne sont plus disponibles aux États-Unis. Ils ont été pilonnés par l'éditeur sans qu'elle en ait été prévenue, après le rachat de Grove Press par Random House. Elle a eu beau dire qu'elle se moque que ses livres ne se vendent pas – et

1. *Le Monde*, 25 février 1972.

c'est vrai aussi qu'elle sait se raccrocher à une ambition qui voit loin dans le temps, celle « des générations futures » –, la disparition de son livre pilonné n'en est pas moins une blessure éprouvante. La dérive des publications d'un goût douteux, et « sensationnel » – mais si loin de la vraie sensation, celle qu'elle lie à l'émotion –, est une autre attaque qu'elle ne peut laisser passer.

Elle reprendra ce combat en 1978. « La déportation n'est pas à vendre », une chronique que publie *Les Nouvelles Littéraires*. Le monde de la marchandise, de la publicité produit des livres qui sont « une suite d'anecdotes sensationnelles » ou de souvenirs indivivuels d'où la tragédie a disparu. « Livres dont le lecteur n'ose avouer qu'ils sont fastidieux, parce que la déportation, c'est sacré, n'est-ce pas ?[1] » Son ironie est triste, elle est accablée. Particulièrement par la place qu'une presse sérieuse fait à la sortie d'un livre dont le héros, « une petite frappe », « un malfrat débrouillard » déporté à Mauthausen, en revient grâce à ses « coups ». Une sorte de « Papillon chez les SS » comme elle surnomme le livre en reprenant le titre des Mémoires d'un évadé du bagne de Cayenne qui avait eu tant de succès, elle ne veut pas citer ce *Tunnel* d'André Lacaze, qui « transforme la tragédie en roman-feuilleton ». « Devenue marchandise, l'histoire n'est plus que fait divers. »

En juillet 1972, elle réagit fortement à un texte paru dans *Le Monde*, la visite de Pierre de Boisdeffre du site d'Auschwitz. Ce récit, qui est publié sur une demi-page et intitulé de façon surprenante, pour ne pas dire inconvenante, « Vivre à Auschwitz », fait preuve d'une telle méconnaissance de ce que fut le camp, qu'elle ne peut le laisser passer dans ce quotidien. Elle écrit à Pierre Viansson-Ponté, conseiller de la rédaction, responsable de la page.

Pierre de Boisdeffre a raconté comment sa visite lui a fait prendre conscience de « *la mort lente* » dans l'enceinte du camp. Comment le peuple des ghettos, « les fameux wagons

1. *Les Nouvelles Littéraires*, août 1978, n° 2649.

plombés où ils vont s'entasser pour transiter toute l'Europe, vont faire d'eux *des concentrationnaires* ».

Charlotte Delbo est scandalisée de voir qu'il n'a pas pris conscience de tous les juifs qui ne sont pas passés par la grille du camp. « Car si le nom d'Auschwitz porte une telle charge d'horreur – plus que Mauthausen, Dora, Bergen-Belsen – c'est parce que quatre millions de juifs y ont été gazés. Ceux-là ne sont pas passés sous la célèbre devise "Arbeit macht frei" qui surmontait la porte du camp. Ils sont passés directement des wagons plombés aux chambres à gaz. La rampe qui reliait le rail à la mort n'y est-elle donc plus ? Et les crématoires qui traitaient dix à seize mille cadavres par jour ont-ils été rasés sans qu'on en montre l'emplacement ? À Auschwitz il n'y avait pas que la mort lente. C'est cela qui distingue Auschwitz de tous les autres camps et M. de Boisdeffre ne l'a pas vu ? On s'étonne qu'il n'ait pas imaginé l'odeur des crématoires qui fumaient nuit et jour, dans un rougeoiement de hauts fourneaux. Ne l'a-t-on pas mené à Birkenau, le camp des femmes, où il y avait un poste d'eau – rarement accessible – un robinet au débit intermittent pour 15 000 femmes, où il n'y avait pas d'installations sanitaires – car un fossé ouvert à un bout du camp ne peut être distingué comme "toilettes" ou WC, où les baraques, qui n'avaient ni chauffage ni éclairage ni vraies fenêtres, étaient bâties à même la terre ?[1] »

Les trois livres de Charlotte Delbo sont sortis à cette date, et on ne peut pas soupçonner *Le Monde* d'obscurantisme, de méconnaissance de l'histoire. Ce qui paraît sous la plume de Pierre de Boisdeffre, qui d'ailleurs ne s'épargne pas (« Où étais-je ce jour de juillet 42 où les enfants juifs de Paris furent raflés et conduits au Vel'd'Hiv ? »), montre ce qui est considéré en 1972 comme une prise de conscience digne d'être révélée dans un journal sérieux, et qui est pourtant si loin de la vérité historique. Même si Delbo fait elle-même erreur sur le nombre de juifs exterminés à Auschwitz. Les

1. BNF, Fonds Delbo, 4-COL-208-299, Succession Delbo.

chiffres ne pourront être estimés que plus tard. Celui qu'elle donne sera celui sur lequel les historiens s'accorderont pour l'ensemble des camps. À Auschwitz seul, ont été exterminés un million cent mille hommes, femmes, enfants juifs.

La lettre de Charlotte ne sera pas publiée dans le journal. Elle la garde dans ses archives personnelles avec l'article dont elle avait encadré au stylo la fin du deuxième paragraphe – qui avait dû la mettre hors d'elle. Pierre de Boisdeffre y écrivait : « Auschwitz n'a pas besoin de littérature. » Ce qui était à ses yeux l'inadmissible méconnaissance de l'extermination par les chambres à gaz, lui fait passer sous silence ici ce grief, d'un autre ordre et qui n'est pas de l'importance de la plus grande tragédie de l'histoire, mais qui blesse qui elle est. L'écrivain.

Elle prendra sa place face aux négationnistes quand Robert Faurisson et ses arguments se font de plus en plus entendre. *Le Monde* publiera son article sur trois colonnes. Après être venue à l'émission de Jacques Chancel, « Radioscopie », le 2 avril 1974, elle a reçu une lettre de Faurisson, dont elle se garde de préciser le nom pour ne pas participer à sa publicité, mais elle cite un passage de sa lettre : « "Les chambres à gaz hitlériennes vous semblent-elles avoir été un mythe ou une réalité ? Je n'ai pu, jusqu'à présent, découvrir de photographies de chambres à gaz qui paraissent présenter quelque garantie d'authenticité. Auriez-vous connaissance de photographies à verser au dossier de la question ?" »

« Sans doute cette lettre ne mériterait-elle qu'un haussement d'épaule, un mouvement de pitié (pauvre dément...) ou une réponse ironique (quoi, monsieur, mettrez-vous toute l'histoire en doute jusqu'à l'invention de Niepce ? Nierez-vous la Saint-Barthélemy, la prise de la Bastille et la bataille de Waterloo parce que le reporter de *Paris-Match* n'y était pas ?) Oui, sans doute, ne mériterait-elle que cela, cette lettre, si elle n'était écrite sur papier à en-tête d'une faculté des

Lettres et si son signataire ne faisait suivre son nom de son titre : maître de conférence[1] ».

Un mythe ou une réalité ? La question l'accable. Elle revoit la volonté surhumaine de leur lutte pour survivre, cette survie qui a tenu du miracle et voilà qu'on lui pose cette question… « Non, monsieur, la rangée d'énormes cheminées d'où sortait nuit et jour une épaisse fumée noire n'est pas une invention de survivants. Certes une photographie ne montre aucune différence entre ces cheminées et celles des hauts fourneaux, mais l'odeur ? L'odeur de la chair qui brûle ? L'odeur n'est pas retenue par la photographie. De même, une photographie de la chambre à gaz montre un hangar banal. Mais j'ai vu déferler sur Auschwitz, où je suis arrivée le 27 janvier 1943, des juifs de toute l'Europe, des populations entières que les SS poussaient vers ce hangar et qui y disparaissaient pour toujours. Excusez-moi, monsieur, à Birkenau j'étais privée de tout, même d'un appareil de photo ».

Elle réussit dans le style de son article à faire sentir sa tristesse de lire pareilles opinions. Et le mordant de son ironie face à de si piètres arguments – cette ironie qui est la pierre d'angle de son énergie.

Elle peut parler de sa certitude d'avoir « vu », et réfuter ce mot « d'opinion ». « Et que cette certitude ait pu varier depuis vingt-neuf ans… Quelle question ! J'étais encore assez jeune alors pour n'être pas à l'âge sénile aujourd'hui. Heureusement, j'avais de la marge. Que je doive user de cette marge pour protester contre un esprit perverti me désespère ». Aucune colère, ici. Son accablement s'exprime malgré la vigueur de sa réponse, malgré l'ironie. Elle termine par un long paragraphe où elle développe son inquiétude. Elle associe ces révisions de l'histoire avec « le *rétro* qui fait de l'esthétisme avec le nazisme, qui romantise l'hitlérisme, lui donne une trouble fascination ». Et c'est pour elle plus qu'une mode. Le danger est grave, écrit-elle. « On veut effacer la vérité pour qu'une renaissance du fascisme ne paraisse

1. « Démythifier ou falsifier », *Le Monde*, août 1974.

pas une menace mortelle ». Voir la réalité des camps de concentration et d'extermination refaçonnée pour lui faire dire autre chose, la fascination pour le mal, est en 1974 une douleur morale pour Charlotte Delbo. Elle l'exprime ici avec des accents graves et retenus. Le film de Liliana Cavani vient de sortir, elle ne le cite pas ici, elle le citera dans son article pour *Les Nouvelles Littéraires* en 1978, mais on sent qu'elle l'associe avec la même gravité. « N'étaient-ils pas beaux, ces SS dans leurs uniformes, et virils, et ardents à l'amour et investis de ce pouvoir suprême : donner la mort ? N'est-ce pas un héros, ce bel SS, un modèle à proposer à des jeunes gens qui cherchent un but à leur vie ? Oui, l'entreprise est plus grave qu'il n'y paraît. Qu'on permette à une survivante d'Auschwitz de demander qu'on y réfléchisse ».

Et ce n'est pas qu'avec un article pour livrer sa pensée qu'elle réagit, elle écrit une brève nouvelle, « À une Judith ». Puisqu'elle entend ces prétentions fallacieuses à raconter une autre histoire, elle dit une fois encore, avec sa concision dramatique, ce qu'elles ont vu. « Nous voyions déferler sur Auschwitz, par trains entiers, des villes entières. Chaque matin, les wagons déversaient leur charge de femmes, d'enfants, d'hommes ; de tous âges, de toutes conditions ; valides, invalides. Engourdis par le froid en hiver, égarés par la soif en été, rompus de fatigue après un voyage de plusieurs jours dans les wagons obscurs, ils descendaient maladroitement sur le ballast – la rampe n'était pas encore construite – rassemblaient leurs paquets, se cramponnaient les uns aux autres par crainte de se perdre, d'être séparés (...) Ainsi sont arrivés les juifs de Cracovie, les juifs de Salonique, les juifs de Hongrie, les juifs d'Ukraine, les juifs du Comtat, les juifs de Berlin, les juifs des Pays baltes, les juifs de toute l'Europe. Savaient-ils, ceux qui montaient dans les camions qu'ils en descendraient pour entrer dans la chambre à gaz ? », puis elle aborde le sujet de la nouvelle. « Un jour une histoire a couru dans nos rangs. J'ai su plus tard qu'elle était vraie.

C'était au début de l'été. On dit que la jeune fille portait une robe claire d'un tissu imprimé à fleurs vives. Elle a sauté du wagon la première pour aider sa mère à descendre. La mère a été dirigée vers le camion. La jeune fille ne l'a pas lâchée, et, au moment de monter à son tour, elle a planté dans la gorge du SS qui était le plus près d'elle, un couteau qu'elle tenait dans son poing, qu'elle avait dissimulé sous le manteau qu'elle portait au bras. La carotide tranchée, le SS est tombé, giclant de sang. Les autres, habitués à molester une foule hébétée de fatigue, sont restés un moment pris de court, puis un officier a sorti son revolver et a tiré sur la jeune fille, à bout portant. La jeune fille est morte un quart d'heure plus tôt que son heure : le camion l'emportait à la chambre à gaz. Le savait-elle ? Savait-on, à Varsovie en 1943, que les juifs passaient directement au gaz ?[1] »

La question de « savoir », essentielle à Charlotte. Le savoir, la connaissance, la conscience, celle de l'époque, celle d'aujourd'hui, celle du lecteur, celle qui fait lire avec un sentiment poignant ce que vivaient ceux qui ne savaient pas, cette question avec laquelle elle apostrophe combien de fois le lecteur, cette question ne la lâche pas. Savoir, plus urgent que jamais en face des révisionnistes qui se font entendre.

La chute de la nouvelle nous apprend que cette histoire, les femmes du Convoi l'avaient apprise au camp. Elle leur avait servi à affermir leur volonté, au point de se faire le serment, c'est Carmen qui leur a proposé, de tuer au moins un SS à elles toutes, si elles avaient à monter dans les camions. « La jeune fille de Varsovie », comme l'appelle Charlotte Delbo, elle la salue, en hommage à son courage. Et Delbo de lui donner le prénom de Judith, reprenant le mythe de celle qui préfère tuer qu'être tuée.

Cette nouvelle, dense, ramassée et brève, comme le geste de la jeune fille, Charlotte Delbo l'inscrit sous le signe du mythe. De l'histoire qui a couru dans le camp, elle écrit la tragédie. S'il y a eu Électre ou Antigone présentes au camp par instants, il y eut aussi Judith.

1. « À une Judith », *Information Juive*, avril 1974.

L'art de Delbo est, derrière les massacres, de voir les figures de la tragédie, derrière l'ordinaire, le terrible. Ne jamais oublier, et le faire savoir, que l'un est sous l'autre. La concision, la précision de la langue révèle le mythe sous le recouvrement par la banalisation ou par des récits historiques qui cachent des ressorts humains exceptionnels. Il faut le dépouillement de la tragédie pour rendre visible leur intensité, leur dimension. C'est son travail.

« À une Judith » paraît dans le journal mensuel *Information Juive*. On aurait aimé que le texte soit aussi publié dans un journal de plus grande audience, non seulement parce qu'elle écrit avec sa qualité littéraire ce qu'il y a à savoir (et en 1974, c'est encore bien nécessaire) du sort des convois de juifs raflés de toute l'Europe, mais parce que sa nouvelle montre une jeune femme juive destinée à la chambre à gaz tenue comme modèle par des déportées politiques.

Il a été trop dit et abusivement que les juifs s'étaient laissé conduire à la mort, comme si les stratagèmes des nazis pour masquer l'extermination n'avaient pas été efficaces. Comme si l'inconcevable pouvait être imaginé par ceux qui « arrivaient ». Et on a trop opposé l'organisation des déportés politiques au comportement des déportés raciaux en soulignant ce qu'ils ont pu manquer de faire, comme si leurs conditions et de déportation et d'emprisonnement avaient été comparables. Charlotte Delbo a toujours écrit les conditions bien pires des juives de Birkenau, comme celles des tziganes.

Pour lire la tragédie qu'a été la déportation, « la tragédie du XXe siècle », elle voudrait que le lecteur rencontre la vérité des faits et la beauté de la langue. « Vérité historique quand il s'agit du document ; beauté du verbe quand il s'agit de littérature. Vérité et beauté quand il s'agit de la tragédie[1] ». Le ton sentencieux ici montre une Delbo un peu raidie dans sa défense. Elle sait qu'elle a peu de lecteurs. Elle sait le soutien de quelques-uns, mais si peu, même si elle les estime.

1. Dans son article paru aux *Nouvelles Littéraires*, en août 1978.

Alors elle continue de s'exprimer dans la presse, et à contre-courant. En 1979, quand est donné à la télévision française le feuilleton américain *Holocauste*, elle prend le contre-pied du mépris de beaucoup pour cette diffusion à succès. Elle s'exprime dans les colonnes du *Monde*, dans la page « Idées » directement sous la responsabilité de Jacques Fauvet, rédacteur en chef du journal.

Elle ne cache pas les défauts de ce « mauvais feuilleton », mal joué, mal doublé en français. « Que ces voix parlaient faux, souvent ! » écrit-elle dans une parenthèse, pour elle si sensible aux voix. « Bourré d'erreurs », critique-t-elle encore, ajoutant dans une autre parenthèse, sur un ton un peu ironique, « au regard d'un budget énorme, les honoraires d'un conseiller historique n'auraient guère pesé pourtant ». Plus grave à ses yeux, et elle lui consacre un paragraphe, c'est l'erreur dans laquelle le feuilleton baigne le public français : les « carrer dans leur bonne conscience, conscience de victimes », et Delbo a horreur de la victimisation. « *Holocauste* innocente les miliciens, les Brigades spéciales de la police française qui ont livré les Résistants à la Gestapo, c'est-à-dire au peloton d'exécution et aux camps d'extermination ; innocente Darquier et ses semblables du Commissariat aux questions juives, les délateurs, les collabos et les lâches ». Et le feuilleton fausse le nazisme quand il oublie, passe sous silence, la persécution en Allemagne des syndicalistes, communistes et socialistes, leur assassinat, leur emprisonnement dès 1934. « Mauvais, enfin, cet *Holocauste* parce que l'émotion ne passe pas ». Le recensement des défauts est implacable, et pourtant ! Delbo va insister sur « la commotion » que ce film a provoquée sur le public et cherche à l'analyser. Pour elle, c'est un signe qui témoigne de ce que « la déportation, la solution finale sont entrées dans la conscience universelle. On a parlé d'oubli. On s'est trompé. S'il est exact que, par vouloir-vivre, les individus ont essayé d'oublier (c'est dur de vivre dans la culpabilité, et à quoi sert le remords, de toute façon ?), on constate qu'à leur insu les consciences individuelles ont été marquées. Il y a résonance parce qu'il y a boîte de résonance. La boîte de résonance, c'est la conscience. Des cicatrices y étaient gravées. Preuve ? Il suffit d'un médiocre feuilleton pour les raviver.

Tous les survivants des camps ont craint de n'être pas entendus, ont eu le sentiment de n'être pas crus, tant ce qu'ils rapportaient est incroyable. Et ils se disaient : "Nous disparus, tout sera englouti dans l'oubli." Qu'ils se rassurent.

Il y a sur les camps nazis, sur les chambres à gaz et le génocide de populations entières (juifs, tziganes), un grand nombre de livres, de témoignages irréfutables. Cet *Holocauste* ne leur ajoute rien, mais il a révélé que la conscience historique de l'humanité a été marquée de manière indélébile[1] ».

Son analyse si personnelle du succès du feuilleton lui permet de voir un signe, le signe de la conscience intériorisée de ce paroxysme de l'Histoire. Et prouve sa confiance, cette fois.

La diffusion du film a été aux États-Unis la prise de conscience de l'événement, elle entraînera dans son sillage la constitution de ces Holocaust Studies dans les Universités américaines et explique le nom donné à ces études historiques et littéraires sur les camps nazis.

Cela ne l'intéresse pas de voir éventuellement dans le succès d'*Holocauste* en France le goût du public flatté par le sensationnel des images recréées, ce qui l'intéresse c'est leur conscience, qu'elle discerne dans ce succès, c'est « la caisse de résonance » du spectateur, que le film a révélée.

Charlotte est personnelle dans sa façon d'analyser les faits de société. Elle le montre encore en comprenant la position extrême de la Fraction armée rouge. Ce qu'il se passe en Allemagne, ce que des terroristes dénoncent, ne la laisse pas indifférente, au contraire, « la réconcilie » avec l'Allemagne. Au début des années 60, le pays se taisait sur son passé nazi, comme la France sur son passé vichyste. Quand les jeunes commencent à interroger les pères, c'est le silence. Quand

1. « Une marque indélébile », *Le Monde* du 27 février 1979.

en Allemagne on parle de la période 1933-1945, c'est pour parler de la guerre et pas du régime nazi, dans les lycées de nombreux enseignants en faisaient partie. C'est le procès, qui se tint à Francfort entre 1963 et 1965 pour mettre en accusation des responsables d'Auschwitz, qui mit fin à la période de silence et de refoulement. Les jeunes qui apprennent le passé réel de leur pays demandent des comptes à leurs aînés dont ils découvrent le visage hypocrite, une Allemagne qui les révolte. Tant de raisons se présentent pour protester contre l'apathie qui règne, confondue avec le miracle économique. Ils manifestent contre la guerre au Vietnam, contre l'installation des fusées Pershing américaines, contre l'autoritarisme de l'éducation, contre la présence d'anciens nazis parmi les professeurs d'université. Des intellectuels rejoignent cette contestation, une partie des jeunes se radicalisent et créent la Fraction armée rouge dont les responsables sont Andreas Baader, Gudrun Esslin, Ulrike Meinhof, Holger Meins. Ces jeunes Allemands d'extrême gauche ont revendiqué des actes terroristes, des enlèvements et des assassinats, ils furent emprisonnés et « suicidés » pour certains en 1977 dans leur prison. Leurs actes, leurs prises de parole, leur procès, leur mort ont occupé une place très importante dans l'actualité, les esprits et la presse en Allemagne et en France l'année 1977.

Deux mois après Jean Genet qui expliquait, dans « Violence et brutalité » publié dans *Le Monde*, combien la brutalité de la société allemande avait rendu nécessaire la violence de la Fraction armée rouge, un article qui avait déjà provoqué de vives réactions chez les lecteurs du quotidien, Charlotte Delbo va défendre le radicalisme des Baader-Meinhof. « Il y en a qui peuvent me réconcilier avec l'Allemagne[1]... » Pour les arguments qu'elle va développer en rapprochant la Fraction armée rouge de l'action des Résistants, elle recevra lettres anonymes et lettres de menace, et le journal, un fort courrier de protestation.

1. « On insulte les morts, maintenant ? », *Le Monde* du 18 novembre 1977.

Sa virulence reste aussi vive quand elle dénoncera un an plus tard ce que la loi permet : laisser Darquier, responsable du Commissariat aux questions juives à partir de mai 1942, finir ses jours tranquillement à l'étranger puisque l'Espagne de Franco ne permet pas de l'extrader.

Mais ces mêmes lois permettent d'extrader « un justicier », comme l'appelle Delbo, un « terroriste » selon d'autres, celui qui n'a pas supporté l'impunité des crimes passés. Sa colère vient de deux articles parus dans *Le Monde* le 2 et le 4 novembre 1978. Ils lui font écrire le 7 novembre « La loi, la morale, le terroriste », et on imagine qu'elle destinait son texte au quotidien. Parce qu'elle ne peut laisser passer, sans répondre, le fait d'apprendre que des lois protègent l'impunité de Darquier et condamnent celui qui a voulu que la justice se fasse. Elle fait le récit d'un jeune homme dont toute la famille paternelle a été raflée et exterminée, sauf son père. Il avait été envoyé faire des courses, on pensait que les enfants passeraient « au travers des mailles », une voisine qui a vu « les brigades de Darquier » arriver chez les grands-parents, le cache et le sauve. C'est le jeune homme, fils du père caché pendant la rafle, qui s'indigne de l'impunité juridique de Darquier, il évoque une colère que rien ne peut calmer : « Quand la loi ne peut rien, que vous reste-t-il ? » Et Charlotte Delbo de conclure : « De l'inadéquation de la loi à la morale naît le justicier. Autrement dit le terroriste[1]. »

Le raisonnement charpente ses articles. Ce qui ne l'empêche pas de mettre d'abord en scène des personnes, que ce soient de jeunes touristes allemands comme dans son article sur la bande à Baader ou ici le petit-fils d'une famille exterminée, ils sont des protagonistes de l'action, porteurs de jugements, de sensibilité et d'émotion, et donnent à voir, à sentir une situation avant qu'elle ne déroule son raisonnement. En enfermant sa colère dans une économie de mots qui la rend détonante.

1. « La loi, la morale, le terroriste », BNF, Fonds Delbo, 4-COL-208-79, Succession Delbo.

S'il paraît à peu près certain qu'elle ait adressé sa réaction au *Monde*, on peut imaginer que le journal aura décliné de le publier, étant donné les réactions reçues à sa tribune l'année précédente. C'est le magazine *Le Fou parle*, où écrivait aussi son ami François Bott, qui le publiera dans son numéro de janvier/février 1979.

Si elle écrit tous ses articles à Paris, à Breteau, dans sa maison de campagne, elle se ressource. C'est là où elle peut vivre avec ses amis près d'elle et pour elle. À Paris elle les fréquentait séparément, Charlotte Delbo était exclusive, elle ne mélangeait pas les cercles. À Breteau, elle est plus souple. Elle se ménage du temps pour elle. Elle se sent à l'abri, protégée par la petite gare.

Étrange alchimie qui s'est faite, le jour où elle a rencontré la plus petite gare du monde, l'absolu envers de « la plus grande gare du monde ». Breteau, c'est la gare où le train ne passe plus, comme elle l'appelait. La chambre qu'elle s'était choisie n'est pas à l'écart. Ce n'est pas une chambre à soi, un nid, une tanière, mais un lieu de passage entre la grande pièce à vivre où se prennent les repas et la cuisine, entre le premier étage, où se trouvent les trois chambres d'amis, et la grande pièce puisque l'escalier débouche dans la cuisine. La chambre où elle dort dans son lit étroit à une place se trouve dans le passage comme si elle voulait garder jusqu'au moment de se coucher le souvenir des amis qui vont et viennent le jour durant, repousser le plus loin possible le moment d'être seule, de risquer, les paupières baissées, le retour des cauchemars.

Charlotte se levait avant tout le monde et se couchait bien après ses amis. Elle écrivait jusque tard sur la table de la grande pièce. Elle n'entrait dans la petite pièce qu'au moment de se coucher. Avoir juste un lit au moment où il fallait dormir, et garder la mémoire de l'espace de la grande pièce, du va-et-vient, pour chasser une angoisse intérieure qui ne la quittait pas. Sa chambre était l'ancienne billetterie de la gare, un endroit fonctionnel. Cela lui convenait pour y dormir et affronter le doute qui pouvait la prendre sur l'existence réelle, sur tout ce que la réalité sous son apparence ordinaire peut cacher de gouffres, de tragédies.

À Paris, le jour, elle compensait son angoisse par l'activité, le travail, un goût immodéré pour la vie, les choses simples ou les belles choses, le luxe, un vêtement, un cadeau, un parfum. Si l'angoisse que lui donnait la tombée de la nuit était trop forte un soir où elle ne sortait pas, elle téléphonait à Claudine qui traversait alors Paris, elle habitait le 9e, pour venir dîner avec elle. Si elle sentait Charlotte inquiète encore, elle dormait dans le salon pour qu'elle sente une présence amicale. La présence de Claudine a toujours été précieuse pour Charlotte. Calme, et surtout silencieuse de caractère, Claudine avait une grande admiration pour Charlotte, se dévouait sans compter pour soulager ses angoisses, se rendre disponible. Charlotte avait besoin de sentir que quelqu'un pouvait être près d'elle quand l'angoisse était là. Claudine avait la qualité désirée, elle ne lui posait jamais de questions. Charlotte Delbo n'aimait pas s'expliquer, ce qui se retrouve dans son œuvre. Pas d'explications, faire sentir, laisser réfléchir, donner au lecteur sa place. Qu'une amie comprenne ses besoins, sans explication nécessaire, fut pour elle un cadeau. Charlotte n'a jamais fait de confidences. À quiconque. Son besoin d'amitié ne se situait pas là. Il était fait d'échanges intellectuels avec certains, de partage affectif avec d'autres, du souvenir de l'épreuve vécue ensemble avec ses compagnes de déportation, et là plus encore qu'en toute autre occasion, nul besoin de détours, d'explications. L'évidence.

À Breteau, les amis du cercle affectueux sont là. Ce sont avant tout André et Claudine Collet. Il y a parfois les Schwab, Éric et Jacqueline, Cynthia Haft, les Mensch de Washington, Anouchka de Belleval, la fille de ses chers amis Belleval du temps des années à Genève, eux n'auront pas le temps de venir à Breteau, absorbés par leurs activités professionnelles et une maison acquise en Provence. À partir du milieu des années 70, sont là aussi Jean-Marcel Lèbre, François Veilhan, jeune homme sur qui veillera toujours Charlotte, qui vient avec sa jeune femme, Agnès, Marie-Élisa Nordmann, compagne du convoi, venue apporter son aide à Breteau au moment où Charlotte Delbo terminait *Le Convoi du 24 janvier*, et Anouchka, adolescente à l'époque, se souvient encore de l'extraordinaire communication entre les deux femmes, leur façon de se parler, si directe, si franche, et c'est une autre Charlotte qu'elle découvrait après l'arrivée de Marie-Élisa. Poupette, c'est-à-dire Simone Alizon, vint à Breteau, comme Ida Grinspan, à qui Charlotte prêtera sa maison pour qu'elle y passe des vacances avec sa fille Sophie. Les bons amis avec qui elle partage des échanges intellectuels, il se trouve qu'ils n'y séjourneront pas, ou peu. François Bott et sa femme, Danièle, n'y viendront pas, mais Charlotte leur rendra visite dans leur maison de Normandie, Georges Nataf, l'ami éditeur, y viendra, mais rarement, François Marié dans les années 60 n'y vient pas non plus.

Claude Schumacher, qui a mis en scène avec ses étudiants de l'Université de Glasgow plusieurs pièces traduites en anglais de Charlotte, et sa femme y passeront en septembre 76, ils y rencontreront Poupette, dont la personnalité les marque et les touche.

Quand Claudine et André Collet achèteront leur propre maison de campagne dans la Drôme, ce sera pour Charlotte un coup dur. Les fidèles parmi les fidèles ne seront plus toujours là à Breteau.

Breteau a été si cher à son cœur qu'elle a voulu en faire le sujet d'un livre. C'est une chronique de la vie à Breteau qu'elle écrit en 1973, « Les Récits de la gare où le train ne passe plus ». Elle met en scène ses conversations avec des amis en séjour, les péripéties avec le voisinage, les coups montés des braconniers dont elle se fait la complice, le drame du garde-chasse, la visite au château du marquis, voisin arrogant dont Charlotte se joue avec une ironie moqueuse. Elle commence par raconter sa découverte de la maison. Le prétexte est une question de l'ami « Éric » où il n'est pas difficile de retrouver son cher ami, Éric Schwab. « Comment l'idée t'est venue d'acheter une gare ? — Aucune idée. Le hasard, comme presque tout dans la vie ».

On a peine à croire que Charlotte, si lucide, n'ait pas supposé les raisons profondes qui ont fait son engouement immédiat pour la petite gare. Et si ce n'est certainement pas le hasard qui la lui fait choisir, c'est bien le hasard qui l'a conduite devant la maison. Elle conduisait des amis qui cherchaient à acheter une maison de campagne. Ils n'ont jusqu'ici rien trouvé qui leur convienne. Lorsque l'agent immobilier, à bout de propositions, leur parle d'une petite gare, les amis ne s'y intéressent pas, c'est Charlotte qui s'enthousiasme, et décide les amis à aller la voir.

« ... Tout à coup, la petite gare entre les arbres. Vieillotte, campagnarde, la gare du village, à la fin du siècle dernier. J'ai tout de suite été charmée. Nous avons garé la voiture dans la cour des voyageurs, ici même, à l'ombre des tilleuls. Sauf l'herbe qui était très haute, les orties et les ronces, c'était comme tu le vois maintenant[1] ». Et Charlotte raconte comment elle est restée à l'extérieur, à marcher dans le jardin, elle n'est pas entrée dans la maison.

La ligne de chemin de fer avait été supprimée cinq ans plus tôt, c'est dire que le souvenir n'en est pas loin, mais le train ne passerait plus, les rails et les traverses ont été ôtées.

La gare avait été achetée par un comte des environs pour la transformer en pavillon de chasse, il avait fait installer douche et toilettes dans l'ancienne lampisterie. Mais Charlotte est « attendrie » par l'édicule à l'extérieur, « dissimulé par des lauriers verts, avec ses plaques en émail bleu : "Hommes" d'un côté, "Dames" de l'autre ». Elle marche autour de la

1. « Les Récits de la gare où le train ne passe plus », BNF, Fonds Delbo, 4-COL-208-248, Succession Delbo.

maison. Une gare où le train ne passe plus, une gare dont elle sait le nom ! Elle fera apposer les deux panneaux bleus avec le nom de Breteau, qu'elle a retrouvés, sur les façades de sa maison.

Une rencontre avec ce qui fait sens pour elle. Qui peut apaiser l'angoisse terrifiante qui l'avait habitée au-delà du supportable pendant des mois. Voilà soudain une maison qui a pour nom un lieu inscrit dans une géographie humaine, qui est de petite taille, qui possède le calme d'un cadre bucolique, l'opposé de tout ce qui entourait « la plus grande gare du monde ».

« Pendant que Sacha et Denise visitaient, je me tenais à l'écart. L'intérieur ne m'intéressait pas, ce n'était pas mon affaire. (...) J'allais jusqu'au bout du quai, je m'asseyais sur le banc des voyageurs qui est fait de deux traverses... »

Dans son récit, ce qu'elle souligne c'est bien cet apaisement qu'elle sent immédiatement. Une gare apaisante. L'intérieur n'est pas son affaire, c'est ce que le lieu dégage, ce qu'il lui donne, qui la charme. Au voyage du retour vers Paris, les amis racontent les détails fonctionnels de cette maison prête à être occupée, et qui les ont convaincus, mais le soir même ils téléphoneront à Charlotte pour lui dire qu'ils n'achèteront finalement pas la maison, la grand-mère qui doit s'y installer pendant les vacances scolaires avec leur fille trouve qu'elle est trop éloignée du bourg. Charlotte appelle les Collet pour savoir s'ils viendraient dans cette maison avec elle. André lui assure, Claudine confirme. Charlotte reviendra faire une visite en se faisant accompagner d'André pour passer au crible la maison, et elle l'achète en juin 61.

André et Claudine Collet ont été les amis qui ont accompagné Charlotte le plus longtemps dans sa vie. Elle avait rencontré André au milieu des amis techniciens de l'Athénée qu'elle revenait voir régulièrement depuis Genève. Jean Vilar avait engagé la plupart, après la mort de Jouvet en 51, André Collet, lui, avait été engagé en 52. Le jour où il rencontre Charlotte venue voir ses amis, il est enthousiasmé par sa personnalité, il en parle le soir même à sa femme qu'il a connue l'année précédente dans un rassemblement théâtral de la jeunesse en Allemagne, Claudine était jeune comédienne. Charlotte viendra dîner chez eux, elle se souviendra longtemps de cette soirée. Elle eut même l'intention d'écrire une nouvelle, « Le premier dîner c/o les Collet rue des Peupliers ». Le titre se trouve sur une liste qu'elle a dressée, en 1975, d'événements vécus qui figurent comme autant de sujets pour de courts textes, et certains sont devenus des nouvelles[1]. Avec André, elle aimait parler des pièces créées par Vilar, elle les avait presque toutes vues, ils passaient en revue le jeu des comédiens, s'amusaient à refaire autrement la scène. C'est André Collet qui réglera et signera la mise en scène de *Qui rapportera ces paroles ?* en 1975 quand la pièce sera donnée, un an après Paris, à Bordeaux au Grand Théâtre. André, jeune, avait fait partie d'un réseau de la Résistance. Arrêté, il avait été torturé par la Gestapo et en avait gardé un souvenir traumatique, Charlotte le comprenait. De cette peur, André avait souhaité sortir, c'est le psychanalyste Jean Gillibert qui le lui avait permis. Psychiatre et homme de théâtre, Gillibert avait beaucoup marqué André. Il en parlait à Charlotte, mais elle ne voulait pas d'analyse pour elle, elle prétextait la peur de perdre sa voix d'écrivain. Au fur et à mesure des décennies d'amitié avec les Collet, c'est Claudine qui gagna de l'importance pour Charlotte, par le dévouement qu'elle lui témoignait. Charlotte avait besoin de pouvoir compter sur la présence d'une amie, sur la chaleur d'une amitié qui se donnait sans compter et discrète toujours. André, par son art du bricolage, avait permis à Charlotte d'aménager à sa façon la maison de Breteau.

Elle aimait les détails pratiques qui facilitent la vie quotidienne. À l'étranger, elle observait les usages, soit pour critiquer leur absence de fonctionnalité, soit pour en rapporter quelque chose pour elle. Elle ne tarissait pas d'éloge sur le blue jean, rapporté des États-Unis, et le portait dès les années 60 à Breteau – elle dont on sait l'attention pour

1. BNF, Fonds Delbo, 4-COL-208-279, Succession Delbo.

s'habiller, son goût du raffinement. Elle aimait que la campagne lui permette de vivre à l'ancienne, comme de cuire ses plats sur le feu de la cheminée. Elle avait fait rehausser l'âtre pour qu'il soit à hauteur de ses mains une fois qu'elle était assise, elle avait dessiné elle-même la cheminée, fait exécuter la hotte, avait été sensible au fait que le ferronnier travaille jusqu'à forger les têtes des clous en pointe de diamant. Et pour se prouver qu'elle pouvait se passer d'un réfrigérateur, elle plaçait le beurre dans un beurrier à l'ancienne qui possède un fond rempli d'eau fraîche. Jean-Marcel Lèbre se souvient du nombre de beurriers qu'elle a pu lui offrir pour le convaincre de faire de même. Dans la cuisine, la vaisselle et les ustensiles devaient être visibles et à portée de main, alors que dans la salle de bains, elle rendait ses affaires personnelles invisibles. Ce détail dit la séparation avec ce qui était sa vie privée, où personne n'avait à pénétrer. Alors que tout ce qui afférait à la vie collective se partageait. Il y avait un « pot commun » où chacun mettait de l'argent pour les courses. Ce n'est pas Charlotte qui invitait ses amis. C'est à la gare qu'ils vivaient ensemble.

La grande pièce à vivre, l'ancienne salle d'attente, lui avait permis d'avoir la grande table « dont on rêve à Paris, où l'on peut tenir à plus d'une douzaine[1] ». Elle l'avait fait faire par un ébéniste de Bleneau, le bourg voisin, comme elle la voulait : « un plateau épais, des pieds bien d'aplomb, montés à cheville de bois, en chêne naturel qui se patinait lentement ». Un banc du côté du mur, des chaises en face et une tout au bout qui restait en général vide, personne ne s'y installait, c'est là que Charlotte le soir écrivait. Le reste de la table était polyvalent, elle-même aimait s'y asseoir, « les pieds reposés sur un tabouret, les mains sur les genoux », une de ses positions favorites quand elle parlait avec ses amis.

La maison était « de bonne construction », « les chemins de fer bâtissaient du solide en ce temps-là ! » avait annoncé l'agent immobilier lors de la visite. Argument qui

1. « Les Récits de la gare où le train ne passe plus », *op. cit.*

n'avait pu que toucher la fille et petite-fille de monteurs-riveteurs qui avaient travaillé à la construction de tant de ponts ferrés. L'eau de la maison venait d'un puits actionné par une pompe électrique à la cave, cette autonomie avait séduit Charlotte. Quand elle est revenue voir les lieux avec André Collet pour qu'il visite la maison avec elle, Charlotte lui fait toute confiance, elle est sûre qu'à lui, éclairagiste de théâtre, excellent bricoleur, tout défaut sautera aux yeux, elle passe cette fois encore du temps au jardin. Elle voit surgir « un superbe faisan qui se promenait d'un pas royal. Dédaigneux, superbe. C'est le faisan qui a tout emporté ». Charlotte voulait faire de la démarche royale de l'animal à plumes le signe du destin. C'était son goût du panache, un panache qui emporte, et qui l'emportait. L'allure hautaine, l'assurance royale, elle aimait elle-même en jouer en société. Le faisan qui passe est un signe choisi pour un destin que cette fois elle choisit.

Breteau a une place importante dans la vie de Charlotte, depuis son retour à Paris fin 1960. Elle achète la maison quelques mois plus tard, au printemps de l'année suivante. Elle la gardera jusqu'à son décès, en 1985. Et Breteau ne l'a pas empêchée de voyager, de retourner de nombreuses fois aux États-Unis, de prendre ses vacances autour du bassin méditerranéen, en Grèce avant tout, mais aussi en Turquie, à Chypre, en Espagne, au Portugal, au Maroc. Et Charlotte voyageait seule. Quelques mois avant sa mort, c'est encore au bord de la Méditerranée qu'elle veut aller, elle ira en Italie sur la côte amalfitaine, cette fois elle demandera à Claudine de l'accompagner tant elle est fatiguée.

Breteau, c'était pour elle un lieu de vie en commun, elle y venait rarement seule. Et la gare portait ces souvenirs collectifs auxquels elle s'est attachée, des souvenirs qui appartenaient aux gens du pays. « C'est de la gare que j'ai rejoint, mon feuillet de mobilisation en poche… », c'est de la gare qu'il est parti, son voisin, le fermier, à la guerre. Et Charlotte de dire à son ami Éric, « Ils sont tous partis ensemble par un train du soir, en septembre 1939, les hommes du pays.

D'une petite gare tapie au milieu des bois, partir pour la ligne Maginot, pour Narwick, pour un stalag en Prusse orientale... N'est-ce pas étrange ? Nous avons vu les peuples emportés par le flot de l'histoire sans penser d'où était parti chacun d'eux qui formaient ces peuples : d'une petite gare innocente, une gare de carte postale. Oui, c'est étrange, les femmes sur le quai, ce quai, avec les tilleuls feuillus, pleins d'oiseaux, qui pleuraient, agitaient les mouchoirs, tendaient les bébés pour que les hommes aux portières, les voient jusqu'à la courbe. Et rentrant chez elles, en une cohorte triste. *C'est aussi à la gare qu'il est revenu* (c'est moi qui souligne), le fermier, en 1942. Il a été libéré avant la fin, comme agriculteur. » Et Delbo décrit son retour, les enfants qui l'aperçoivent et accompagnent leur père jusqu'au pas de la porte, la mère qui voit ses enfants interdits, puis lui, et croit à une apparition. Ce retour, sa voisine, « le rappellera longtemps. Et après elle, où sera la mémoire de la gare ? ».

Charlotte Delbo a rencontré une autre mémoire, la mémoire de la gare de Breteau. Elle n'est pas peu fière quand des anciens du pays, passant dans la région, veulent voir les lieux, et lui disent : « C'est bien que vous l'ayez laissée comme c'était. » Elle évoque la tristesse d'une amie qui lui raconte qu'elle n'a rien retrouvé de la maison où elle a passé son enfance « ni le cadre, tellement tout a été détruit, routes, échangeurs construits... On nous enlève nos souvenirs... C'est comme si j'avais passé mon enfance dans un pays qui n'existe pas ». Pour Charlotte les choses sont différentes. Elle n'était pas attachée à Vigneux, n'en a aucune nostalgie et n'y retournera pas après la mort de sa mère en 1971. Par contre elle prendra soin de la gare de Breteau, de sa mémoire, des souvenirs que les gens ont gardés. Comme de la mémoire de Kalavrita, ce village grec du Péloponnèse où tous les hommes valides furent assassinés par les Allemands un jour de 43 en représailles, et pour qui les femmes se chargèrent dès le lendemain de donner une sépulture. La mémoire de ce jour et du lendemain, elle voudra l'écrire quand elle découvrira ce village. La mémoire de la gare de Breteau, c'est elle qui l'entretient. « J'ai laissé les bancs dans la salle d'attente. Il y a des gens qui me demandent la permission d'entrer et qui s'y assoient. Ils s'y sont assis pour attendre le train[1] ».

Et elle éprouve le besoin d'écrire ces mots. « Je suis mélancolique en pensant que les gens du pays disent encore "la gare" et que d'ici quelque temps, ces mots "la gare" ne signifieront plus rien. Pour le moment c'est encore habité par tout un passé, c'est encore vivant ». Ce n'est pas la pensée de sa propre disparition, ou de celle des gens qui la rend mélancolique, c'est que derrière un mot, il n'y ait plus la même signification ! Gardienne des mots, Charlotte, gardienne du sens, gardienne d'un sens vécu par un ensemble de personnes. Ce que signifie un mot, c'est là, l'essentiel qu'elle protège.

Un jour le neveu de l'ancien chef de gare est venu montrer les lieux à son fils. Il avait, enfant, passé ses vacances là pendant dix ans, il se souvient du prunier et de ses reines-claudes, il est heureux de le voir toujours là. La mémoire et ses fruits, la mémoire heureuse. Breteau, c'était dans la plus petite gare du monde, une façon de cultiver une autre mémoire.

Tandis que celle qui la hante a supplanté une mémoire qui aurait pu garder des moments un peu cléments, comme le souvenir des tomates de Raisko qu'elles avaient réussi à voler dans une serre et manger. « Non, je ne me souviens pas des tomates » découvre Charlotte perplexe et songeuse, en parlant avec ses anciennes compagnes. « Oublier les tomates, c'est bête. Ce n'est pas un souvenir lourd, le souvenir des tomates. Pourquoi ne pas oublier plutôt l'odeur de la fumée, la couleur de la fumée, les flammes rouges et fuligineuses qui jaillissaient des cheminées, que le vent tordait et dont il nous envoyait l'odeur ? Pourquoi ne pas oublier plutôt toutes les morts du matin et toutes les morts du soir, pourquoi ne pas oublier plutôt les cadavres aux yeux rongés, aux mains tordues comme des pattes d'oiseaux

1. « Les Récits de la gare où le train ne passe plus », *op. cit.*

gelés ? Pourquoi ne pas oublier plutôt la soif, la faim, le froid, la fatigue, puisque cela ne sert à rien que je m'en souvienne, je ne peux en donner l'idée à personne ? Pourquoi ne pas oublier plutôt comme le temps durait, durait, puisque tout le monde aujourd'hui se dit vingt-sept mois ce n'est pas si long dans une vie et puisque je ne peux pas leur faire comprendre la différence entre le temps de là-bas et le temps d'ici, entre le temps de là-bas qui était vide, et qui était si lourd de tous ces morts, parce que les cadavres avaient beau être tout légers, quand il y en a des milliers de ces cadavres squelettiques, cela fait lourd et cela vous écrase sous le poids, entre le temps de là-bas qui était vide, et le temps d'ici qui est du temps creux[1] ».

Breteau ouvrait sur une autre mémoire. J'ai été frappée d'apprendre que dans la vie quotidienne de la maison, Charlotte et ses amis employaient les mots propres à l'ancienne gare pour désigner les pièces, les lieux, parlaient de la salle d'attente pour la salle de séjour, de la billetterie où Charlotte avait sa chambre, de la lampisterie que le précédent propriétaire avait transformée en salle d'eau, du guichet transformé en placard à vaisselle, du quai de départ et du quai de l'arrivée pour les côtés est et ouest de la maison. Un été, elle a organisé un concert pour François Veilhan, flûtiste, et rédigé un programme en bonne et due forme. « La gare de Breteau » est le cadre du concert, et Charlotte Delbo qui l'organise, « le chef de gare ». On s'amusait, mais il fallait *garder* les mots et les noms.

Au milieu de ses « Récits de la gare où le train ne passe plus », Charlotte Delbo éclaire une part d'elle dont elle ne parlait pas dans sa vie, un drame et un chagrin qu'elle gardait secrets. Elle l'aborde de biais, en commençant par une anecdote, « Le Nid de guêpe », qui donne son titre au chapitre. Une bataille dont elle n'était pas peu fière. Elle avait délogé en arrivant tard à Breteau un soir d'été un nid de

1. *Mesure de nos jours*, *op. cit.*, p. 197.

guêpes au moment d'ouvrir le volet de sa chambre pour regarder *son* rosier. Il y avait trois cents roses dans son jardin, tous les rosiers qu'elle avait fait planter, mais celui devant sa fenêtre était le « sien ». Les guêpes s'étaient précipitées dans sa chambre, ce fut une suite de vains combats et finalement grâce à un enfumage de la pièce, elle a réussi à les déloger sans avoir dû appeler à l'aide ou rebrousser chemin. Elle aimait ces petits hauts faits, mi-comiques mi-sérieux, révélateurs en tout cas de la mesure de soi.

L'essentiel du chapitre n'est pas l'anecdote, mais ce qu'elle est amenée à dire de l'adolescence, de sa compréhension de la révolte des jeunes. Ce soir-là, elle venait à Breteau pour montrer sa maison à Cynthia Haft qui venait d'arriver des États-Unis. Ses amis ne comprenaient pas la bienveillance et la compréhension qu'elle avait manifestées à cette jeune Américaine qui fuguait et débarquait à l'improviste. Pour Charlotte, c'était une évidence de comprendre la révolte et les décisions impétueuses. « Quand le garçon ou la fille qui sort de l'enfance se rend compte qu'il lui faudra renoncer à ce que les autres appellent des rêves, qui pour lui ou pour elle, est du possible, qu'il lui faudra entrer dans le rang, suivre la filière, il y a bien de quoi le cabrer, le révolter, de quoi avoir envie de tout faire sauter. À cet âge-là, quand on voit les adultes, leur regard qui a tout accepté, leur bouche qui s'est figée… On dirait que leurs traits se sont aplatis sous le rouleau de la passivité. À force d'être raisonnable, de se soumettre, de se dire : il faut… C'est ainsi que je les voyais, moi, les grandes personnes, je les trouvais laides. “Pourquoi êtes-vous devenus laids, tous ?” C'était la question que je posais à tous ces visages qui s'étaient émoussés[1] ».

Cette question qu'elle pose à tous ces visages… Charlotte retrouvera cette même expression pour parler de la question qu'elle voudrait poser après son retour à ces visages. L'aurait-il aidée celui-ci à marcher là-bas ? Lui aurait-il, elle ou lui, donné

1. « Les Récits de la gare où le train ne passe plus », *op. cit.*

un peu à boire... Cette question posée aux visages, vient de loin. L'attente de Charlotte Delbo... L'exigence de Charlotte Delbo vient de loin. Elle a attendu, exigé beaucoup. De la vie, d'elle-même, des autres, depuis toujours.

Mais c'est d'un autre souvenir dont elle veut parler à l'ami Éric, celui d'un autre adolescent, dont elle n'avait parlé à personne jusqu'ici.

Cette « intransigeance » qu'elle trouve « juste » à cet âge, c'était celle de son tout jeune frère, le dernier de la fratrie, qui s'était engagé dans l'armée de De Lattre, en 1944 à dix-sept ans, il voulait aller chercher sa sœur à Ravensbrück. Elle a appris que ce jeune FFI était allé, mitraillette au poing, déloger un collaborateur dans son lit, qui avait livré des Résistants à la Gestapo, « – et c'était vrai, d'ailleurs. Ils l'ont su de déportés rentrés ». Le milicien les a suppliés de lui laisser la vie sauve, « il pleurait, il ne leur a inspiré que du mépris », et c'est son jeune frère qui a crié « Feu ! ». « Ce n'était pas un criminel, mon jeune frère. Tu entends cela de la bouche d'un garçon de dix-sept ans ! » On la sent emplie de fierté et d'effroi devant ce que la guerre a fait de lui. Elle n'en avait gardé qu'un souvenir attendri.

Elle lui raconte cette dernière fois où elle le vit, il avait quatorze ans. Elle lui avait donné rendez-vous dans une pâtisserie, c'était en février 1942, pour qu'il lui apporte quelque chose de chez sa mère dont elle avait besoin. Et Delbo écrit « de la maison » pour le lieu où vivait sa mère avec ses frères et sa sœur. Son domicile à elle, loué sous un faux nom, est secret à l'époque où elle vivait avec Georges dans la clandestinité. Il n'y avait pas de gâteau dans cette pâtisserie, précise-t-elle, et Charlotte explique à son jeune frère pourquoi elle habite ailleurs. « Il m'écoutait de ses grands yeux d'enfant, si sérieux ». On peut imaginer le prestige que Charlotte avait pour les autres au sein de sa famille et le regard de l'enfant sur sa grande sœur. Moins de deux ans plus tôt, ils avaient fait l'exode ensemble, puis Charlotte était remontée avec la famille à Vigneux. Voilà qu'elle est rentrée de son grand voyage en Amérique du Sud et elle a dû lui donner ce rendez-vous en ville pour déjouer les filatures. Les grands yeux de son petit frère sont devenus les yeux de la mémoire de Charlotte. Elle se souvient de ce que ses yeux lui disaient quand elle parlait, la conscience du danger, l'admiration, l'émotion. Aucun souvenir de voix ne vient s'ajouter à l'image nette du petit frère. Il s'appelait Daniel, elle ne le nomme pas comme elle l'a fait pour les nombreux amis qui passent dans le récit. Comme si la mort avait arraché la trace vivante.

Éric s'étonne que depuis vingt ans qu'il la connaît, jamais elle ne lui a parlé de ce petit frère. « Je n'ai pas pu parler de lui pendant des années ». Et de lui donner la raison : « Quand je suis rentrée, en juin 1945, il n'était pas là, à m'attendre. Il a été tué au passage du Rhin, un mois avant l'armistice. Je me suis demandé pourquoi j'avais tant lutté pour sortir du camp. » Qu'on repense à ce que Charlotte Delbo notait en 1965 dans sa biographie du *Convoi du 24 janvier*. Pour dire quelque chose à propos du retour, des difficultés de son retour, elle n'évoquait que sa mort. « Mon plus jeune frère (...) a été tué (...). Je l'ai appris en rentrant, le 23 juin 1945, et j'ai senti ma volonté s'en aller. J'ai dû la rappeler bien souvent depuis ». C'est tout. Elle ne disait rien sur sa santé ni sur ce retour sans Dudach. De son jeune frère, de sa mort tragique elle ne parla à personne pendant vingt ans.

Le silence est dans l'écriture de Charlotte Delbo. C'est ce qui en fait la tension. Sa voix elle semble la sculpter au-dessus du silence et du vide. Le vide que fait la mort, le vide de tous les meurtres. Le vide que font tous ces corps partis en fumée, sans sépulture et sans rites. Le silence qui a recouvert les cris dans la plaine glacée. Et quand sa voix se forme, il faut que chaque mot fasse entendre ce qui est en dessous, l'absence et l'absence de traces, et que le mot est construction. Et si les phrases contiennent ce que la mort a défait, leur rythme est celui du souffle, celui avec lequel elle se reconstruit.

Charlotte termine en mars 1973 sa chronique des jours à Breteau. Elle y mêlait conversations et scènes entre amis, écrits vite comme tout ce qu'elle écrit. Mais cette fois elle n'est pas guidée par la « voix », sa voix à elle, si singulière et profonde, qui lui vient comme elle le disait quand elle écrit sur Auschwitz. Et le ton de l'amusement qu'elle veut avoir pour écrire ces scènes, tombe souvent à plat. Ses dialogues dont on n'entend que l'armature, ce dont ils informent, ne permettent pas d'imaginer la scène où ils ont lieu, de sentir la situation qu'ils créent.

Le retour qu'elle recevra après la lecture du manuscrit sera pour elle une épreuve. Si Jérôme Lindon la ménage, en invoquant dans sa lettre du 4 avril 1973 qu'il est convaincu que Les Éditions de Minuit ne sont pas la maison qu'il faut pour éditer ces récits de la gare « qui m'ont bien plu[1] », le compliment ne lui coûte rien, les réactions de Charlotte l'avaient sans doute échaudé, elle a bien dû comprendre que le manuscrit ne l'avait pas enthousiasmé. Mais c'est de Gallimard que vient l'épreuve. Elle aurait toujours voulu être publiée dans cette maison. Or Robert Gallimard lui écrit fin juin que le manuscrit « recommandé par Louis Guilloux », « après avoir été lu à plusieurs reprises avec la plus grande attention », ne sera pas retenu. Un compliment d'abord, « le récit ne manque pas de charme – telle l'évocation d'une maison de campagne, d'une ancienne gare », et c'est vrai que le premier chapitre contient l'amour que Charlotte eut pour sa maison, et le charme immédiat que la maison exerça sur elle. Puis il poursuit, « ce charme est souvent délaissé au profit de papotage de salon et quelques ambitions toujours décevantes, l'acharnement contre un baron inexistant, l'intention de renouveler Maupassant et les coups de griffe de la fin. L'ensemble est trop hétéroclite et trop de détails desservent des anecdotes qui ne manquent pas d'intérêt en elles-mêmes[2] ».

1. BNF, Fonds Delbo, 4-COL-208-250, Succession Delbo.
2. Lettre de Robert Gallimard du 26 juin 1973, BNF, Fonds Delbo, 4-COL-208-250, Succession Delbo.

Et si l'expression blessante de « papotage de salon » semble inutilement cruelle, il est vrai que les chapitres qui racontent en détail les ruses des braconniers avec la complicité de Charlotte pour se moquer du baron propriétaire des terrains de chasse sont un peu navrants à lire, et font pencher trop lourdement la balance sur tout ce qui alourdit et embourbe le récit. C'est même la complaisance de l'auteur, qui consterne à la lecture alors que c'est bien là le dernier trait dont on voudrait l'accuser, tant elle a fait preuve d'exigence dans l'écriture de la trilogie.

Delbo aura le courage de ne pas se laisser démonter au-delà. Elle n'envoie pas son manuscrit à d'autres éditeurs, mais s'aperçoit, et sans doute au cours d'une conversation avec François Bott à qui elle a donné à lire le manuscrit, qu'un des chapitres vaut la peine de le travailler.

Du drame du garde-chasse, gendre des fermiers voisins, elle fait une nouvelle. Elle reprend le chapitre « Le Chien de Gaby », resserre l'action et réussit à rendre les phrases qu'entend le garde-chasse à l'intérieur du récit, ce style indirect libre qu'elle sait manier en incisant dans le texte des phrases en apparence anodines mais qui tuent.

Ce qu'elle fait comprendre, elle a la grâce de le mettre en scène, sans rien commenter. Elle fait sentir l'emprise et la menace que la belle-mère du garde-chasse fait régner dans la maison familiale où il est venu s'installer avec sa jeune femme. Le climat, l'atmosphère de plus en plus lourde, est rendu dans le comportement de chacun. Elle isole des éléments du décor qui deviennent les accessoires essentiels du drame qui se noue, le village lui-même se sent à la lecture, les personnages les plus périphériques passent et tout de suite ont leur épaisseur.

En retravaillant le chapitre de sa chronique elle a su garder le ton de quelque chose qu'on dit au milieu d'une conversation et qui devient soudain un récit en soi. On entend sa voix qui raconte, le langage châtié de Charlotte a la forme qu'il faut pour ciseler les mots denses, en même temps qu'elle s'adresse à son auditoire, et en ajoutant trois répliques de ceux qui l'écoutent, elle réussit à donner un ton haletant à la fin tragique. Le garde-chasse taciturne avait eu le malheur d'épouser la fille de la maison, au regret de la belle-mère, qui sournoisement s'acharnera sur son chien, après avoir rogné toute liberté et toute dignité à la vie de son gendre. La chute tient en quatre phrases. On le retrouvera quelques jours plus tard pendu, au-dessus du seul objet qu'on lui avait laissé dans la maison, sa carabine. Il l'a « couchée » le long de son chien qu'il vient d'abattre, le geste, la précision, une sorte de délicatesse, dit l'amour pour son chien.

Le silence du tableau, l'homme parti seul, achever ce qu'on avait fait de lui et qu'il ne voulait plus qu'on fasse subir à son chien, ce silence Delbo en fait sentir le tragique, tout en retenant l'émotion. Elle fait voir la force tragique qui traverse les personnages et la scène, et efface toute description de sentiment. Delbo a confiance dans la force des mots.

La nouvelle, « Le Chien de Gaby », paraît dans *Le Monde* du 19 juillet 1973. Le refus de Gallimard lui était arrivé fin juin, trois semaines plus tard, la nouvelle était publiée.

Rosette Lamont a reçu la page du *Monde* avec « Le Chien de Gaby », que lui a envoyée Charlotte Delbo. Elle lui écrit depuis Nantucket le 30 juillet 73. « Vous êtes un bel auteur classique, et vous avez en une demi-page développé *une tragédie.*

La langue de la campagne française est savoureuse comme une truffe ; les gens cruels et mesquins comme ils le sont hélas partout – Sauf votre garde, et son chien (tout à fait humain dans le vrai sens) qui eux gardent ce quelque chose de noble qui leur vient des bois et de la solitude. J'ai apprécié aussi votre présence dans ce conte (...). Merci pour ce beau don que je garde précieusement. Vous devez aussi l'envoyer à Henri Peyre[1] ». Depuis 1971, ce professeur de littérature française à l'Université de Yale connaît et apprécie l'œuvre de Charlotte Delbo. Charlotte lui enverra sa nouvelle.

Trois mois plus tôt, Rosette Lamont, qui vient de corriger les épreuves de « Spectres, mes fidèles », la suite de « Spectres, mes amis », pour la publier dans la *Massachusetts Review*, lui écrivait : « Mon rêve, c'est de faire sortir un jour *les deux parties, fondues en un long récit*[2], dans une collection de nouvelles. Je vais y travailler[3]. » Le projet de Rosette n'a pu que déterminer Charlotte à penser à faire de l'ensemble un livre.

1. BNF, Fonds Delbo, 4-COL-208-288, Succession Delbo.
2. Mes italiques.
3. BNF, Fonds Delbo, 4-COL-208-288, Succession Delbo.

Dans la même lettre, Rosette avait joint le programme du dernier symposium sur l'Holocauste, qui s'est tenu le 22 mars 1973, auquel participait aussi Elie Wiesel, comme le précisait Rosette. « Nous avons vivement regretté votre absence, mais votre nom fut prononcé bien des fois, et moi-même j'eus l'occasion d'annoncer la publication de "Spectres II" et le Quill Award[1]. » C'est le prix littéraire décerné par les prestigieuses universités de la côte Est, à la première partie, publiée deux ans plus tôt. Effectivement ce n'est qu'en 1973 qu'est annoncé le Prix pour la fiction 1971 et Charlotte reçoit le chèque, par l'intermédiaire de Rosette, le 3 avril 1973.

L'année 1973 est un tournant dans la vie de Charlotte. Son patron au CNRS, Henri Lefebvre, prend sa retraite, elle obtient au Centre de documentation un travail moins investi que sa collaboration auprès de Lefebvre.

Puisque aux États-Unis on fait grand cas de la valeur littéraire de sa dernière publication, le prix littéraire de la *Massachusetts Review* est le seul qu'elle ait jamais reçu, Charlotte Delbo va faire un livre de ces spectres. Le ton qu'elle a trouvé pour évoquer ces surprenants compagnons est si différent de sa trilogie qu'elle a écrite, et ces pages lui tiennent à cœur. C'est le monde de sa vie rêvée, habité par le souvenir de ses conversations personnelles avec Jouvet, c'est ce qu'elle a réécrit de son emprisonnement, du voyage vers Auschwitz, du retour désespéré et de sa renaissance. C'est *son* monde intérieur retrouvé, « Le Temps retrouvé » de Charlotte Delbo.

Elle a gagné une liberté sur elle-même pour écrire. Elle ne parle plus de sa déportation, de ce qu'elle a vu au camp d'Auschwitz de la même façon. Elle avait choisi la forme d'une lettre à Jouvet pour débuter ce texte, elle montrait son désir de reprendre le dialogue, mais cette fois il s'agit d'en avoir la maîtrise. Elle débutait sur un ton badin, un peu moqueur, de l'ordre du défi amical, si Eurydice, de retour,

1. BNF, Fonds Delbo, 4-COL-208-288, Succession Delbo.

vous demandait rendez-vous… Elle évoque les diables ailés qui descendent des cintres du théâtre de Drottningholm, et on peut imaginer ce qui l'a traversée à regarder ce décor de l'enfer, après vingt-sept mois de camp de concentration… Elle se sent un miracle d'avoir survécu, et de l'illusion créée, elle garde un personnage, Eurydice. Avant Ondine, Électre, Antigone, c'est Eurydice qu'elle se choisit comme alter ego dans l'univers du mythe, pour lui donner sa profondeur d'être quand elle se met à écrire.

Dans son for intérieur il faut des personnages, et pas des moindres, ils la représentent ou représentent l'être le plus aimé, leur intensité dramatique incarne les drames vécus, font théâtre et tragédie, permettent de sortir de l'étranglement de la douleur.

Elle s'étonne même du pouvoir de ce rêve éveillé, qui est à la fois un travail de son imaginaire et qui peut offrir un cadeau, la visite d'un personnage. Elle a survécu aux six premiers mois à Auschwitz parce que son corps le voulait, parce qu'elle ne voulait pas passer devant ses camarades sur une civière tête et pieds pendants, parce que l'image du visage de sa mère prenait le relais de sa propre volonté, parce que ses compagnes les plus proches veillaient sur elle, la conduisaient quand elle était aveugle, parce que le transfert à Raisko lui a redonné son imaginaire, a permis d'en pousser la porte et d'en ouvrir l'accès. Dans l'enfer d'Auschwitz, « on délirait on ne rêvait pas ». L'accès à sa vie rêvée c'est pour Charlotte Delbo, l'accès à sa chambre intérieure, c'est là qu'elle se nourrit, de là qu'elle peut jaillir pour vivre, respirer, trouver le souffle pour écrire. Et l'écriture de *Spectres, mes compagnons*, l'élaboration de ce livre sur presque trente ans compose un récit revisité, vu de sa chambre intérieure. C'est sa façon de revenir. Revenir en tirant avec elle ceux qui lui font voir autrement le terrible, dans la dimension des fictions et des mythes.

Rejoindre le mythe c'est agrandir la dimension de ce qui a été vécu. Le mythe, en amenant un personnage, fait théâtre, dialogue et donc jeu. C'est ainsi qu'elle peut adopter un autre ton, Delbo, jusqu'à sembler joueuse, dérouter, et dérouter le lecteur et son attente. Écrire vraiment autrement sur Auschwitz.

« Son voyage auprès du mien n'était j'en suis sûre qu'une agréable excursion. (…) Pourtant j'en reviens, l'avantage que j'ai sur Eurydice[1] ». Je cite ce qu'elle avait écrit dans le manuscrit, pour être au plus près de son état de pensée quand elle commence. Elle peut s'enorgueillir d'être revenue, elle, par comparaison avec Eurydice. De l'enfer, elle est sortie, au moins en écrivant ces pages, parce que cauchemars et mémoire profonde se chargent de garder actif l'enfer…

« Laissez-moi vous raconter d'abord comment a commencé cette extraordinaire aventure – je veux parler de mon voyage… » Voilà avec quel ton nouveau elle écrit dans son cahier sa déportation trois ans après être rentrée, avec quelle énergie elle la redécouvre, au point d'écrire qu'elle en oublie les souffrances de son « détour ». « J'ai plus vivant à l'esprit que celui des souvenirs imprimés par la souffrance, le souvenir de nos promenades du soir. Ces conversations que nous n'achevions jamais avec nos interlocuteurs invisibles pendant le trajet plusieurs fois parcouru du Mas au village ». Elle ne gardera pas la phrase qui voulait diminuer le souvenir des souffrances. Elle ne va pas laisser des mots qui semblent dire que puissent être reléguées à l'arrière ces souffrances. Elle les a écrites et publiées, dans *Aucun de nous ne reviendra*, les a écrites dans *Une connaissance inutile* qui est sur le point de paraître. Elle veut maintenant écrire autrement la douleur et l'horreur. Les univers décrits coexistent. Autant qu'il peut y avoir de livres à écrire. Mais que l'un ne contredise pas le précédent.

Quand en 1974 elle décide de faire un livre avec les deux parties qui ont été publiées en anglais, elle veut écrire une fin.

Ne pas terminer avec Sganarelle et Alceste revenus près d'elle, mais trouver une sensation qui dise qu'elle revient

1. Cahier manuscrit de *Spectres, mes compagnons*, BNF, Fonds Delbo, 4-COL-208-117, Succession Delbo.

à la vie. « J'ai compris, en enfilant les manches doublées d'une mousseline à la douceur incroyable, j'ai compris, j'ai su que j'étais revenue[1] ». La sensation de l'étoffe autour du corps se double du plaisir du mot à prononcer, une mousseline. Comme le jour où elles aperçurent, dans le paysage de neige au-delà des barbelés de Birkenau, une tulipe dans l'entre-deux d'une double-fenêtre, et derrière un rideau de mousseline, et que le mot même a fait rêve. « Nous disons *mousseline* avec du doux dans la bouche[2] ».

Écrire la sensation qu'elle retrouve au moment d'enfiler la somptueuse robe d'intérieur offerte par un ami pour la sortir de sa léthargie, la ramène à sa vie rêvée, elle l'imagine sortie de la penderie d'Oriane de Guermantes ! L'univers de Proust revient, son auteur tant aimé. Tout à coup lui est rendue la profondeur de son monde intérieur, qu'elle avait tant nourri de ses lectures. Mais à cet instant, au moment de pouvoir dire « Ainsi tout m'était enfin rendu. Le plaisir de retenir autour de sa taille une jolie robe de chambre, les livres, la mémoire[3]... », la douleur revient avec le retour à la vie. « Mais quelle vie puisque G. n'y était pas ». Et sa dernière phrase n'en finira pas de faire tomber des couperets, puisqu'elle réalise que « G. avait existé, m'avait aimée, que je l'avais aimé et que je n'étais pas morte de l'avoir quitté le matin qu'il partit mourir ». Hachée par la douleur, voilà comment elle termine *Spectres, mes compagnons*.

Elle se sert des personnages pour incarner les questions personnelles qu'elle se pose sur sa vie. Quand elle écrivait en 1948 *Spectres, mes amis*, il faut se souvenir que trois ans plus tôt elle se récitait durant les appels la pièce du *Misanthrope* par cœur, alors Alceste est revenu pour mettre en scène ses propres interrogations. Et là où elle a réussi à écrire des scènes de théâtre, Charlotte Delbo, c'est bien dans ses livres. Elle y crée des scènes où il n'y a pas d'informations

1. *Spectres, mes compagnons*, Berg International, 1995, p. 50.
2. *Aucun de nous ne reviendra*, *op. cit.*, p. 98.
3. *Spectres, mes compagnons*, *ibid.*

nettes, de certitudes, mais un moment crucial, qui a sa densité sans que le sens soit déterminé. Elle fait voir la scène, lui donne sa force de destin en marche, mais les questions restent ouvertes sur le sens à donner. Tout ce qu'elle ne fait pas dans son théâtre. Au moment où les portes des wagons furent brusquement tirées, Alceste, dont elle avait eu la surprise d'entendre la voix amicale dans l'obscurité du train, Alceste sauta en même temps qu'elles sur le ballast. « Il était roulé dans son grand manteau noir dont un pan protégeait son visage. Sur le fond de clarté, cette clarté si pâle de la nuit qui se termine, en hiver, sa silhouette se découpait, sombre, dans l'encadrement de la porte. Une silhouette très mince qui m'était familière ». L'association qui naît chez elle n'est pas anodine, elle prend du temps pour l'amener. « J'allais pousser un cri d'étonnement lorsqu'il disparut. Je le vis disparaître d'un pas rapide, un pas qui ressemblait un peu à celui d'Arnolphe entrant en scène avec sa cape sur le bras, son chapeau comme un corbillard de première classe, un pas qui ressemblait à celui de… Mais comment était-ce possible, tant de ressemblance dans un seul geste ? Et Alceste disparut soudain, comme lorsqu'on tourne à un coin de rue. C'était Jouvet qui disparaissait au coin de la rue Caumartin ».

Arnolphe, Jouvet avait interprété le rôle trois cents fois dans *L'École des femmes* avant la guerre, et au cinéma il avait cultivé l'aspect d'un croque-mort qui inspire ici l'image du corbillard, mais de « première classe » – il fallait bien que Charlotte dise l'admiration qu'elle avait pour lui. Mais si elle fait voir un Jouvet qui s'éclipse à l'arrivée au camp, dans le wagon elle a posé plusieurs fois cette question à Alceste : Pourquoi as-tu quitté Jouvet ?

Quand elle lui fait répondre, « Oui, j'ai quitté Jouvet », elle précise l'indécision dans sa voix, puis « cette brusquerie à décider, à la fin », qui est sa façon d'être. Et au moment de lui poser une nouvelle question, « Mais Jouvet ? Quels griefs as-tu contre lui ? », à ce moment même, elle amène dans le texte « un grand branlebas », des chiens qui aboient, des ordres qui sont hurlés, les portes des wagons qui roulent sur leurs glissières, une grande trouée d'air glacé qui dénude de leurs couvertures les corps engourdis.

L'action dramatique a ôté toute possibilité de réponse.

« Je ne savais pas encore combien extraordinaire devait être le destin qui m'attendait au sortir du wagon ». C'est la singularité de son destin extraordinaire, comme elle ose le nommer, que Delbo endosse dans ce livre. « Et lorsque je l'ai su (mon destin), je me suis demandé s'il valait la peine de courir un tel risque, accepter de descendre aux enfers avec seulement une chance sur mille d'en remonter[1] ». À cette question essentielle, qui a dû revenir tant de fois dans son esprit toutes ces années, ce qui est beau à voir c'est qu'elle ne répond pas.

Valait-il que je quitte Jouvet en 41 ? Il n'y a pas lieu de répondre. Accepter d'avoir un destin ou se vouloir un destin se fait, ne se discute pas. Même dans son for intérieur, même avec des personnages qui en dédoublent tant d'autres et soi-même. Théâtre oui, mais vérité toujours. Delbo s'y tient. Sa vérité, ondoyante parce que faite d'instants lumineux et de tant de douleurs, sa vérité est saisie dans les rets de l'écriture, elle la glisse et la fait courir dans ses lignes comme un furet.

Elle avait interrompu en 1948 l'écriture au moment d'évoquer ce « climat de l'inhumain » l'arrivée au camp, cette « lumière décomposante », « diffuse au ras du sol, sous un écran de ciel bas et gris foncé d'où tombait – mais par quelle brèche ? – une lumière décomposante. (...) Ici meurent et se dissolvent les personnages parce que la lumière de l'atroce les boit ». Quand elle a retrouvé son cahier vingt ans plus tard, elle tape le texte en faisant peu de corrections et ajoute un paragraphe. D'abord pour dire qu'effectivement, les jours passent, et aucun personnage ne vient la visiter. « Je ne rencontrais jamais personne de connaissance ». Puis, « Dans cette solitude si écrasante, si mortelle, qui aurait bien pu se hasarder ? Qui, vraiment ? — Moi, dit Électre ». Une

1. *Spectres, mes compagnons*, *op. cit.*, p. 29-30.

silhouette, « sur le fond des marais ». Même si elle se tient au loin, elle se dresse, elle est « debout ».

Celle qui sait attendre. Attendre pour qu'un jour la justice se fasse. Elle terminait par la présence symbolique de ce personnage. L'année suivante, elle donne une suite, « Spectres, mes fidèles », le retour du camp, le découragement, l'effondrement, puis sa renaissance avec le retour, au bord de son lit, d'Alceste. Maintenant, elle veut dire des choses sur le camp, elle veut rendre autrement comment c'était. Elle veut faire comprendre ce qu'elles vivaient autrement qu'elle ne l'a fait jusqu'à présent, avec d'autres moyens. Et pour ça, elle prendra Don Juan, puis Antigone, Ondine, et Oriane de Guermantes ! Puisque Électre a ressuscité, ce sont les premiers mots de ses nouvelles pages, Électre va convoquer d'autres personnages. Ce sont les plus forts qui sont venus, ceux qui ont assez de courage pour accepter que la vie soit une lutte et qui savent se défier eux-mêmes. Don Juan, qui avait défié le ciel, prouve son courage à défier l'enfer.

Charlotte Delbo glisse que c'est elle qui faisait « revivre pour mes camarades à bout de forces » la figure d'Électre et ceux qui viennent à l'arrière-plan l'entourer, ressuscités. C'est sa mémoire qui « redessinait » leurs contours « par la seule évocation de leurs paroles ». On sait que Charlotte racontait à ses camarades des pièces de théâtre, c'était au petit camp de Raisko, mais là elle fait entrer cette résurrection des personnages à Birkenau, pour mettre en scène ce théâtre de la renaissance.

Ce n'est pas tout seul qu'on renaît. Et pour l'écrivain qui écrit, dans la solitude, il y a tous les textes lus, les voix entendues au sein des œuvres. Antigone, qui malgré la loi de Créon ramassait la poussière pour ensevelir son frère, prit à Auschwitz « une grandeur qu'elle n'a jamais sans doute eue ailleurs ». Et pour dire comment il fallait se convaincre de résister, Delbo parle d'Ondine, Ondine qu'elles ont vu se dessiner « sur le fond livide du marais » avant que les eaux de l'oubli la recouvrent, Ondine qui leur disait qu'on pouvait apprendre à sa volonté de tenir. « C'est à tenir une minute encore et ainsi de minute en minute que nous atteindrions peut-être le jour du retour[1] ». C'est Delbo qui met en scène comment quelques-unes ont miraculeusement tenu, un miracle qui ne s'explique pas. Il faut raconter l'inexplicable. Et il lui suffit d'écouter les voix qui la nourrissent depuis si longtemps, les voix « fidèles ».

Elle les incarne, ajoute des feuilles volantes entre les pages du cahier et la suite, celles qu'elle avait écrites en 1970 sur son retour. De son écriture au stylo qui court sur ces feuilles, elle écrit trois fois une page et demie pour raconter tour à tour Don Juan, Antigone, Ondine, qui sont là, pas loin d'elles, et incarnent par leur façon d'être une des raisons inexplicables d'avoir survécu, et elle écrit encore une page pour faire voir celle qui a surgi soudain, Oriane, « seule de la tribu Guermantes à venir nous voir », elle était « un appel à une vie autre et douce, légère et inutile ».

Comment mieux rendre la vie quand on écrit, la vie inexplicable, sinon à travers des personnages ?

1. *Spectres, mes compagnons*, *op. cit.*, p. 39.

« Avoir vécu l'amour absolu valait de tout souffrir pour en rapporter la mémoire[1] ». C'est la phrase qu'Ondine suggère « sous l'horizon brumeux ». En plus de l'injonction de tenir, il fallait rapporter la mémoire de l'amour. Il valait la peine d'avoir accepté de descendre aux enfers avec seulement une chance sur mille d'en remonter puisque c'était la possibilité de ramener la mémoire de l'amour absolu. L'amour qui lui a fait quitter Rio pour rejoindre Georges, et l'amour qui lui fait promettre au moment de l'adieu de lui survivre. Avoir vécu l'amour absolu valait de tout souffrir pour en rapporter la mémoire.

Il y a eu l'amour absolu, et il y a eu les autres. Parmi les hommes que Charlotte a aimés après la guerre, après la mort de Georges, il n'y a à ma connaissance aucun Français. Il y eut un militaire grec, comme me l'a raconté Claudine Riera-Collet, un militaire grec quand elle vivait en 49 à Athènes. Charlotte s'amusait d'une anecdote à propos de la stupéfaction de la femme de ménage, qui, arrivée un jour tôt dans l'appartement, lui porte du café dans sa chambre, et surprise de ne pas la voir seule, fit tomber le plateau. Il y eut sa passion pour le Russe Serge Samarine, profondément attaché à la langue et à la culture russes, et il y eut quelque temps dans sa vie à Paris la compagnie d'un cheikh arabe, comme me l'a dit Cynthia

1. *Spectres, mes compagnons*, *op. cit.*, p. 40.

Haft, et Charlotte eut le projet d'écrire à son sujet une nouvelle, comme l'atteste la longue liste faite un jour de sujets de nouvelles, dont elle écrivit certaines.

Elle a aimé des hommes qui appartenaient à d'autres pays, à une culture étrangère. C'est sa curiosité, son appétit de connaître. Et c'est ce qui lui a permis de garder, occupée par lui seul, la place de Georges dans sa mémoire. La place où se rejoignaient le jeune homme assassiné en plein vol qui a pris la forme d'un amour absolu au fil du temps et le lien de Charlotte à la France. La langue, la culture à laquelle elle est si profondément attachée. La figure de Georges et la France sont liées depuis longtemps. Elle a travaillé aux *Cahiers de la Jeunesse* pour lui et avec lui pour parler de l'histoire et de la culture françaises, celle qui s'ouvre aux cultures étrangères. Ils ont lutté ensemble pour la liberté en France et pour la liberté de la France, et elle est revenue en France pour lui, et pour la lutte qu'il menait pour son pays en guerre, elle ne pouvait plus rester à l'étranger. Son amour et la France sont liés symboliquement dans le cœur et la mémoire de Charlotte.

Dans les pages qu'elle a ajoutées en 1974 pour écrire *Spectres, mes compagnons*, elle place des choses qui lui tiennent à cœur, qui ont mûri avec elle. Le feu qui l'habite fait oublier son âge, elle a soixante et un ans, c'est toujours une surprise de repenser au nombre d'années qu'elle a. À force de suivre ou de chercher Charlotte Delbo, un jour, son allure, son caractère m'ont fait penser à l'actrice Anna Magnani. Lorsque j'en ai parlé à Jean-Marcel Lèbre qui a connu Charlotte à partir du milieu des années 70, il m'a dit que souvent il lui avait trouvé une ressemblance avec Anna Magnani. De l'actrice, elle avait le feu et la vérité de l'expression, sa mobilité d'expression aussi, la capacité de rendre un sentiment tragique comme un goût passionné de la vie. Et les cheveux noirs qui relevaient le teint mat de sa peau, et que Charlotte a voulu garder noirs le plus longtemps possible. Dans sa façon de provoquer, il y avait une façon de porter fièrement sa ferveur et ses goûts.

Convaincre, provoquer, séduire, il fallait tout conjuguer. Elle adorait, au cinéma, Marlène Dietrich et Lauren Bacall. Elle aimait les femmes qui avaient du chien, un charme provocant. Plus elle a pris de l'âge plus elle a aimé provoquer en société par ses phrases, ses avis, sa théâtralité. Quand elle arrivait quelque part, on la remarquait, ses vêtements, ses chapeaux à large bord, sa façon de se tenir très droite qui la faisait croire grande, alors qu'elle ne l'était pas. Ses façons théâtrales étaient une façon d'afficher sa conviction, elle avait écrit ce qu'elle avait à dire, de compenser sa non-reconnaissance, de surjouer la confiance. La plupart de ses amis n'appréciaient pas ce qu'elle écrivait. Quand je l'ai appris incidemment, j'ai imaginé le sentiment de solitude qu'elle devait en avoir. La plupart de ses proches trouvaient ses livres trop éprouvants à lire. François Bott était une exception, parmi ses amis. Plus tard, il y eut le jeune François Veilhan, qui eut une profonde admiration pour ce qu'elle écrivait. Excepté de leur part, elle ne recevait pas d'encouragement. L'assurance qu'elle affichait, si elle venait de convictions intérieures, était aussi une source d'énergie pour elle. De même quand elle écrit, elle ose des rapprochements qui font sens pour elle et qu'elle aime faire pour la provocation qu'ils sont. Comme d'écrire qu'Oriane de Guermantes « venait, dans ses robes moelleuses » les voir à Auschwitz... Nous ne sommes pas sûrs quand on lit Charlotte Delbo, que la duchesse fût réellement dans ses pensées là-bas. D'ailleurs, elle n'associe Oriane à aucune image d'Auschwitz : ni marais glacés, ni fumée de crématoires ni suie ni cendres n'entourent la présence d'Oriane, Delbo n'évoque que « son profil d'oiseau et ses yeux d'un bleu précieux », « ses robes d'intérieur dont la soie l'enveloppait de plis fluides ».

Mais justement, elle voulait imposer le contraste, la provocation entre les deux univers, le camp de concentration, d'extermination, et la duchesse de Guermantes. Il fallait frapper fort tout en gardant la force de la vérité, la sensibilité qui assure l'audace de l'image, fait sentir le besoin de raffinement, le goût des belles choses, la sensualité et même la volupté qui s'y attache. Ils rendent soudain probante l'image d'une Oriane de Guermantes pour tenir dans l'épreuve, ou pour faire sentir l'effort surhumain à trouver des raisons de tenir.

En amenant une image si paradoxale, elle renchérissait sur ce qu'elle a toujours voulu dire, c'est si difficile de faire comprendre ce qui était, et comment on a tenu… De même qu'elle avait écrit avoir glissé des gouttes d'« Orgueil » entre ses seins à l'arrivée à Auschwitz, de même la présence d'un personnage proustien renforce le paradoxe, la survie si difficile à expliquer.

La femme qu'est devenue Delbo, la personne qui s'est refaite, et pas « en refaisant sa vie » comme elle en rejetait l'idée, écrit pour rejoindre la vie vibrante en soi, les sensations vécues, les plus fortes, les plus intimes, les rejoindre à l'aide de la vie rêvée et de ses images, comme elle le fait en écrivant *Spectres, mes compagnons*.

Il y a ces questions qui ne la lâchent pas pour savoir ce qui fait qu'un personnage plus qu'un autre a résisté aux conditions effroyables pour venir près d'elle, en prison, durant le voyage, au camp. Au moment de donner le manuscrit à Maurice Bridel pour l'édition, elle s'interroge encore sur la présence d'Oriane. Elle avait écrit que les personnages de roman avaient disparu, elle en énumérait plusieurs, aucun de ceux qu'elle aimait n'était venu. Et voilà qu'Oriane sort de *À la recherche du temps perdu*… Elle avait écrit que les personnages de théâtre, une fois Alceste disparu, ne pouvaient tenir « dans ce climat de l'inhumain », et que « le personnage de théâtre ne peut vivre que dans la société des hommes ». Et voilà que Don Juan et Antigone sont là… Ces contradictions prouvaient qu'il fallait comprendre d'autres raisons à leur venue.

« Le poids d'un personnage tiendrait à autre chose qu'à sa force de caractère ? *Tiendrait-il à sa vérité ?* »

Elle croit tenir une raison. Mais Delbo, lucide, ne comprend alors pas pourquoi le personnage dans *À la recherche du temps perdu* de Françoise, la cuisinière du narrateur, si directe et franche, à qui Proust sait rendre son langage et la faire sentir avec tant de *vérité*, ne soit pas venue. « Françoise, dans sa rudesse, manquait-elle donc de vérité, elle, qui n'est pas venue ? Que de questions, que de mystères ! Il reste que j'ai aimé Oriane là-bas... » Aimer, l'amour est l'élément de Charlotte Delbo. Elément central de son écriture. L'amour qu'elle ressent pour les femmes suppliciées d'Auschwitz, l'amour reçu dans un geste de soutien d'une compagne, l'amour pour les personnages, qui vient des émotions vécues à la lecture. C'est de la profondeur de l'amour, dont elle a besoin pour écrire.

Si le mot de rudesse vient avec le souvenir du personnage de Françoise, c'est bien la réponse, la raison de son absence. Ce n'est pas de rudesse dont Charlotte avait besoin là-bas. Ce n'est pas la seule justesse du personnage, sa vérité qui rend une présence désirable et nécessaire, c'est ce que *donne* son image. La duchesse de Guermantes, c'est le luxe de ceux qui vivent exclusivement dans leur monde, sans même en concevoir un autre. Le raffinement exclusif pour les Heureux de ce monde. Ceux pour qui un autre monde est inconcevable, encore plus celui que personne ne pouvait concevoir, l'enfer où elles se trouvaient. Cette étanchéité entre le monde d'Oriane de Guermantes et celui des femmes martyres de Birkenau permet à Charlotte Delbo de réfuter des explications lénifiantes.

Si elle a résisté au camp, c'est en aimant un personnage qui « n'existait là que par ses traits futiles, son bavardage mondain et ses robes d'intérieur[1] » ! C'est l'image de la superficialité, le souvenir de la sensualité pour ne pas dire de la volupté, le désir d'entendre des futilités que Charlotte Delbo convie pour faire entendre les désirs les plus fous, les plus inimaginables, les plus résistants qu'elles auraient voulu avoir – et à l'époque, elles ne pouvaient rien imaginer – pour résister aux traitements les plus effroyables, les plus avilissants, les

1. *Spectres, mes compagnons*, *op. cit.*, p. 40.

plus terrorisants. Écrire ces pages aujourd'hui dans *Spectres*, c'est montrer la liberté retrouvée de l'écrivain.

A-t-elle écrit un essai ? Charlotte Delbo n'étudie pas les auteurs et leur texte. Elle s'entretient directement avec des personnages. Elle se passe d'intermédiaires, cherche ce qui lui était vital. Elle les déloge du texte pour les sortir du confort d'une place retirée du monde. Elle les place sur une scène qui est à la fois une scène intérieure, intime, et un lieu collectif où s'est vécue la détresse de millions de déportés. Elle a vis-à-vis de ces personnages cette part d'irrévérence qu'on peut montrer à ceux qu'on aime, pour les bousculer, les déranger dans leurs habitudes, dans leur routine. Elle ose les inquiéter, surtout elle les regarde, attentive, comme on regarde ceux qu'on aime parce qu'ils sont aussi le prolongement de ce qu'on est et qu'on découvre.

La singularité de Delbo, c'est de demander à ces personnages ce qu'on demanderait seulement à ses amis les plus intimes. Compréhension, soutien, dialogue, amitié dans la traversée d'une épreuve. Il y a une force qu'elle entretient tout au long du livre qui est la vérité qu'elle exige d'eux. Pourquoi sont-ils là ? Pourquoi sont-ils venus ? Que savent-ils de ce lieu ? Qu'ont-ils pour le supporter ? Elle les harcèle de questions ou s'interroge, accepte leur silence, leur secret comme celui de Fabrice del Dongo à côté d'elle à la Santé. C'est l'exigence de Charlotte qui les rend vrais à nos yeux, et soudain, proches. Comme si elle les avait dépliés, comme si elle avait ouvert leurs ressorts les plus secrets et les rendait plus vivants, complexes, plus « charnels » que nous ne les avions jusqu'ici considérés. En les confrontant au lieu terrible de la prison, du wagon, du camp, elle est allée chercher « ce qu'ils avaient dans le ventre » comme on aimerait dire familièrement, mais ce n'est pas cela encore, les questions qu'elle leur pose et ce regard attentif sur eux qu'elle avait tant fréquentés avant d'arriver dans ce pire lieu, font qu'elle leur pose des questions que nous n'avions pas même imaginées. C'est leur « plasticité » qu'elle met à l'épreuve.

Elle ne fait pas d'explication de texte. Elle leur donne une vie supplémentaire, leur crée une vie dans la prison de la Santé, dans sa cellule, dans la cellule que Georges occupe avant de mourir, dans le wagon qui mène à Auschwitz, au-dessus des marais de Birkenau. Une vie où ils ont des comportements contradictoires, résistant à l'enfer, disparaissant, revenant... Au point de voir Charlotte Delbo se contredire quand elle cherche une généralité au caractère du personnage de roman ou de théâtre, comme pour nous montrer mieux encore que la vie ne suit aucune règle et que ces personnages eux-mêmes n'en font qu'à leur tête, filant entre les mailles de toute théorie.

Et avec cette vie improbable, aussi improbable que son retour à elle de l'enfer, Charlotte Delbo écrit ce que peut signifier revenir et créer à partir de l'amour, ici l'amour de la littérature, cet amour qui agrandissait sa vie intérieure et qu'elle recompose pour une profondeur retrouvée. Revenir c'est recomposer des échos à une vie intérieure retrouvée. Autant de personnages, autant de facettes aux sentiments, aux interrogations qu'elle redécouvre à son passé. Ce retrouver-là n'est pas un retour mais la découverte de la richesse.

Spectres, mes compagnons, c'est, bien après *Aucun de nous ne reviendra*, « comment je suis revenue ». Un « je » élargi, puisque ses compagnons, ces personnages, nous les connaissons, nous pouvons les avoir aussi fréquentés. Elle les fait vivre là où nous n'aurions jamais imaginé, nous les donne à voir sous un jour inconnu, leur découvrant répliques, attitudes, comportements si personnels qu'ils peuvent devenir nos amis.

Quand Électre intervient pour protéger Charlotte, pour qu'on ne lui demande plus rien parce qu'elle a assez payé, Delbo se sert de la perspicacité du personnage de Sganarelle, lui l'habitué d'un maître au caractère si complexe, pour mettre à bas l'argument que tout le monde aurait approuvé et montrer que, non, « on ne paie pas une fois pour toutes ».

Spectres, mes compagnons pose des questions nouvelles, parfois sans réponse, propose des digressions inattendues, montre qu'un retour d'Auschwitz déconstruit un certain rapport à la littérature, un rapport à sa forme pour ouvrir à son contenu, à un sens qui résonne à comment survivre.

Que ce soit à une minute de plus, ou pour assumer sa propre existence.

Ce livre de cinquante pages détonant à tous égards, Charlotte Delbo a rencontré bien des difficultés pour le faire éditer. Renée Bridel qui l'avait rencontrée longtemps auparavant, qui était restée impressionnée par sa personnalité faite de réserve, de dignité, dans les bureaux de l'ONU en 1948, comme elle le lui écrira, qui avait été bouleversée par la beauté poignante de ses livres lui prouvera son affection et son estime en faisant publier *Spectres, mes compagnons* par celui qui est devenu son mari, le libraire de livres anciens et éditeur à Lausanne, Maurice Bridel.

Elle-même, française, venait souvent à Paris, et après son premier courrier au printemps 1971, elle profita de ses passages pour revoir Charlotte, qui lui donna à lire ce qu'elle terminait. La publication est décidée au printemps 74, avant que Charlotte ne rajoute des pages nouvelles. Il faudra encore trois années pour que le livre paraisse enfin.

Des contretemps retardèrent de façon récurrente la parution, que ce soit le déménagement des Bridel, leur emploi du temps bousculé par d'autres projets, des problèmes techniques lors de la première composition de l'ouvrage en 76, des grèves de courrier, et enfin le désir de Charlotte de voir une photo de Jouvet en frontispice, dont la réalisation technique fut pleine d'embûches.

Elle avait gardé jusqu'au bout la forme d'une lettre adressée à Louis Jouvet. Une lettre de cinquante pages, au pied de laquelle elle avait écrit : « Ainsi ne s'achève pas cette lettre que sa mort, en 1951, m'a empêchée de terminer et d'envoyer à Louis Jouvet ; que je publie aujourd'hui, alors que tous les souvenirs me reviennent… Paris, 1975. »

Et Charlotte ne feinte pas. Sa lettre, enfin le texte qu'elle commençait en adoptant la forme d'une lettre à Jouvet n'était pas terminé au moment de sa mort, en 51. C'est un essai, une tentative, une bouteille jetée à la mer, une lettre adressée à un destinataire qui n'est plus présent sur terre.

Elle voulait au pied de la page de titre le portrait de Jouvet en costume de Don Juan, cette photo qu'elle avait chez elle. Tous les courriers échangés avec les Bridel à propos de cette reproduction attestent cette volonté précise de Charlotte. La photo avait été faite pour *Vogue*, et la rédaction du magazine eut de la peine à retrouver un cliché reproductible. Sous un chapeau noir à large bord, dans un costume austère, le sourcil gauche relevé, avec cette collerette qu'elle avait critiquée… Le choix surprend. Faut-il donc comprendre qu'elle a voulu cette image de défi de la part de son interlocuteur de toujours ? Et plus encore dans ce livre où elle donne sa réponse au travail qu'il avait commencé avec elle en août 1939 : sortir des personnages de l'œuvre à laquelle ils appartenaient, et à force de les avoir fréquentés, analysés, les mettre en scène.

Elle les confronte à un lieu où personne n'aurait osé les placer, Auschwitz. Les met au défi d'exister. Et au défi de l'amour, autre paradoxe de Delbo : les faire agir par amour pour le lecteur, ici la lectrice qu'elle est. Les personnages peuvent sortir du livre pour suivre et dialoguer. Aimer les personnages, c'est aussi se donner la possibilité d'être aimé d'eux, de les voir venir auprès de soi, de converser d'égal à égal comme dans la vraie amitié.

Il y a chez Charlotte Delbo de ces inventions de situations étonnantes… Elle qui disait qu'elle n'avait pas d'imagination ! Il s'agissait de les introduire au milieu de ce qu'elle a vécu de plus fort et qu'elle veut revivre autrement, grâce à l'emmêlement de sa mémoire et de sa vie telle qu'elle la rêvait, comme il est si important de rêver sa vie pour tenter de l'incarner au plus près de ses désirs et de sa volonté. En décrivant ces visites, elle s'accompagne de fidèles pour dire la dévastation intérieure et collective, et recomposer un paysage qui devient habité.

Spectres, mes compagnons est un récit qui reste suspendu au-dessus de la terreur comme un miracle, un mirage auquel Delbo donne l'éclat, la force vibrante d'une écriture faite d'amour, de rêve et d'un regard aigu sur la réalité qui a failli la détruire et qui a détruit plus d'un million de personnes. Si cela a été un miracle de revenir, elle peut aussi écrire ce qui a pu paraître un mirage peuplé des silhouettes frêles qui pouvaient devenir des figures fortes, amies.

C'est un livre d'amour pour la vie qu'elle a eue, aussi étonnant et paradoxal que cela paraisse. Et sans doute un défi – mais en était-elle consciente ? – à Jouvet, le premier qui lui a ouvert la porte de l'art, qui lui a montré qu'on pouvait questionner des personnages fictifs, pour les rendre vivants. Pour se rendre vivant.

François Bott, dans *Le Monde*, écrit un article élogieux et sensible qui paraît le 29 avril 1977, « Alceste dans la nuit de Silésie », comme il a toujours su écrire sur Charlotte Delbo, louer la force de son écriture. Il insiste ici sur la pertinence de ses analyses des « personnages » et le « sentiment lumineux d'amitié » qui en ressort au milieu du désespoir. André Laude dans l'hebdomadaire *Les Nouvelles Littéraires*, en juin, après avoir rappelé les trois livres de sa trilogie et sa pièce *Qui rapportera ces paroles ?* souligne « la douceur convaincante » de Charlotte Delbo pour évoquer les « spectres » qui l'ont aidée à tenir. Sinon, ce fut le silence.

Le libraire-éditeur Maurice Bridel n'a pas de distributeur en France. Renée Bridel écrit à Charlotte qu'elle viendra mi-mars en voiture à Paris pour lui apporter un grand nombre d'exemplaires et Charlotte fera elle-même le service de presse, l'envoyant à de nombreux amis, à des journalistes, des comédiens, des gens de théâtre. Le livre a été édité à 750 exemplaires, un grand nombre restera dans la cave de

Maurice Bridel. Ils subiront les dommages d'une inondation après la mort de Charlotte, et Maurice Bridel aura depuis arrêté son activité d'éditeur.

Charlotte résistera à ce silence une fois de plus. Que mes livres ne se vendent pas je m'en fiche, avait-elle écrit à son amie Marie-Élisa Nordmann, il est évident que ce qu'elle avait réussi était sans prix. Elle écrivait comment la vie rêvée vient au secours de la survie. L'écriture de *Spectres, mes compagnons* lui rendait sa vie. Elle ne l'avait pas refaite, elle l'avait retrouvée. Ces spectres fidèles, c'est la fidélité à elle-même retrouvée. « Tout ce que l'on sait des spectres, c'est qu'ils sont terriblement fidèles[1] ».

Ce livre est son livre le plus autobiographique. Du murmure des ombres qu'elle découvrait jeune fille au théâtre, elle avait fait des compagnons dans l'épreuve. Ils n'ont pas été détruits par Auschwitz tous ces héros qui la faisaient vibrer, jeune. Revenant, elle a senti que sa vie rêvée refaisait surface, étonnamment grandie, approfondie. Au lieu de parler de ses forces à elle, elle a métamorphosé le processus : ce sont eux, les personnages, qui la ramenaient.

Elle se met au cœur de la scène, prise à partie par des personnages qui montrent leur cœur en s'occupant d'une amie. D'elle-même, elle fait un personnage au milieu d'eux.

Son écriture s'est aventurée pour retrouver les premiers frémissements de ces manifestations magiques, les promenades du soir à travers les collines de Vallauris en compagnie de Jouvet, et pour imaginer que ces ombres rencontrées pouvaient l'accompagner dans l'enfer, et l'assister dans son miraculeux retour. Et le plus étonnant de ce petit livre c'est peut-être son ton, ce qui se dégage de ces voix qui l'accompagnent, des silhouettes qui surgissent, de ceux qui viennent s'asseoir près d'elle, de sa surprise, de sa capacité à s'émouvoir, à s'émerveiller de ce qu'elle ressent comme amour et amitié, cela produit un effet d'enchantement qui n'est pas le moindre paradoxe dans cet univers de l'effroi

1. *Intermezzo* de Jean Giraudoux, acte II, scène 3.

dont elle sait garder ici et là dans le texte l'évocation précise, que nous ne perdions pas de vue où nous sommes, ce qu'elle nous rappelle, toujours lucide même au milieu du mystère qu'elle avait cru à jamais disparu à Auschwitz et après Auschwitz et que soudain l'écriture tant d'années plus tard lui donne la capacité d'évoquer encore une fois autrement.

Retrouver le mystère de la vie humaine, l'existence et la densité de la vie intérieure dans le lieu qui détruisait l'humanité.

Ce qui reste profondément de cette lecture c'est le frémissement de sa voix, qui appelle, cherche, s'émeut de ce qu'elle reçoit, s'émerveille d'entendre revivre ceux qui étaient à côté d'elle dans sa jeunesse, et qui ne s'étaient point en allés. Elle ne fait pas de ses voix une mémoire intérieure, elle en fait une scène vivante, où elle se retrouve entourée d'amis fidèles. Leurs voix, leurs paroles, vibrent et rendent même frémissante sa remontée à la surface d'elle-même, qui s'accompagne aussi du retour des souvenirs les plus douloureux comme celui de la mort de son amour. Elle prend alors la vibration tendue de la douleur pour faire entendre « que G. avait existé, m'avait aimée, que je l'avais aimé et que je n'étais pas morte de l'avoir quitté le matin qu'il partait mourir ». La tension de l'amour face à la mort, c'est cette vibration-là que tout le livre a fait entendre, cette résistance de l'amour, cette résistance pour aimer et pour entendre l'amour. Que ce soit celui d'amis ou celui d'un grand amour.

Delbo a fait traverser la mort à son écriture, elle descend chez les ombres pour y chercher leur vibration et la ramener avec elle. Elle se fait une Eurydice qui revient sans l'homme qu'elle aimait mais avec ses amis, grâce au chant d'Orphée qui l'accompagne, ce chant poétique qu'elle garde en elle.

L'édition du livre, faite grâce à des amis, restera longtemps confidentielle.

Elle savait que sa voix était singulière. Cette singularité est en fait le signe de son retour à elle-même, au sens où l'écriture met fin à l'exil intérieur, à son flottement parmi les ombres, à les laisser gagner sur elle, et à rebours elle a ôté aux ombres leur apparence diaphane, leur a donné une voix, une présence.

Elle a vu la mort prendre à Birkenau ses compagnes et prendre l'amie la plus proche, Viva. Elle a vu la mort emporter son amour, Georges, alors elle va parmi les ombres chercher ceux qui n'avaient pas de vie réelle, qui n'étaient pas des créatures charnelles, c'est pour ça qu'elle les appelait « spectres », et elle leur donne une vie, une vie pour qu'ils l'accompagnent.

Elle garde le signe près d'elle de l'existence du royaume des ombres. Ne jamais oublier ceux qui y sont partis définitivement, qui lui ont été arrachés, et savoir que dans ce royaume, il y en a certains dont l'existence peut se partager avec les vivants. C'est sa revanche sur la mort, franchir la limite des disparus, savoir qu'il y a des ombres qui peuvent revenir. Elle se met à voir autrement la frontière poreuse et effrayante, entre ceux morts là-bas et ceux qui en reviennent mais guère plus vivants, et qui se demandent dans quel monde ils vivent, celui « de l'autre monde là-bas » ou le « monde-là ». Elle avait eu des accents déchirants à la fin d'*Une connaissance inutile* pour dire son doute. « Dites-moi suis-je revenue / de l'autre monde ? »

Elle a pu dire le déchirement d'avoir parlé avec la mort, elle qui est revenue d'un monde « au-delà de la connaissance » et peut aujourd'hui parler de ses amis qui sont des ombres et leur donner par amour le pouvoir de venir près d'elle, et de revenir près d'elle après l'enfer, puisque le miracle a eu lieu.

Son cœur qui a été déchiré par les arrachements découvre sa capacité à pénétrer le royaume des ombres, et c'est saisissant de voir cette capacité venir à un caractère dont elle disait au début du livre que c'était celui d'une jeune fille « terre à terre ». Il lui faut donc voir les gestes concrets, entendre les répliques qu'approuve sa lucidité, un Alceste qui parle vrai, comme Don Juan, comme Fabrice. Peu importe leurs faiblesses, il faut faire sentir leur vérité. Qu'ils la rapportent du royaume des ombres ne peut affaiblir cette vérité. C'est plus qu'un pari, c'est la certitude de Charlotte Delbo. Ils parlent vrai.

Tandis que Charlotte mène la longue expérience de *Spectres, mes compagnons*, elle s'occupe en même temps de son théâtre. D'abord de faire jouer sa première pièce, *Qui rapportera ces paroles ?* Elle a enfin trouvé un metteur en scène qui est d'accord de la monter. François Darbon, comédien et metteur en scène, est le mari de Dominique Blanchar, l'interprète remarquée d'Agnès quand Jouvet a repris *L'École des femmes* après la guerre. François Darbon et Dominique Blanchar sont venus à Breteau rendre visite à Charlotte, elle leur confie le manuscrit de la pièce, ils partent la lire près des étangs, à six cents mètres de la maison. Quand ils reviennent en fin d'après-midi, François Darbon lui annonce qu'il montera la pièce, Charlotte Delbo le prend dans ses bras de joie.

C'est elle qui aide au financement du spectacle. Darbon demandera à André Acquart la scénographie et les costumes. Charlotte lui donne à lire *Aucun de nous ne reviendra.* « À André Acquart, Pour vous remercier d'avoir compris et senti ce que veut dire *Aucun de nous ne reviendra* », écrira Charlotte en dédicace sur son livre, après avoir regardé les dessins qu'il a conçus pour le plateau presque nu et les vêtements des femmes, des sarraus de toile grise pour les 23 comédiennes, et des bottes en laine qui montent aux mollets le 9 janvier 1974.

André Acquart se souvient d'une femme « très douce », dont il perçoit la fragilité. Elle se fait discrète pendant les répétitions, une femme « effacée » dit-il encore, ce qui surprend. François Bott, qui l'accompagnait souvent, se souvient que Charlotte restait silencieuse pendant les répétitions, assise dans la salle, mais après la répétition, elle faisait ses remarques, et là les discussions ont été très fermes. Elle savait d'expérience l'importance de l'autorité du metteur en scène, il n'était pas question de s'interposer entre lui et les comédiennes. Elle voulait tant que la pièce se monte. François Darbon était très colérique, rappelle André Acquart. Charlotte a su composer…

Tout est prêt pour le 14 mars 1974, jour de la Première au Théâtre Cyrano, rue de la Roquette, non loin de la Bastille. Vingt-trois comédiennes, et parmi elles d'excellentes comme Édith Scob qui interprète le personnage de Françoise, Madeleine Marion (Claire), Hélène Surgère (Yvonne), sur un plateau où l'éclairage joue son rôle dramatique, c'est André Collet, l'ami de Charlotte qui avait tant travaillé pour Vilar, qui s'en charge, et Claudine Riera-Collet reprend son métier, elle avait une formation de comédienne, sous son pseudonyme d'Isabelle Riera. Les représentations marqueront les critiques. Ils viennent presque tous, la presse donne un large écho à une pièce qui montre pour la première fois les camps, avec tant d'intensité, « de pathétique lucidité » dira un des critiques. *Le Monde*, *Le Figaro*, *Les Échos*, *Le Parisien libéré*, *L'Humanité*, *L'Express*, *Elle*, et la presse régionale. Jacques Chancel propose à Charlotte Delbo son heure quotidienne d'entretien en direct sur l'antenne, « Radioscopie », émission très écoutée. Réticente d'abord, Charlotte veut refuser. Ses amis la convainquent d'y aller, elle sera heureusement surprise de la qualité de l'entretien et de tout ce qu'elle a pu y dire. Le même jour, ce 2 avril 1974 dans la soirée, est annoncée la mort de Georges Pompidou, alors président de la République. Même si tout le monde se rendait compte depuis quelques mois que le président était malade, la nouvelle est un choc. Claudine Riera-Collet m'avait dit que les représentations s'étaient interrompues assez vite en avril, faute de public, la mort de Pompidou accapare l'opinion. Certainement, mais elle n'explique pas que le public ne vienne pas.

En 1974, la vérité sur la déportation et les camps comme Auschwitz, ce n'est pas ce qu'on veut entendre. « Insoutenable, même pour les spectateurs passifs que nous sommes », écrit un critique, dans *Les Échos*, le 29 mars, un avis qui reflète l'opinion. « On a envie de sortir, s'extraire du cauchemar. Pour vite se retremper dans le bain tiède de la société d'abondance. (...) La vérité est nue et Charlotte Delbo ne la farde pas. Mais son courage fait peur ».

Maintenir les représentations alors que le public est peu nombreux, Charlotte ne le veut pas. La malversation du gérant de la caisse, qui s'est un jour envolée, est un coup de plus, pas question de ne plus assurer la paye des comédiennes... Charlotte en garde un goût amer. Renée Bridel, dans ses lettres, s'efforcera de lui rappeler l'écho d'estime qu'elle reçut.

Un autre signe l'aide, c'est le courrier qu'elle reçoit d'un professeur d'études théâtrales de l'Université de Glasgow en Écosse. À la recherche de pièces contemporaines à étudier et faire jouer à ses étudiants, il a lu les deux pièces éditées. Jean-Pierre Oswald avait d'abord fait paraître *La Sentence* en 1972, et maintenant *Qui rapportera ces paroles ?* pour coïncider avec les représentations. Claude Schumacher écrit à Charlotte pour lui dire combien ses pièces le touchent, qu'il va choisir pour ses étudiants *La Sentence* qui se prête plus facilement à être montée. Il vient la voir à Paris fin avril, Charlotte regrette juste qu'il arrive après les dernières représentations de sa pièce.

Et puis il y aura l'été à Breteau, le cher été à Breteau, et à la fin du mois d'avril, il y eut au Portugal la révolution des Œillets qui a mis le cœur de Charlotte Delbo en joie. C'est enfin le renversement du régime dictatorial de Salazar, installé depuis 1930, qui s'était maintenu au-delà de son décès en 70. Une révolution qui met à bas plus de quarante années d'une dictature en Europe. Pour Charlotte, c'est un appel d'air. Elle avait traversé en train une partie du pays et connu Lisbonne qui avait des allures « hors du monde » au milieu de la guerre, en juin 41.

En septembre, elle veut aller voir de près cette révolution initiée par des généraux partisans de la démocratie. C'était bien la première fois à ses yeux qu'une armée voulait le pouvoir pour le peuple. Elle prend sa voiture.

Elle a eu des conversations avec tous ceux qu'elle a pu rencontrer, notamment des gens de théâtre. Elle était partie avec des adresses pour rencontrer des amis d'amis, elle voulait prendre le pouls de ce qu'il se passait, ce que les gens vivaient, comment se passait cette révolution douce. Y aller en voiture, c'est pour son plaisir de conduire, jouir de son indépendance et traverser le plus de paysages possible. Elle parcourt le pays du nord au sud depuis l'intérieur des terres, s'arrête dans les villages, passe les montagnes, roule jusqu'au bord de l'océan, ces « jets d'écume furieux qui se fracassent sur les rochers[1] », puis descendra jusqu'en Algarve pour voir la mer sur les plages du sud, « cet ourlet qui lèche le sable et que le sable boit dans un chuchotis de tendresse[2] ».

Si je cite ses impressions, c'est parce que, dès qu'elle rentre, elle écrit ce qu'elle a vu, ce qu'elle a entendu, ce qu'elle voudrait dire ou faire dire, entendre et qu'elle n'a pas vraiment entendu. Pendant qu'elle remonte en voiture de Lisbonne à Paris, elle a dans sa tête tant de discussions, d'échanges avec ceux qu'elle a rencontrés, et arrive aussi ce qu'elle n'a pas eu le temps de dire… Elle traverse à nouveau la région reculée et montagneuse des Tras os Montes où la vie semble n'être pas touchée par ce qu'il se passe là-bas en ville, avant de traverser Valladolid et Burgos, oui, Burgos, où elle pense à ceux qui ont chèrement défendu la liberté. Elle s'arrête au Pays basque français pour voir son patron, comme elle appelle encore Henri Lefebvre. Il y vit une grande partie de l'année depuis un an qu'il a pris sa retraite, et Charlotte travaille encore pour lui quand il faut mettre en forme un de ses manuscrits.

---

1. *Maria Lusitania*, scène 1 de l'acte I, *Qui rapportera ces paroles ?*, *op. cit*, p. 317.
2. *Ibid.*

Arrivée à Paris, elle se met à une pièce de théâtre. C'est sous cette forme qu'elle veut rendre le désir de révolution qu'elle a vu, et son propre désir de révolution aussi. Difficile pour Charlotte de ne pas se sentir prise à partie quand il s'agit de politique, et encore plus de révolution, et de dire ce qu'elle a à dire.

Son originalité, c'est de placer l'action dans un village, loin de là où la révolution a lieu, de choisir une grand-mère comme personnage central, une grand-mère restée dans son village, que ses deux petits-fils viennent retrouver par hasard le même soir, la veille de l'insurrection. Le choix du personnage principal surprend, mais il est la raison de ce que dégage d'attachant la pièce. La personnalité vive, chaleureuse, malicieuse de la grand-mère emprunte beaucoup de traits à sa mère, que Charlotte aimait avec pudeur, sans aucune démonstration. Sa mère est morte voilà trois ans, et il est temps pour elle d'exprimer à travers un personnage les qualités de cette femme étonnante, dont encore dans ces années 70 pour rien au monde Charlotte n'aurait parlé directement. Dans Les Récits de la gare où le train ne passe plus écrits un an plus tôt, le souvenir de sa mère passait en filigrane. « Comme ma mère est une paysanne – étonnant comme les paysans savent leur droit – j'ai pensé à demander s'il y avait des servitudes. Il n'y en avait pas[1] ». Gratitude pour sa mère qui lui avait appris à faire respecter les mesures d'une terre, et à Breteau elle fera venir un géomètre du cadastre, parce que sa mère lui avait raconté l'histoire de ce fermier qui déplaçait la borne d'un sillon chaque année pour faire gagner plusieurs mètres à son champ. La mère de Charlotte venait d'un village d'Italie, elle en avait gardé un savoir paysan qui sait ce que la terre rapporte. Et Charlotte savait très bien compter, tous ses amis s'en souviennent !

Elle a imaginé des situations contrastées aux deux petits-fils de sa pièce, l'un vient revoir quelques heures sa fiancée la veille de l'insurrection, l'autre, au moment où il veut quitter

1. Les Récits de la gare où le train ne passe plus, *op. cit.*

le pays pour échapper au service militaire. Il apprend que l'insurrection est imminente et que son frère est membre du conseil révolutionnaire. Même si les dialogues entre les frères sont prétextes à des échanges sur la stratégie révolutionnaire, le personnage principal reste tout au long de la pièce, Maria, la grand-mère. Sa vivacité apporte de la fougue à la pièce. Sa connaissance de la vie, son savoir de la campagne et son aspiration à faire changer les mentalités dynamisent cette comédie. Que la démocratie et la liberté arrivent enfin jusqu'au village ! Ce sont ses répliques sur les événements qui animent la pièce, sa façon d'entraîner les jeunes gens comme la fiancée de son fils à réagir, sa stratégie malicieuse pour empêcher le curé de nuire à la révolution. Elle a le tempérament joyeux, généreux, le souci de nourrir à tout bout de champ chacun pour lui redonner force, cette chaleur du foyer nourricier. Charlotte Delbo fait une place aussi à la culture de Maria, à celle qui connaît l'histoire de son pays, elle lui fait ouvrir la pièce par un monologue, véritable ode au Portugal. En quelques images, la géographie et l'histoire du Portugal... Ode à la mer qui borde ses côtes, évocation des conquêtes du passé, du malheur après la domination qui a apporté la misère malgré l'or ramené et qui « a ruisselé sur les palais », « tout recouvert, tout faussé, tout corrompu ». Son personnage devient « Maria Lusitania », elle incarne son pays. Même dans une comédie, Charlotte Delbo dégage une figure mythique. Maria n'a pas besoin d'être une Antigone ni une Électre, elle est l'incarnation de la Lusitanie, l'ancien nom du Portugal. Et en même temps Charlotte lui donne son destin singulier, une femme qui n'a pu garder ses terres, a dû en vendre la plus grande partie, mais a réussi à maintenir « sa lignée », résistant à l'émigration, en élevant fils et petits-fils, cœur de la vie.

Une femme qui dit juste que « Plus personne n'a besoin de moi. Même la chèvre se débrouille toute seule. Sais-tu où je l'ai trouvée ce matin ? Dans la vigne de la Tonina. Et elle broutait, elle broutait de tout son cœur, la coquine. J'ai crié après elle aussi fort que j'ai pu pour que la Tonina n'aille pas s'imaginer que c'était moi qui avais lâché ma chèvre dans sa vigne. Elle est sortie et elle s'est mise à m'injurier ! Quel toupet ! Sa vigne qui n'est pas taillée... Et elle se plaindrait que ma chèvre la lui taille ! Comme je me mets à parler. Je t'étourdis au lieu de te donner à manger. Je suis si heureuse de te voir. C'est si bon de parler ». Ce portrait a tout pour rappeler la mère de Charlotte qui à Vigneux avait deux chèvres, qui entraient dans sa cuisine, broutaient dans leur petit jardin, – et qui se réjouissait des visites de sa fille aînée.

L'été 1977, Charlotte est retournée en Grèce. Elle y était déjà l'été précédent quand au sud du Péloponnèse elle avait fait monter dans sa voiture deux jeunes Allemands, et c'est avec le souvenir de leurs conversations qu'elle écrira son article sur les Baader-Meinhof. Pendant la dictature des colonels de 67 à 74, et le coup d'État militaire qui l'avait fait pleurer de chagrin, Delbo n'était pas revenue en Grèce. Elle fait le long voyage seule en voiture, traverse une partie de l'Italie, visite Parme, pour Fabrice encore, pour Stendhal toujours. Et elle embarque à Ancône.

Elle retourne dans le Péloponnèse, sa région de prédilection, retrouve Épidaure pour revoir le théâtre antique, s'asseoir sur la pierre d'un des gradins, imaginer la voix d'Électre, d'Oreste, d'Antigone. Elle poursuit son périple jusqu'à l'extrémité est du Péloponnèse pour répondre à l'invitation d'un étudiant grec d'Henri Lefebvre dont elle a fait la connaissance à son séminaire, Vassilis Dorovinis, qui lui a proposé de séjourner dans sa famille sur la presqu'île d'Argos.

Est-ce lui qui lui a parlé du bourg de Kalavrita et du massacre en 43 par les soldats allemands, ou l'avait-elle lu dans un guide ? Toujours est-il que quinze jours après lui avoir rendu visite, après être retournée à Épidaure et Athènes, elle arrive un soir au village de Kalavrita, débouchant de la route en lacet à flanc de montagne, et voit au-dessus d'un bosquet de cyprès le tumulus qui domine les dernières maisons.

Kalavrita est depuis longtemps un lieu de l'histoire grecque à cause de sa situation au cœur des montagnes. Pendant la guerre d'indépendance au XIXe, le village était déjà un foyer de résistance, et durant la dernière guerre, les Résistants s'y cachaient. Par mesure de représailles, un jour de 43, les Allemands firent sortir de leur maison tous les hommes valides et les grands adolescents pour les emmener en haut du village et les assassiner. Mille trois cents hommes furent tués. Charlotte Delbo se fait raconter l'histoire par des femmes qui avaient été enfermées avec les enfants et les vieillards dans l'église pendant que le massacre avait lieu, et monte voir le mausolée construit à mains nues par celles qui donnaient une sépulture à leurs mille trois cents hommes qu'on venait d'assassiner en quelques heures.

Elle avait écrit sur ceux qu'elle avait imaginé venir dans la plus froide des cellules de la Santé, dans les couloirs les plus sombres de la prison, ces personnages qu'elle avait aimés dans ses lectures. Elle les avait fait surgir là où régnait la mort, une mort défaite d'humanité, défaite de la communauté des hommes. La lumière dissolvante d'Auschwitz, qui donne au paysage le caractère d'une explosion atomique, ne permettait pas de ramener les morts. Delbo ramenait des dialogues avec des personnages pour retrouver la vie, à Kalavrita c'est autre chose qu'elle entend et elle a vu la sépulture montée à mains nues par les femmes après le crime. Elle veut écrire. Elle s'y met le soir même à son hôtel.

Elle a entendu le récit de la montée des hommes telle que deux d'entre eux qui ont réussi à s'échapper leur ont racontée. Et elle a écouté ce que les femmes ont dit des gestes, des rites ancestraux qu'elles ont pu accomplir, même si c'était dans le plus grand dénuement. Celui de la douleur, celui de la pauvreté, celui de l'isolement aussi, il ne restait plus un homme vaillant, plus un artisan pour construire des cercueils, pour manier des outils. L'isolement, celui qu'elle avait connu aux bords du monde, avec ses compagnes, du monde qui « s'arrêtait loin d'ici », l'isolement et le dénuement étaient compensés à Kalavrita par la capacité d'être. Pas de lumière dissolvante ici, mais la capacité d'accomplir ce qui devait être accompli.

Celle qui avait cherché pendant quatre années où avait été jeté le corps assassiné de son mari, dans quelle fosse commune de quel cimetière de la région parisienne, celle-ci entendait des femmes lui raconter l'ensevelissement de leurs hommes. Elles les ont mis « tous ensemble, comme ils sont morts ensemble », et puisqu'il leur était impossible de creuser la pierraille sans pelles, elles les ont serrés « les uns contre les autres, aussi serrés que possible, et même les uns par-dessus les autres s'il le fallait pour qu'ils tiennent tous dans le carré resté libre au milieu du cimetière » et pour « construire une murette de pierres sèches autour du carré ». Lorsque le mur fut assez haut pour surplomber les corps, elles sont allées chercher la terre dans les champs avec leur panier pour les recouvrir.

Charlotte Delbo écrit la marche des hommes qui gravissent la colline en silence à côté des soldats qui criaient pour les presser, puis la nuit de veille des femmes qui sont sorties de l'église après le grand silence qui s'était installé sur le village, une fois les soldats partis, et qui sont montées. Après avoir retourné doucement les corps tombés face à terre pour reconnaître chacune ses morts, un mari, des frères, un père, un fils, elles ont eu les gestes attendris pour laver les visages ensanglantés, pour redonner dignité à ceux « tombés n'importe comment, comme des hommes ivres, les uns sur les autres, encore chauds... ».

Charlotte avait gardé dans ses archives le document rédigé en allemand, classé « Secret », où se trouvait notée la liste des sept otages, « des Juifs et des communistes » était-il écrit et qui désignait bien comment ils choisissaient qui ils allaient tuer, le 23 mai 42, en représailles d'un attentat contre un militaire allemand du nom de Kuligk, tué à Paris le 19 mai 42. Avec Dudach, il y avait écrit sur la liste, les noms de Gaulue, Engros, Bauer, Politzer, Solomon et Pican. Et le corps de Georges ? Après avoir cherché au cimetière de Suresnes dont dépendait le Mont-Valérien, c'est finalement en 1956 avec l'aide du frère de Georges, Armand Dudach, que des renseignements lui sont parvenus sur un corps exhumé du cimetière d'Asnières et qui pourrait être celui de Georges. Mais ce ne sont pas les vêtements que Georges portait ce jour-là, ni la taille de son corps. Et les soins très élaborés de dentiste dont témoignait la dentition, ne pouvaient pas avoir été faits pour les dents d'un homme jeune comme l'était Georges, et qui appartenait à un milieu modeste. Ce sont les lettres d'Armand répondant aux questions de Charlotte, qu'on lit dans ses archives, on peut imaginer ce qu'elle en conclut. Et quand le frère de Georges écrit qu'il faut attendre le retour de vacances de sa mère pour savoir où elle désire que son fils soit définitivement inhumé, et ce sera au Père-Lachaise aux quartiers des fusillés avec les honneurs du Parti, on peut imaginer comme cela a perdu de l'essentiel pour Charlotte. Il était évident que ce n'était pas le corps de Georges qui avait été retrouvé. Et qu'un autre jouerait le rôle pour que les honneurs soient rendus. Et quels honneurs, aux yeux de Charlotte ! Ceux du Parti.

Alors, quand elle peut donner sa voix à celles qui peuvent de leurs mains rendre hommage aux corps assassinés, c'est essentiel de trouver les mots, les phrases, le rythme. C'est le seul texte de Charlotte Delbo où elle peut avec ses mots accomplir les gestes qu'elles n'ont pu faire là-bas où la mort était dénaturée, sortie de ce qui fait le sacré de la vie humaine. Elle avait su dire la douleur de celle qui doit retirer le corps de sa sœur morte à côté d'elle, le porter dans la neige à l'extérieur du block, dire la douceur, la tendresse de ce seul geste, déposer, puisque rien d'autre, rien de plus, rien de plus longtemps, rien de ce qu'on peut encore faire, n'était autorisé et qu'il fallait continuer à survivre après l'arrachement d'une personne partie sans que sa mort soit reconnue, et qui attaque le sens de sa propre vie.

Comme le corps de Georges, effondré mort au pied du poteau d'exécution, qu'elle ne voudra jamais écrire, mais dont on peut penser combien l'image aura pu la hanter, Georges dont elle a tant dit la peau douce, la beauté, cette beauté qu'elle a écrite dans plusieurs poèmes pour effacer le corps mort, ce corps oublié de tous, et qu'elle cherchera si longtemps, voilà qu'en écrivant ce long poème en prose, elle peut dire ce que des mains de femmes ont accompli pour ramener la mort dans le sacré de la vie, raccommoder le trou que l'effroyable assassinat collectif faisait à la vie ensemble.

Kalavrita des mille Antigone, c'est ainsi qu'elle nommera ce long texte, du nom du village et du nom de celle qui dans la tragédie donne une sépulture à son frère, sans craindre d'enfreindre la loi de Créon qui l'avait interdit.

Le geste qui leur avait été interdit au camp par les nazis, voilà qu'elle pouvait lui donner une expression. Et la tragédie grecque est l'inspiration, pas seulement parce qu'elle est en Grèce, mais parce qu'une fois encore elle voit derrière l'apparence la plus ordinaire les signes de la tragédie. Elle commencera avec les mots les plus simples : « Voilà. C'est ici. C'est le chemin qu'ils ont pris[1] ». Elle avait évoqué une gare où on se rend quand on part ou quand on accompagne ceux qui partent, pour rendre ensuite ce qui n'a plus d'équivalence avec l'ordinaire et qui peut « être » : « Mais il est une gare... », comme ici, elle peut évoquer « le chemin qu'ils ont pris », qui dit autant la direction, qu'une voie aussi ordinaire qu'un chemin de campagne. Ici elle précise tout de suite que ce n'est pas « le vrai chemin », puisque celui qu'ils ont gravi pour aller à leur mort a été recouvert de pierre dorée et de marches pour ne pas l'user, pour le garder, pour l'ensevelir. Il ne se voit plus, mais se raconte. Elle raconte le récit *véridique* du chemin pris, pas le « vrai » chemin.

Du massacre des otages de Kalavrita ou des rites funéraires que les femmes accompliront la nuit suivante, Charlotte Delbo a beaucoup à en dire, tant de faits résonnent à sa propre histoire. Les otages partent vers leur mort « alors qu'ils n'avaient pas fini de grandir » encore adolescents ou trop jeunes pour mourir, « leurs vies n'étaient pas faites »

1. Deuxième édition de *Kalavrita des mille Antigone*, in *La Mémoire et les Jours*, *op. cit.*, p. 103.

font écho à Georges fusillé si jeune, à vingt-huit ans, et dont elle ne cesse de dire la jeunesse, le sourire, la beauté, la peau douce. Les femmes enfermées dans l'église par les soldats avec enfants et vieillards, qui tendent l'oreille pour interpréter les sons et les bruits, comprendre ce qu'il se passe, rappellent les femmes à la Santé qui entendent *La Marseillaise* et comprennent, guidées par l'interruption des voix, l'exécution d'un otage après l'autre.

Delbo retrouve le drame de « ceux qui ne savent pas ». Les femmes qui ne savent pas ce qu'on fait aux hommes. Et « Les hommes qui gravissaient le chemin ne savaient pas ce qu'il advenait des femmes et des enfants ».

Pour savoir, il faudra que deux hommes aient réussi à se glisser hors de la colonne, « c'est par eux qu'on a su comment tout s'était passé », par ceux qui « ont glissé vivants entre les morts ». « Je suis revenue d'entre les morts » avait écrit Charlotte d'elle-même.

Quant à ceux qui savent qu'ils vont mourir, les hommes qui montent la colline, pourquoi parleraient-ils entre eux ? « Pourquoi parler à la mort ? Elle ne répète rien », écrit-elle des hommes de Kalavrita, se souvenant de ce qu'elle avait si cruellement ressenti au moment de devoir dire adieu à Georges. Il ne lui servait à rien de parler à celui qui allait mourir, « il fallait que ce soit lui qui parle puisque mes paroles à moi n'avaient plus de portée, qu'elles s'arrêteraient à lui ». De même qu'elle a fait dire au personnage de Gina qui s'apprête à mourir dans *Qui rapportera ces paroles ?* : « Les paroles sont perdues, à celui qui va mourir. C'est moi qui devrais te parler. (...) Je n'écrirai que sur ta mémoire. » Cette dernière phrase est si symbolique de l'association que fait Charlotte Delbo entre les paroles et la mémoire, paroles qui trouvent leurs forces une fois écrites, paroles gravées, signe de la mémoire. Pour les hommes de Kalavrita, elle ajoute : « Les mots qu'on veut dire à ce moment-là sont pour ceux qui vivront encore, qui vivront encore et qui transmettront encore. » Les mots contiennent un futur, ils sont capables de passer au-delà de la mort. C'est l'expérience de

Charlotte Delbo écrivain. Les mots contiennent l'énergie de vivre, l'expérience qu'ils transmettent les rend vivants, le travail trouve la forme pour qu'ils rendent compte, et la beauté pour qu'ils frappent le cœur et la conscience.

Quand, dans un paragraphe, elle fait revivre ce jour de marché qui avait fait se rassembler tant d'hommes dans le bourg de Kalavrita, on retrouve celle qui connaissait les goûts et les habitudes des Grecs. Elle avait séjourné un an en Grèce en 49, et lu avec tant d'affinités l'ouvrage du sociologue Henri Mendras pour en faire un compte rendu si vivant pour *La Revue française de sociologie* où elle soulignait ce goût des réunions, le besoin de se retrouver pour échanger, communiquer, plus important pour eux qu'augmenter leur maigre production agricole. En 1943, c'était la guerre, les paysans des alentours n'avaient presque rien à apporter au marché, « quelques oignons, quelques fromages », « un outil à réparer à un artisan du bourg », mais ils étaient venus nombreux au marché pour se retrouver, « pour causer, pour avoir des nouvelles, pour voir du monde ». Ce que Charlotte elle-même estime être la vie même. Ce fut le jour choisi par les soldats allemands pour semer la mort.

Et de souligner leur « travail ». « Les soldats faisaient leur travail vite, avec méthode » pour faire le tri parmi les hommes, choisir les valides entre seize et soixante-dix ans et les emmener. Ce mot de travail dont elle avait déjà dit le dévoiement, pour souligner l'horreur liée à l'application systématique d'un ordre, pour écrire ce que faisait le commando du ciel, à venir chercher mortes et agonisantes au block 25. Celui qui les charge dans le camion pour les chambres à gaz et les crématoires « travaille vite, comme un qui sait son travail, un qui veut faire chaque fois mieux » et, lorsque le chargement est accompli, « Quand il ne veut vraiment rien ajouter... Il donne un dernier coup d'œil à son travail comme à un travail[1] ».

---

1. *Aucun de nous ne reviendra*, *op. cit.*, p. 83 et 84.

« Les hommes en rangs, les femmes contre le mur de l'école, / serrées les unes contre les autres, et qui tendaient le cou pour essayer de rencontrer le regard de leur mari, de leur fils, de leur père ». Les images des sélections d'Auschwitz sont là. « Les ordres criés dans leur langue que nous ne comprenions pas » rapportent les femmes de Kalavrita.

Quand les soldats seront repartis, après avoir ouvert les portes de l'église, et que les femmes si apeurées n'osent encore sortir, c'est leur cœur qu'elles tiendront à deux mains de peur qu'il n'éclate. Qu'elles tiendront encore en montant le chemin. Ce cœur « battait à les étouffer » et rappelle les dialogues de Charlotte avec son cœur pour tenir encore à l'appel, ou celui dont elle a senti l'étreinte la dernière nuit à Ravensbrück. Et celui avec lequel il faut survivre. Quand en haut du chemin elles ont vu le massacre des leurs, « elles ont compris qu'il était inutile de tenir son cœur à deux mains : s'il n'éclatait pas tout de suite, il durerait encore pour vivre malgré tout ». Comme au moment de devoir dire adieu à Georges, « j'ai su que mon cœur ne battrait plus que parce que je lui commanderai de battre[1] ».

Dernier signe de cette tragédie, l'horloge de la place s'est arrêtée. « C'est l'heure de ce jour-là. Le ressort de l'horloge s'est rompu à la première salve. Nous ne l'avons pas réparé ». Et Delbo de reprendre en une dernière ligne isolée après une ligne de blanc, « C'est l'heure de ce jour-là. » L'horloge arrêtée est le signe définitif de la tragédie. Il est frappant de se rappeler que la seule page qui contienne le nom d'Auschwitz dans *Aucun de nous ne reviendra*, est celle du poème qui décrit la ville d'Auschwitz qu'elles traversent pour aller travailler, le malaise qu'elle dégage, rien ne ressemble à une ville, ni étalages ni marchands ni boutiques, et les visages se détournent à leur passage. Seule « l'heure était vraie[2] » au cadran de la gare. L'horloge, elles l'ont toutes regardée pour trouver quelque chose à garder.

1. *Mesure de nos jours*, *op. cit.*, p. 205.
2. *Aucun de nous ne reviendra*, *op. cit.*, p. 141.

Charlotte Delbo resssent une telle urgence d'écrire la tragédie de Kalavrita qu'elle l'écrit durant deux nuits à l'hôtel de Kalavrita.

Mais que faire de ces 22 pages ? Le texte écrit entre prose et poésie, il pourrait, une nouvelle fois, se prêter à un oratorio. On entend plusieurs voix, la voix de celle qui raconte les faits à Charlotte, les voix de celles qui parlent entre elles le soir du drame, un chœur qui commente, et la voix de Charlotte Delbo qui rend la dignité et la tendresse de leurs gestes pour surmonter la douleur. Sa voix entrelace celle de tous. On croit même entendre le silence des hommes, imposé par la terreur, et ce qu'il étouffe, leur inquiétude, leur effroi, et leur résignation en montant le chemin vers la mort.

Charlotte retournera en Grèce en décembre 1979 pour entendre le texte dit à Kalavrita par une tragédienne du Théâtre National grec, au moment où est inauguré le mémorial édifié à côté du tumulus où figurent les noms. Elle dira son émotion particulière à l'écoute des noms de tous les hommes, cette récitation qui a débuté la cérémonie et qui lui procure plus d'émotion encore que d'entendre son propre texte qui suit. Se retrouve celle qui a recherché et inscrit dans un livre le nom de toutes les femmes de son convoi du 24 janvier 1943. Comme celle qui a gardé le nom avec lequel elle est née. Le nom est signe de vie, d'existence.

Kalavrita des mille Antigone a été traduit en grec par une jeune fille d'Argos grâce à l'intermédiaire de Vassili Dorovinis. Delbo sera touchée d'apprendre que ce jour de la cérémonie tant de femmes, qui à mains nues avaient rendu hommage à leurs hommes, étaient présentes, entendaient, émues, le récit de leur tragédie.

La question de la publication ne se posait jamais pour Charlotte au moment où il lui fallait écrire. *Kalavrita des mille Antigone* était un texte trop bref pour être édité seul en livre, alors elle demanda à son ami Jean-Marcel Lèbre d'en faire une édition de luxe, dans un coffret, et Jean Picart Le

Doux a créé une lithographie originale pour l'accompagner. Il paraît en mai 79, tiré à 200 exemplaires, vendu 500 francs, un prix élevé à l'époque. « Il n'était pas question pour moi de refuser quoi que ce soit à Charlotte. Elle voulait ce livre dans cette édition précieuse, je pouvais la faire, je l'ai faite comme elle l'entendait », dit aujourd'hui Jean-Marcel Lèbre.

François Bott fait l'éloge de ce « chant funèbre » dans un encadré pour *Le Monde des Livres* du 6 juillet 79, il en relève « la pudeur qui renforce le caractère pathétique de son récit », sa « beauté austère et cruelle » qui « ravive l'émotion du lecteur ». En plus de sa critique, il fait reproduire la lithographie de Picart Le Doux et un extrait du texte. Diane de Margerie avait eu tôt connaissance de l'ouvrage par son amie Renée Bridel, et quelques jours avant la sortie de l'édition, mi-avril, elle fait l'éloge dans *La Quinzaine Littéraire* de « ce récit-poème ». Dans le même article, elle rendait hommage à la réédition enfin là de *L'Espèce humaine* d'Antelme, et à l'ouvrage d'Andréas Frangias, *L'Épidémie*, traduit du grec, sur l'expérience trop peu connue en France des victimes des camps de concentration grecs après la guerre civile. Cette Grèce meurtrie, elle la retrouvait dans *Kalavrita des mille Antigone*, dans cette « voix inimitable » de Charlotte Delbo, celle qu'elle « avait fait déjà entendre de manière inoubliable dans les trois volumes d'*Auschwitz et après* ».

Charlotte avait réalisé ce qu'elle voulait, *Kalavrita des mille Antigone* était devenue une œuvre. Ses paroles avaient inscrit la tragédie de Kalavrita, ce qu'elle avait à en dire, la douleur des femmes et comment les mains des femmes peuvent honorer les morts. Sa main d'écrivain l'avait prolongé.

Par l'intermédiaire d'amis grecs, elle veut essayer de faire entendre ce texte dans un des théâtres antiques de Grèce, elle en rêvait. Elle écrira dans ce sens, comme le lui recommande son amie, Tatiana Milliez, à la ministre des Affaires sociales du gouvernement grec en juillet 81, Madame Synodinou, qui avait été comédienne, avait même interprété Antigone, remarquablement comme on le disait à l'époque.

Le directeur du lycée professionnel de Nauplie avait revu la traduction qu'avait faite, à la demande de Dorovinis, Maria Panagou. Il avait veillé, comme il l'écrit dans une lettre à Charlotte Delbo, à ce que la traduction ait en grec un caractère « de langue populaire, presque montagnarde, mais bien poétique, convenable à la bouche d'une Antigone de ce pays du Péloponnèse[1] ». On peut se demander comment Charlotte aura pris ce commentaire de son texte. Il fait interpréter l'œuvre par ses élèves, en donne une représentation pour inciter le maire de Kalavrita d'éditer une édition bilingue du texte, mais le projet n'aboutira pas. Il informe Charlotte Delbo que Dorovinis prépare une représentation au théâtre d'Argos.

En Europe, c'est celui qui est devenu un ami, Claude Schumacher, le professeur d'études théâtrales à l'Université de Glasgow, qui veut mettre en scène ce récit. Charlotte était venue au festival d'Édimbourg pour assister aux représentations par ses étudiants de *La Sentence* dans le cadre « off » du festival, The Fringe. Elle lui avait envoyé, dès leur premier échange de lettres, *Une scène jouée dans la mémoire*, estimant qu'une pièce brève, à deux personnages, pouvait l'intéresser. Elle tenait à ce dialogue, et savait que sa brièveté lui donnerait peu d'occasions d'être donné en France. Claude Schumacher a monté le dialogue en 1976 (*Scene in Memory*) à Glasgow dans le cadre de son université. En 1978, il fait jouer, toujours par ses étudiants, *Qui rapportera ces paroles ?* (*Getting back*). C'est sa femme, Jane Tucker, qui traduit les pièces de Charlotte qu'il monte.

En avril 1981, Claude Schumacher présente trois soirs durant *Kalavrita des mille Antigone*. N'ayant parmi ses étudiants « personne qui soit capable de tenir le coup » pour dire, incarner, ce long poème, il écrit à Charlotte qu'il a choisi de le mettre en scène avec dix comédiens parlant, chantant, individuellement ou en chœur, faisant ainsi ressortir les voix du texte. Il a commandé une musique de scène, puisqu'il

1. Lettre de Panos Lialiatsis, BNF, Fonds Delbo, 4-COL-208-125, Succession Delbo.

a reçu des subventions du Scottish Arts Council, ce sera une partition pour violoncelle et percussions. La partition imposante, de hauts et larges feuillets, la musique et le texte, a été adressée à Charlotte et se trouve dans ses archives de la BNF[1]. Il lui a adressé la traduction établie, comme il lui soumet toutes les traductions. Charlotte les revoit avec son amie anglophone qui vit dans le même immeuble, 33 rue Lacépède, au-dessus d'elle, au 8e étage. Kate Duncan venait d'Australie, elle avait été une comédienne de théâtre, une comédienne réputée m'a confié sa fille. Ce fut évidemment un point d'entente avec Charlotte. Leur tempérament s'accordait, une amitié était née. Elles se voyaient souvent, et Kate sera précieuse, elle pouvait revoir les traductions anglaises de ses œuvres, que Charlotte Delbo avait toujours exigé d'approuver.

Rosette Lamont avait beaucoup aimé *Kalavrita des mille Antigone* et s'était proposée pour le traduire. Schumacher attendait le texte, Charlotte avait dû la presser, Rosette lui a adressé un premier jet, qui portait encore ses corrections de première relecture. Schumacher n'en est pas du tout satisfait, il trouve que c'est « un mot à mot qui tue le sens, massacre sa musique, ça n'a pas de beauté et ça n'a pas de rythme. Peut-être qu'aux USA ça passerait mais en anglais il y a des choses qui font hurler ». L'avis est radical, montre l'exigence de Schumacher, qui demande alors la traduction à une de ses étudiantes, Karen Alexander.

Kalavrita des mille Antigone (*Kalavrita's thousands Antigone*) sera présenté à la suite d'une première partie qui est l'*Antigone* de Sophocle. Preuve de l'estime que Claude Schumacher a pour l'œuvre de Charlotte.

Pour chaque pièce qu'il monte, il parle dans ses lettres de ce souci qu'il partageait avec Delbo, de sortir du contexte historique et politique les pièces pour en faire ressortir la tragédie qui s'y joue. Il a présenté *Une scène jouée dans la mémoire* à la suite d'*Électre* de Sophocle, et c'est le comédien

1. Fonds Delbo, FOL-COL-208-5, Succession Delbo.

qui jouait Oreste qui interpréte le personnage de Paul. Dans leur correspondance, il est question du choix des comédiens, des musiques, des accessoires, du décor, et Delbo insiste toujours pour qu'il soit le plus neutre possible. Pour la représentation de *Kalavrita des mille Antigone*, ce sont plusieurs larges marches comme des plateaux superposés pour souligner l'espace horizontal de la tragédie. Il reprend en fond de scène, agrandie, l'œuvre que Picart Le Doux avait peinte pour l'édition de luxe. Un visage, on reconnaît celui de Charlotte Delbo, qui se dresse au-dessus d'un muret ensanglanté, les mains de chaque côté du visage, qui peuvent sembler cacher la vision trop éprouvante ou au contraire dégager les yeux pour oser regarder. Picart Le Doux connaissait bien Charlotte, sa sensibilité comme sa lucidité.

Elle est heureuse de cette représentation, elle s'est déplacée comme pour chaque œuvre d'elle qu'il monte, la presse locale s'en fait l'écho. Le *Glasgow Herald* publie un grand article pour présenter l'œuvre et son auteur, à la suite d'un entretien que Charlotte eut avec la journaliste, Evelyne Hunter. Charlotte révélera pour la première fois de façon publique la volonté de Georges, contraire à la sienne, d'attendre un ordre du Parti, de ne pas quitter le domicile au moment des premières arrestations et ses conséquences funestes. Elle aura attendu quarante ans pour l'exprimer. Et elle le dit à l'étranger, le raconte en anglais, avec cet autre part de soi qui s'exprime avec liberté dans une langue étrangère.

En France, tout est plus compliqué pour elle. Mais elle aura la surprise d'une ouverture lorsque France Culture lui proposera de mettre en ondes plusieurs de ses pièces. Et leur réalisation sera une réussite.

Ses pièces trouvent leur ton. Ce qui semblait sur scène se figer, à la radio se dit, se raconte. Elle, qui ne croyait pas à l'incommunicable et voulait porter à la conscience avec des paroles explicites, convainc grâce aux voix qu'on écoute. Jean-Jacques Vierne réalise sur France Culture en 1970 *La Théorie et la Pratique*. Il choisit trois comédiens différents pour faire entendre les slogans que Charlotte avait imaginés défiler sur des panneaux en fond de scène. À la radio on entend l'humour des jeunes, de ceux qui ne s'en laissent pas conter, qui jouent des mots pour provoquer, faire bouger le carcan d'une société figée, en contrepoint des arguments des philosophes. Et ceux-ci s'écoutent avec attention, leurs arguments deviennent une nourriture pour l'entendement. Les comédiens, François Darbon, qui montera quatre ans plus tard *Qui rapportera ces paroles ?*, et François Crauchet s'expliquent avec chaleur et conviction. S'oublie la forme statique des longs développements. Leur réflexion et la révolte des jeunes croisent leurs voix, la contestation, réfléchie ou spontanée s'entend, la dramatique est vivante. C'est Charlotte Delbo qui la présente à l'antenne avec un texte qui annonce avec jubilation la rencontre entre les deux philosophes, qu'elle a imaginée grâce à « la magie du théâtre ». Elle n'allait pas lâcher ce qui lui était cher.

La mise en valeur la plus réussie de ses pièces sera bien celle de *Qui rapportera ces paroles ?*. D'abord grâce au choix de Catherine Sellers pour interpréter le personnage de Françoise, et c'est certainement le choix de Charlotte Delbo. Elle avait gardé un souvenir inoubliable de son Antigone dans la cour du Palais des Papes, comme tout le public du Festival qui y a assisté. Catherine Sellers l'avait interprétée dans la mise en scène que Jean Vilar portait au cœur d'une évocation de la guerre d'Algérie. On peut imaginer ce que Charlotte ressentit cet été 1960, à la veille de revenir en France, à voir le spectacle, à entendre cette Antigone.

Dans *Qui rapportera ces paroles ?* Catherine Sellers a une façon de dire le texte avec une voix intérieure, presque chuchotée tant elle semble craindre l'effet de ses propres paroles. On entend les mots terribles dits par une voix douce, tendue et vibrante qui se confie. Ce qui semblait raconté, rapporté de façon didactique et passait difficilement la rampe, s'entend soudain avec émotion. L'autre raison de cette réussite est le contexte. La pièce a été choisie pour être donnée à la radio pour le 30e anniversaire de la libération des camps de la mort, comme le réalisateur, Alain Barroux, l'annonce. Elle prend pour fonction d'informer un large public, qui ne sait pas grand-chose d'Auschwitz. Tout ce que racontent ces voix n'a encore jamais été entendu comme cela, et par la voix de ces femmes. À l'écoute seule, leurs voix pénètrent plus facilement la sensibilité que sur un plateau de théâtre, les faits rapportés s'entendent, et prennent toute leur nécessité, en 1975. Et c'est cette fonction qui fait choisir au réalisateur de supprimer ce que disaient les trois femmes survivantes après le tomber de rideau. « Pourquoi iriez-vous croire / à ces histoires de revenants / de revenants qui reviennent / sans pouvoir expliquer comment ? ». Au moment de révéler la réalité, pour marquer la date anniversaire de la libération des camps, il serait hors de propos d'inviter à ne pas y croire.

Puis c'est pour *Spectres, mes compagnons* que France Culture propose à Charlotte une fiction dramatique. En regard des passages lus de son livre, sont choisis des extraits des œuvres que Delbo évoquait dans le récit. Ils créent un arrière-plan et jouent leur rôle de réminiscences qui transforment la narratrice. Charlotte a participé au montage, sensible à la qualité du travail proposé par Sylvie Albert qui prépare la fiction. Il y aura des extraits de Giraudoux, d'*Intermezzo* d'abord pour rappeler que les spectres sont fidèles, puis d'*Ondine* et d'*Électre*, de Stendhal avec *La Chartreuse de Parme* et *Le Rouge et le Noir*, de l'*Électre* de Sophocle et de Proust. Charlotte fait modifier l'extrait de *À la recherche du temps perdu* qui lui était proposé autour d'Albertine, puisque d'Albertine il n'a jamais été question et comme le rappelle Charlotte dans sa lettre à Sylvie Albert, « de tous les personnages de Proust, seule Oriane s'est dérangée ». Elle suggère bien sûr le passage au début de *La Prisonnière* qui évoque les robes d'intérieur de la duchesse de Guermantes, leur « réalité donnée et poétique » comme l'écrivait Proust. Quand elle voit qu'on a choisi un extrait de l'*Antigone* d'Anouilh, Delbo est, là, radicale : « Je ne veux pas d'Anouilh ; c'est quelqu'un pour qui j'ai trop peu de sympathie et jamais je n'aurais pensé à lui à Auschwitz. » Charlotte suggère enfin de raccourcir les insertions qui lui sont proposées parce qu'elle a « peur qu'elles fassent perdre le fil du récit, Les Spectres ». Par contre elle fait ajouter des extraits de *Qui rapportera ces paroles ?* et d'*Une scène jouée dans la mémoire*.

Les coupes qui ont été faites dans *Spectres, mes compagnons* s'avèrent pertinentes, elles ôtent le style discursif qu'avait par endroits le texte, et les voix surgies des autres œuvres donnent de la profondeur de champ à la dramatique. Jean Couturier réalise la fiction avec la voix de Catherine Laborde, déjà présente pour la mise en onde de *Qui rapportera ces paroles ?*, celle de Jean Topart, et d'Hélène Hilly qui l'année précédente avait mis en scène *La Sentence* avec les élèves de son cours d'art dramatique. Charlotte aime retrouver ses fidèles. Et la même année, en 1978, France Culture diffuse *La ligne de démarcation* écrite en 1975 en l'intitulant *La victoire était-elle possible ?*, un titre plus fidèle au sujet de la pièce. C'est toujours la question de la révolution qui intéresse Charlotte Delbo, une révolution possible et à effet durable, puisqu'elle s'était inspirée de la situation au Chili pour s'interroger sur ce qui aurait été nécessaire à la poursuite d'un gouvernement social. Ce sera une réalisation classique, celle d'Arlette Dave, avec de bons comédiens encore, comme Michel Etcheverry.

Ses œuvres intéressent donc la radio. Mais pour Charlotte ce n'est pas le lieu idéal, ce qu'elle veut, c'est la scène d'un théâtre. Lieu de la magie, lieu de la poésie, lieu des paroles. Elle poursuivra toutes ces années 70 sa recherche de théâtres, de metteurs en scène.

Renée Bridel, à qui elle a confié sa déception à la fin des représentations de *Qui rapportera ces paroles ?*, parce que le public n'est pas venu assez nombreux, lui écrit de garder espoir. « Gardez votre dossier d'éloges, tenez bon et recommencez ». Elle ajoute aussi qu'aujourd'hui « le public se tourne pour réfléchir ou pour discuter vers le cinéma » et Renée Bridel voudrait par l'intermédiaire d'amis à Paris lui faire rencontrer des cinéastes. Mais les choses ne se passeront pas ainsi. C'est un cinéaste qui vient vers elle en 1979.

Charles Belmont a déjà réalisé plusieurs films quand il veut rencontrer Charlotte Delbo. C'est tard dans sa vie qu'il se retourne sur l'histoire de ses parents, juifs émigrés de Lettonie. Son père était mort en août 42 à Auschwitz où il avait été déporté en juin dans le troisième convoi parti de Drancy.

L'œuvre de Delbo lui parle parce qu'elle suscite chez lui des images qu'il se sent libre de ressentir et d'associer pour créer un film. Le montage des récits, poèmes, tableaux, qui est le procédé de Charlotte Delbo pour composer ses livres, lui permet de concevoir le sien. Belmont ne veut pas faire un film réaliste, il ne veut pas « montrer » le camp, reconstituer le camp. Il aimerait rendre l'univers d'une femme qui y a été et qui aujourd'hui est habitée par sa mémoire.

Charlotte reçoit sa proposition avec circonspection, doutant que le cinéma puisse rendre ce qu'elle avait tant cherché avec les mots. Mais Charles Belmont a des atouts aux yeux de Charlotte. Artiste cinéaste, plus que cinéaste. Autodidacte, venant d'un milieu modeste, son père était ouvrier, il s'est passionné pour toutes les formes d'art à vingt ans, avec un appétit et une ferveur que Charlotte a connus dans sa propre vie. Il avait choisi très jeune le théâtre en devenant élève du Cours Simon, puis le cinéma, lorsque Chabrol l'a voulu comme comédien principal pour *Les Godelureaux*. Personnalité tourmentée, d'un tempérament solaire et sombre – que Charlotte comprenait –, il avait dompté ses démons par l'écriture de ses scénarios.

Ses films sont très personnels, que ce soit une adaptation de *L'Écume des jours* de Boris Vian ou *Rak*, un film sur une femme aux prises avec un cancer, qu'il écrit et tourne juste après que sa mère meurt d'un cancer généralisé, révolté par l'indifférence du corps médical. *Histoires d'A*, un documentaire militant réalisé avec sa femme, Marielle Issartel, sur l'avortement à l'époque interdit, ou *Pour Clémence*, l'histoire d'un cadre qui quitte son emploi pour trouver une forme à sa vie. Tous ses films tournent autour de la question de la liberté.

Ils se rencontrent souvent pour parler du scénario qu'il écrit, le projet intéresse Charlotte. À plusieurs reprises, pendant l'automne et l'hiver 79-80, Claude Schumacher, dans ses lettres – il travaille à la mise en scène de *Kalavrita* – lui demande où elle en est du travail avec son cinéaste.

Charlotte fait lire à Belmont ses autres livres, en plus de la trilogie qu'il a lue, *Spectres, mes compagnons* et *Le Convoi du 24 janvier*, et ils vont souvent au théâtre ensemble. Il choisira de faire du personnage féminin une comédienne, sa mémoire la renvoie à des images de sa déportation et d'un passé plus ancien, comme une promenade un soir à Vallauris en compagnie de Jouvet pour dialoguer sur la peur. Avec le passé de Delbo, il noue un fil avec le sien, lui-même enfant en 43. La traversée de Compiègne par les camions des Françaises se voit en arrière-plan d'une scène entre un petit garçon et sa mère dans leur cuisine. La mère porte l'étoile jaune, le petit garçon a l'âge de Belmont, sept ans en janvier 1943. Plus loin dans le scénario, l'enfant et sa mère, devant l'hôtel Lutetia, cherchent à reconnaître un visage parmi ceux qui reviennent, à avoir des nouvelles de celui qui a été déporté le 22 juin 1942.

Le scénario frappe par sa qualité littéraire et l'invention des transitions. Les plans se juxtaposent d'une façon sensible et inventive, Belmont choisit souvent des scènes de passage d'un lieu à un autre comme le train au moment de l'enterrement de Germaine, ou l'avion du retour au Bourget, pour évoquer la mémoire, ce qui reste du passé ou superposer les souvenirs, comme Charlotte utilisait les images. Une main ramène à celle tenue sur le châlit du block au camp, qui rappelait la douceur des mères, et revient sur la main qui au café est en train d'écrire. Des plans suivent la comédienne de la rue au théâtre, de chez elle à la rue, des voix s'entendent qui viennent de la rue, ou d'une autre pièce de l'appartement, celle du compagnon, écrivain, qui tape à la machine.

Belmont écrit seul le scénario qu'il titre provisoirement « Mesure de nos jours », le scénario bouscule la chronologie, comme la mémoire tressaute dans l'esprit de la comédienne qui vient au Théâtre de l'Athénée interpréter *Ondine* de Giraudoux. De nombreuses scènes reprennent des tableaux auxquels elle tenait, et par endroits Belmont fait dire en voix off quelques vers de ses poèmes. Le scénario est terminé, l'option n'est pourtant pas encore prise avec Les Éditions de Minuit. Belmont cherche un producteur, et l'accord d'une actrice. Il voudrait pour le personnage principal Delphine Seyrig ou Isabelle Adjani, les deux auraient à ses yeux la densité poétique d'incarner le personnage. Elles lui expriment toutes les deux leur intérêt, mais Seyrig se trouve trop vieille pour interpréter une comédienne qui doit jouer Ondine au théâtre, et Adjani trop jeune pour interpréter une ancienne déportée. Le scénario a tellement touché à l'époque Isabelle Adjani que, des années plus tard, elle demandera encore à Charles Belmont où il en est de son projet.

Charlotte Delbo, de son côté, a pensé à une distribution qu'on retrouve écrite dans ses archives. Elle voit Maria Casarès pour interpréter Ida, Simone Signoret pour Françoise au moment du retour en avion au Bourget, ce personnage que lui, Belmont, a nommé Dora dans son scénario. Delbo pense encore à Hélène Surgère pour une des anciennes déportées, Delphine Seyrig pour Marie-Louise. La scène de la visite à Pierre et Marie-Louise, extraite de *Mesure de nos jours*, se trouve presque intégralement reprise, elle occupe 23 pages d'un scénario de 68 pages. À la lire, on voit effectivement très bien Delphine Seyrig l'interpréter. Mais Belmont a vu les choses autrement, c'était Dora qui devait être jouée par Delphine Seyrig qu'il connaissait bien par Sami Frey, son ami de toujours, alter ego au cinéma, il lui avait confié le rôle principal de plusieurs de ses films.

Mais aucun producteur ne voudra financer le film. Jusque dans les années 2000, Belmont travaillera au scénario, le reprendra pour le modifier, la réalisation de ce film aurait tant compté pour lui. Charlotte Delbo comprend une fois de plus que le sujet n'intéresse pas en ce tout début des années 80.

Le 10 août 1978, Charlotte a soixante-cinq ans, l'âge de la retraite a sonné. Depuis un an elle bataille avec l'administration du CNRS, elle veut rester à son poste. Elle a fait valoir ses années de déportation, puisqu'elle avait obtenu d'être pensionnée de guerre de 1942 à 1945. L'échange de correspondance est âpre, elle bataillera au mois près. On lui a intimé la date du 31 juillet 78, elle répond qu'elle quittera son poste le 31 août puisqu'elle est née un 10 août.

Elle tenait à son salaire et à son poste au CNRS qui donnait un cadre à sa vie de femme seule, tout en lui permettant beaucoup de souplesse en présence et en horaires. Elle travaillait, depuis le départ de Lefebvre à la retraite, au Centre de documentation des études sociologiques dirigé par Nicole Haumont, mais cela ne l'empêchait pas de travailler encore pour lui, comme cet été caniculaire de 1976, dans la « fraîche » maison de Breteau. « Je joue toute la journée avec mon arrosoir et cette année j'aurai certainement dépensé plus d'argent en eau qu'en whisky… Je suis seule, occupée à taper un manuscrit de mon patron : 400 pages », écrit-elle à Cynthia Haft[1]. Elle avait gardé ce mot de « patron », un mélange d'affection et d'ironie dans sa bouche, pour celui qui ne l'est plus, avec ce plaisir d'avoir toujours dans l'oreille le souvenir de Jouvet !

1. Lettre du 18 juillet 1976, remise à l'auteur par Cynthia Haft.

L'affection pour Lefebvre va brutalement cesser en 1978 quand elle le voit appeler à voter communiste, sous l'influence de sa nouvelle jeune compagne – ses jeunes conquêtes l'ont toujours agacée –, lui qui avait été suspendu du Parti en 57 et s'en était exclu après y avoir toujours défendu sa critique d'un socialisme d'État qu'il trouvait chez Marx et que Staline oubliait. Ce retournement, c'en est trop pour Charlotte, son ironie se déchaîne à son encontre, et elle ne le verra plus. Lui viendra en larmes à son enterrement.

Ce n'est pas qu'un mouvement d'humeur de la part de Charlotte. La politique, l'analyse politique reste au cœur de sa réflexion et elle continue de s'exprimer sur le sujet, et de façon radicale. J'ai entendu ici et là que Charlotte Delbo était restée marxiste jusqu'à la fin de sa vie, opposée au parti communiste, mais marxiste. Il faut lire l'article qu'elle écrit en 1976 pour comprendre. « Laissez un peu *Le Capital* dormir sur les rayons », titre de l'article, est une contestation radicale du fondement de la théorie marxiste. « Tous ceux qui, ayant étudié la théorie, ont voulu la mettre en pratique après avoir renversé ou conquis l'État capitaliste, aucun n'a abouti au socialisme. Marx a démonté le mécanisme du capitalisme ; quand on veut créer un autre système en tirant la leçon de son démontage, cela donne du capitalisme. Alors ? »

Elle s'en prend aux commentateurs de Marx qui lisent et relisent, chacun se flattant d'être l'interprète correct. « Mais aucun ne dit comment faire pour fonder le socialisme, car ce n'est pas dans Marx, à l'exception du précepte : supprimer la propriété privée des moyens de production. Le précepte paraissait suffisant à Lénine et aux bolcheviks : on a vu qu'en l'appliquant, ils ont instauré le capitalisme d'État, non le socialisme. On ne peut pas croire que Lénine et les marxistes qui sont arrivés au pouvoir soient tous des imbéciles, qu'ils aient tous compris Marx de travers, il faut bien se décider à conclure que Marx n'était pas un théoricien du socialisme, sinon la théorie aurait réussi quelque part, diable ! ».

Ce 26 mars, jour où elle écrit ce papier, son humeur se fait entendre, les raccourcis et les piques abondent, mêlés aux analyses rapides. « Lénine a écrasé Cronstadt et recouru à la NEP. Ce n'était pas trahir Marx et la révolution. Staline a trouvé la manière la plus économique de procéder : la main-d'œuvre gratuite, le travail forcé. *Toutes les réalisations grandioses du socialisme* (Delbo souligne), Dniepropetrovsk, Canal de la mer Blanche au canal Don-Volga, l'or de la Kolyma, Magnitogorsk, sont l'œuvre de forçats.

Hourra l'Oural ! chantait le poète. Et nous l'avons cru, puisque lui, il avait vu. Dupe ou menteur. S'excusera-t-il ? » Charlotte ne supportait pas l'allégeance d'Aragon à Moscou, au Parti. « Alors que se multiplient les études sur Marx, et de plus en plus byzantines, entre la coupure épistémologique de l'un et la coupure politique, il est temps de se rendre à l'évidence : si l'on garde l'espoir de voir un jour naître le socialisme, cet idéal qui n'est encore réalisé nulle part – les uns mettent un point d'interrogation pour la Chine, moi… – il faut chercher ailleurs que dans Marx les moyens d'y parvenir. Peut-être penser au lieu de commenter[1] ». Cette dernière phrase, c'est vraiment l'attitude de Charlotte. Cette exigence de « penser », elle l'a eue souvent. Lorsque Lefebvre veut fonder une nouvelle revue, c'est sa réponse, il faut avant tout penser les conditions sociales et politiques du monde contemporain.

Si la politique l'intéressait tant, c'était pour comprendre comment transformer le monde dans lequel elle vivait pour y apporter plus de justice et plus de liberté. La philosophie, la sociologie, les analyses et théories politiques et économiques ne l'intéressaient qu'en regard de ce qu'elle observait et en déduisait.

À la fille de ses amis Belleval, qui prépare une licence de Lettres à Aix-en-Provence, elle écrit ce qu'elle pense de la situation politique en 1971, qui la rend perplexe. Elle voit « les gauchistes – comme on les a désignés sans

1. BNF, Fonds Delbo, 4-COL-208-263, Succession Delbo.

nuances – désorientés. (...) Le petit livre rouge est un peu court pour répondre à tout. (...) Naturellement devant la débandade des gauchistes, le PC semble reprendre, mais je ne crois pas que ça signifie quoi que ce soit sinon qu'il se coule encore plus dans le moule du parti radical des années 30 : parlementarisme, municipalisme, etc. Je crois vraiment qu'il faut trouver une pensée révolutionnaire actuellement utilisable (Ce n'est pas moi qui l'élaborerai). En même temps *je me demande si la révolution n'était pas un phénomène du XVIIIe siècle*[1]. Et si la révolution est révolue, quoi ? Il y a des gens qui s'enthousiasment pour le Chili. Moi je suis très sceptique. *Pour que tout reparte, il faut que le régime soviétique s'effondre*. Ces événements de Pologne m'ont redonné de l'espoir. Mais les écrits des Russes de l'opposition (Sakharoff, Amalric, etc.) ne font envisager qu'un régime parlementaire traditionnel à la Suisse. Alors ? Voilà des réflexions qui n'aident guère. Préparer le DUEL[2] est au moins une manière d'attendre. Il y aura toujours des connaissances à transmettre, n'est-ce pas ?

Je suis allée à Genève la semaine dernière, j'ai passé une heure avec tes parents. Entre la Suisse et la Provence, ils sont évidemment en retrait – mais qui ne l'est aujourd'hui ? ».

Sa perplexité est grande, mais on voit combien elle se considère citoyenne du monde, combien elle remet en question les analyses de tant de politiques et d'intellectuels, et imagine les bouleversements qui viendront des années plus tard. Elle parle à bâtons rompus à sa jeune amie, on sent comme Charlotte Delbo a besoin de parler des sujets qui lui sont essentiels. Sa façon d'argumenter, comme d'exprimer aussi les espoirs détruits, la portait à chercher une voie... Tout s'était révélé faux dans la réalité. Tout avait été si faux ! Et elle l'avait payé personnellement si cher.

À son article, « Laissez un peu *Le Capital* dormir sur les rayons », elle avait ajouté un post-scriptum. « Par contre la

1. Mes italiques.
2. Diplôme universitaire d'études littéraires qui s'obtenait deux ans après le baccalauréat.

lecture de Marx a été bien profitable aux théoriciens du capitalisme (planification, maîtrise du marché, augmentation du taux et profit par renouvellement rapide du capital fixe, internationalisme, etc.). Prolétaires de tous les pays unissez-vous ! lançait Marx, et ce sont les multinationales qui veulent supprimer les frontières, les syndicats ouvriers qui veulent les renforcer pour se protéger de la concurrence d'autres ouvriers. (La France a importé, en 1975, deux millions de paires de chaussettes de Corée du Sud, quand règne le chômage dans la bonneterie de Troyes. Que doivent faire les ouvriers ?) ». On croit la voir écrire sur le monde d'aujourd'hui.

Cet article où dominaient l'humeur et l'ironie par-dessus ses réelles inquiétudes, nous ne savons pas à quel journal elle l'a adressé, et qui ne le publie pas, mais elle le remet le 3 août à François Bott, comme elle le note sur la copie qu'elle garde. Elle vient de passer trois jours à Paris, cet été caniculaire de 76, un travail à faire avec son patron et surtout pour voir son amie Lulu (Lucienne Thévenin, une des « inséparables » d'Auschwitz), « qui vit un calvaire, son mari est maintenant atteint d'un cancer des bronches, il est perdu ; à l'hôpital. Atroce[1] ».

Il y a tout Charlotte dans ce bref pan de vie, ces trois jours. Elle travaille avec Lefebvre, voit son ami François Bott pour lui parler de son article, essayer de faire publier ce qui lui tient à cœur et qui aura été ravivé encore par sa discussion avec Lefebvre – son livre, *Théorie marxiste de l'État de Hegel à Mao* paraît cette année là – et rend visite à Lulu. On sent son empathie et ce qui lui est insupportable, voir la souffrance, et son impuissance.

Quand la femme de son cher ami Picart Le Doux sera hospitalisée, au bout d'un certain temps Charlotte n'arrive plus à venir la voir, parce que aucun mieux n'est envisageable. La souffrance qu'on ne peut soulager, l'hôpital, elle ne le supporte ni pour les autres, ni pour elle. Et l'histoire avait

1. Lettre à Cynthia Haft, écrite ce 3 août 1976, remise à l'auteur.

débuté tôt. À Auschwitz, aveugle et titubante, au plus fort de sa crise de typhus, elle n'est jamais allée au revier, elle est la seule du groupe à n'y être pas allée quand le typhus fut si fort.

Le ton et l'humeur de son article n'ont pas franchi les bureaux du *Monde* pour être publiés, mais deux ans plus tard, au moment de la préparation des élections législatives, elle envoie un autre article politique au quotidien. L'humeur a fait place à une analyse plus approfondie et à une critique radicale de la stratégie du parti communiste. Il fait un portrait politique de Charlotte Delbo. Et cette fois, il peut convaincre la rédaction du *Monde*.

« Certains ont cru que le PC changeait : Ellenstein, Garaudy, Althusser. Le plus ingénieux : H. Lefebvre (dans *Le Monde* du 7 janvier 1978) qui attendait du PC qu'il fasse souffler le vent du Sud, de Madrid et de Rome à Paris, et instaure la démocratie directe avec l'autogestion. Autant d'attendre d'un cul-de-jatte qu'il enlève le cent dix mètres haie.

Comment peut-on penser, a-t-on pu penser que le PC changerait ?

En 1936, au moment historique de la grève générale, de trois millions et demi de travailleurs en grève, Maurice Thorez a déclaré "Il faut savoir terminer une grève" et intimer l'ordre de reprendre le travail. Qu'est-ce qui s'opposait en juin 36 à transformer la grève économique en grève politique, selon l'enseignement de Lénine ?

De même au moment où éclate, un mois plus tard, la guerre d'Espagne : Hitler n'avait pas encore sa puissante armée, et la Tchéco-Slovaquie était un pays libre, avec un parti communiste fort, et fabriquait les meilleurs canons du monde. Et à la Libération ? Là on a vu Maurice Thorez revenu triomphant de Moscou – alors qu'il aurait dû rentrer sous terre, lui qui était resté à l'abri pendant que nous nous faisions torturer, fusiller, déporter – on a vu Maurice Thorez exhorter les travailleurs à retrousser leurs manches[1] ».

---

1. Article écrit le 1er mai 1978, envoyé au *Monde*, BNF, Fonds Delbo, 4-COL-208-266, Succession Delbo.

Charlotte Delbo est d'autant plus virulente, qu'elle sait combien elle-même a été abusée avant la guerre. Elle avait écrit un article enthousiaste en décembre 37, une pleine page des *Cahiers de la Jeunesse*, sur l'autobiographie de Thorez, louant sa personne et « son exceptionnelle expérience humaine » avec toute la ferveur d'une jeune militante. Il était « à la tête du parti politique français non seulement le plus fort, mais certainement le plus actif, le plus dynamique, que sa hardiesse porte chaque jour davantage au-devant du progrès, et dont l'importance dans la vie du pays – et pas seulement la vie politique – devient prépondérante. (...) Maurice Thorez – dans le moment historique que nous vivons, où les forces de la réaction et de la guerre se heurtent à celles du progrès et de la paix – n'est-il pas l'homme auquel doit échoir la responsabilité dont furent investis les conducteurs de peuple et les héros : Cromwell, Robespierre, Garibaldi, Lénine, ceux qui traversèrent l'histoire comme des légendes ?[1] »

Elle a maintenant d'autres mots pour Thorez. « En novembre 45, son mot d'ordre : gagner la bataille de la production (cf. ses discours aux mineurs du Nord, 25-26 décembre 1945). J'ai pensé alors : Comment ? L'appareil de production est désorganisé, les usines démantelées ; seul le PC, fort des sacrifices qu'ont faits ses combattants pendant l'Occupation, a autorité sur la classe ouvrière et il use de cette autorité pour remettre l'appareil de production en marche. Pour le compte de qui ? La bourgeoisie est toujours propriétaire des moyens de production, quand vous aurez remis l'industrie en route, on mettra les ministres communistes à la porte. Au revoir et merci. Voilà ce que je me disais alors, et qui a eu lieu. Tillon, dans *On chantait rouge*, raconte avec quel zèle il s'est employé à remonter l'aéronautique française. Il y en a qui ont travaillé pour le roi de Prusse (ou pour Messerschmidt), lui pour Dassault. On était en pleine confusion.

On a donné pour raison que Staline ne voulait pas de socialisme autre que le sien, ni en Chine, ni en Espagne. (Et

1. *Les Cahiers de la Jeunesse*, n° 5, 15 décembre 1937, p. 25.

on sait maintenant comment l'URSS a fait semblant d'aider les républicains espagnols et fait exécuter pour de bon anarchistes et poumistes). En 1968, Staline était mort. Le PC a nié (devant dix millions de travailleurs en grève, la disparition de De Gaulle, l'administration en déroute), en mai 1968, le PC a nié qu'il y ait situation révolutionnaire et s'est occupé de faire tout rentrer dans l'ordre.

En novembre 46, dans une interview au *Times*, Maurice Thorez dit que la victoire parlementaire est possible. Eh ! bien non. Le PC ne veut pas gérer la crise.

Attention que la prospérité revienne ! A-t-on jamais vu le pouvoir tomber aux mains d'un parti révolutionnaire quand l'économie est florissante, quand le bâtiment va et le reste avec ? En 1917, ce n'est pas la crise qu'ont dû gérer les bolcheviks, c'est le désastre, la ruine.

... Mais je ne sais toujours pas pourquoi le PC ne veut absolument pas du pouvoir, ni avec les barricades, ni avec les bulletins de vote[1] ».

Le directeur de la rédaction du *Monde*, André Fontaine, lui écrit quelques semaines plus tard pour son « texte à propos du débat en cours au sein du parti communiste. Nous l'avions gardé en principe car il est très bien venu. Mais nous avons reçu un tel nombre d'articles à ce sujet venant de tous les coins de l'horizon que nous nous sommes trouvés débordés. Maintenant, avec l'approche des vacances qui va réduire considérablement, comme chaque année, notre pagination, je perds l'espoir de pouvoir le donner. Croyez bien que je le regrette[2] ».

La conclusion de Charlotte Delbo à son article faisait entendre sa tristesse, son accablement face à une situation sociale et politique qui paraît immobile, paralysée. L'année précédente dans son article paru dans *Le Monde*, « On insulte les morts, maintenant ? » elle avait rappelé que « les partis de gauche ont toujours été opposés à l'action individuelle »,

---

1. Article écrit le 1er mai 1978, *op. cit.*
2. Lettre d'André Fontaine, BNF, Fonds Delbo, 4-COL-208-266, Succession Delbo.

qu'ils « ont toujours prôné l'action des masses », et ajouté tout de suite que « cette action des masses n'a empêché aucune guerre, que ce soit 14-18 ou l'Algérie, qu'elle n'a pas empêché l'ascension de Mussolini, ni celle d'Hitler… », et de comprendre que des jeunes envisagent d'autres moyens plus radicaux, plus violents. Cette compréhension de ceux qu'on a pu appeler, comme elle le rappelle, anarchistes, nihilistes, résistants ou terroristes, et elle souligne le déplacement du vocabulaire quand les Résistants étaient appelés terroristes par la police de Vichy, montre la tentation de Charlotte Delbo pour un certain anarchisme de gauche alors qu'elle se sent socialiste et plutôt marxiste comme l'était le jeune Marx, celui qui ne prônait pas un socialisme d'État. C'est dire comme elle pouvait être isolée dans ses prises de position politiques, et cet isolement ne l'a pas aidée à faire connaître ses livres durant ces années où la vie intellectuelle était clivée entre marxistes et non-marxistes.

Charlotte Delbo n'a pas non plus une position arrêtée sur cette question du terrorisme, dont la complexité ne lui échappe pas, comme le prouve le début d'une pièce qu'elle écrit, *Les Terroristes*. Trois personnages préparent un attentat, forcés de se résigner à une action violente pour faire changer les choses. « Pendant des années nous avons attendu. Rien ne bouge. Le changement n'a pas lieu. Il faut forcer les événements, déclencher quelque chose, forcer l'histoire qui s'enlise[1] ». Et le texte reprend en argument le serment des Françaises du convoi quand elles avaient entendu l'histoire de la jeune femme juive, forcée de monter dans un camion à la sortie des wagons pour ne pas quitter sa mère, et qui d'un coup de poignard avait achevé un SS. Le rappel de cette histoire dans sa pièce pour faire dire aux terroristes la nécessité de leur action montre comment Charlotte ancre cette nécessité dans la situation tragique et désespérée qu'elle-même a connue. Sa violence radicale, celle qu'elle

1. BNF, Fonds Delbo, 4-COL-208-279, Succession Delbo.

pouvait avoir dans ses jugements, ses réflexions politiques, elle la prenait là.

Mais au sein du petit groupe des terroristes, la jeune femme exprime des réserves avant l'action, à cause des vies innocentes qui risquent d'être fauchées. La pensée de Charlotte n'était pas tranchée, c'est évident. C'est à Gréoux-les-Bains où elle fait une cure qu'elle écrit ces pages, sans doute pour éviter de s'ennuyer le soir… Faire quelque chose d'un sujet qui la taraude. Mais trop lourd ou trop complexe, ce sujet, ou sa propre détermination à poursuivre, insuffisante, elle s'interrompt d'écrire *Les Terroristes*.

En 1979, c'est Simone de Beauvoir qui passe dans son collimateur et Charlotte Delbo n'a pas peur de s'attaquer aux intouchables de l'époque.

Elle n'avait pas dû lire *La Force de l'âge* paru en 1960, où des pages sur l'année 41 l'auraient fait bondir, notamment lorsque Simone de Beauvoir évoquait avec désinvolture l'engagement dans la Résistance d'Yvonne Picard, morte à Auschwitz. Si elle devait mourir, Beauvoir jugeait qu'elle n'aurait « encore rien fait qui eût la moindre utilité ![1] », et faisait preuve d'une ignorance bien désinvolte sur ce qui fut son véritable sort. Elle ne savait pas si « la brillante étudiante en philosophie qu'elle avait eue comme stagiaire » reviendrait de déportation. Elle ajoute une note de bas de page à propos d'Yvonne et d'un ami de jeunesse de Sartre qui fait partie de leur petit groupe, arrêté lui aussi par la Gestapo : « Ils ne revinrent pas. » D'où ? Silence. Manifestement, Beauvoir n'a pas cherché à le savoir en 1960.

Delbo avait fait figurer dans *Le Convoi du 24 janvier* la phrase de Marie-Élisa Nordmann se souvenant d'Yvonne Picard. « Au revier, le visage couvert de poux, elle agonisait. » Et Delbo avait repris la phrase d'Yvonne, charriant des briques d'un tas à un autre à Birkenau : « Si je pouvais imaginer, imaginer seulement que ce sont des livres », à la fois

1. *La Force de l'âge*, Gallimard, 1960, p. 514.

pour faire un portrait d'Yvonne, et pour ajouter un commentaire, faire comprendre ce qu'était Birkenau : « À Auschwitz, on ne pouvait pas s'imaginer, on ne pouvait pas s'évader en imagination, on ne pouvait pas essayer de jouer un instant que ce n'était pas vrai. Aucun dédoublement n'était permis. » Yvonne avait été prise dès l'arrivée par la dysenterie et elle sentait qu'elle ne tiendrait pas. Elle disait d'elle-même : « On dira : licenciée de philosophie à dix-neuf ans et morte de dysenterie à vingt-deux ans. » Lorsque Charlotte Delbo avait écrit un poème sur ses compagnes mortes à Birkenau, leur beauté, leur jeunesse, leur ardeur, leur courage, tant de qualités prometteuses pour la vie qu'elles auraient pu avoir, c'est Yvonne Picard qu'elle cite en premier[1]. Elle était une des quatre compagnes assises à côté d'elle dans le wagon vers Auschwitz. Elle est morte le 9 mars 43 au revier de Birkenau.

Yvonne Picard devait avoir une personnalité hors du commun. J'ai eu la surprise de trouver dans les Archives une lettre adressée après la mort de Charlotte à sa légataire par une des amies de la Sorbonne d'Yvonne, Bianca Lamblin, qui formait le projet en 1986 avec deux autres anciennes étudiantes d'un livre de souvenirs sur Yvonne Picard. Bianca Lamblin fut l'élève de Simone de Beauvoir, elle était devenue « Louise Védrine » dans ses Mémoires. En 86, elle n'avait pas encore été cruellement blessée par la parution simultanée en 1990 des *Lettres à Sartre* et du *Journal de guerre*. Elle y découvrait comment le couple Sartre-Beauvoir parlait d'elle, qui fut l'amante de l'un et de l'autre. Elle savait déjà combien ni l'un ni l'autre ne s'étaient préoccupés de son sort, comme juive à l'arrivée des Allemands en 40, alors que Louise et ses parents avaient pourtant pris en charge Beauvoir au moment de l'exode, quand elle était si ébranlée nerveusement par son inquiétude du sort de Sartre.

Le livre de souvenirs sur Yvonne Picard ne s'est pas fait, il reste l'évocation de sa vie d'étudiante et de jeune Résistante, de martyre à Birkenau avec son humour et son désespoir

1. *Une connaissance inutile*, *op. cit.*, p. 50-51.

dans les deux pages du *Convoi du 24 janvier* de Charlotte Delbo, et dans le poème d'*Une connaissance inutile* qui la nomme, et où passent la beauté de ses « si jolis seins », sa jeunesse et son courage.

En 1979 Charlotte Delbo voit le film sur Simone de Beauvoir, réalisé par Josée Dayan et conçu avec Malka Ribowska. Sorte d'autoportrait qu'a voulu Beauvoir pour faire le point sur sa vie, son œuvre, ses engagements, ses amitiés. Le film a irrité Charlotte. Elle écrit le 11 février un article d'humeur.

« Belle leçon que nous donne Simone de Beauvoir dans le film où elle retrace sa vie. Née en 1908, elle aura traversé deux guerres mondiales sans rien voir, ni en souffrir. (...)

En 1940, elle a trente-deux ans. Elle vit à Paris sous l'Occupation sans éprouver la moindre émotion. Pas même un serrement de gorge à la rencontre du premier juif porteur de l'étoile jaune, à la lecture de l'affiche jaune bordée de noir qui annonçait la prise d'otages, à la vue de l'Affiche rouge, par exemple. Non.

Elle réussit à se rendre quotidiennement de chez elle au café de Flore sans rien voir qui trouble sa sérénité ; à ne connaître aucun juif, aucun résistant, à n'entendre parler ni du Vel'd'Hiv, ni de Drancy, ni du Mont-Valérien, ni de Compiègne, ni d'Oradour ; bref à ne connaître personne, de près ou de loin, qui risque d'aller dans ces endroits-là, pour qui elle se serait inquiétée, à qui elle aurait pensé. Ni chagrin, ni pitié.

Tout ce qu'on saura sur la manière dont elle a vécu ces années, c'est que Sartre est rentré de captivité en janvier 1941, qu'il a songé à former un réseau de résistance mais qu'en zone occupée, c'était impossible. Il y a donc renoncé.

La philosophie a autre chose à faire que s'intéresser aux autres. La philosophie vit dans le temps a-historique. Hors d'atteinte. (...)

Personne ne pouvait imaginer ce qu'étaient les camps et les chambres à gaz. C'est vrai. Mais tout le monde savait qu'il y avait des déportés, des fusillés, des rafles, des prisons pleines.

Que Simone de Beauvoir n'ait pas fait de résistance, on ne saurait lui en avoir grief plus qu'aux millions de Français qui n'en ont pas fait davantage. Mais traverser ces années-là sans se soucier des autres, sans attraper l'écorchure au cœur, sans en garder meurtrissure... Encore une fois, félicitations, Madame.

Et nous reprocherions aux Allemands de n'avoir rien su ?[1] »

Elle a intitulé son article « Les Maîtres à penser », tant elle a besoin d'ironiser, quand elle se sent en colère, vis-à-vis des intellectuels de renom. Après Lefebvre qui l'a fait sortir de ses gonds l'année précédente, voilà l'indifférence de Beauvoir aux rafles, à la déportation, à l'extermination. Aucun journal ne voudra publier en 1979 ce que Charlotte Delbo reproche à Simone de Beauvoir. En ce temps-là, l'icône est intouchable, Sartre était encore vivant, il apparaît dans le film pour commenter les œuvres du Castor, même si son état, ses propos le laissent voir diminué.

Plus sa vie avance, moins Delbo supporte l'indifférence en France vis-à-vis du sort des déportés, vis-à-vis de l'ampleur de la catastrophe.

Elle avait dans ses conversations avec ses amis la dent dure pour Colette, alors qu'elle reconnaissait le talent de l'écrivain, mais elle lui reprochait de n'avoir écrit que sur des soucis futiles quand il y aurait eu à dire sur des événements graves. Ce qu'elle ne pardonnait pas à certains, rejoint une question profonde dans son cœur et dans son corps, que tant d'années échues depuis le retour n'ont pas affaiblie. Au dos d'un stencil de l'Amicale d'Auschwitz pour un congrès à Reims en novembre 76, elle écrit ce poème : « Pardonnez-moi je ne puis / m'empêcher / c'est égoïste / que faisait-il celui-là / quand nous étions là-bas / que faisait-il celui-ci / quand nous étions à Auschwitz[2]. »

Depuis le milieu des années 70, elle sait que ses livres sont peu ou pas lus, la profonde satisfaction qu'elle avait

1. BNF, Fonds Delbo, 4-COL-208-269, Succession Delbo.
2. BNF, Fonds Delbo, 4-COL-208-279, Succession Delbo.

ressentie à la parution en 65 du premier de la trilogie s'est émoussée. Si en 66 elle confiait à Madeleine Chapsal, « J'ai écrit tout ce que j'avais à dire dans *Aucun de nous ne reviendra*, toute la réalité d'Auschwitz, telle que je l'ai ressentie. Tant pis pour les gens s'ils lisent ça comme un fait divers quelconque, tant pis pour eux et non pour moi s'ils n'entendent pas… », dix ans plus tard elle n'est plus indifférente à la non-reconnaissance. Le sujet n'intéresse plus. C'est un couteau dans la plaie.

Et elle l'assume, cette question qui la taraude, dans son court poème. « C'est égoïste » ! Égoïste ! Lucide, plutôt. Ironique, surtout. Je suis moi « égoïste » à ne plus supporter tous ceux qui ne pensaient pas à nous quand nous étions dans l'enfer. Voilà dans le peu de mots de ce petit poème griffonné au dos d'un stencil, ce qu'elle peut dire des sentiments complexes qui la tourmentent. Et c'est la même qui écrit l'« extraordinaire aventure » que fut son « voyage », au début du manuscrit de *Spectres, mes compagnons.*

Elle apprend que Noam Chomsky préface le livre de Faurisson, et défend sa publication au nom de la liberté d'expression. Elle écrit un texte au *Monde*, qu'elle adresse le 22 décembre 1980 à Jacques Fauvet. « Au nom de la liberté d'expression, Noam Chomsky donnait sa caution à un livre qui veut prouver que les chambres à gaz d'Auschwitz n'ont pas existé. C'est un mensonge. Les chambres à gaz et l'extermination de millions de juifs ne peuvent être mises en doute. Les témoignages abondent, tous dignes de foi. Le plus récent, celui de Filip Müller (*Trois ans dans une chambre à gaz d'Auschwitz*, Pygmalion, Gérard Watelet, 1980) est irréfutable (*Le Monde* du 15 mai).

L'auteur de ce livre mensonger se dit persécuté. Alors, au nom de la liberté d'expression, soutenons-le. Cela signifierait donc que pour Noam Chomsky l'expression – et toute expression – doit être libre.

Mais l'expression, ce ne sont pas des mots inertes. Les mots sont porteurs de sens et porteurs d'action. Quand les nazis crient “Mort aux juifs !” ou l’écrivent sur les devantures des boutiques, c’est l’annonce du génocide.

Le livre dont il s’agit falsifie l’histoire. Est-ce sans conséquence ? Non. C’est grave. Nier la solution finale et les chambres à gaz de Hitler, c’est dire que Hitler n’est pas si criminel, que sa doctrine n’est pas pernicieuse, qu’on la tolérera au nom de la liberté d’expression. Qu’elle fasse de nouveaux adeptes et que tout recommence.

Doit-on comprendre que pour un linguiste les mots sont des objets sans vie, sans poids, sans importance ? »

Son texte est ferme et clair, il exprime le fond de la pensée de Charlotte Delbo, *Le Monde* le publie le 31 décembre, sous le titre « Des mots sans objet ». Qui n’est pas son titre. Le tort ici reproché au linguiste est de penser que les mots sont des objets, ce qui n’a pas du tout le même sens, Delbo retrouvait des mots devenus choses, choses inertes, la mort d’une langue pour elle.

Et quelle n’est pas sa blessure quand elle se voit présentée dans le chapeau de l’article, « Mme Charlotte Delbo », « une de nos lectrices ».

Ni une ni deux, elle écrit à Jacques Fauvet.

« Cher Monsieur,

Pour y avoir publié quelques articles – l’un en août 1974, sur Faurisson, justement – et des nouvelles, je me croyais connue du *Monde*. Aussi ma vanité en a-t-elle pris un coup lorsque je me suis retrouvée en “Mme Charlotte Delbo une de nos lectrices”, dans la page Société du 31 décembre. S’il m’arrive de vous écrire encore, je prendrai soin d’aligner mes références et de signer :

Charlotte Delbo

Écrivain

Auteur de *Auschwitz et après* (Éditions de Minuit)

(ça aurait ajouté du poids dans cette affaire Faurisson, moi qui ai vu les chambres à gaz d’Auschwitz.)[1] »

1. BNF, Fonds Delbo, 4-COL-208-84, Succession Delbo.

Elle n'a pas rappelé à Jacques Fauvet que la veille de l'envoi de son article, *Le Monde des Livres* publiait le 21 décembre 1980 son long article sur « L'épopée de Gilgamesh », ce récit qui la touche, édité par son ami Georges Nataf, l'éditeur de Berg International, dans une traduction qui l'avait enchantée, celle du poète Abed Azrié.

Dans ce poème épique des Sumériens, dix-huit siècles avant notre ère, elle voit la naissance des grands mythes et de nos légendes, « les hommes poser des questions premières sur la vie, la mort, le ciel, l'enfer, l'au-delà, l'amitié, et naître la curiosité : explorer le fond des mers, entreprendre des expéditions loin du territoire connu, faire reculer les bornes du mystère ». Delbo retrouve ses passions, « l'éveil du savoir », « un hymne à l'amitié, au courage ». Elle cite des vers et choisit ce qu'elle appelle le « lamento » de Gilgamesh, au moment de la mort de son ami Enkidou. Difficile de ne pas voir qu'elle retrouvait un écho à son œuvre. « Enkidou, mon ami, mon compagnon / celui que j'ai aimé d'amour si fort / est devenu ce que tous les hommes deviennent. / Je l'ai pleuré la nuit et le jour / je me suis lamenté sur lui / six jours et sept nuits / en me disant qu'il se lèverait / par la force de mes pleurs et de mes lamentations / je n'ai pas voulu le livrer au tombeau / je l'ai gardé six jours et sept nuits / jusqu'à ce que les vers / recouvrent son visage. Après sa mort je n'ai plus retrouvé la vie / et je suis allé errant dans le désert ». La force de l'amour au sein de l'amitié, la force des mots qui se voudraient plus forts que la mort, dont il faut dire l'horreur réaliste, puis le désespoir, la vie transformée en « désert », l'inspiration même de Charlotte Delbo.

Quand paraîtront quelques mois plus tard les *Entretiens avec Anna Akhmatova* de Lydia Tchoukovskaïa (Albin Michel, 1980) qui sera un des livres de chevet de Delbo, comme l'œuvre d'Akhmatova, Charlotte soulignera dans son volume ces mots d'Akhmatova, p. 71 : « Connaissez-vous *l'Épopée de Gilgamesh* ? Non ? C'est magnifique. C'est encore plus fort que *l'Iliade*. Goumilev l'avait traduit d'après un mot à mot, mais V. me l'a traduit directement de l'original et c'est ce qui me permet d'en juger. »

Elle avait voulu pour *Le Monde des Livres* donner un éclairage sur la langue d'une femme trop peu connue, une grande épistolière qui avait toutes les qualités pour retenir son attention, savoir écrire des lettres, et utiliser avec talent la langue française. Delbo écrit à propos de la parution d'un Choix de Lettres de Madame du Deffand, « En ces temps où le langage s'avilit, où l'écriture et le magnétophone remplacent le style, découvrir un écrivain est bonheur. Pour beaucoup, en effet, ce sera une découverte. On connaît Mme du Deffand de nom, surtout par la correspondance de Voltaire, mais son œuvre personnelle, des milliers de lettres écrites pendant des dizaines d'années, est quasi inconnue. Et pourtant, quelle richesse, quel talent ! La concision du trait, la justesse de l'expression, l'élégance, tout est d'un écrivain et aussi d'un moraliste ; un moraliste qui observait la société d'un regard lucide, cruel par conséquent[1]. » Les exemples qu'elle cite de cette « redoutable marquise » sont piquants et drôles. La mise en regard qu'elle fait avec des événements historiques du XVIIIe que Delbo connaît bien, notamment la guerre avec l'Angleterre, lui fait dire avec amusement que l'écrivain anglais Horace Walpole à qui Mme du Deffand écrit de nombreuses lettres, se servait d'elle comme d'un agent de renseignement ! Un signe encore de la fascination de Delbo pour la figure de l'agent secret.

Mais c'est encore une autre femme qui fascine Charlotte Delbo, un personnage qui pouvait avoir la parole cruelle, et qu'elle aime vraiment, Oriane de Guermantes ! Elle avait dit d'elle dans *Spectres, mes compagnons*, qu'elle avait été « la seule de la tribu Guermantes à venir nous voir », mais pour *Le Monde des Livres* elle n'évoquera pas la visite que leur rend Oriane au camp, ni la robe d'intérieur qu'un ami lui offre et qui signe la sortie de ses mois de léthargie au

1. *Le Monde* du 27 juillet 1979.

retour, ce qu'elle aurait pu écrire dans son article puisque cette première édition de *Spectres, mes compagnons* a été peu lue. Non, ce dont elle veut parler, c'est de la magie de l'écriture quand elle parle vrai. « On ne peut dénier à la duchesse de Guermantes la dignité de personnage. C'en est un, assurément. Un personnage sans âme, ni cœur, ni vie secrète. Tout d'elle n'est qu'apparence, ou plutôt, tout d'elle apparaît. Sous ce qui apparaît, rien. Nous connaissons ses toilettes, sa démarche, son nez en bec d'oiseau, ses yeux bleus, d'un bleu de pierre précieuse, mais si ses pommettes couperosées rougissent parfois, c'est de froid, jamais d'émotion.

Elle n'a ni sentiments ni pensées. A-t-elle seulement de l'esprit ? Les traits qui font le régal de son cercle "Connaissez-vous la dernière d'Oriane ?" sont fort peu spirituels. Aime-t-elle son mari ? A-t-elle jamais aimé quelqu'un ? On ne lui voit d'attachement pour personne, de goût pour rien. Elle va à l'Opéra, on ne sait si elle y trouve du plaisir. Elle possède des toiles d'Elstir ; les regarde-t-elle ? Elle n'a pas d'amis. Elle ne nous inspire pas d'amitié. Quand elle prive de congé son jeune valet de pied, justement le jour où il a rendez-vous avec sa bonne amie, quand elle peine Swann en refusant de recevoir sa femme, parce que c'est une ancienne demi-mondaine, Oriane nous est même antipathique.

Chez Oriane, aucun geste n'est spontané, aucun n'est dicté par l'amitié, par l'émotion. Tout est commandé par l'étiquette. Elle représente sa société, où le potin tient lieu de conversation, sa classe, son monde exclusif est vide. Aucun monologue, aucune rêverie, aucune méditation, ne révèle son être intime. Elle est pure représentation.

Pourtant cette personne d'apparence, de qui on sait tout parce qu'il n'y a rien à en savoir, nous attache. Peut-être parce qu'elle est vraie dans sa vanité[1] ».

Si elle nous attache, c'est sans doute parce que la justesse du rendu nous délivre du jugement. Et nous fait accéder par la lecture à la puissance de la vie.

---

1. *Le Monde* du 23 octobre 1981.

Quand elle évoque un personnage sorti de ses lectures, Charlotte en parle comme d'une personne réelle. Qu'elle côtoie, fréquente, observe... Entre sa vie rêvée et la vie réelle, la minceur d'un papier à cigarettes, ou encore est-ce trop dire, il n'y a pas de frontière. Son énergie à vivre a fait sauter la frontière. Dans sa vie imaginaire, la même énergie vitale fait les mêmes exigences, le même regard observateur.

Après avoir écrit tant d'articles, de tribunes, de pièces de théâtre aux sujets politiques, et achevé le récit de son « extraordinaire aventure », son voyage avec des personnages devenus compagnons, voilà que sa voix d'Auschwitz fait retour. Et elle veut mettre en forme ces images résistantes qui ont traversé le temps. Ce sont celles des tziganes en face d'elles à Birkenau, rangées en colonnes comme elles à l'appel, et celle d'une tzigane dont le souvenir déchire l'épaisseur du temps trente-six ans plus tard. Très violemment, plus que tant d'images en sommeil sous la peau de sa mémoire profonde.

Il y avait aussi ce que sa conscience savait en 1979, le silence qui avait recouvert le sort à Birkenau des tziganes. Et elle l'orthographiait avec un « z », comme on le faisait à l'époque pour parler de leur culture, leur musique, ou revoyant ce « z » de *Zigeuner* qui précédait le numéro tatoué au camp. Delbo avait souvent parlé à ses amis de leur sort terrible. Or jusqu'à présent, ses livres n'avaient pas donné de place à ce qu'elles avaient vécu. Elle les avait citées une fois dans *Aucun de nous ne reviendra* à la fin du chapitre de « La jambe d'Alice », cette prothèse en bois abandonnée dans la neige encore bien après la mort d'Alice Viterbo, une cantatrice qui avait perdu sa jambe dans un accident d'auto, leur compagne depuis Romainville. Un jour elles ne virent plus cette « jambe ». « Quelqu'un avait dû la prendre pour faire du feu. Une tzigane sûrement, personne autre n'aurait eu le courage[1] ». Quelqu'un qui n'était pas de leur groupe, qui ne connaissait pas Alice, sinon, le morceau de bois c'était pour elles « la jambe d'Alice – coupée vivante » et Alice, la compagne exterminée par la barbarie. L'allusion à une tzigane disait la férocité de la lutte pour survivre à Auschwitz et les tziganes avaient montré leur ténacité à vouloir survivre.

Dans un autre passage, cette fois dans *Une connaissance inutile*, elle avait dit la « petite gitane » qui lui a vendu, contre une ration de pain, *Le Misanthrope*.

Près de 20000 tziganes furent exterminés au camp de Birkenau après être entrés au camp, internés au « camp des familles tziganes ». Près de 3500 furent prisonniers dans différents camps de concentration, comme à Ravensbrück. Delbo ne savait pas encore ce que les historiens révélèrent plus tard, les avancées meurtrières entre 41 et 43 des bataillons d'Einsatzgruppen dans les territoires occupés par les nazis qui massacrèrent près de 30000 tziganes en même temps qu'ils assassinaient plus d'un million de juifs. Si elle ne pouvait connaître le nombre de tziganes tués par les nazis et leurs alliés pendant la guerre que les historiens estiment aujourd'hui à près de 220000, elle avait à écrire ce qu'elle avait vu. D'autant maintenant qu'elle ressentait jusqu'au fond de ses émotions et de sa conscience la remise en question intolérable des chambres à gaz, de l'extermination, et voyait la mémoire collective bien oublieuse.

C'est la vision précise d'une tzigane qui revient et Delbo écrit son regard halluciné de fièvre et de haine à l'appel du matin et du soir, au premier rang en face, elle qui tient serré contre elle un tas de chiffons. Dès qu'elle commence à écrire sur cette femme, elle interroge le souvenir, l'image qui arrive. Comment peut-elle reconnaître une tzigane dans cette silhouette ? Alors que l'appel commence dans l'obscurité de la nuit, et « quand il n'y a plus que le squelette ». Aucune explication, sinon une affirmation, oui, ce sont les tziganes… À Birkenau, rien n'est explicable.

1. *Aucun de nous ne reviendra*, *op. cit.*, p. 68.

Les premiers vers du long poème sont pour scruter ce qui est en face d'elle. « Que tient-elle dans ses bras / serré contre elle / celle-là / au premier rang / là dans les rangs d'en face / oui celle-là au premier rang ». C'est le mouvement du regard qui cherche ce qui est là et qu'elle n'arrive pas à voir, à distinguer, à comprendre même, alors qu'elle est là depuis des semaines. Il faut rendre ce contre quoi elles se sont cognées, elle et ses compagnes, pendant tout le temps à Auschwitz, l'inconcevable. Qu'est-ce qu'elles ont encore là, à voir ? « Oui celle-là », Delbo *sait* que c'est une femme, pas parce qu'elle le voit, il n'y a qu'un squelette qui porte un tas de chiffons dans ses bras.

La suite, tantôt en vers, tantôt en versets, tantôt en paragraphes, revient sur la sortie titubante des milliers de femmes hors des blocks, « chacune dans le suaire de sa peau » et peu à peu parce que le jour point et déchire l'obscurité « dans le livide de la nuit finissante », les tziganes se voient en face, « toutes bleues de froid comme elles » et les mots de Delbo sont plus violents, plus durs encore, pour évoquer Auschwitz.

Il y a une âpreté qu'il n'y avait pas auparavant. La violence était terrible, mais aujourd'hui, le « nous » récurrent d'*Aucun de nous ne reviendra*, ce nous organique qui avait permis la survie de quelques-unes d'entre elles, le « nous » a disparu de ce qu'elle écrit, ou se fait rare. C'est : « on », « toutes », « les femmes », « je », « chacune », « le groupe ». De même que la compassion et le sentiment de détresse, d'être oubliées du monde, ont disparu. Dans les mouvements des corps, dans leurs gestes pour se relever de la bousculade à la sortie du block, s'agripper, se presser, retrouver une chaussure perdue, rien d'humain, juste des « formes qui s'accroupissent, tâtonnent, se relèvent ».

Quand Delbo revient sur la silhouette en face d'elle et ses gestes pour tenir serré contre elle un paquet de chiffons, elle dit la tête violacée presque noire du bébé. « Je regarde la tzigane qui tient son bébé serré contre elle. Il est mort, n'est-ce pas ? » À qui, la question ? Aux compagnes autour d'elle ? À elle-même ? À nous, lecteurs ?

Les gestes fiévreux de la tzigane, son regard halluciné et de haine pour ceux qui lui veulent tout le mal, la pantomime tragique de la mère qui protége son bébé du froid et des SS, ce qu'elle tient serrré, a fini par livrer son secret. En était-ce un dans ce tableau où la mort est partout ?

Delbo poursuit à l'appel du soir le portrait de la tzigane, avec « son bébé mort dans les bras, au premier rang. Droite ». Puis le lendemain matin, « son paquet de chiffons serré contre elle, le regard encore plus brûlant, encore plus farouche ». Elle racontera la suite, ce que « quelqu'un a vu », avec un ton de distance comme déshumanisée pour rendre le bébé mort dans son paquet de chiffons sur le tas des ordures près des cuisines. Et le ton change pour raconter « la femme » – et Delbo ne dit plus la tzigane – qui a défendu « son enfant mort » qu'on lui a arraché, qui s'est battue jusqu'au bout, jusqu'à être tuée.

C'est le mot de « mère » qu'elle choisit pour dire le cadavre ramassé par « la corvée de cadavres », et de dire que « le bébé » est « dans *ses* chiffons », je souligne parce que le possessif semble lui faire des langes, à lui « resté sur les ordures, confondu avec ». Il y a dans le choix des mots la douleur de Charlotte Delbo, plus que la douleur, un au-delà de la douleur. Et ce n'est pas un hasard chez elle, que cet au-delà de la douleur soit pour une mère et son enfant.

Elle écrit encore une chute à son texte. La focale s'élargit pour dire le génocide des tziganes. « Tous les tziganes ont disparu très vite. Tous gazés. Des milliers. Le camp des familles vidé, cela a fait de la place pour d'autres arrivants. Pas des tziganes. De tziganes, on n'en a plus vu à Birkenau. Les tziganes sont moins nombreux que les juifs, il n'a pas fallu beaucoup de temps pour en venir à bout[1] ».

1. Manuscrit, BNF, Fonds Delbo, 4-COL-208-149, Succession Delbo.

Il n'y a pas que les images de Birkenau qui la hantent. Quatre jours après avoir écrit « La Tzigane » le 29 janvier 79, ce sont les mères qui tournent tous les jeudis après-midi sur la place centrale de Buenos Aires pour réclamer leurs disparus, qui la font écrire un long poème. Et c'est sur neuf feuillets en deux jours, les 3 et 4 février 79, qu'elle écrit « Les Folles de Mai » comme les appellent les militaires de la junte, du nom de la Plaza del Mayo (Place de Mai). Ces mères, modestes, couvertes d'un fichu blanc, manifestent courageusement, en silence, dans le sens opposé des aiguilles d'une montre pour montrer qu'elles ne passeront pas sur les actes du régime policier qui enlève et torture leurs fils qui ne reviennent pas.

Le courage de ces femmes qui transforme leur douleur en révolte, résonne au cœur de Delbo. Elle trouve le rythme de leur mouvement de protestation dans ses vers. « Elles tournent elles tournent / les folles / elles tournent sur la place / les folles de mai / sur la place de mai / elles tournent / les folles d'inquiétude / les folles d'angoisse / les folles de douleur / elles tournent sur la place de mai / les folles de mai[1] ».

Sa description lyrique et scandée insiste sur la protestation qu'elles imposent dans le silence, c'est leur présence, leur corps qui parle, crie la douleur et la révolte. « C'est tout d'elle qui crie / leur bouche serrée qui hurle / d'où le cri ne sort pas / crié à blanc ». Ces cris de « leur corps déchiré », qui ne font entendre que le silence, rappellent les cris dans *Aucun de nous ne reviendra*, les femmes qui hurlent dans les camions qui les emportent au crématoire, « Elles hurlent. Nous ne les entendons pas » ou le cri que Charlotte croit hurler quand elle voit une femme attrapée à la gorge par les crocs du chien d'un SS, « Je sens les crocs du chien à ma gorge. Je crie. Je hurle. Aucun son ne sort de moi ». Ces hurlements « de l'autre bord du monde » que personne n'entendait, là en Argentine, « ce cri que vous n'entendez pas / retentit dans le monde entier ». Depuis 1978, leur protestation a dépassé les

1. *La Mémoire et les Jours*, *op. cit.*, p. 95.

frontières. Ce qu'elle connaît si bien, elle en entend soudain la manifestation extraordinaire.

Alors que ce sont des mères de disparus qui ont initié le mouvement, Charlotte fait entendre d'abord les épouses. « Où est mon mari / (...) Vous l'avez torturé / dans vos caves dans vos casernes / dans vos salles de supplice / vous l'avez torturé et qu'en avez-vous fait ? / Qu'en avez-vous fait / après / après ? / Rendez-nous au moins son corps en lambeaux / (...) rendez-nous-les / que nous puissions les enterrer[1] ». Celle qui a cherché pendant des années après la guerre le corps de Dudach, où ce corps pouvait être, lui dont elle avait vu les lèvres abîmées par la torture, entend la puissance de leurs cris. « Disparus / Comment disparus ? (...) Un homme ne disparaît pas / qui sait que sa femme / l'attend à la maison. / Un garçon ne disparaît pas / que sa mère a envoyé aux commissions / des milliers d'hommes ne disparaissent pas / sans que leurs pas laissent trace ». Cette protestation courageuse en face de ces « disparitions », elle la crie comme elle aurait voulu l'entendre pour tous ceux qu'on emmenait, qui disparaissaient des rues et des immeubles de Paris. Le courage des femmes qui ne supportent pas la violence du silence imposé par le pouvoir, déjà dans *La Sentence*, sa pièce écrite en vers, elle l'avait fait entendre, et dans *Kalavrita des mille Antigone*, le courage de celles qui font de leurs mains nues une sépulture aux maris, époux et frères assassinés dans la terreur.

C'est avec son empathie, que Delbo met ses mots dans la bouche des « folles de douleur / des folles de malheur ». « J'ai mal à ses mains que vous avez écrasées sous vos talons de fer / (...) j'ai mal à ses tempes que vous avez écrasées / sa tempe contre la mienne dans la tiédeur de la nuit / j'ai mal à sa poitrine que vous avez écrasée / (...) / sa poitrine qui respirait contre la mienne / (...) / j'ai mal à tout son corps que vous m'avez arraché[2] », ces mots qui résonnent

1. *La Mémoire et les Jours*, *op. cit.*, p. 97.
2. *Op. cit.*, p. 100.

tant pour elle-même. « Qu'avez-vous fait de mon fiancé / si timide / qu'il attendait la nuit pour me dire qu'il m'aimait ». Ce souvenir de Georges, dont la timidité l'émouvait, palpite trente-six ans plus tard avec la même émotion, au point qu'elle l'ajoute encore, tant elle a besoin de dire ces mots d'évidence pour elle.

Elle privilégie une langue de mots simples, réduisant la syntaxe aux seuls nœuds cohérents pour dire les sentiments qui vivent. Amour et révolte, amour du corps, révolte du cœur contre l'injustice, mots de tous les jours pour ancrer la langue dans le corps, les gestes et le cœur.

La Charlotte Delbo de 1979 veut que « toutes les femmes du monde / fassent la ronde / devant les palais qui nous gouvernent / relaient vos cris / jusqu'à ce que ces cris percent le cœur / de ceux qui font des affaires avec vos tortionnaires / (...) / criez femmes de Buenos Aires / criez jusqu'à ce que les spectres de vos suppliciés se lèvent / comme autant de regards / qui nous dévisagent et nous accusent / regards incandescents comme autant de brûlures / qui nous arrachent la peau de l'âme / et nous fassent hurler de votre douleur / criez jusqu'à ce que le monde / éclate de honte / tournez / tournez sur la place de mai / folles de mai ». Elle n'a pas assagi sa langue. Ni sa révolte. Rien du passé.

Et le passé ne passe pas, on l'entend dans sa dernière pièce de théâtre écrite, à Chypre, où elle est en vacances, l'été 1978. En cinq jours, du 10 au 15 août, ce sera *Les Hommes* pour dire plus violemment ce qu'elle a vécu et ressenti de son désespoir à Romainville d'août 1942 à janvier 1943. Le personnage de Françoise est chargée d'écrire une pièce sur ce qu'elles vivent et que ses compagnes voudraient interpréter pour s'occuper, mais elle ne réussit pas à l'écrire tant la réalité lui est « insurmontable », et tant elle sent la mort autour d'elles toutes, « la mort et l'arrachement. Nous sommes arrrachées à nous-mêmes et les nôtres nous sont arrachés tout vifs ». Gina voudrait qu'elle écrive pour faire savoir ce qu'elles vivent, leur réalité. « Faire savoir » ce thème, dans toute son œuvre jusqu'au début des années 80, est toujours évoqué dans la bouche des autres, ce « il faut rentrer pour faire savoir » n'est pas dans la sienne.

Au fort de Romainville, c'était Charlotte qui dirigeait ses camarades dans les pièces qu'elles interprétaient pour se distraire. Elle avait demandé à sa sœur Odette de lui envoyer des textes, *Le Jeu de l'Amour et du Hasard* de Marivaux et *La Guerre de Troie n'aura pas lieu* de Giraudoux, le choix des titres laisse songeur. « Avec les moyens dont vous disposez je me demande comment vous faites pour faire tenir debout une pièce comme les Jeux et surtout La Guerre de Troie. Lundi je t'enverrai Ondine[1] » lui écrit encore Odette le 15 janvier, mais Charlotte quitte le fort de Romainville pour le camp de Royallieu à Compiègne le 22, sans avoir reçu *Ondine*, il ne se trouve pas dans la liste qu'elle avait minutieusement reconstituée de ce qui était dans sa valise à l'arrivée à Auschwitz.

Elle écrit dans sa pièce, trente-cinq ans après, la tristesse déchirante qui l'avait prise à Romainville, et de façon plus aiguë qu'elle ne l'avait fait. Elle ne veut pas descendre dans la cour voir « les hommes marcher dans la cour et je les vois déjà morts, tombés, la poitrine trouée, du sang sur leur chemise[2] ». Ce monologue de Françoise, il ne porte aucune rature dans le manuscrit, tant le souvenir de l'insupportable est resté intact, l'image de Georges exécuté. Et elle a répondu à l'injonction de Gina, « Qui comprendra ? Qui voudra seulement savoir ? Et d'ailleurs, serai-je là ?[3] » Charlotte Delbo n'a jamais été la porteuse d'un témoignage, comme on a voulu parfois le faire croire. C'est un ressenti d'une tension extrême, une conscience ébranlée jusqu'au fondement, la nécessité et la volonté d'un écrivain à écrire comme il n'avait pas été fait sur Auschwitz, qui l'ont fait écrire ses livres.

1. BNF, Fonds Delbo, 4-COL-208-3, Succession Delbo.
2. *Les Hommes*, acte I, scène 3, *Qui rapportera ces paroles ?*, *op. cit.*, p. 540.
3. *Ibid.*, p. 539.

Dans le deuxième acte, des choses que Charlotte Delbo n'avait encore jamais dites viendront aux lèvres de son personnage : « Les enfants que nous n'aurons pas. Ce petit garçon au regard grave sous son grand front bombé, ce fils que je n'aurai pas. Qui aurait ressemblé à Paul, les yeux pleins de question. » Ces pensées, ce regret, aujourd'hui elle veut le dire. « Paul avant de mourir m'a fait jurer de vivre. J'ai juré. Cela le rassurait. Qu'un de nous deux, au moins… A-t-on jamais fait plus faux serment ?[1] ».

Charlotte Delbo a soixante-cinq ans quand elle écrit ces mots. Intacts, le désespoir qui était le sien, les regrets que rien ne soulagera, comme le souvenir du bonheur qu'elle gardait et qui l'avait habitée. « Que nous nous sommes promenés dans la ville, Paul et moi, à bavarder, à parler sans fin ; la ville nous appartenait toute, avec les rues qui nous étaient familières et celles que nous découvrions, les affiches, les cafés, les boutiques, les endroits où nous nous étions donné rendez-vous… Je me disais que nous formions un beau couple, lui si grand, si souple, une main sur mon épaule. Qu'elles étaient douces, ses mains ![2] »

Et Delbo en arrive à imaginer une scène inédite, après que certaines ont appris le départ de leur homme du Fort et qu'elles sont pétrifiées. Elles joueront la pièce de théâtre qu'elles ont préparée pour remplacer celle que Françoise n'a pas réussi à écrire, mais elles la « joueront sans parler. Elles mimeront *Un Caprice* de Musset, sans émettre de son. C'est que personne ne les entend. Toutes sont enfermées en elles-mêmes[3] ». C'est la didascalie que Charlotte Delbo écrit pour dire que personne ne voulait ou ne pouvait entendre ce qu'elles avaient vécu. Une douleur, qui pouvait aussi les rendre sourdes. Ou comme le dira, en toute fin, le personnage de Reine, « Tout le monde comprend avant qu'on

1. *Les Hommes*, *op. cit.*, p. 571.
2. *Ibid.*, p. 571-572.
3. *Ibid.*, p. 567.

ait bougé les lèvres[1]. » Elles n'ont plus besoin de jouer la comédie.

Dire le cœur qui s'étreint, dire le cœur d'une femme qui supporte plus qu'elle ne le peut, Charlotte Delbo ne s'interrompt pas de l'exprimer au printemps 79, et c'est « La Crétoise » qu'elle écrit le 23 mai 1979, le souvenir de la vieille femme qu'elle avait rencontrée en Crète, dont la vie s'était arrêtée le jour où les Allemands lui avaient pris ses trois fils, les avaient emmenés pour être fusillés comme tous les jeunes gens de seize à vingt ans du village. Et lorsque le pope est intervenu pour faire fléchir l'officier à la Kommandantur, demandant qu'il n'ôte pas à ce vieux couple ses trois enfants, « ils n'ont qu'eux au monde », le commandant accordera d'en épargner un si ce sont les parents qui choisissent, comme il l'exige pour exercer sa cruauté.

« Choisir / choisir / peut-on choisir entre ses enfants / celui qui restera vivant ? (...) Choisir / ils n'ont pas pu. / La vieille Crétoise me regarde de son regard immobile / elle dit : / Prie Dieu de ne pas t'envoyer / tout ce qu'un cœur de femme peut supporter. »

Le présent, Delbo l'emploie tout à coup pour dire la prière de la femme. Un temps, un mode éternels à propos de toutes les douleurs que le cœur d'une femme peut supporter. Ce n'est pas pour rien qu'elle rassemblera ces poèmes pour composer un livre auquel elle veut donner pour titre, « De toutes les Douleurs. »

La mémoire de la Grèce est revenue, celle qu'elle a connue après la guerre, qui portait encore tant de stigmates de la terreur nazie. Elle y est allée si souvent dans cette Grèce rêvée au camp de Ravensbrück, mais ce n'est pas que la Grèce antique qu'elle découvre. Un soir à Nauplie où elle revenait après une journée passée à son cher Épidaure, elle assista à l'embarquement d'une colonne de prisonniers politiques déportés

1. *Les Hommes*, *op. cit.*, p. 576.

sur l'île de Makronissos. C'est l'oppression du régime de Metaxas qu'elle voit, mais ce n'est pas une analyse politique qui lui vient, c'est une expérience qu'elle affronte. Il lui faut écrire la scène pour rendre ce qu'il se passait là, ce qui a saisi l'ancienne prisonnière, l'ancienne déportée, qui assistait, impuissante, à l'embarquement des prisonniers pour le camp sur l'île. Elle écrit « Makronissos » à Paris le 1er octobre 1979.

Était-ce ce jour-là à Nauplie que dans la colonne se trouvait le poète grec Yannis Ritsos ? Il est déporté en mai 49 à Makronissos, et Charlotte Delbo avait écrit dans son manuscrit, pour situer la scène, « en ce printemps 49 ». Je ne sais pas si Delbo connaissait la poésie de Ritsos, mais nous pouvons nous laisser à imaginer la coïncidence, une rencontre laissée dans le silence, le destin qui fait se croiser deux poètes, deux voix.

« Nous avons passé beaucoup de temps à Makronissos / nous avons dormi joue contre joue avec la mort, / beaucoup y ont laissé leurs os / beaucoup y ont laissé leurs pieds et leurs mains / beaucoup marchent maintenant avec des béquilles / beaucoup ne marchent plus du tout / beaucoup crient la nuit dans leur sommeil / beaucoup ont perdu la parole / beaucoup ne peuvent plus voir / comment un nuage promène sa détresse rosée dans les eaux du soir / beaucoup ne peuvent plus comprendre la voix de leur mère ». C'est ce qu'écrivait Yanis Ritsos dans « Veille[1] ».

Ce n'est pas tout de suite que Charlotte Delbo pense composer un livre avec ses poèmes et le texte écrits cette année 79. Une année passera, une année où les textes reposent dans le silence et le secret. Un autre projet l'occupe, une tournée de conférences aux États-Unis en avril et mai 1980, une tournée officielle financée par le ministère des Affaires étrangères.

L'initiative en revient à Rosette Lamont, comme le précise Henri Peyre, directeur du département de Littérature

1. Traduction de Pascal Neveu, *L'Amertume et la pierre, Poètes au camp de Makronissos*, 1947-1951, éditions Ypsilon, 2013.

comparée de l'Université de New York, dans son invitation officielle à Charlotte Delbo en novembre 79. Bien sûr, Rosette et elle en auront discuté ensemble, et l'idée ne pouvait que séduire Charlotte. Elle avait deux sujets de conférence pour les États-Unis, le théâtre de Louis Jouvet et son œuvre sur Auschwitz. Elle pouvait intéresser deux sortes de public, et prononcer ses conférences aussi bien en anglais qu'en français. Rosette pouvait lui assurer plusieurs interventions dans son université de CUNY et elle a battu le rappel de ses amis et collègues, les professeurs d'universités auxquels elle avait fait connaître l'œuvre de Charlotte. Lawrence Langer, au Simmons College près de Boston inscrira tout de suite l'intervention de Charlotte dans son séminaire avec ses étudiants des Holocaust Studies.

La fille de ses amis Mensch, Phillys, que Charlotte avait connue au collège d'été en 1960, prendra contact avec celui qui dirige le département d'études du XXe siècle de son ancienne université dans le Wisconsin, pour suggérer une conférence de Charlotte Delbo. Une coïncidence extraordinaire fit que Thomas Ewens, le directeur, un jeune homme vingt ans plus tôt « de peu d'allure », comme il le dit de lui-même, avait rencontré lors de sa traversée de l'Atlantique vers New York une belle femme française, vive et intelligente. Ils avaient abondamment discuté ensemble sur le pont du paquebot, elle partait enseigner dans un collège d'été. Elle avait eu la gentillesse de lui proposer de venir dîner chez elle un jour qu'il reviendrait à Paris. Le jeune homme n'avait jamais oublié le dîner dans son « élégant » appartement[1]. Bien sûr, c'était Charlotte Delbo, et sa passion de la discussion, des rencontres intéressantes… Comme dans le train où tout juste libérée de Ravensbrück, elle engage une conversation avec celui qui s'avérera être le comte Bernadotte en personne, à qui les Françaises doivent leur sortie du camp. Thomas Ewens évoque avec émotion ces fils mystérieux et

1. Lettre de Thomas Ewens à Charlotte Delbo du 28 mars 1980, BNF, Fonds Delbo, 4-COL-208-290, Succession Delbo.

improbables du destin quand il invite Charlotte à venir donner une conférence dans son université, vingt ans après leur première rencontre. Elle n'a pas dû être peu sensible à cette manifestation du destin.

Le programme de sa tournée s'est étoffé, elle durera plus de trois semaines, du 8 avril au 2 mai, et Charlotte va préparer intensément ses conférences. Elle les donnera dans plusieurs universités américaines, au Graduate Center de l'Université de la ville de New York, à l'Université de Géorgie et au Spelman College d'Atlanta, à l'Université du Wisconsin à Milwaukee, près de Chicago, et à Boston, au Simmons College.

À l'Université de la ville de New York, par exemple, Charlotte donne trois conférences, le 10 avril en anglais sur « La Littérature européenne de l'Holocauste », le 9 avril sur « Louis Jouvet et le retour sur scène du poème dramatique », et le 15 sur « Le Théâtre en France aujourd'hui ».

L'Alliance française de New York lui a proposé de faire une conférence sur le Cartel, les quatre metteurs en scène, Baty, Jouvet, Pitoëff et Dullin qui s'étaient associés dans les années 30. Charlotte Delbo invoquera un engagement pris de longue date, un travail à rendre, pour dire qu'elle n'a pas le temps de préparer cette conférence. Le sujet n'était pas le sien. Elle préfère proposer une conférence détaillée sur Jouvet seul, « Louis Jouvet, l'acteur, professeur, directeur de théâtre, chef de troupe, metteur en scène ».

Sa conférence sur l'œuvre de Jouvet lui tient à cœur. Il n'était pas question pour elle de proposer une évocation personnelle faite de souvenirs ou d'anecdotes glanées pendant ses sept années de travail quotidien auprès du « Patron ». Elle avait été assez furieuse du propos anecdotique de Dussane en 58. Elle veut inscrire Jouvet dans l'histoire du théâtre, donc elle la trace depuis les Grecs jusqu'à la scène à l'italienne dans laquelle Jouvet voyait un aboutissement. Elle reprend la chronologie que lui-même détaillait dans sa préface au traité de scénographie de Nicola Sabbattini. Or cette préface, *Découverte de Sabbattini* par Louis Jouvet, c'est Charlotte qui l'a en partie transcrite à la machine pendant la tournée en Amérique du Sud, comme elle tape aussi la lettre que Jouvet écrit à l'éditeur Fred Uhler à bord du paquebot qui les emmène du Brésil en Argentine le 2 août 41, et qui figure en avant-propos de sa préface.

Charlotte la lira dans son intégralité en Suisse au moment où elle fait la connaissance de Fred Uhler, par lequel Jouvet lui fait parvenir son salaire pendant sa convalescence aux Hortensias. Les fils du destin n'ont pas cessé de se nouer dans la vie de Charlotte. Cet historique de la scénographie est le dernier texte écrit par Jouvet que Charlotte a transcrit avant sa déportation.

Si elle en reprend les grandes lignes, elle ajoute un point de vue personnel pour expliquer les métamorphoses du théâtre de l'Antiquité au Moyen Âge, du théâtre élisabéthain puis italien. Delbo décrit comment la vie autour du théâtre, la vie sociale, la vie politique transforment la scénographie, comment le comportement de ceux qui y assistent, ou peuvent y assister, façonne la forme des pièces, et celle des théâtres, détermine la fonction et le rôle de ce divertissement. C'est la sociologue qui parle. Delbo parle des spectateurs, ce qu'ils voient, ce qu'ils attendent de voir, ce qu'ils peuvent voir, que ce soient les badauds du Moyen Âge ou les spectateurs du théâtre élisabéthain ou grec et, pour ces derniers, son attention est particulière. C'est *son* théâtre, la tragédie grecque. Il suffit de penser à la silhouette d'Électre qui lui apparaît dans la brume des marais d'Auschwitz, à la figure d'Antigone, à Oreste, *ses* fidèles.

Quand elle parle d'Épidaure, le théâtre antique aux 14000 places, elle rappelle rapidement l'acoustique exceptionnelle, les mots, les phrases prononcés sans forcer la voix, et elle s'interroge sur ce que les spectateurs voyaient de si loin ! Pas grand-chose des visages, même avec des masques, et ce sont les mouvements lents du corps qui sont perçus depuis le haut des gradins, « le comédien exhaussé par ses cothurnes, qui se mouvaient lentement[1] ». Cette lenteur, elle en avait imprégné bien des tableaux d'Auschwitz, les gestes perdus dans l'immobilité de la plaine glacée, la lenteur tragique, inexorable, du destin, cette lenteur coupée par le déchaînement soudain d'une violence paroxystique, cette contiguïté de rythmes opposés impossible à supporter.

Si le public à Épidaure ne peut pas bien voir de loin les visages, elle souligne comme cela n'a pas d'importance. « Les personnages du théâtre grec ne sont pas *personnifiés*. Ce sont des entités, des symboles ». Remarque essentielle, son œuvre en a gardé la leçon. Il ne s'agit pas de personnifier ceux qui sont dans les tableaux et les situations qu'elle écrit, mais de dégager l'émotion, le tragique ou le mythe. Si un prénom apparaît, celui de Lulu, de Viva, c'est pour la densité humaine de sa personne. Nous n'en savons pas plus sur leur caractère. C'est la tendresse, l'humanité, la compassion presque en forme d'allégorie qui se manifeste. Ou il s'agit de faire intervenir dans la scène une figure terrible, elle donne juste un nom. Celui de Taube, par exemple. L'officier SS le plus redouté du camp. Il incarne la violence qui terrorise.

Quand elle parle de l'histoire du théâtre, on l'entend parler de son écriture. Et quand elle parle de Jouvet lui-même, de son œuvre, elle fait ses choix. Elle montre qu'il a renouvelé la mise en scène de 1917 à 1947. Elle choisit ses dates ! Elle commence en 1917 à New York, où régisseur de la troupe de Copeau en tournée (Tiens, Jouvet est déjà en Amérique pendant la guerre !), il a défoncé le plancher de la scène du théâtre Garrick pour y installer un dispositif fixe, une révolution dans la scénographie. Elle termine en 1947 quand il met en scène à l'Athénée *Les Bonnes* de Genet au mois d'avril et que Charlotte Delbo assiste aux dernières répétitions avant de quitter définitivement Jouvet. Elle laisse de côté les mises en scène postérieures, comme celle de *Dom Juan*, elle lui avait écrit ses réserves, et celle de *Tartuffe*, dont elle disait, comme me l'a raconté son amie Anne de Belleval, qu'il avait

1. BNF, Fonds Delbo, 4-COL-208-276, Succession Delbo.

raté le personnage à cause de sa « bondieuserie », Jouvet à la fin de sa vie était devenu fervent catholique, Charlotte le supportait mal. Si on a observé que Charlotte Delbo quitte Jouvet peu de temps après son avis négatif sur le premier chapitre d'*Aucun de nous ne reviendra*, on voit aussi qu'elle considère qu'après son départ, il ne fait rien d'excellent ! Plus de mises en scène remarquables. Aucun commentaire sur *La Folle de Chaillot* non plus, Charlotte avait pourtant assisté à la Générale fin décembre 45, épuisée, il est vrai.

Ce qu'elle met en valeur dans l'œuvre de Jouvet, c'est l'importance qu'il donne aux auteurs. Ceux qu'il choisit sont des poètes dramatiques. Ce qui lui donne l'intitulé de sa conférence. « Jouvet et le retour sur scène du poème dramatique ». Elle montre qu'il est le re-découvreur de Molière, et insiste sur le fait qu'il fut le découvreur de deux poètes dramatiques, Giraudoux et Genet.

Quand Copeau a engagé Jouvet en 1911, les textes qu'il avait montés jusque-là étaient ceux de « littérateurs » comme le dit Charlotte Delbo, Martin du Gard, Erckmann-Chatrian, Jean Schlumberger, Henri Ghéon, Anatole France, André Gide, ce n'étaient pas des poètes dramatiques. Avec Jouvet, Copeau se tournera vers Shakespeare, Molière, et choisira, faute d'auteurs, d'adapter de Dostoïevski *Les Frères Karamazov*. Cette expression de « poème dramatique » est essentielle pour Delbo. C'est aussi la langue du théâtre de Lorca qu'elle aime et celle du théâtre de Claudel, poète et poète dramatique cher à son cœur, dont Jouvet n'a pourtant représenté que *L'Annonce faite à Marie*. Quelques scènes pendant la tournée en Amérique du Sud, et quelques représentations de la pièce en entier en 46. C'est Jean-Louis Barrault, resté en France pendant la guerre, qui était allé trouver Claudel chez lui, qui le convaincra de lui donner dorénavant son théâtre à monter.

Pour parler du théâtre en France après la guerre, c'est la spectatrice assidue qui s'exprime, celle qui venait régulièrement à Paris pour voir sa mère et aller au théâtre. Elle parle de Vilar dont elle a vu tous les spectacles, elle aime son répertoire, son goût des classiques, et ce choix de privilégier sur le plateau l'éclairage plutôt que le décor. Beaucoup de scènes que Delbo écrit, on a l'impression que c'est leur éclairage, la lumière qu'elle règle d'abord, pour la saisir, pour la rendre. Elle évoque les mises en scène de Vitez, ses reprises de Molière, mais elle lui reproche de ne pas jouer l'action, principe si cher à Jouvet, de privilégier l'étude de caractère. Elle va jusqu'à dire que si le personnage avait de l'importance pour Molière, « il aurait écrit *Les Caractères* de La Bruyère, il n'aurait pas été auteur dramatique ». Elle parlera de Strehler, qui l'enchante, et elle pense autant aux pièces qu'aux opéras de Mozart qu'il a mis en scène et elle ne les manque pas à l'Opéra de Paris, elle est même retournée voir *Les Noces de Figaro* quand l'opéra sera repris quelques années après la création. Enfin elle parlera de Roger Blin, qui ne détruit pas la scène à l'italienne comme elle le reproche à tant de metteurs en scène contemporains, qui choisit des auteurs contemporains pour leur langue, le premier metteur en scène d'*En attendant Godot* de Beckett, et qui avait monté *Boesman et Lena* d'Athol Fugar, auteur dramatique sud-africain qui l'avait tant émue.

Elle reproche aux metteurs en scène qui veulent révolutionner le théâtre d'abandonner la scène italienne, « ce superbe outil dont on ne veut plus ». Ils débordent d'imagination pour inventer un théâtre en rond, ou imaginer un plateau comme un ring au centre et les spectateurs autour, ou en faire une longue estrade et elle évoque les mises en scène de Jean-Louis Barrault dans les années 70, ses adaptations de textes de Rabelais, Jarry, Nietzsche, Voltaire, qui sont des spectacles sans auteur dramatique. De même pour Ariane Mnouchkine. Si elle avait beaucoup aimé sa mise en scène de *La Cuisine* d'Arnold Wesker, elle est réticente à ses créations collectives, *Les Clowns*, *1789*, *L'Âge d'or*, *Méphisto*.

Ils font fausse route de s'orienter sur le contenant, la forme de l'édifice dramatique, et pas sur le contenu, le texte. Ceux qui montent les auteurs, et elle cite Ionesco, Beckett,

Dubillard, Audiberti, Vautier, Obaldia, Billetdoux, Duras, Arrabal, et évidemment Genet le plus prestigieux à ses yeux, les jouent dans des théâtres à l'italienne. Et si beaucoup de metteurs en scène ont « cassé leur joujou », elle ne veut pas désespérer du théâtre contemporain et de son évolution. Elle a cette conclusion singulière, et si personnelle, « Le théâtre ne finira pas. L'homme aura toujours besoin de se dédoubler, d'être un autre. »

Elle parlait tant de son besoin de se dédoubler pour vivre. Elle en fera le chapitre le plus essentiel de son prochain livre. Son œuvre personnelle n'est jamais loin.

Charlotte a écrit en anglais sa conférence sur le camp de concentration dans la littérature, elle est destinée aux étudiants des Holocaust Studies. Sa conférence consiste à dire comment elle a écrit son œuvre sur Auschwitz, essentiellement son premier livre, celui qui est lu et étudié dans les universités américaines, et pourquoi seul le poète a le pouvoir de « donner à voir ».

Elle raconte, cette fois, qu'en janvier 46 elle a écrit *Aucun de nous ne reviendra* en trois semaines. Qu'elle se sentait comme droguée, sachant à peine ce qu'elle faisait, surprise de voir comme c'était facile. Cette facilité la mettait mal à l'aise. Comment pouvait-elle prétendre être capable de le faire ? Ce n'était pas de la modestie, mais de la peur, oui vraiment une insupportable peur, précise-t-elle. Et revient ce terme de la peur comme angoisse métaphysique. Celle que Delbo racontait déjà dans *Spectres*, celle depuis l'enfance, sa question sur sa propre identité dans le miroir, « qui es-tu toi ? ».

Elle précise aux étudiants que si son ambition lui paraissait au-delà de ses capacités, au-delà de ce qu'elle pouvait atteindre, elle a poursuivi jusqu'au bout, « ne me demandez pas pourquoi », l'écriture du livre, sous la dictée. Mais cette voix intérieure n'est pas celle qui l'a conduite pour écrire *Le Convoi du 24 janvier*, elle souligne sa longue hésitation avant de trouver une forme et d'adopter finalement l'ordre alphabétique, de ne plus avoir peur de la succession des détails qui se répétaient, « elle est morte du typhus, de la dysenterie… » Elle cite les mots d'un ami quand elle lui a dit sa peur de la monotonie : la tragédie n'est jamais répétition, la tragédie n'est jamais redondante. « Merci à lui ! », n'hésite-t-elle pas à commenter. Une fois encore, c'est le registre de la tragédie qu'elle invoque, même pour un livre d'histoire.

Elle conclut sa conférence aux étudiants des Holocaust Studies : « Il y a deux manières d'écrire sur Auschwitz, comme un historien et comme un poète. J'ai fait les deux[1]. » Elle ajoute des notes à la fin de ses feuillets, les sujets qu'elle abordera de vive voix, la distinction qu'elle fait entre le vrai et le véridique, le sort des tziganes, et ce mot d'holocauste qu'elle juge « inapproprié ».

Toutes ses conférences, ses interventions dans les séminaires ont été un succès, elle a conquis les étudiants par sa personnalité si vive, sa façon directe de parler de sa propre expérience d'Auschwitz et d'écrivain. Des classes entières d'étudiants enverront des lettres, avec un mot de chacun pour dire ce qu'il a reçu de ses paroles. Les universitaires lui écriront pour la remercier de l'enthousiasme qu'ont suscité ses interventions, tous lui assurent venir la voir à Paris. Elle rentre galvanisée par cet accueil, elle se remet au travail.

Dix ans après la mort de sa mère, Charlotte Delbo écrit sur elle. Des lignes qui courent au stylo, un texte court, moins d'une page. Puis elle coupe les phrases, cherche le rythme, les vers s'installent pour dire comment la pensée de sa mère s'est portée vers elle chaque soir de sa déportation, pensée qui tient dans une image : le regard de sa mère tendu la nuit vers une étoile. Une étoile que Charlotte regarde aussi, sa mère en est convaincue.

Delbo écrit le geste inlassable de la mère, que personne ne pouvait savoir, pour rejoindre sa fille dans le silence de la nuit, lui faire sentir l'amour de celle qui l'a mise au monde.

---

1. C'est moi qui traduis. Le texte en anglais de sa conférence est à la BNF, Fonds Delbo, 4-COL-208-280, Succession Delbo.

Lui donner la force de vivre. Le regard inlassable de la mère pour faire « tenir », de son amour, sa fille. Elle aura attendu tant d'années Charlotte Delbo pour écrire sur sa mère les mots qui lui reviennent.

C'est sa voix que Charlotte fait entendre dans le poème, sa mère qui parle. « Où qu'elle soit, elle la voit. Elle sait que je pense à elle / que je pense à elle à chaque minute / à chaque seconde[1] ». Elle n'a pas fermé ses volets de toutes ces années. « Je ne voulais pas m'endormir / de peur que s'endorme ma pensée vers toi. / Je m'endormais le matin / quand le jour effaçait mon étoile ». Si des nuages apparaissent, sa mère attend une « échancrure », qu'ils se déchirent pour que l'étoile apparaisse à nouveau. « La voir / une seule minute / la voir. / Elle me disait que tu étais vivante ». La force psychique de sa mère avait déjà sa présence dans *Aucun de nous ne reviendra*. Durant les appels, figée dans le vent glacial, Delbo ne pensait à rien, ne se disait rien, ne regardait rien. Mais, « Je vois ma mère avec ce masque de volonté durcie qu'est devenu son visage. Ma mère[2] ».

Les vers du poème disent la force de sa volonté et sa réserve, un amour qui ne ligote pas, mais fait tenir. Et un amour qui tient la distance. Un voyage interstellaire, une durée cosmique, la résistance du diamant.

En écho, la même force et la même délicate pudeur chez la fille. La filiation, c'est ce fil du regard tendu. Resté secret, personne ne pouvait le savoir. Secret entre la mère et la fille. Secret de la nuit. Profondeur de la nuit, nourricière. La nuit transporte l'amour, la force de vivre. On peut repenser aux pages sur la dernière nuit au camp quand Charlotte, croyant mourir, s'ouvre à l'espace de la nuit devant elle. La nuit qui semble contenir le secret de la vie. La nuit permet toutes les associations, les contours du monde abolis, et peut faire converger leur regard.

---

1. *La Mémoire et les Jours*, *op. cit.*, p. 25.
2. *Aucun de nous ne reviendra*, *op. cit.*, p. 104.

C'était aussi un hommage cosmique à sa mère, petit bout de femme, la mère de Charlotte était plus petite encore que sa fille. Et si sa mère s'est voûtée avec l'âge, son courage quotidien, sa force de caractère n'ont jamais fléchi. Dans le poème, son amour monte et brille au ciel. La vie de « Charlotte » est aussi certaine pour sa mère que la vie d'une étoile, le prénom est écrit alors qu'il est si rare dans toute l'œuvre, mais c'est la bouche de la mère qui le prononce, la mère par qui elle existe. Et comment ne pas penser à l'expression, « ma bonne étoile », quand on sait combien Charlotte Delbo a pu dire que ce fut un miracle de revenir d'Auschwitz ?

« Moi aussi / je regardais les étoiles / Pendant l'appel / la nuit ». Delbo poursuit le poème, en contrepoint depuis l'autre côté, depuis le camp, c'est elle qui regarde les étoiles. Elle regardait ces « aiguilles de cristal » qui les transperçaient, elles, des milliers debout dans le froid avant l'aube. Pendant l'appel sans fin, c'est un vers de Cendrars qu'elle veut se rappeler. « Sous le regard consterné des étoiles / un vers remontait à ma mémoire / consterné est-ce bien le mot qu'il faut / pour dire cette dureté / Pourtant ce vers me plaisait / et je le répétais / comme pour implorer, adoucir le regard des étoiles. À mon retour j'ai relu les poèmes de Blaise Cendrars / je n'ai pas retrouvé le vers qui avait affleuré / transformé / à ma mémoire / de là-bas[1] ».

La première version qu'elle écrit fait mieux comprendre qu'elle ne retrouve pas le vers de Cendrars. Son souvenir l'a transformé. Ce n'était pas « le regard consterné » des étoiles, qui était l'expression de Cendrars dans son poème « Au cœur du monde ». Et elle ne le retrouvera pas, elle n'a plus l'édition dans laquelle elle l'avait lu et relu avant la guerre, perdue dans le fouillis de livres et de papiers dérobés à son arrestation, qui disparaîtront dans un sous-sol de la Préfecture de Police. Charlotte Delbo avait lu Cendrars dans l'*Anthologie de la nouvelle poésie française* publiée chez Kra

1. Manuscrit du poème, *Ma mère, les étoiles*, BNF, Fonds Delbo, 4-COL-208-148, Succession Delbo.

en 1924, plusieurs fois rééditée avant la guerre, tant elle eut de succès. C'est dans cette même anthologie que se trouvait le poème de Reverdy, « Tard dans la nuit » dont elle a cité deux vers en exergue de *Mesure de nos jours*. Et de Cendrars lui-même elle pouvait se souvenir, le poète avait pris le train avec eux jusqu'à Lisbonne fin mai 41 pour rester auprès de la comédienne Raymone, sa compagne et membre de la troupe, jusqu'à l'embarquement pour Rio de Janeiro.

Le poème « Au Cœur du monde » évoque les traversées de Paris par Cendrars, la nuit, dans un ciel « d'hiver lucide de froid », « Sous les feux de nouvelles étoiles, plus grandes et plus *consternantes* ». Cendrars dans les éditions ultérieures le rangera en toute fin de ses *Poésies complètes*, et ajoutera la mention entre parenthèses de « Fragment retrouvé ». Est-ce la raison pour laquelle Delbo ne l'a pas retrouvé ?

Delbo avait retenu ce mot, « consternantes », dont Cendrars fait un emploi si singulier, déroutant. Attentive à chaque mot, pointue et perspicace, elle a dû s'interroger sur le sens mystérieux. Elle en garde une forme détournée, « Sous le regard consterné des étoiles », ajoutant ainsi que les étoiles la regardent ! Pour ne pas la perdre de vue ? Comme sa mère, qui de l'autre côté…

Elle avait gardé en mémoire ce poème où Cendrars évoquait son travail de poète maintenant que sa « main coupée », perdue à la guerre, « brille au ciel dans la constellation d'Orion[1] ». Ces étoiles sont gardiennes du poète, lui qui doit écrire de l'autre main, puisque celle qui écrivait, la droite, lui a été soufflée en 1915. Avant de rentrer écrire dans sa chambre, il traverse Paris à pied sous ces étoiles consternantes dont chaque pas vers elles le fait émerger de l'ancien monde, et il peut dire « Je suis l'homme qui n'a plus de passé. – Seul mon moignon me fait mal. – / J'ai loué une chambre d'hôtel pour être bien seul avec moi-même / j'ai un panier d'osier tout neuf qui s'emplit de mes manuscrits.

1. « Au cœur du Monde, Fragment retrouvé » in *Du monde entier au cœur du monde, Poésies complètes*, édition établie par Claude Leroy, Gallimard, 2006.

/ (...) Je travaille dans ma chambre nue (...) / Je travaille à la FIN DU MONDE », ces derniers mots en capitales faisaient référence au titre qu'il voulait donner à un livre, il est certain que l'image a tout pour être gardée par Delbo. Elle peut alors écrire en 1981 que dans la nuit d'Auschwitz, les étoiles, gardiennes du poète, la regardaient.

Elle les implorait pour veiller sur elle comme elles avaient veillé sur le poète. Et qu'en plus de sa mère et la force de sa pensée, elle avait, elle, le regard tendu vers le ciel et ses étoiles, et malgré la « poigne glacée » de la mort, elle se répétait un vers pour tenir le fil qui la reliait à son destin rêvé.

La mère peut fermer ses volets maintenant que sa fille est rentrée. « Ils doivent être tout rouillés », ajoute la mère. Sa pudeur ne permet que d'évoquer la rouille qui les a rongés « depuis tout ce temps », et pas la douleur de l'attente. Les volets qu'on peut fermer dit l'apaisement avec le retour. Et plus important encore, « Ma mère ne m'a plus jamais parlé du camp, ne m'a jamais rien demandé sur Auschwitz ». Son silence lui montrait combien son amour avait été comblé par le retour, et lui prouvait sa confiance qui se passait de paroles.

Elle a fini d'écrire les quatre feuillets du poème le 22 juin 81. Il termine ce qu'elle considère comme un ensemble, avec La Tzigane, Les Folles de Mai, La Crétoise, *Kalavrita des mille Antigone*, cinq poèmes auxquels elle joint le récit des déportés grecs qui s'embarquent à Nauplie, Makronissos, c'est le quatrième volume d'*Auschwitz et après*. Elle lui donne pour titre « De toutes les Douleurs[1] » et le remet fin juin à Jérôme Lindon. Elle y avait d'abord inclus son poème, Le Tombeau du dictateur, écrit au moment de l'agonie de Franco en novembre 1975, puis a décidé de l'ôter avant de le remettre à l'éditeur.

Lindon lui écrit le 6 juillet 1981 pour la remercier de lui avoir donné à lire ce recueil de poèmes et *Kalavrita*, qu'il connaissait déjà. « Mais je ne vois malheureusement plus la

1. Tapuscrit à la BNF, Fonds Delbo, 4-COL-208-148, Succession Delbo.

possibilité de diffuser un livre comme celui-là, si beau soit-il, dans ce que sont devenues les conditions de la librairie. Je vous retourne donc *De toutes les Douleurs* avec l'expression de ma tristesse – et aussi de mon amitié[1] ».

Le coup est dur même si elle savait que la trilogie se vendait peu. Lindon n'a pas critiqué le recueil lui-même, mais le barrage éditorial est là. Il ne lui a plus pris de manuscrit depuis dix ans, depuis *Mesure de nos jours*, le troisième volume d'*Auschwitz et après*. *Spectres, mes compagnons* a été édité grâce à l'admiration de Renée Bridel et de son mari libraire-éditeur, et *Kalavrita des mille Antigone* est paru dans une édition de luxe réalisée par son ami Jean-Marcel Lèbre. Le récit de son voyage en URSS est retourné dans ses tiroirs, comme la chronique de sa maison de campagne. Mais l'hiver suivant, Charlotte Delbo poursuit. Elle est à Venise, une nouvelle fois en séjour à Venise qu'elle aime tant. C'est le mois de février.

Il y a près de quarante ans, un mois de février, elle était à Auschwitz. Les premières semaines au block de la quarantaine, puis c'était leur transfert au block 26 et très vite ce jour terrible de « la course » où les SS font sortir les 15 000 prisonnières du camp à trois heures le matin, les font tenir la journée entière debout en carrés, jusqu'au moment de les faire rentrer au pas de course devant une rangée de gardes armées de gourdins. Le pire mois, l'hécatombe parmi elles.

Est-ce un de ces jours où Venise peut être enveloppée d'une brume humide si dense qu'elle en perd ses contours, est-ce dans cette blancheur opaque, froide et humide, que les images sont revenues ? Toujours est-il qu'à son hôtel, Charlotte Delbo s'est mise à écrire, et en quelques jours elle écrit trois textes et un poème.

« Elle dit : "On ne meurt pas de chagrin"[2]. » C'est la première phrase. Une compagne du convoi parle, des années

1. BNF, Fonds Delbo, 4-COL-208-123, Succession Delbo.
2. *La Mémoire et les Jours*, *op. cit.*, p. 15.

après le retour, de sa sœur morte contre elle pendant la nuit, qu'elle a dû porter avant l'aube à l'extérieur du block dans la neige. Le nom de celle qui parle n'est jamais prononcé. C'est « elle », tout au long du texte. Pour s'approcher de la douleur et pas d'une biographie individuelle. Douleur à la mort d'une sœur aimée, douleur de survivre, et celle d'abandonner le corps à l'indignité. Douleur de celle qui n'arrive pas à oublier.

C'est à Venise qu'elle écrit, à Venise où Charlotte Delbo avait cru que l'amour était vrai entre elle et Serge Samarine, et qu'elle voyait enfin son vrai visage. Elle repense à la douleur lorsque Serge l'a quittée. À la douleur de Georges assassiné, la douleur gardée par la mémoire.

Elle marche le long des canaux, au bord de l'eau où plongeait Ondine, Ondine qui allait oublier le plus fort des amours en plongeant, alors que Hans meurt. Dans les rues, sur les places de Venise propices aux apparitions comme elle l'écrivait dans « Février », la nouvelle sur Serge, Charlotte Delbo, qui a presque soixante-dix ans, rencontre la mémoire, la douleur, l'oubli. Sa voix, les voix affluent dans l'écriture retrouvée.

Cette voix de Gilberte Tamisé, cette voix qui dit « on ne meurt pas de chagrin », c'est l'expérience de Charlotte qui revient. Son empathie entre dans la chair et l'âme qui souffre, et Delbo trouve les mots et les images. Sa compagne ne sait pas pourquoi elle est rentrée, aucune volonté de rentrer ne l'habitait depuis la mort de sa sœur, cette sœur de dix ans plus jeune, dont elle s'était occupée depuis la naissance. Delbo détaille ce qu'elle porte en son cœur qui la charge d'un autre poids encore que celui qu'elle a déposé au dehors du block. « Au cœur, tout le poids de cette nuit-là, son impuissance à partager sa respiration avec sa sœur, et puis le poids de la jeune fille qu'elle a portée hors de la baraque et posée sur la neige, délicatement, maternellement, une espèce d'ensevelissement, quelque chose d'un sacrement de tendresse, avant que ce corps devienne objet à brûler qu'on remue à la pelle dans le tas des cadavres de la nuit, qui seront brûlés dans la journée ou qui attendront demain, livrés aux rats, s'il y en a trop aujourd'hui ».

Elle peut écrire devant quelle horreur doit se mesurer l'amour, à quelle horreur l'amour se voit confronté pour trouver encore le moyen de s'exprimer dans un geste, au milieu du dénuement extrême, dans un mouvement du corps vers l'autre corps, quand la tendresse peut devenir sacrement, au moment où la mort est interdite de dignité et devient « objet à brûler », ou pire, rebut pour les rats.

« Elle est rentrée chez elle, elle n'est pas rentrée dans la vie ». Ces phrases symétriques qui s'opposent, reprenant le même mot, construction chère à Delbo, résonnent comme des salves du destin, pour faire entendre le poids d'Auschwitz. Les sons, les voix, l'odeur d'Auschwitz ont pris toute la place là où il y aurait sa vie à vivre. Sensations qui devraient être reléguées dans le passé et dont le traumatisme a aboli le temps et la possibilité de vivre.

Deux feuillets sur la douleur et au cœur de cette douleur, la tendresse la plus poignante, un geste humble, les bras qui s'ouvrent, déposent ce qui est de plus cher, et l'horreur précise, réaliste d'Auschwitz. La voix sans prénom, ce « elle », « elle dit... », émerge du texte sans que nous puissions voir une personne précise, nous entendons ce qui hante la mémoire de ceux, de celles, qui sont revenus. « Elle porte son chagrin depuis qu'elle a porté sa sœur, morte dans la nuit. La nuit de toutes les nuits, d'où ceux qui sont revenus ne sont pas sortis ».

Pendant trois jours de suite, Charlotte écrit quatre textes différents. Des textes courts, ici juste deux feuillets écrits d'un jet. Pour faire entendre ces voix qui reviennent quand elle est à Venise, des voix différentes, qui diront des choses opposées même. Il y aura la voix tourmentée de celle qui a appris quarante ans plus tard que tout le convoi parti de Drancy, où se trouvait sa mère, était entré dans le camp, alors qu'elle soulageait son chagrin à la pensée que la chambre à gaz, à son arrivée, sa mère avait dû la prendre pour la douche, et que lui a été épargnée une agonie pendant des semaines, des mois, comme celles que sa fille avait vues de ses yeux. « Ils étaient peut-être en rupture de stock, pour les gaz », ajoute-t-elle pour reprendre pied dans la réalité, même avec ironie, et fuir l'obsession de ses visions cauchemardesques.

La liste des convois de juifs déportés, leurs noms recherchés et retrouvés, le sort de chaque convoi, c'est l'ouvrage de Serge Klarsfeld, paru en 1978, qui l'apprend à Ida Grinspan, il s'agit d'elle, mais Delbo ne la nomme pas non plus ici. Ida l'a lu, et le tourment a remplacé les efforts qu'elle faisait pour apaiser sa mémoire. Charlotte Delbo voit souvent Ida, qu'elle avait connue aux Hortensias. Le récit consacré à la toute jeune Ida, déportée de Drancy à Auschwitz, était le plus long des portraits du retour dans *Mesure de nos jours*. « Ida » rendait l'énergie juvénile de l'adolescente qui montait dans le train avec l'espoir de retrouver sa mère là-bas.

Mais cette fois, Charlotte a ôté le prénom. Comme pour Gilberte Tamisé, qui elle aussi avait été la voix d'un long chapitre dans *Mesure de nos jours*, « Gilberte ». Delbo dix ans plus tard rend autre chose. Le tourment des images inaltérables d'Auschwitz. Elles surviennent pour refaire plus cruellement encore l'histoire. « Aujourd'hui, tout me revient en visions où je revois maman. Est-ce maman, cette femme traînée par un chien (…), cette autre qui ne se relève pas sous les coups de bâton (…). Ou l'une de ces typhiques squelettiques (…). Ou l'un de ces cadavres qui s'entassent dans la boue. Et si elle est morte au révir, toute nue, couverte de poux, la peau écorchée par les planches des châlits avec les rats qui s'activent partout. Maman… ». La mémoire d'Auschwitz ne connaît pas la loi de l'apaisement avec le temps.

Charlotte écoute Ida, Ida s'adresse à Charlotte, « Tu sais… », « Tu ne le croiras pas… », répète-t-elle, « Je vois que tu ne me comprends pas » et fait saisir le désarroi de ceux qui ne réussissent pas à faire entendre le vertige des images qui font retour. Delbo avance et recule dans la scène. Charlotte propose une raison pour adoucir le tourment d'Ida, ou l'auteur fait un commentaire au milieu de la scène pour appuyer ce qu'Ida évoque. Delbo se souvient avoir frissonné d'horreur à écouter ses compagnes de prison dire qu'elles préféreraient la guillotine, plus nette, plus propre, au peloton d'exécution qu'on allait réserver à leurs maris condamnés. Charlotte voyait alors la tête et les yeux révulsés du guillotiné... Le pouvoir des images quand elles concernent des personnes aimées... Et plus que la mémoire, les images ont la capacité de créer d'autres images et, emmêlées aux souvenirs, elles refont un autre récit. L'histoire d'Auschwitz ne s'arrête pas. Les jours qui passent n'ont pas mis un point à ce qui au contraire reprend sa puissance destructrice dans la mémoire.

C'est la force des images, la violence de la douleur mêlée à l'amour, qu'elle restitue avec un souffle nouveau. Et pas dans une vision univoque. Le même jour où elle écrit le tourment ravivé d'Ida Grinspan, elle écrit le récit d'un déporté apaisé, apaisé d'être allé lui aussi à Auschwitz après sa mère, et de savoir justement où elle est morte. « Pour moi, ma mère n'a pas disparu dans un trou noir, elle n'a pas été happée par le néant, un endroit inimaginable qu'on peut fabriquer à partir des récits des déportés. Moi je sais ce que ma mère a vécu, ce qu'elle a vu, ce qu'elle a souffert, et j'ai l'impression d'avoir partagé avec elle[1] ». C'est l'amour qu'on entend dans cette voix. L'amour resté plus fort que l'horreur.

Les mots de cet homme terminaient son évocation de la rafle du Vel'd'Hiv' où il avait été pris avec sa mère. Elle l'avait fait s'enfuir entre deux policiers. Et qu'il cache son étoile jaune avec le gilet de laine qu'elle avait pu encore attraper chez eux ! Le jeune adolescent retrouvera son père, ils passent la ligne de démarcation et s'engagent dans un groupe de Résistants. « Nous n'allons pas nous terrer comme des bêtes peureuses et attendre que tous les nôtres soient pris pour réagir. S'il faut se cacher, bon, que ce soit pour faire quelque chose », lui avait dit son père. Au printemps 44, le garçon avec quelques-uns du groupe se sont fait prendre par la Gestapo. Et dans le dernier texte qu'elle écrit à Venise,

1. *La Mémoire et les Jours*, *op. cit.*, p. 38.

c'est cette résistance des juifs qu'elle veut faire entendre. Avec plus d'ampleur. Elle écrit un poème sur la révolte du ghetto de Varsovie. « Figures de la nuit / visages blêmes / ils surgissent de l'ombre / (...) les ombres de la nuit glissent dans la nuit. / (...) et les gosses décharnés quittent la main exsangue des mères / pour courir vers les combattants / et faire eux aussi / ce qu'ils ont à faire. / (...) La révolte soulève le ghetto / sursaut d'hommes qui sont prêts à mourir / mais de mort volontaire / pas poussés à l'abattoir[1]. »

Dans sa conférence en 1980 aux États-Unis, sur « le camp de concentration comme thème littéraire », elle terminait sa conférence sur ce mot inapproprié d'Holocauste. Il évoque le sacrifice, la victime sacrifiée, et insinuerait un sacrifice consenti. On entendait cette opinion sur la destruction des juifs, qu'ils se seraient laissé mener comme des bêtes à l'abattoir. Charlotte Delbo avait vu de près le maquillage des chambres à gaz, les camions à l'arrivée des trains, et la sélection, qui racontait une autre histoire que le sacrifice.

Comme celle d'« une Judith » qui avait égorgé un SS avant de monter dans le camion pour ne pas abandonner sa mère, une Judith dont les compagnes de son convoi s'étaient juré de garder l'exemple. Il y avait pour Delbo une nécessité de dire en 1982 la révolte du ghetto de Varsovie. C'était la première révolte urbaine contre les nazis au printemps 43, et la plus importante au cœur de la guerre. L'issue en était certaine, les Allemands étaient tellement plus nombreux et infiniment mieux armés. Les combattants juifs du ghetto savaient qu'ils n'auraient pas la vie sauve, mais comme l'avait exprimé un des combattants, « Nous ne voulons pas sauver notre vie. Personne ne sortira vivant d'ici. Nous voulons sauver la dignité humaine ».

En 1981 elle avait salué la sortie du livre de Georges Wellers dans *Le Monde des Livres* en écrivant un article sur *Les Chambres à gaz ont existé*. Elle y exprimait son soulagement de voir un ouvrage d'historien apporter des preuves

1. *La Mémoire et les Jours*, *op. cit.*, p. 71-72.

historiques à ce qu'elles avaient vu de leurs yeux, quand les épigones de Rassinier avaient osé prétendre qu'elles n'avaient rien vu. Elle y parlait des écrits des Sonderkommandos, qui n'avaient pas encore été publiés en France. « C'est ainsi qu'on a déterré à Birkenau des bouteilles qui contenaient des feuillets où des détenus avaient écrit ce qu'ils avaient vu, *pour faire savoir*, alors qu'ils ne survivraient pas eux non plus[1] ». Je souligne ce qui montre sa reconnaissance pour ces écrits qui voulaient faire savoir. Le livre de Ber Mark, *Des Voix dans la nuit*, qui a révélé l'existence de ces textes, ne sera publié en France qu'en 1982.

En rentrant de Venise, Charlotte commence par taper ses textes, puis son poème sur le ghetto de Varsovie appelle une suite. En trois jours elle écrit une deuxième partie, l'insurrection de Varsovie l'été 44. Ceux qui dans les forêts alentour s'organisaient depuis des années entrent dans leur ville pour préparer l'arrivée des Russes. Ils ne se doutent pas que ceux-ci attendront que les Polonais se fassent tous massacrer avant de faire leur entrée. L'armée allemande avait reflué ses forces vers Varsovie, pour qu'un combat d'arrière-garde leur assure la ville avant d'aller défendre Berlin menacé.

« L'armée alliée ne bouge pas / elle bivouaque au bord du fleuve / (...) L'armée alliée ne bouge pas. / Elle laissera les partisans / se faire tuer jusqu'au dernier / et s'avancera dans les ruines fumantes de la ville / lorsque l'inégal combat aura cessé / lorsque les combattants de l'espoir auront été écrasés. / Alors elle entrera dans la ville / la ville muette / morte / Varsovie humiliée / trahie / Varsovie poignard au cœur[2] ». Dans ces derniers vers, on croit entendre un pastiche des mots de De Gaulle à la libération de Paris, évoquant à l'inverse, « Paris victorieux, Paris libéré ».

Charlotte Delbo en laissant s'exprimer sa colère et sa pitié, a rallumé sa foi en son écriture. Elle ajoute encore

1. « Chambres à gaz : voici des preuves », article de Charlotte Delbo, dans *Le Monde* du 8 mai 1981.

2. *La Mémoire et les Jours*, *op. cit.*, p. 75-76.

une troisième partie au poème, cette fois pour chanter la révolte des ouvriers polonais en grève l'été 81. « Tout homme a le droit de savoir / le pourquoi des choses / le pourquoi de son travail ». La grève s'est étendue au pays entier, mais le pouvoir ne veut rien savoir. Il emprisonne, cherche des solutions chez le grand voisin russe, dans « le bréviaire du voisin qui a regardé / Varsovie agoniser / pour y entrer en vainqueur / et imposer sa loi. / En prison les ouvriers / les professeurs et tout ce qui pense. / Les yeux se voilent / les lèvres se serrent / bouches sans parole / prunelles de pierre / la nuit descend sur Varsovie[1] ». C'est la Charlotte Delbo libertaire qui a repris de la verve, celle du théâtre politique qu'elle a voulu écrire, celle qui avait fait le récit de son voyage en URSS en 59 et écrit « Tout était faux, faux ! », qui s'était insurgée contre le mensonge, la manipulation des masses, l'oppression et l'injustice liguées contre la liberté, la parole.

Elle ne gardera pas ce long poème sur Varsovie pour le livre qu'elle compose, sentant que la veine y est différente de cette nouvelle suite à *Auschwitz et après* qu'elle veut remettre à Lindon, mais ces révoltes de Varsovie auxquelles elle a donné sa voix ont soufflé sur les braises de son feu intérieur. Elle ne s'arrêtera plus. Du 15 au 29 mars, Charlotte Delbo écrira encore quatre textes importants.

C'est d'abord le récit d'une infirmière autrichienne qu'elle reconstitue, Charlotte l'a connue à Ravensbrück. Delbo a appris d'elle le sort réservé par les nazis aux grands blessés de leur armée, la chambre à gaz, mais, une fois encore, ce ne sont pas directement des atrocités commises dont elle veut parler. C'est ce qu'une femme surmonte pour agir, quand elle découvre l'état des blessés qui dépasse le concevable, et ce qui habite ses gestes vers eux.

On l'a chargée de préparer un nouveau service en deux jours et presque sans moyens, dans une bâtisse délabrée qui servait de dépotoir pour le matériel au rebut, pour y recevoir les « malades » qui arrivent… Et c'est une quarantaine de

1. *La Mémoire et les Jours*, *op. cit.*, p. 80.

paniers à linge en osier qu'on lui dépose devant la bâtisse. Une vie imperceptible anime ces paniers, elle comprend qu'on lui amène par ce moyen ingénieux des nourrissons, évacués d'une pouponnière bombardée. Elle découvre des têtes d'hommes. « Oui, d'hommes, mal rasés, avec des yeux vivants, des têtes sans corps ». Ceux qui les livrent sans mots, voyant son effroi, finissent par dire, « Sauté sur des mines. N'ont plus ni bras, ni jambes ».

Sa voix raconte les décisions à prendre pour s'occuper de quarante hommes avec deux femmes de service et comment la tendresse lui est revenue après l'effroi, pour retrouver les gestes familiers, la toilette, le rasage, et les mots et le regard, le courrier à tenir dans ses mains, la becquée agenouillée, et le soir avant d'éteindre, le geste près de chaque panière pour embrasser le front de « mes garçons ». « J'aurais préféré ne jamais rentrer chez moi tant je redoutais le moment où je devrais franchir le seuil de ma salle. Quand j'entrais, du fond des paniers les regards se tournaient vers moi, je souriais et mon cœur me montait à la gorge, je sentais mes jambes faiblir, mes mains trembler[1] ».

Delbo ne raconte pas ce que la femme a subi à Ravensbrück depuis 1942, punie de se « mêler des affaires du IIIe Reich » en écrivant la lettre d'un garçon à sa mère, comme il l'en suppliait, et en notant sa propre adresse au dos de la lettre, pour être sûre de pouvoir lui lire un jour une réponse. La chute du récit, la femme « rentrée à Vienne, la guerre finie », précise seulement qu'elle est allée à son hôpital pour questionner ses collègues sur le sort de ces grands blessés, sans doute emportés vers une chambre à gaz. Le reste, Delbo le laisse pour le for intérieur du lecteur. En plus du film qui s'est déroulé, tragique et tendre, à suivre ses gestes et le regard des hommes dans cette grande salle qu'elle quittait encore d'un dernier regard le soir, en laissant au-dessus des paniers la lueur de la veilleuse bleutée.

---

1. *La Mémoire et les Jours*, *op. cit.*, p. 61.

Trois jours plus tard, Charlotte Delbo a terminé le récit d'une autre femme qu'elle a connue à Ravensbrück, une Espagnole, revue après la mort de Franco, une femme dont le destin l'avait tant frappée au camp. C'était une des institutrices évacuées par la mer de Bilbao encerclé, emmenées jusqu'à Leningrad accompagnées des enfants extraits du siège, que Charlotte avait évoquées dans *La Sentence*. Après avoir épousé un Russe, elle fuit, enceinte, Leningrad assiégé pour rejoindre sa belle-famille à Moscou, quand des soldats de la division Azul, l'armée espagnole de Franco venue aider les Allemands sur le front russe, l'interceptent. Ils s'occupent avec soin de leur compatriote mais au moment de poursuivre leur avancée, ils la confient à la Kommandantur qui la fait enfermer à la prison de Riga, puis l'envoie à Ravensbrück.

C'est cette Europe embrasée, cette Europe à laquelle on allait « mettre le feu » comme elle le disait d'août 39 quand elle traversait les nuits de Vallauris, c'est cette Europe qu'on lit dans ces destins bouleversés, ces voix qui racontent sans plainte et sans amertume les circuits inimaginables pour s'échapper et pour survivre.

Charlotte a connu cette Espagnole dans le train pour le Danemark, parce qu'elle s'était glissée dans les rangs des Françaises pour ne pas risquer d'être ramenée en Russie. Et on voit, on imagine Delbo engager la conversation, comme elle adresse la parole à ceux qu'elle ne connaît pas dès la sortie du camp, très vite, pour comprendre le monde qui l'entoure. Ne pas perdre une occasion de comprendre, de voir mieux, d'échanger. De faire la conversation.

En Californie, elle a retrouvé une Polonaise qui était avec elle à Raisko. Dans leur dialogue au bord de l'océan, Charlotte révélera le dédoublement singulier qui la traversait à Auschwitz alors qu'elle ne pouvait penser qu'elle reviendrait. « Je me forçais à y croire, sans jamais convaincre ma raison. J'étais désespérée. C'est étrange l'envie de vivre. Dans ma tête, rationnellement, je savais qu'il était impossible d'en sortir, et mon corps, lui, persistait à vouloir vivre. Comme s'il s'agissait de deux êtres indépendants[1] ». Une nouvelle façon pour Charlotte de dire son dédoublement. Delbo ne cessera de tourner autour de cette image du double en elle. C'est maintenant un moyen de survie, comme elle disait aussi que la nécessité d'un double en soi est la raison du théâtre. « Le théâtre ne finira pas. L'homme aura toujours besoin de se dédoubler, d'être un autre[2] ».

Il lui faut élargir toujours le champ d'un dialogue, d'une conversation. Avec la Polonaise qu'elle retrouve en Californie, quand celle-ci lui raconte son évasion de Raisko au moment où les SS évacuent le grand camp d'Auschwitz, c'est le sort de la Pologne qui vient dans le plan, pour expliquer à Charlotte sa décision de partir loin, d'emmener ses neveux en Amérique. « Ma sœur avait été pendue. Chez vous, en France, les nazis n'ont pas pendu les femmes. Ils les déportaient. Chez nous, ils fusillaient les hommes et pendaient les femmes ». Et Delbo ajoute ce qu'elle lui dit encore, « si Hitler a été abattu, la Pologne a été vaincue ». Dire le martyre de la Pologne, Delbo veut qu'on l'entende, comme elle a besoin de dire la mémoire qui arrête et fixe les images. « Que c'est étrange de t'écouter en regardant l'océan Pacifique. Quand je pense à toi, je te vois toujours dans ta robe rayée, avec ton foulard sur la tête, ton teint terreux, et cette voix enrouée. Et je me demande si je rêve ou si j'entends ta voix d'outre-Auschwitz[3] ».

Dans ces pages écrites en mars 82, c'est sur la carte du monde cette fois que Charlotte Delbo renoue les fils de vies après Auschwitz, après Ravensbrück. Au-delà des compagnes de son convoi. Les fils qui ont laissé des traînées de cendres, et les fils qui renouent avec la vie. Et elle n'entend pas que les voix qui reviennent d'outre-Auschwitz, elle écoute aussi les voix du monde contemporain, des voix qui la hantent comme celles qui dénoncent les camps dans « le pays qui, depuis 1917,

---

1. *La Mémoire et les Jours*, *op. cit*, p. 63.
2. Fin de sa conférence sur le théâtre contemporain, BNF, Fonds Delbo, 4-COL-208-277, Succession Delbo.
3. *La Mémoire et les Jours*, *op. cit.*, p. 69.

était devenu l'espérance de tous les déshérités du monde». « D'un bout à l'autre d'un pays vaste comme un continent, s'égrenait un archipel d'îlots lépreux, de lieux maudits avec miradors et barbelés, (...). Une voix s'est élevée, si haute et si claire, qu'elle dominait celles qui, avant elle, avaient pourtant dit ce qu'elle disait : il y avait des camps de concentration en URSS[1] ».

Une première traduction de quelques-uns des *Récits de la Kolyma* de Chalamov avait vu le jour en France en 1969 par les soins de Maurice Nadeau, traduits par Christian Mouze, mais c'est justement de 1980 à 1982 que sort une nouvelle édition en quatre volumes chez Maspero, traduits par Catherine Fournier. Charlotte Delbo lisait Chalamov avec émotion, et elle citait essentiellement cet auteur à la fin de sa vie. Chalamov disait de son travail d'écrivain cette phrase qui aurait pu tant lui parler, si elle l'avait entendue : « Mes récits naissent d'une impulsion sonore. » Comme ce commentaire qu'il avait fait, que Luba Jurgenson cite et explicite dans sa préface à l'édition complète parue depuis. « "Il n'y a pas eu de brouillon pour les *Récits de la Kolyma.* Les brouillons sont enfouis profondément dans l'inconscient." Les cahiers d'écolier dans lesquels il a écrit la plupart de ses récits, au crayon, révèlent très peu de ratures, comme si en effet les textes lui avaient été dictés[2] ». Delbo n'a pu connaître ces précisions, mais les similitudes frappent.

Pour faire comprendre la violence déchirante qui a accompagné sa découverte de ces *Récits de la Kolyma*, Charlotte revient sur ce moment du retour, quand elles portaient encore le poids de celles qui ne revenaient pas, où elle-même s'était effondrée parce que sa volonté n'avait plus à la faire tenir chaque minute. « Mais dans la confusion où nous étions, une certitude claire se dessinait : les miradors s'écroulaient, les

1. Toutes les citations ici sont extraites du chapitre final de *La Mémoire et les Jours*, *op. cit.*, de la page 135 à 138.
2. Page 18 de la préface aux *Récits de la Kolyma*, édition complète établie par Luba Jurgenson, traduits par Sophie Benech, Catherine Fournier et Luba Jurgenson, éditions Verdier, 2003.

barbelés tombaient ». Or cette certitude s'avère une illusion, la réalité est accablante. « Des déportés en vêtements rayés comme les nôtres, travaillaient jusqu'à mourir d'épuisement dans les camps à régime sévère, marchaient en colonne par cinq, au commandement de brutes déshumanisées, comme nous dans les camps nazis. (...) Il nous faut maintenant vivre avec cette vérité-là : il y a encore des camps. Vérité insupportable ».

En développant sa comparaison, Charlotte écrit comme leur sort lui apparaît plus pitoyable que ne le fut le leur. Elles, déportées, emprisonnées, pouvaient imaginer, « compter » écrit-elle, sur la défaite d'Hitler un jour, même si tant parmi eux ne la verraient pas. Mais eux ? On entend le cri de douleur de Charlotte Delbo, pour ceux condamnés des années en Sibérie, « Qui les tirera de là ? ». La guerre mondiale finirait par vaincre le nazisme, mais pour eux, personne ne fera la guerre... Elle ne voit pas comment le système politique pourrait être vaincu, et « nos protestations sont vaines » ajoute-t-elle.

Charlotte Delbo revient sur la responsabilité humaine et politique, la sienne comme celle de tous, et sur ce sentiment d'impuissance qu'elle évoque souvent, comme le sentiment d'être appelée, prise à partie par la nécessité de combattre l'injustice et la terreur, la confiscation de la liberté.

S'il y a toujours chez elle l'analyse intellectuelle, il y a surtout cette expression de sa capacité à s'émouvoir, d'exprimer sa douleur avec les images qui lui viennent. « Les chants de la Kolyma nous glacent le cœur ». Les glaces de la Sibérie se déportent au cœur de ceux qui écoutent les voix du goulag. Ce « nous » saisi par le sort des déportés soviétiques rappelle le « nous » qui fut la seule condition du retour, le « nous » de l'entraide, si solidaire, où il ne fallait oublier personne. « Que pouvons-nous pour ces oubliés-là ? »

Ses deux dernières phrases sont pour eux. « Il y en a qui sont encore vivants. Il y en a qui espèrent encore ». Elle reprend l'expression si simple qu'elle affectionne, « il y a...

il y a… » qu'elle avait eue dès 1946 pour ceux qui descendaient du train dans la plus grande gare du monde, comme pour faire la place, toujours, à ce qu'il y a dans le monde et qui est notre monde, qu'il fût passé ou qu'il soit présent. « Il y a… » C'est à nous de regarder. À nous de savoir.

C'est presque le même jour, cette fin mars 82, que Charlotte Delbo écrit un texte capital sur elle-même. Elle explique comment elle s'est dégagée de la réalité d'Auschwitz pour pouvoir vivre. « L'image du serpent qui laisse sa vieille peau et en sort vêtu d'une peau fraîche et luisante, est la seule qui me vienne à l'esprit pour m'expliquer l'inexplicable. Elle ne m'aide guère pourtant. Quand il a quitté sa peau morte, le serpent est semblable à lui-même. Après tout rien de changé en lui-même. J'ai dû me dépouiller de quelque chose qui est beaucoup plus enfoui, beaucoup plus profond en moi. Et si l'on veut garder l'image de la peau, je l'appellerai la peau de la mémoire. Non, je ne m'en suis pas dépouillée, je l'ai enterrée au plus profond de moi[1] ».

L'image du serpent s'est imposée à elle, mais la comparaison ne peut la satisfaire. Elle voudra néanmoins la garder dans la version définitive, parce qu'elle convoque la terre, l'obscur, ce qui est repoussant, mène à l'odeur que la pluie faisait ressortir à Birkenau, « l'odeur la plus fétide que je connaisse, l'odeur de la diarrhée » dont le souvenir s'associe à l'odeur terrible, celle des crématoires.

S'il n'y a pas de conséquence logique qui la satisfasse dans sa comparaison avec la peau d'un serpent, elle l'amène à une image inédite, c'est sa mémoire qui possède une peau. « La

1. Manuscrit du 29 mars 1982, BNF, Fonds Delbo, 4-COL-208-133, Succession Delbo.

peau de la mémoire s'est durcie, elle ne laisse rien filtrer de ce qu'elle retient ». Elle lui permet de vivre sans penser à Auschwitz, et Delbo peut faire cette déclaration paradoxale, « Celle qui était au camp, ce n'est pas moi[1]. »

Mais la peau peut craquer et restituer tout ce qu'elle retient, notamment dans le rêve où la volonté n'agit plus. « Et dans ces rêves-là, je me revois, moi, oui, moi, telle que je sais que j'étais : tenant à peine debout, la gorge dure, le cœur dont le battement déborde la poitrine, transpercée de froid, sale, décharnée, et la souffrance est si insupportable, si exactement la souffrance endurée là-bas, que je la ressens physiquement, je la ressens dans tout mon corps qui devient un bloc de souffrance, et je sens la mort s'agripper à moi, je me sens mourir[2] ». C'est le cri qui la sort du cauchemar et interrompt cette agonie. Elle ajoute qu'il lui faudra des jours pour que « tout rentre dans l'ordre, que tout se refourre dans la mémoire et que la peau de la mémoire se ressoude[3] ».

Son ami Georges Nataf raconte que Charlotte Delbo ne lui avait jamais dit qu'elle avait été à Auschwitz, ne lui avait jamais parlé de sa déportation, même si elle ne cachait pas son numéro. Ce n'est qu'un jour où elle venait à sa rencontre pour un de leurs déjeuners, bouleversée par un rêve de la nuit, tout ne s'était pas remis en ordre, qu'elle lui dit qu'elle avait été à Auschwitz.

Tant d'associations peuvent venir avec l'image d'une peau de la mémoire. La peau renvoie à la sensibilité, sensibilité épidermique, qui devient une qualité de la mémoire. Et on sait que la peau est capable de garder une mémoire archaïque, celle des tout premiers jours de la vie.

Si la mémoire a une peau, c'est qu'elle a donc un corps, et l'image lui donne une force, une autonomie. Et les souvenirs sont des serpents qui tentent, qui tentent de sortir, qu'il faut les combattre, ou bien c'est l'horreur qui fascine et attire. La mémoire, qui pourrait devenir réconciliation, devient effroi.

---

1. *La Mémoire et les Jours*, *op. cit.*, p. 13.
2. *Ibid.*
3. *Ibid.*

Entre « ce moi qui était à Auschwitz » et « la personne qui est en face de vous » – Delbo interpelle toujours –, il y a une séparation radicale. « Sans cette coupure, je n'aurais pas pu vivre ». Celle qui peut parler d'Auschwitz est celle qui a rangé sa mémoire profonde, ses paroles viennent de sa « mémoire externe », intellectuelle, celle de la pensée. L'autre mémoire, « la mémoire profonde », a gardé « les sensations, les empreintes physiques ». Elles sont gravées. « Alors vous vivez avec Auschwitz ? — Non, je vis à côté. Auschwitz est là inaltérable, précis, enveloppé dans la peau de la mémoire, peau étanche qui l'isole de mon moi actuel[1] ». Et pour Charlotte Delbo, le vocabulaire suit cette distinction, les mots aussi sont de deux ordres. Il y a ceux qui viennent de la mémoire externe, le vocabulaire de la vie courante, « j'ai soif. Faisons une tasse de thé », et ceux de la mémoire profonde qui, au mot « soif » associe les tourments d'Auschwitz, « je revois celle que j'étais, hagarde, perdant la raison, titubante ». Les mots aussi se sont dédoublés.

Il y a les mots de la vie sociale, sans connotation douloureuse ni tragique, et les mots qui renvoient à une expérience personnelle, terrible. Elle en dit à peine plus sur ce qu'il y a à faire pour trouver la langue capable de rendre l'expérience. « Ce ne sont pas les mots qui sont gonflés de charge émotionnelle[2] », il faut donc leur donner leur poids d'émotion, c'est le travail de l'écrivain. Et quand l'écrivain plonge dans sa mémoire profonde pour chercher ses images, il n'a rien à voir avec celui qui parle en société avec un vocabulaire appris de la mémoire externe.

Chercher sa langue et vivre en société sont deux univers séparés. Deux univers qui ne sont pas étanches, elle le déplore, elle n'est pas protégée des images de sa mémoire profonde. Mais elle a toujours revendiqué qu'un écrivain se trouvait dans son œuvre, pas dans sa vie. Le livre vient « d'un autre moi » que de celui qui s'exprime en société.

1. *La Mémoire et les Jours*, *op. cit.*, p. 13.
2. *Ibid.*, p. 14.

Elle rejoignait en cela son cher auteur. Marcel Proust s'était fermement opposé à Sainte-Beuve qui cherchait à lire une œuvre à travers la vie de l'écrivain.

Mais elle vit, Charlotte, elle vit avec cette énorme souffrance au fond d'elle et avec sa ferveur à vivre. Rire, se réjouir d'être avec des amis, boire du champagne, aimer, s'oublier dans la passion. « Je crois que sans ce dédoublement, je n'aurais pas pu vivre ». Et c'est ce qui la distingue, elle le dit. « À la différence de ceux dont la vie s'est arrêtée au seuil du retour qui revivent depuis mais en survivant[1] ». Ce texte capital pour expliquer l'inexplicable, qui aboutit son sentiment de dédoublement vers une solution pour vivre, mais en révélant un abîme en elle, un inconciliable, c'est à la fin de sa vie qu'elle peut l'écrire, parce que grâce à la force des années, elle peut s'ouvrir à ce qu'il y aurait à expliquer, à déplier, dire autrement ce qui s'est fait en elle « après Auschwitz ».

Mais ce dédoublement ne lui épargne pas la culpabilité. La culpabilité d'être rentrée, celle qu'elle a ressentie en allant voir les mères de celles qui étaient mortes à Auschwitz, au moment de récolter des informations sur leurs vies pour *Le Convoi du 24 janvier*. Et la culpabilité de son impuissance en face de ceux qui subissent l'oppression et l'injustice, et dont les images la poursuivent.

Charlotte Delbo a attendu très longtemps dans sa vie pour écrire un texte sur une manifestation des Algériens à laquelle elle avait assisté, qui l'avait tant marquée, dont les images sont restées si vivantes et dont elle a souvent parlé à ses amis. Maintenant elle veut écrire ce qu'elle a vu le 17 octobre 1961.

Elle parlait depuis longtemps d'écrire un autre livre sur la guerre d'Algérie, un livre bien différent de celui écrit à chaud l'hiver 1960, *Les Belles Lettres*. Elle proposait à son ami Jean-Marcel Lèbre d'écrire avec lui un livre sur la guerre

1. Manuscrit du 29 mars 1982, BNF, Fonds Delbo, 4-COL-208-133, Succession Delbo.

d'Algérie, que lui avait faite comme soldat du contingent. Elle ne le commencera jamais, mais elle écrit ce texte en avril 1982. À cette date, personne encore n'a écrit ni publié sur la manifestation à l'issue tragique, aucun historien, aucun écrivain ni intellectuel de renom.

Cette page noire de l'histoire de la guerre d'Algérie est recouverte d'un silence de plomb. Ce n'est qu'en 1984 que paraîtra le roman de Didier Daeninckx, *Meurtres pour mémoire*, et en 1991 l'enquête menée par Jean-Luc Einaudi, *La Bataille de Paris, 17 octobre 1961.* Il y avait bien eu un récit des événements, écrit rapidement par Paulette Péju, mais qui fut tout de suite interdit par la Préfecture. Comme un documentaire tourné par Jacques Panijel, *Octobre à Paris*, les mois suivants, mais qui ne sera visionné que clandestinement jusqu'à sa distribution en 2011 dans quelques salles. C'est dire l'importance de ce qu'elle veut écrire.

Elle était là. Elle était venue intentionnellement sur le boulevard pour voir les Algériens qui manifestaient dans le calme. Elle les a vus s'avancer dignes et silencieux sans savoir que la répression violente, la mort pour certains, était au bout du chemin. C'est la tragédie qu'elle fait sentir en montrant avec quel soin les femmes se sont vêtues pour venir manifester, ont préparé leurs enfants, « les guirlandes d'enfants » qu'elles tiennent à chaque main, « fillettes à boucles d'oreilles, nœud dans les cheveux, garçons endimanchés, aussi avec leurs chaussettes bien tirées et des tricots propres[1] ».

Les femmes, ces femmes du monde entier que Delbo a partout célébrées, « Miracle des femmes. Miracle des femmes dans tous les pays du monde », comme elle l'écrivait pendant son voyage en Union soviétique, apercevant des rideaux blancs aux fenêtres des masures – rideaux usés mais amidonnés. Les femmes arrivent en premier sur le boulevard parisien, elles arrivent de l'immense bidonville de Nanterre,

1. Cette citation ainsi que les suivantes sont tirées du manuscrit de « La 7e année de la guerre d'Algérie », BNF, Fonds Delbo, 4-COL-208-132, Succession Delbo.

surgissent des bouches de métro en petits groupes. « Effarouchées, hésitantes, elles s'arrêtaient au bord du trottoir, s'orientaient, puis se mettaient en marche silencieusement, dans la direction qu'on leur avait sans doute indiquée. Silencieusement, à pas égaux, les enfants bien sages à leurs côtés. Elles étaient comme dans une ville inconnue où elles n'étaient jamais allées, les grands boulevards, à Paris ».

Puis elle voit les hommes les rejoindre. « Eux aussi dignes et vêtus comme pour une cérémonie : chemise blanche, maigre cravate, chaussures cirées, costume repassé, de ces costumes en mince et mauvaise étoffe, qui se vendent sur les trottoirs des boutiques pour pauvres, dans les quartiers pauvres, ou sur les marchés de banlieue ».

Ce n'est pas parce qu'elle écrit une page d'Histoire qu'elle n'évoquerait pas la vie quotidienne, ordinaire, celle qui intéresse Delbo, l'écrivain, la femme, celle qui aime avoir un regard de sociologue. Comme de dire son empathie pour celles qu'on a « appelées à se montrer, à participer au mouvement ». « Quel courage il leur fallait pour sortir de leurs gourbis, de leur silence, de leur soumission et se montrer au grand jour, sans défense ».

La violente répression par la police, elle l'a vue, comme l'absence de tout soutien. Aucun parti politique, aucun syndicat, aucune organisation n'étaient venus appuyer de leur présence les Algériens de Paris qui voulaient « faire reconnaître leur existence, faire savoir qu'ils voulaient la fin de la guerre dans leur pays, l'indépendance de leur pays ».

Le silence sur les crimes de la police, qui ont été cachés par le ministre de l'Intérieur, par l'État français, la poursuivait depuis longtemps. Elle veut raconter comment les Algériens se sont avancés sur les boulevards un soir d'octobre de « La 7e année de la guerre d'Algérie », titre qu'elle donne à son texte. Cette manifestation la concerne, et ce qu'elle voit lui montre l'indifférence de son pays, et c'est son passé qui fait retour. Elle a connu l'indifférence des passants sur le trottoir de la rue de la Faisanderie lorsque la police les a emmenés, Georges et elle, le 2 mars 42, alors qu'elle interpelle les passants, comme le précise le rapport de police, mais personne n'a réagi. Le 24 janvier 43 quand, du haut des camions qui les emmènent à la gare de Compiègne, les Françaises alertent les passants, « nous criions au moins pour les faire tressaillir[1] », elles les voient baisser les yeux, continuer leur chemin.

« Je les regardais. Ils étaient terriblement seuls. Les passants s'étonnaient d'abord, et vite s'écartaient ». À la tombée de la nuit, elle voit les rangs de policiers charger « contre ces groupes qui n'avaient rien d'offensif que leur présence en un lieu public où tout le monde a le droit de se montrer », les femmes et les enfants courir à perdre haleine dans les rues voisines, la plupart barrées par des voitures de police, et les hommes tenter de résister, se cacher et revenir à la charge.

« La chasse à l'Algérien a duré tard dans la nuit sans que personne tente de s'interposer, sans que rien n'ait été improvisé pour empêcher leur massacre. La manifestation n'avait pas été inopinée, mais aucune solidarité n'est venue de la population parisienne, des compagnons de travail. Personne à leurs côtés.

Les jours suivants, des cadavres d'Algériens flottaient sur la Seine. Et on en a repêché longtemps encore après ce jour-là.

Et nous, déportés qui avons subi le mépris de ceux qui se croyaient la race supérieure, où étions-nous ? ».

Quelques jours plus tard, elle barre sa dernière phrase et écrit à sa place : « Que j'ai souvent pensé à toi, Hannelore… Cette fois-là et bien d'autres où je me suis demandé si je n'étais pas coupable quand des officiers de mon pays torturaient… » Après avoir ôté ce dernier mot, elle ajoute « quand des officiers faisaient de ma langue la langue des barbares pour donner des ordres à de jeunes soldats qu'ils transformaient en tortionnaires et qui élevaient nos enfants : enfants que les parents avaient eu tant de peine à nourrir,

1. *Le Convoi du 24 janvier*, *op. cit.*, p. 9.

enfants mais asssez grands pour s'en souvenir au retour des déportés. Ô Hannelore diras-tu que j'ai laissé faire ?[1] »

Charlotte Delbo laisse libre cours à son sentiment de culpabilité. Elle poursuit sur un autre feuillet. « Que souvent j'ai pensé à toi, Hannelore.

Nous survivants du mépris et de l'horreur, que pouvions-nous faire pour empêcher ces guerres des puissants contre les faibles, en Indochine, en Algérie. Sommes-nous coupables ? Nous savions. Nous n'avons pas l'excuse de l'ignorance. Nous étions bien informés ».

Et il lui faut dire encore comment certaines parmi les compagnes de leur convoi trouveront une issue tragique à cette culpabilité. « Une survivante de notre convoi, M.J.P.[2] s'est jetée par la fenêtre, suicide raté dont elle est restée irrémédiablement mutilée – quand son fils s'est engagé pour l'Indochine. Elle n'a pas pu retenir son fils, nous n'avons pas pu retenir tous ces jeunes gens, qui avaient vu le retour des déportés, et dont maintenant, à peine adultes, on faisait des tueurs, parfois des tortionnaires ?

Oui j'ai souvent pensé à toi, Hannelore et surtout un jour d'automne à Paris. C'était en 1961[3] ».

Hannelore, prisonnière que Charlotte avait connue à Ravensbrück, lui a confié au camp de Ravensbrück le poids de sa culpabilité d'être allemande. Comment être allemande encore après cela ? Elle lui affirme vouloir quitter l'Allemagne après la guerre pour ne plus se sentir allemande. Il peut y avoir plus de courage à rester qu'à partir, lui dit Charlotte, mais Hannelore ne voit pas du courage à supporter la honte. Le dialogue entamé au camp s'est poursuivi deux ans plus tard quand Charlotte revoit celle qui passe par Paris pour émigrer aux États-Unis.

---

1. Tapuscrit de *La Mémoire et les Jours*, BNF, Fonds Delbo, 4-COL-208-149, Succession Delbo.
2. Il s'agit de Marie-Jeanne Pennec, cf. *Le Convoi du 24 janvier*, *op. cit.*, p. 226-227.
3. BNF, Fonds Delbo, 4-COL-208-281, Succession Delbo.

Et Delbo écrit son récit, ce qu'elle lui racontait au camp, son père, général de l'armée allemande, sa mère, juive, cantatrice, et sa douleur d'avoir vu son père divorcer de sa mère. Si elles se sont cachées toutes deux et qu'Hannelore a choisi de rester à Berlin pour lutter sous les bombardements dans un groupe d'opposants, elle n'en garde pas moins sa honte d'être fille de ce peuple, fille de ce père, même si Charlotte lui a fait remarquer qu'elle est à Ravensbrück à subir la haine des nazis. Deux ans après la guerre, Hannelore n'a rien perdu de son sentiment de honte. « L'Allemagne… Si tu voyais… Marché noir, intrigues pour se faire blanchir ». Elle dit à Charlotte que son père a été « dénazifié » et qu'un papier officiel l'atteste. « Plus personne n'était nazi. Plus personne. À genoux devant les Américains, leurs richesses, leurs cigarettes, leurs conserves. C'est répugnant. Il y a ceux qui se relèvent des ruines en silence, ceux qui ne s'en remettront jamais, et les débrouillards, qui s'en sortiront toujours. Au milieu de tout cela, essayer de vivre. Avec ce poids sur le cœur, et tous les deuils. (…) Le remords étouffera les Allemands. On n'efface pas l'histoire, rien à faire. Un jour, il faudra répondre aux questions des enfants[1] ».

Tout ce que Charlotte Delbo sait de la suite de la guerre, de la déportation, elle l'écrit pour dessiner ce qui fait le récit de l'Europe et celui de son émigration vers ailleurs, cette large trame de destins qui n'en finissent pas de faire suite et écho à ce qu'il s'est passé.

Elle va réunir ses textes et proposer un nouveau manuscrit à Jérôme Lindon. Elle choisit quatorze textes et poèmes, reprenant certains de ceux qu'elle lui avait donnés à lire l'année précédente. Elle a ôté *Kalavrita des mille Antigone*, dont il lui avait dit qu'il l'avait déjà lu. Et ne joint ni le long poème sur Varsovie, ni Le Tombeau du dictateur, sur la mort de Franco. Elle resserre son livre autour des femmes, les poèmes déjà écrits sur la Tzigane, la Crétoise, sa mère, les Folles de Mai, garde le texte sur Makronissos, ajoute le récit

1. *La Mémoire et les Jours*, *op. cit.*, p 132-133.

de l'infirmière autrichienne, de l'Espagnole sortie de Bilbao, de la Polonaise de Raisko, le récit d'Hannelore, comme bien sûr « La 7e année de la guerre d'Algérie ». La revendication de l'indépendance algérienne était une suite évidente de la guerre pour elle, et sa conscience de ce qui s'est passé ce soir du 17 octobre, c'est ce que peut écrire, en 1982, sa voix d'après Auschwitz. Elle abandonne son précédent titre, « De toutes les Douleurs » et choisit « La Mémoire et les Jours ». Sa façon de dire la mémoire, la mémoire de tant d'autres et la sienne, d'écrire comment la mémoire travaille les jours, les jours qui la retiennent, ceux qu'elle voudrait laisser à l'oubli, et les jours qui font la lumière sur la mémoire, sur le passé qui ne passe pas.

Elle remet à Jérôme Lindon en juin cet *Auschwitz et après IV*, écrit en surtitre, comme elle l'avait déjà inscrit au-dessus de *De toutes les Douleurs*, l'année précédente.

Le couperet tombera vite. Jérôme Lindon lui écrit le 25 juin que le livre ne pourra pas paraître aux Éditions de Minuit.

S'il trouve beau *La Mémoire et les Jours*, comme tout ce qu'elle écrit, il met en avant l'échec commercial des trois premiers livres d'*Auschwitz et après*, et il insiste en parlant des échecs commerciaux « successifs ». Pour lui, il n'y a plus de public en France pour de tels livres. Puisqu'il ne peut imaginer vendre l'ouvrage, il ne peut se permettre d'envisager de le publier.

Elle peut venir chercher son manuscrit au secrétariat... À moins qu'elle ne préfère que la maison lui expédie par la poste. Il voudrait que Charlotte Delbo ne lui en veuille pas, « je suis assez triste comme ça[1] ». Lindon avait ajouté qu'elle trouvera ailleurs peut-être un accueil plus favorable. Ce qui pouvait encore lui montrer son absence d'engagement vis-à-vis d'elle.

---

1. Lettre de Jérôme Lindon du 25 juin 1982, BNF, Fonds Delbo, 4-COL-208-131, Succession Delbo.

C'est grave pour Charlotte Delbo, elle sait que ce dernier livre raconte quelque chose de nouveau par rapport aux précédents. Les choses ont bougé, elle a écrit autrement ces récits. Aujourd'hui, elle déroule une histoire devenue racontable. Le temps qui fait évoluer le regard s'y est inscrit. Elle peut même tenter d'« expliquer l'inexplicable ». Trouver une image qui explique le dédoublement de sa mémoire opéré avec le temps, pour pouvoir vivre.

Et si Delbo raconte celle qui vit dans une douleur inaltérée, après avoir dû porter au dehors de la baraque le cadavre de sa sœur, c'est en livrant en premier lieu sa parole sur le travail des jours, « on ne meurt pas de chagrin ». Delbo crée des cadres à ses évocations, cadres de temps qui donnent un recul. Comme pour elle-même, elle peut écrire « mon mari a été fusillé », pour expliquer son commentaire aux paroles d'Ida.

Ce temps, qui a donné à ses récits de la perspective, les rend contemporains. Les mémoires racontées peuvent être associées à la vie contemporaine des lecteurs, ce ne sont plus des récits de quand ils ne savaient pas, des récits qui hurlaient la vérité ignorée, le sort de ceux qui étaient oubliés de tous. C'est la vie de son époque, et ce que sa mémoire a porté jusqu'à elle en 1982. Il ne s'agit plus pour elle de laisser un manuscrit dormir vingt ans dans un tiroir, ce n'est pas une information « inactuelle ». Elle sait la singularité de ce qu'elle a écrit, le refus de Lindon est un coup dont elle a cette fois du mal à se remettre.

Malgré l'été à Breteau, elle aborde sans force l'automne. Sa bronchite chronique est là, mais cette fois elle se décide à aller consulter un pneumologue. Il découvre un cancer au poumon, et au vu des radios anciennes, son généraliste lui en faisait faire ces dernières années, le cancer était installé depuis deux ans déjà. Les séances de chimiothérapie doivent commencer tout de suite.

Charlotte Delbo ne parlera pas de cancer, elle dit qu'elle a une infection au poumon. Et quand elle se rend à l'Hôtel-Dieu pour ses séances, Claudine Riera-Collet l'accompagne, elle sort de l'hôpital entre les examens du matin et la perfusion de l'après-midi pour aller déjeuner avec Claudine à la brasserie d'en face, c'est la vie, la vie libre comme elle l'aime, et qui doit continuer. Jusqu'à ce que les infirmières découvrent son absence, et il lui faudra se plier aux règlements.

Elle veut à tout prix éloigner la menace, « tenir », et se tenir du côté de la vie. Garder près d'elle la chaleur de ses amis, surmonter sa fatigue, les recevoir à dîner, déjeuner régulièrement avec eux, sortir le soir, aller au théâtre, souper encore après, Charlotte ne veut pas arrêter ce qui fait son équilibre, elle qui s'est toujours refusée « à rester chez soi », comme de s'acheter une télévision.

De l'étranger lui parviennent toujours des lettres qui l'encouragent. Une étudiante américaine lui a fait parvenir sa thèse consacrée entre autres à *Qui rapportera ces paroles ?*. Elle l'a lue et en fait la critique. Avec gentillesse, « je peux le faire avec d'autant de liberté que vous avez été déjà reçue », mais avec fermeté et sévérité sur le contenu. « Vous n'avez pas compris que ce n'est pas un drame mais une tragédie. Vous n'avez pas senti la qualité poétique du langage, qui se présente certes avec des mots quotidiens, mais la poésie véritable est sans grandiloquence[1] ».

Charlotte Delbo est sans concession quand il s'agit de son travail. Juste après le premier filage de *La Sentence* par les élèves du cours dramatique d'Hélène Hilly, elle avait fait ses remarques aux comédiennes sans prendre de gants et le soir même avait adressé une lettre à Hélène Hilly pour signaler toutes les erreurs qu'elle avait vues. Hélène Hilly lui répondra qu'elle n'en revient pas de ce qu'elle appelle sa « méchanceté ». Dans la dernière chronique qu'elle écrira pour *Le Monde*, Charlotte Delbo parle de cet engagement de « tout l'être » dans l'écriture, bien loin de ce qu'elle voit aujourd'hui, « tant de livres et si peu d'œuvres ».

---

1. Lettre de Charlotte Delbo à Edie Naveh, BNF, Fonds Delbo, 4-COL-208-112, Succession Delbo.

« Écrire est un acte qui engage tout l'être. C'est un acte grave, dangereux. Il y faut du courage. On y risque parfois sa vie et sa liberté (qu'on songe aux écrivains dans les régimes totalitaires), toujours sa réputation, son nom, sa conviction, sa tranquillité, quelquefois sa situation, souvent ses amitiés. On met en jeu sa sensibilité, ce qu'il y a de plus profond en soi. On s'arrache la peau. On se met à vif[1] ». Si la mémoire profonde a une peau qui la contient et la retient, Delbo peut aussi dire que la peau s'arrache pour écrire et fait de soi un écorché.

La violence de son écriture, Charlotte Delbo n'en parle jamais directement. Mais elle résonne chez le lecteur, elle fait des images difficiles à supporter. Elles marquent, elles pénètrent telle une sensation qui fait mal. Peut-être que l'Amérique, ce pays plus violent que la France, pouvait mieux entendre et recevoir à l'époque ses livres. C'est aussi en Amérique qu'avaient émigré ceux qui avaient réussi à fuir le nazisme, et où vivaient leurs descendants, c'est dans les universités américaines que sont créées les études sur l'Holocauste, en tout cas c'est des États-Unis, quand en France les portes se ferment, qu'elle reçoit des preuves de la force de son œuvre.

Depuis 1977, quelqu'un d'important est entré dans le circuit de ses soutiens, c'est Lawrence Langer. Professeur de littérature au Simmons College, il va s'affirmer comme une des voix américaines les plus pertinentes sur la littérature de l'Holocauste. Il a lu Charlotte sur les conseils de son amie Rosette Lamont, et a une grande estime pour l'écrivain. « She is a great artist », avait-il écrit à Rosette fin mars 77.

À partir de cette date, il va faire tout ce qu'il peut pour que son œuvre soit lue aux États-Unis. C'est lui qui fait rééditer chez son éditeur, Beacon Press à Boston, *Aucun de nous ne reviendra* dans sa traduction américaine puisque *None of us will return* n'était plus disponible depuis la faillite de Grove Press. Et Langer veut faire traduire les deux autres. Il a

1. *Le Monde* du 23 septembre 1981.

cherché à convaincre Beacon Press d'éditer les trois livres de sa trilogie ensemble. L'éditeur veut commencer prudemment, en rééditant d'abord le premier dans une édition de poche. Par son réseau d'amitiés et de connaissances dans le monde littéraire, il la fait connaître, c'est lui qui écrit en 1978 à la demande du supplément littéraire du *New York Times*, un article sur le livre que vient de republier Beacon Press. Par malchance, le jour de la parution, c'est une grève de la presse qui empêche la sortie du quotidien, la parution de l'article.

Le ton des lettres qu'il adresse à Charlotte entre 1977 et 1984 frappe par leur gentillesse, leur délicatesse même, la considération dont il fait preuve constamment à son égard. « Ce qui a été pour moi au commencement de l'admiration pour l'auteur d'ouvrages stupéfiants, a grandi en admiration, en amitié et en souci (que Sandy partage avec moi) pour une femme extraordinaire[1] ».

En 1979, elle avait appris qu'un jeune compositeur américain de musique contemporaine classique, Charles Neikrug, a composé un oratorio à partir d'extraits d'*Aucun de nous ne reviendra*. Lindon a transmis à Charlotte la demande de droits. Elle répond à son éditeur avec plusieurs questions pour obtenir des garanties avant de donner son autorisation, elle commence avec humour, à propos des modalités du contrat proposées au nombre de mots, 630 ! « Les pommes de terre se vendent au kilo, les diamants au carat, le Charlotte Delbo au mot… pas encore[2]. » Elle veut d'abord rencontrer le compositeur à New York en avril au moment de sa tournée de conférences, mais évidemment « cette proposition m'intéresse fort ».

Le script lui a plu et ce « Larghetto » pour huit instruments et un acteur, œuvre qui dure une heure, sera donnée avec succès et le *New York Times* en fera un bref compte rendu. Charles Neikrug est un compositeur talentueux et

1. Lettre de Lawrence Langer du 15 octobre 1984, BNF, Fonds Delbo, 4-COL-208-112, Succession Delbo.

2. Lettre à Lindon du 17 novembre 1979, BNF, Fonds Delbo, 4-COL-208-112, Succession Delbo.

toujours en exercice puisque le Boston Symphonic Orchestra, pas moins, a créé en novembre 2013 son concerto pour basson et orchestre. Charlotte voulait le rencontrer, la musique, et la musique contemporaine, elle s'y intéresse depuis quelques années. Elle qui longtemps avait peu écouté de musique, disait s'être arrêtée à Bartók. Elle avait choisi un jeune compositeur, Alain Kremski, pour créer la musique de scène de *Qui rapportera ces paroles ?*. Maintenant elle va à l'Opéra autant pour écouter les classiques que pour s'intéresser à Schönberg. Elle a assisté à la création de *Moïse et Aron* en France et ira écouter les deux opéras d'Alban Berg, *Lulu* et *Wozzeck*. Il est moins étonnant d'apprendre qu'elle ne manquait aucun des passages à Paris des Marionnettes de Salzburg qui interprétaient des opéras de Mozart, la féerie suggestive de cet univers est le sien depuis longtemps.

Elle ira encore au début de l'automne 82, alors qu'elle est très fatiguée, à l'Opéra de Paris pour assister à la première représentation d'*Eugène Onéguine* de Tchaïkovski dans sa version intégrale, elle a toutes les raisons pour oublier sa fatigue, réentendre l'histoire du roman en vers de Pouchkine et écouter l'opéra dans sa langue originale. Écouter et voir. Oublier les soucis de sa santé. Rallumer sa flamme par tout ce qu'elle peut. Mais ce sera sa dernière sortie à l'Opéra.

Un professeur d'université américaine, Ellen Fine, lui adresse un tiré à part de son bel article sur son art littéraire dans l'ouvrage collectif « The surviving Voice : Literature of Holocaust », et lui annonce que c'est son livre, *None of us will return*, qui a le plus d'impact sur ses étudiants de toutes les œuvres qu'ils lisent et étudient sur le sujet[1]. Dans le même ouvrage, est paru un article de Rosette Lamont sur les images de l'Holocauste dans la littérature française avec de nombreuses références aux œuvres de Charlotte. C'est dans cet article que Rosette Lamont précise que Charlotte avait été

---

1. Lettre d'Ellen Fine, comme tout l'échange de lettres avec les universitaires américains, BNF, Fonds Delbo, 4-COL-208-112, Succession Delbo.

appelée par les Allemands auprès de Georges dans sa cellule pour le convaincre de renier ses convictions en échange de la vie sauve. Charlotte Delbo avec l'âge racontait de façon de plus en plus précise les événements qu'elle avait vécus.

C'est en 1981 que le journal de Glasgow publiait ce que Charlotte avait dit lors de l'entretien. « Un soir, mon mari m'a dit en rentrant qu'un camarade avait été arrêté. Je lui ai dit que nous devions immédiatement déménager, lui disait que nous ne devions pas partir avant que le Parti ne nous le dise. En quelques semaines, tout le réseau était arrêté[1]. » Et Rosette écrira encore dans sa préface au moment de la parution aux États-Unis de la trilogie aux éditions de l'Université de Yale, en 1995, ce qu'elle avait appris de Charlotte, comment les Allemands ont voulu l'utiliser au dernier moment dans la cellule de son mari, pour le convaincre de renier ses convictions et avoir la vie sauve. Jusque-là, Delbo avait dans le scène de l'adieu évoqué uniquement la proposition dont parlait « Paul », celle que les Allemands avaient faite à tous les condamnés, de signer une déclaration pour rendre publiques leurs erreurs et se mettre dorénavant au service de la Jeunesse hitlérienne, proposition qu'ils n'ont même pas voulu considérer. Delbo avait écrit sa douleur à sentir son désir qu'il la signe et la honte de ce désir. Qu'il la signe pour avoir encore ensemble « même une seule nuit ». Maintenant elle fait savoir que c'est elle qui en plus au dernier moment avait été chargée de l'infléchir. La cruauté de la situation était en fait pire, pire le déchirement intérieur, pire le silence qu'elle s'est imposé dans la cellule pour soutenir encore Georges et sa volonté de sacrifier sa vie. Charlotte parle les dernières années de sa vie. Dit ce qu'elle a contenu pour étouffer la douleur, survivre à l'épreuve.

Elle reçoit encore de l'étranger un autre écho à son œuvre, cette fois de la part d'un écrivain suisse. Yvette Z'Graggen

1. *Glasgow Herald* du 24 avril 1981.

lui adresse une nouvelle, « Auschwitz 81[1] », la visite qu'elle a faite du site en novembre 1981, un texte ponctué, scandé, d'extraits d'*Aucun de nous ne reviendra* dont la lecture l'avait tant bouleversée. Yvette Z'Graggen vient de fait paraître un livre aux éditions de l'Aire, *Les Années silencieuses*, sur ces années de guerre en Suisse, un livre personnel sur les deux mémoires, ses propres souvenirs, ce que la jeune fille vivait, et la mémoire officielle des événement à travers la presse suisse de l'époque, pour « comprendre pourquoi on ne savait pas ». C'est dire comme le mouvement des consciences se fait au commencement des années 80, pour crever le silence qui avait recouvert l'existence et la réalité d'Auschwitz.

À Charlotte reviennent toujours les images difficiles, celles de ses compagnes à Birkenau, qui ont recouvert les souvenirs qu'elle aurait voulu garder, le visage de ses amies vivantes. Et elle veut encore dire ce « remords, cette gêne » à s'apercevoir de ce que « Les yeux de la mémoire » ont fait d'elles, comme elle nomme le texte écrit le 14 décembre 82. « Leurs visages réels sont abolis par les masques mortuaires que le camp a posés sur eux. Je sais que Mounette avait des yeux couleur de pervenche, des joues délicatement rosées, mais son souvenir ne me revient jamais dans ses couleurs. Je revois son regard terni, ses pommettes violacées, j'entends sa voix sans timbre. J'étais dans le wagon du voyage avec Viva et il m'est impossible de retrouver ses traits. Je ne revois Viva qu'amaigrie, l'arête du nez accentuée, les yeux enfoncés dans les orbites noires, comme tuméfiées. Et pourtant Viva est de celles qui ont changé le moins vite. Et d'Yvonne Blech, il ne me reste que les traits torturés, les lèvres bleuies, les joues cendreuses, son visage, le jour où elle a décidé, encore droite, encore digne, de ne plus lutter parce qu'elle n'en pouvait plus, et d'aller au revier. (...) Je les revois comme Auschwitz les avait rendues, méconnaissables. La souffrance transformait les visages en autant d'expressions de la mort[2] ».

---

1. *Repères*, Lausanne, numéro d'avril-juin 1982.
2. N° 200 du Bulletin périodique de l'Amicale des anciens déportés d'Auschwitz, novembre-décembre 1982-janvier 1983.

La mémoire n'a rien apaisé, pire elle a fait disparaître les autres souvenirs, plus légers. Il n'y a que son oreille, à Charlotte, qui peut avoir traversé les épreuves et gardé, comme elle l'écrivait dans l'introduction du *Convoi du 24 janvier*, le souvenir de la voix joyeuse de Viva, le timbre vif comme à « un jour de kermesse », quand elle l'appelait dans l'étuve d'Auschwitz parce que Viva l'avait reconnue, alors qu'elles sont toutes déjà nues et tondues et qu'« aucune n'était plus elle ».

Au même moment où elle écrit ce qu'elle ne peut apaiser, elle apprend que ses mots et ses images, il y a quelqu'un qui veut les faire entendre dans un petit théâtre de New York.

Françoise Kourilsky, qui avait dirigé le festival de Nancy en 1978, a fondé en 1982 le « Ubu Repertory Theater » pour faire connaître au public américain le répertoire contemporain français dans des versions traduites. Rosette Lamont lui a parlé de Charlotte Delbo, et Françoise Kourilsky a rencontré Charlotte, à Paris à la fin de l'année, qui lui a remis plusieurs de ses pièces. Elle voudrait donner *Et toi, comment as-tu fait ?*, l'adaptation théâtrale de *Mesure de nos Jours*, une pièce qui n'a pas encore été publiée en France. Rosette est d'accord pour la traduire au cours de l'été 83. En attendant, Françoise Kourilsky décide d'organiser une lecture de *Qui rapportera ces paroles ?* dans la traduction de Cynthia Haft (*Who will carry the word ?*) pour une des Lectures en Scène du lundi soir. Elle aura lieu le 25 avril 1983 et sera reprise le 11 octobre à l'occasion d'un cycle de pièces sur la Seconde Guerre mondiale.

Charlotte s'efforce de vivre cette année 83 sans vouloir s'arrêter à la fatigue qui l'a envahie. Au mariage des jeunes François et Agnès Veilhan au printemps, tout le monde est dehors avant le repas, elle doit demander un siège, c'est la première fois, se souvient François Veilhan, qu'il verra Charlotte assise pendant l'apéritif. Il l'avait toujours vue debout chez elle alors qu'elle faisait asseoir ses amis autour de la table, son verre à la main et une cigarette dans l'autre, pendant ces longs apéritifs, « ça avait même quelque chose d'étrange, cette situation ». Comme elle était restée debout, même titubante, rendue aveugle après le retour violent du typhus en mars à Birkenau, guidée par ses amies pour marcher. Ne pas aller s'allonger au revier.

Elle était grande debout, toujours si droite, la tête levée. À la fin de sa pièce écrite en 67, elle faisait dire au personnage de Werner, l'Allemand qui s'attache à elle, « un jour vous serez un peu lasse de porter haut votre tête », elle savait bien cette tête haute qu'elle voulait pour elle. Sa fierté, un plaisir, et le goût de dominer la situation, comme elle faisait à Breteau, la seule à se permettre de s'asseoir sur la table, les pieds sur le banc, pour converser avec les amis. Elle ne peut plus maintenant rester longtemps debout mais elle fait l'effort d'être là, vient vêtue de vêtements plutôt extravagants, ne cache pas sa tête sans cheveux, porte une boucle d'oreille, une seule, faite d'une plume. Elle lui allait très bien, ajoute François Veilhan.

Pour le bicentenaire de la naissance de Stendhal, *Le Monde des Livres* consacre deux pages à l'écrivain et demande à Charlotte un article, François Bott connaissait bien l'amour de Charlotte pour l'auteur. Elle s'amuse à commencer par la liste des dix livres qu'on emporterait sur une île déserte, ce « jeu gratuit » comme elle l'appelle, puisque personne n'y part sur cette île déserte... « Ils ne sauront jamais si c'était bien ces dix-là qu'il fallait prendre ni comment se seraient comportés ces livres. S'ils étaient restés muets, inutiles...[1] ». Les livres eux-mêmes deviennent des personnes... « Tandis que moi j'y suis arrivée dans l'île déserte. C'est-à-dire que c'était plutôt la banquise de la désolation. Et d'ailleurs je n'avais emporté aucun livre. (...) Jetée sur la banquise de la désolation, qui n'était pas déserte mais peuplée de morts-vivants, je me trouvais nue, dépouillée, désarmée. Il m'a fallu quelque temps pour reprendre pied et songer aux ressources de ma bibliothèque ».

1. *Le Monde* du vendredi 8 avril 1983.

Elle énumère une liste, « j'avais lu dans un grand désordre », cite des auteurs de qualité, poètes, auteurs dramatiques, romanciers, comme les auteurs de « romans à la mode que je lisais tous ou presque ». De « ce fouillis », de « toute une bibliothèque dans la tête », « n'ont affleuré à ma mémoire, là-bas, que les auteurs et les personnages qui devaient soutenir la confrontation avec l'horreur, soutenir le regard de la mort. Les autres, les médiocres, les falots, ne se sont pas montrés. Et maintenant je les ai oubliés. Absolument oubliés. Tandis que ce que j'ai relu mentalement, je le sais presque par cœur. (...). Je sais que Stendhal a été des premiers (il n'a pas été le seul, heureusement) à revenir à mes côtés, à rouvrir ses pages dans ma mémoire. Je les ai lues et relues (façon de dire évidemment) pendant trois ans. (...) Et quoi, direz-vous, qu'y a-t-il d'étonnant à cela ? Nous aussi avons pour intimes Lucien Leuwen, Fabrice, Lamiel et tous leurs compagnons. Ce n'est pas pareil, je vous assure. Vous, c'est pour avoir réellement lu et relu des pages imprimées. Moi c'est pour avoir vécu avec eux par la seule mémoire, et encore, mémoire d'une lecture rapide. À vingt ans, on a rarement relu ». Elle avait trente ans, Charlotte, à Auschwitz, mais décidément ce chiffre de vingt ans est celui qui doit frapper les esprits. Cette façon de relire dans sa mémoire explique la présence et la vie des personnages près d'elle. Ce qu'elle a pu faire revenir en prison, dans le wagon, au camp, c'est ce qu'elle avait ressenti en lisant, ce ne sont pas les phrases qui reviennent, c'est l'émotion des lectures, l'expérience de la lecture.

Elle ne pourra pas expliquer pourquoi Stendhal, avec quelques autres auteurs, « résistait à cette épreuve de vérité, de cruauté ». « Sur la banquise, tout ce qui avait tissé notre vie avait été arraché ou bien tombait comme des peaux mortes ». La mémoire, dans ce dépouillement de tout, a fait sortir les créatures imaginaires de leur contexte fictif pour leur donner une existence plus vraie que celle des créatures réelles. Une nouvelle fois, elle écrit qu'elle ne sait pas expliquer. Elle veut, Charlotte Delbo, garder et répéter cette magie du personnage qui entre en scène, qui, de son pas, d'un geste, de son souffle ou de son silence, de son attente, devient si vrai qu'il incarne tout ce qui, à partir de sa propre vie rêvée, s'est élaboré comme connaissance du monde. Si elle avait eu cette rencontre si forte avec la personne de Louis Jouvet, c'est qu'ils partageaient ce sentiment que seule une construction, une mise en scène avec les mots ou une mise en scène sur un plateau, avec le jeu des personnages, le décor et l'éclairage, seule cette construction, théâtre ou littérature, révèle le mystère sensible, perceptible, du monde, des êtres, d'une situation.

Elle ne quitte pas, à la fin de sa vie, cet amour pour ce qui peut révéler une situation sans l'expliquer. « Encore une fois, je ne sais pas. J'ai seulement appris que les poètes aident plus à vivre que les philosophes (...). Et, le merveilleux, c'est que, malgré la familiarité où je suis avec lui, Stendhal garde son mystère ».

Avec Jouvet, depuis ce jour de leur rencontre où elle lui avait confié désirer devenir professeur de philophie, elle a connu ce que les mots, le pouvoir des mots, proférés, écrits, la voix qui fait entendre, pouvaient donner à sentir du mystère des êtres, du monde.

Et la littérature ne doit pas s'arrêter à un indicible qu'on opposerait à son pouvoir. Elle ne peut accepter qu'il y aurait un indicible. L'inconcevable suffit. L'inimaginable existe. La capacité de la littérature, c'est la recherche des moyens pour dire. Sa force, c'est de mettre au jour, faire entendre, donner à voir, ce qui est, ce qui a pu être, ce qui a eu lieu. Et ne pas vouloir l'expliquer.

Il lui reste à faire savoir ce qu'elle a écrit, ne pas le laisser dans le silence. *La Mémoire et les Jours*, ce ne sera donc pas *Auschwitz et après IV*. Puisque l'éditeur qui a publié la trilogie ne veut pas publier ce qui constitue la suite. Alors sous ce titre qu'elle veut garder, elle cherche à concevoir son dernier livre, elle sait que c'est le dernier. Elle voudrait qu'il contienne tous ses textes qui n'ont pas été publiés. Elle va ajouter, à ce qu'elle avait donné à lire à Lindon, les chapitres qu'elle avait laissés de côté, Varsovie, Le Tombeau du Dictateur, *Kalavrita des mille Antigone*, que ses cris et ces douleurs soient sus.

L'ordre de la composition devient difficile à trouver. Elle cherche ce qui peut faire écho entre tous les textes qu'elle veut inclure. Elle écoute, expérimente, défait et recompose le jeu des feuillets. Elle ouvre au milieu les quatre pages du poème à sa mère, rejette plus loin la deuxième partie constituée de son regard à elle, pour placer, au milieu du poème « Ma mère, les étoiles », le récit d'Ida qui sait maintenant que sa mère a agonisé à Birkenau et le récit de celui qui est « content » d'y être allé parce qu'il a vu où sa mère est morte. Le rapprochement et la symétrie des regards vers le ciel et ses étoiles entre la mère et la fille s'évanouissent, on peut le regretter.

Et elle n'a pas fini de bousculer la précédente composition. Elle scinde son tableau sur la Tzigane dans le rang en face d'elles, en isolant sur une page les vers avec lesquels elle le commençait. Elle extrait un vers sorti de son poème « La Crétoise » pour le placer seul au milieu d'une page, ôte les titres qu'elle avait portés à la plupart de ses textes, supprime les dédicaces de « La Crétoise » à Tatiana Milliez, et de « Makronissos » à François Bott. Et surtout elle enlève le texte qu'elle a écrit sur la manifestation des Algériens, « La 7e année de la guerre d'Algérie », parce qu'un ami l'aime moins. Alors qu'elle était la première à écrire ce drame de la manifestation du 17 octobre 61, à en dire la tragédie. Une manifestation en droite ligne des luttes contre l'oppression de l'occupant qu'avaient connues ceux qui avaient résisté de 40 à 45, comme l'avaient souligné tant de contemporains, et qu'elle relevait dans *Les Belles Lettres*. Mais Charlotte n'a plus en face d'elle un éditeur qui la publie et avec qui parler. Et elle se sent étreinte par le sentiment qu'il reste tant et tant à faire entendre encore. « Que de fois j'ai étouffé de rage parce que mon indignation n'était pas assez forte pour faire éclater d'autres cris qui auraient par leur nombre et leur violence mis fin à la honte[1] », a-t-elle écrit sur un des derniers feuillets manuscrits. Elle tient à garder ce qu'elle a voulu rendre sur tant de sujets différents, et cherche la composition d'un livre dont elle sent que c'est le dernier, et que s'éloigne son énergie à vivre.

Des amis se proposent pour remettre sa nouvelle composition du manuscrit à des éditeurs. François Bott le confie aux éditions du Seuil. Le comité de lecture a été « très partagé[2] » sur l'ouvrage mais finalement prend la décision de ne pas le publier. « Tous ont été touchés par ce que vous écrivez superbement de la mémoire et par ces témoignages de ceux qui racontent ce monde "où on ne peut imaginer, ni être autre, ni être ailleurs" ». Mais « la construction éclatée » ne remporte pas leur adhésion, ils ont regretté aussi « qu'un long texte ne soit pas inédit », il s'agit de *Kalavrita des mille Antigone*, et surtout ce manuscrit apparaît « essentiellement comme la suite à une œuvre... que nous n'avons pas publiée ». Monique Cahen, une des éditrices de la maison qui lui fait part de cette décision, après avoir tant cherché à la joindre par téléphone pour lui parler de vive voix plutôt que lui écrire, « regrette personnellement » que ce soient les lecteurs réticents qui aient finalement emporté la décision du comité de lecture. Parce qu'elle n'avait pu oublier sa lecture d'*Aucun de nous ne reviendra*, et qu'elle a lu son manuscrit le mois dernier avec la même émotion.

Olga Wormser-Migot l'a donné à lire chez Buchet-Chastel, et Delbo reçoit une lettre-type de refus, sans mention du titre du manuscrit, mais « à propos d'Auschwitz » (sic). Diane de Margerie à qui Charlotte l'a adressé, le donne à lire aux éditions que vient de créer Bernard Barrault. Il écrit à Charlotte Delbo le 15 novembre 83 qu'il trouve la même puissance d'évocation dans ce manuscrit que dans ses

1. Feuillet séparé, ajouté à « La 7e année de la guerre d'Algérie », BNF, Fonds Delbo, 4-COL-208-281, Succession Delbo.

2. Les extraits de ces lettres de refus d'éditeurs proviennent du Fonds Delbo à la BNF, 4-COL-208-131, Succession Delbo.

précédents ouvrages, mais il lui semble que tous les textes réunis n'ont pas la même intensité et que leur rapprochement n'est pas justifié. Il lui propose de déjeuner avec elle pour en parler plus longuement, ce que Charlotte accepte en décembre. L'hétérogénéité de tous ces textes lui est une fois encore signifiée. Elle adresse le manuscrit aux éditions Verdier, Colette Olive lui répondra après plusieurs échanges, Charlotte s'impatientait de la longue attente d'un retour de lecture, elle lui fait savoir que Verdier ne peut le retenir, mais personnellement elle souhaite « le voir publié ».

Au début de l'année 84, Charlotte apprend par Rosette Lamont qu'un professeur d'une Université de l'Ohio, Francis Bartkowski, écrit sur elle, son œuvre, il a été « très ému[1] » par *Aucun de nous ne reviendra*, lu dans sa réédition chez Beacon Press, travaille sur *Qui rapportera ces paroles ?* dans la traduction de Cynthia Haft, il souhaite la lire en français, et projette de lui rendre visite en France l'été prochain. Et Claude Schumacher lui annonce qu'il va monter *Et toi comment as-tu fait ?* l'année prochaine à Édimbourg, le 16 septembre 85, lui précise-t-il. Enfin en France il y a cet espoir depuis un an d'une représentation à l'Odéon dans la petite salle de *Kalavrita des mille Antigone*, que Delphine Seyrig interpréterait seule en scène, suivi d'*Une Scène jouée dans la mémoire* qu'elle jouerait aussi avec un partenaire.

Le projet est mené par Daniel Leveugle et soutenu par Jacques Baillon, l'administrateur de l'Odéon, mais il finit par être refusé en février 84 par le comité de lecture de l'Odéon, qui ne voit pas *Kalavrita des mille Antigone* comme une œuvre dramatique, mais plutôt comme un poème. Daniel Leveugle cherche une autre scène, ne renonce pas. En novembre, ils déjeunent ensemble, Seyrig, Delbo et lui, pour parler de cette double représentation. Les deux pièces à la suite l'une de l'autre pourraient avoir un effet « pesant » sur le spectateur,

1. BNF, Fonds Delbo, 4-COL-208-195, Succession Delbo.

mais Daniel Leveugle est convaincu que ce « poids » est justement sa force, il l'écrit à Delphine Seyrig après leur repas, ce projet a « le mérite d'être cohérent et sans mollesse[1] », et la présence d'une comédienne comme elle, un gage de succès. Il veut aller avec Seyrig voir la salle de Jean-Louis Barrault et celle de l'Espace Cardin, trouver une scène qui ne soit pas exiguë pour qu'on n'ait pas l'impression d'une récitation et qu'elle puisse évoluer dans un espace assez large pour lui donner sens. Il a glissé une copie de sa lettre à Seyrig pour Delbo.

Charlotte reçoit encore cet automne 84 une lettre chaleureuse de Lawrence Langer. Et il lui fait savoir comme il apprécie particulièrement ce qu'elle a écrit pour *La Mémoire et les Jours*. Et mieux que Rosette Lamont même, Langer en perçoit l'originalité.

Rosette avait tendance à infléchir par un optimisme personnel la voix de Delbo, le désespoir douloureux qu'elle fait entendre, et voyait dans son œuvre la « possibilité de revivre ». Lawrence Langer nuance ce qu'il trouve trop affirmatif chez Rosette, il le lui avait écrit : « Qui, après tout, renaît à la fin de *Auschwitz et après* ? “Refaire sa vie” dit Françoise à la fin de *Mesure de nos jours*, “quelle angoisse”. Elle vit, elle nous le dit, “en sursis”. J'ai toujours senti que pour les survivants de Delbo, la vie n'est pas un renouveau, mais un sursis. »

Et c'est lui qui voit la nouveauté du ton dans ce qu'elle a écrit pour *La Mémoire et les Jours*. Charlotte lui a fait parvenir tous les chapitres qui concernent Auschwitz. Elle entendra au moins avant de mourir, la voix d'un fin connaisseur de littérature et de littérature concentrationnaire lui parler de ces nouveaux textes qu'elle voyait comme le quatrième volume d'*Auschwitz et après*.

Lawrence Langer le trouve « l'égal des trois précédents volumes, mais en quelque sorte plus profond ». Il est particulièrement sensible à la distinction qu'elle développe entre la

1. BNF, Fonds Delbo, 4-COL-208-130, Succession Delbo.

mémoire profonde et la mémoire ordinaire, et ce qu'elle sait dire de son dédoublement. Charlotte lui fournit de nouveaux outils, un nouveau vocabulaire, pour penser la question qui l'occupe actuellement. Il visionne des entretiens filmés avec des survivants des camps. Il est « en train de découvrir comme le fossé est grand entre ce que l'intervieweur entend et ce que le survivant veut qu'il écoute ». Les images que développe Charlotte dans le chapitre, « Expliquer l'inexplicable », pour parler de la coupure entre mémoire profonde et mémoire ordinaire, et la même coupure dans le vocabulaire, peuvent expliquer ce phénomène d'une façon tout à fait nouvelle et originale. Il va à l'université de Yale, où se trouvent ces archives filmées, pour y faire une conférence, et compte parler de son œuvre dans sa conférence, lui écrit-il[1].

Il est très sensible à sa façon d'évoquer le monde projeté devant soi au camp, et la réalité « après ». Enfin, il veut lui dire la qualité si singulière de ce qu'elle sait rendre mieux que quiconque. « Dans tout ce que vous écrivez, mêlée aux souvenirs de la douleur, on sent une joie possible. Il en résulte un rendu où s'expriment une douleur extrême et un sentiment intense, presque grisant, de vie, c'est d'une honnêteté qu'on rencontre rarement ».

Il lui précise que depuis le début de l'année, cette année 84, il cherche à faire traduire et publier ensemble les quatre volumes d'*Auschwitz et après*. C'est aux États-Unis que Charlotte peut avoir l'espoir de voir publier cette tétralogie. Le directeur des Presses de l'Université d'Indiana a demandé à Langer d'écrire une lettre pour présenter ce projet, ce qu'il a fait. Il annonce à Charlotte que Rosette a fait de même et qu'il a demandé à plusieurs autres personnes d'écrire dans ce sens à l'éditeur.

Et il a pensé au souhait que Charlotte lui avait exprimé l'année dernière d'aller en Californie. Il lui fallait encore imaginer de pouvoir entreprendre un grand voyage ! Il a

1. Lettre de Lawrence Langer, en anglais, du 15 octobre 1984, BNF, Fonds Delbo, 4-COL-208-112, Succession Delbo.

parlé d'elle à un de ses amis qui enseigne à l'université de Stanford, qui « écrit un livre sur Paul Celan et qui l'attendrait à l'aéroport et la logerait volontiers. J'espère que votre santé permettra bientôt cette visite, ce voyage ». Il attend, au voyage du retour, qu'elle s'arrête chez eux.

Fin octobre et début novembre, Rosette écrit à Charlotte pour lui faire part du projet de Langer, de filmer un entretien avec l'écrivain Charlotte Delbo. Ce serait le premier à rejoindre les Archives vidéo du fonds Fortunoff rassemblées à l'Université de Yale. Archives que dirige « un grand érudit, un ancien camarade de classe » lui confie Rosette. Langer ne peut venir en France, il a proposé à Rosette de faire cet entretien, elle part à Boston pour le préparer avec Larry (Langer). « Ce sera un très beau document et plus que cela puisque ce sera aussi (pour le moment) la première conversation de ce genre avec un écrivain (et quel écrivain !). Je tâcherai de ne pas vous fatiguer ».

Mais on vient de découvrir à Delbo un cancer à l'œil. Et cette fois, Charlotte prend peur, elle redoute qu'on lui enlève l'œil. La chimiothérapie enrayera la progression de la tumeur, elle gardera son œil. Mais à partir de là, elle parlera de son cancer.

La fatigue la gagne de plus en plus, elle s'efforce de sortir encore entre les jours des séances de chimiothérapie, mais à ses séances elle doit se rendre en ambulance. Un jour que François Veilhan l'accompagne, elle lui dit d'une voix qu'il ne lui avait jamais entendue, cela fait sept ans qu'il connaît Charlotte Delbo, qu'elle n'imaginait pas se trouver un jour allongée comme elle est là, sur une civière. Ses mots sont comme un cri, et il se souvient du ton dur avec lequel elle parle d'elle-même, de son effroi dans sa voix. C'est un seuil inacceptable qu'on lui fait franchir. « C'est moi qu'on transporte, aujourd'hui ! » dit-elle. Un cauchemar qu'elle n'aurait jamais voulu vivre. « Je ne veux pas passer sur la petite civière », elle l'avait répété dans les pages d'*Aucun de nous ne reviendra*. Charlotte Delbo a une image repoussante de la mort, le souvenir de tout ce qu'elle a vu l'a rendue indigne et laide.

Elle doit être hospitalisée au cours du mois de décembre mais jusqu'au bout elle résistera à là où elle se trouve. Il n'est pas question pour elle de toucher aux plateaux-repas, elle ne supporte pas l'odeur, une nourriture qu'elle trouve infecte. Choisir, jusqu'au bout. Et ses amies sont là. Elles se relaieront, elles viendront chaque jour pendant trois mois à tour de rôle apporter ses repas. Un va-et-vient organisé se met en place jusqu'à sa chambre. Charlotte a toute sa tête pour s'occuper de régler ses affaires personnelles, elle confie la clé de chez elle à l'un ou à l'autre pour qu'on lui apporte ce dont elle a besoin.

Fin février, elle ne peut presque plus rien avaler, sinon quelques gorgées de champagne auquel elle veut goûter encore. Elle est lucide jusque quelques jours avant la fin, alors elle veut choisir les mots de sa sortie. Elle demande à Claudine de parler d'elle dans les mots qu'elle veut, tu leur diras comme je te parlais de la belle vie que j'ai pu avoir, de ces fleurs que j'ai aimées, des voyages que j'ai pu faire… Elle met en place ce qui se dira. Elle voulait créer encore une forme de conversation à partager, au-delà de sa présence. Se dédoubler et créer l'enchantement. Refaire parler la vie, quand elle était sur le point de la quitter. Résister à la mort avec un récit.

Renée Bridel remerciera Claudine de la visite qu'elle a pu lui faire après son décès. « Vous m'avez dit surtout l'essentiel, c'est-à-dire ce qu'elle a pu vous confier "Tu sais, j'ai eu une belle vie…". C'est une phrase merveilleuse (…), ces agréments dont vous parliez, les parfums, les fleurs, les bons dîners, et aussi les voyages, les beaux spectacles. En tout cas merci de tout cœur pour ce que vous m'avez raconté[1] ».

Le dédoublement, encore, et la lucidité. Comme dans l'enfance où elle regardait son visage dans la glace et s'étonnait que ce puisse être elle. Plus tard, quand elle écrivait l'épouvante et ajoutait « et maintenant je suis dans un café à écrire ceci[2] », ou affirmait que celle qui avait été à Auschwitz ce n'était pas elle. Elle connaissait le travail à faire pour vivre et

1. BNF, Fonds Delbo, 4-COL-208-309, Succession Delbo.
2. *Aucun de nous ne reviendra*, *op. cit.*, p. 49.

le travail à donner pour écrire. Maintenant, puisqu'elle sait le terme tout proche, elle prépare le récit de ses dernières paroles. Une façon aussi de rendre un hommage, le dernier, à la vie qu'elle a aimée, de se détourner de la mort qu'elle avait trop vue « à prunelles nues ».

Le coma la prend. Quelques jours dans la chambre à l'Hôtel-Dieu où Charlotte Delbo est au cœur de l'île de la Cité, au centre de Paris, sa ville, allongée oui cette fois, mais les deux bras de la Seine autour de l'île.

Et ça s'est passé pendant la nuit.

Seule. La dernière nuit. Comme il y avait déjà eu une dernière nuit, il y a longtemps, à l'écart des autres. Les compagnes s'étaient endormies dans la baraque, et elle s'était relevée. Cette fois, c'est pour le grand départ.

Mais il restait les livres.

Remerciements

Si la voix de Charlotte Delbo fut le fil que j'ai tenu toutes ces années, je voudrais remercier ceux qui m'ont aidée à la chercher.

Je pense au souvenir de Claudine Riera-Collet, décédée le 4 janvier 2014, sa légataire testamentaire, qui m'a reçue si souvent du 10 juin 2010 au 25 octobre 2013 chez elle, dans l'appartement qui fut celui de Charlotte Delbo.

La lecture des archives de Charlotte Delbo, confiées en mars 2013 à la Bibliothèque nationale, fut une étape décisive. Que Joël Huthwohl, directeur du Département des Arts du spectacle, Mileva Stupar, conservatrice qui était chargée du Fonds Delbo et du Fonds Jouvet, et toute l'équipe des magasiniers soient remerciés de la qualité de l'accueil que j'ai toujours reçu.

Pour les correspondances que j'ai pu lire, je remercie la famille de Marie-Élisa Nordmann-Cohen, Anouchka Berthoux-de Belleval et Cynthia Haft.

J'ai une vive reconnaissance pour ceux qui l'ont connue, que j'ai pu rencontrer. En premier lieu pour François Veilhan, et pour Cynthia Haft à travers nos entretiens téléphoniques depuis Jérusalem. Et pour Anne de Belleval que je suis allée voir à Marseille, Michel Ziegenhagen à Lausanne, Michel Samarine à Genève ; à Paris, pour François Bott, Ida Grinspan, Jean-Marcel Lèbre, Cyril Lèbre, Anouchka Berthoux-de Belleval, Georges Nataf dans sa maison d'édition, Berg international qui a publié après la mort de Charlotte son dernier livre et réédité dix ans plus tard, *Spectres, mes compagnons* ; pour André Acquart dans son atelier de décorateur-scénographe ; Marielle Issartel, Andrée Michel, et Danièle Naret-Smadja de la librairie « L'Escalier » où se rendait souvent Charlotte.

Annette Wieviorka m'a fait l'amitié de répondre à mes interrogations personnelles sur les années de la déportation et m'a aidée à préparer ma visite sur le site d'Auschwitz, dans l'enceinte de Birkenau, à l'extérieur vers « les marais » et à Raisko où se trouvent le bâtiment aujourd'hui délabré du laboratoire agricole et les serres. Anne Simonin qui connaît très bien l'histoire des éditions de Minuit m'a orientée sur des pistes pour mieux apprécier le contexte des relations de Charlotte Delbo à son principal éditeur.

Je n'oublie pas ceux avec qui j'ai eu, à différentes étapes de mon livre, de fructueuses conversations, ou qui m'ont donné de précieuses informations, Luc Autret, Constance Chlore, Isabelle Cohen, Frieda Ekotto, Claude Grimal, Marion Graf, Marie-Paule Hervieu, Doris Jakubec, Claude Leroy, Hughes Lethierry, Ève Mascareau, Éric Monnier et Brigitte Exchaquet-Monnier, Gilbert Moreau, Gilberte de Poncheville, Claude-Alice Peyrottes, Elisabetta Ruffini, José-Flore Tappy, Chantal de Schoulepnikoff, Olivier Véron, Cécile Wajsbrot.

Que tous soient remerciés chaleureusement.

Crédits des citations

Charlotte Delbo :
Les Belles Lettres © 1961 by Les Éditions de Minuit
Le Convoi du 24 janvier © 1965 by Les Éditions de Minuit
Aucun de nous ne reviendra © 1970 by Les Éditions de Minuit
Une connaissance inutile © 1970 by Les Éditions de Minuit
Mesure de nos jours © 1971 by Les Éditions de Minuit
Spectres, mes compagnons © Berg International, réédité en 2013
La Mémoire et les Jours © Berg International, réédité en 2013
Ceux qui avaient choisi © Les provinciales, 2011
Qui rapportera ces paroles ? © Librairie Arthème Fayard, 2013

Bibliothèque nationale de France, département des Arts du spectacle, fonds Louis Jouvet
Bibliothèque nationale de France, département des Arts du spectacle, fonds Charlotte Delbo, avec l'aimable autorisation de la Succession Delbo
Correspondances inédites de Charlotte Delbo, avec l'aimable autorisation de la Succession Delbo.

Anna Akhmatova, *Requiem* © 1966 by Les Éditions de Minuit
Louis Jouvet, *Molière et la comédie classique* © Éditions Gallimard
Roger Vailland, *Écrits intimes* © Éditions Gallimard
Paul Claudel, *Poésies* © Éditions Gallimard
Paul Claudel, *Corona benignitatis anni dei* © Éditions Gallimard
Simone de Beauvoir, *La Force de l'âge* © Éditions Gallimard
Varlam Chalamov, *Récits de la Kolyma* © Éditions Verdier, 2003 pour la préface et la version française intégrale établie par Luba

DU MÊME AUTEUR

L'IMPUDEUR, *roman*, Gallimard, 1989. (Folio n° 2254).

LA LETTRE OUBLIÉE, *roman*, Gallimard, 1993.

CÈNES, *roman*, Gallimard, 2001.

UN EFFONDREMENT, Grasset, 2007.

HENRI THOMAS, en collaboration avec Luc Autret, *La Revue de Belles-Lettres*, n° 2013-I.

Cet ouvrage a été imprimé par
CPI BUSSIÈRE
pour le compte des éditions Grasset
en septembre 2016

Mise en pages PCA
44400 Rezé

Grasset s'engage pour
l'environnement en réduisant
l'empreinte carbone de ses livres.
Celle de cet exemplaire est de :
1,40 kg éq. CO_2
Rendez-vous sur
www.grasset-durable.fr

Première édition, dépôt légal : septembre 2016
Nouveau tirage, dépôt légal : septembre 2016
N° d'édition : 19591 – N° d'impression : 2025635
Imprimé en France